AYRTON

o herói revelado

Rothmans
RENAULT
elf
Rothmans
SONAX
NACIONAL
NACIONAL

Ernesto Rodrigues

Ayrton

o herói revelado

Objetiva

Design de capa e miolo
Silvana Mattievich

Editoração Eletrônica
Marcia Raed

Revisão
Damião Nascimento, Taís Monteiro,
Umberto Figueiredo Pinto e Rita Godoy

Pesquisa de Imagens
Valéria Motta, Márcia Zanelatto
e Daniele Ribeiro

Índice Remissivo
Luiz Alberto Couceiro

Assistente de Produção Gráfica
Marcelo Xavier

Produção Gráfica
José Jardim

Coordenação Editorial
Isa Pessôa

LEI DE INCENTIVO À CULTURA
MINISTÉRIO DA CULTURA

GETEC

elpaso

R696a
Rodrigues, Ernesto Carneiro
Ayrton: o herói revelado / Ernesto Carneiro Rodrigues. - Rio de Janeiro : Objetiva, 2004.

639 p. : fotografias ISBN 85-7302-602-2

1. Senna, Ayrton (1960 – 1994) - Biografia. I. Título
CDD 927

De um lado,
para Sylvia, Tadeu, João,
Carolina e Mariana

De outro,
para Milton Coelho da Graça,
meu mestre

UNIVEL
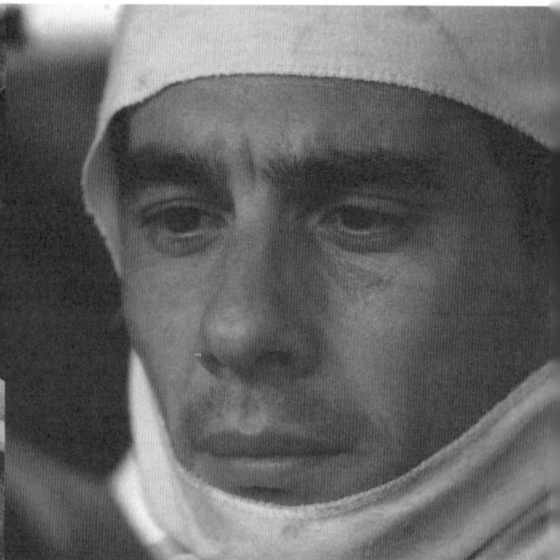

BOSS

NACIONAL
BOSS
Shell
KENWOOD

Sumário

McLAREN INTERNATI
TAG
HEUER

Prefácio

Edite, minha mãe, fazia um esforço contagiante para me acompanhar diante da tevê naquelas manhãs de domingo, quando os grandes prêmios coincidiam com meus fins de semana de descanso na cidade em que nasci, Lambari, no Sul de Minas. Mas era dona Leda, mãe de André Gesualdi, um grande amigo de infância, quem entendia de Fórmula 1 e de Ayrton Senna. Ela, o filho e o marido, Ismael, um médico que não largava de cigarros Hollywood, política, esporte e jornais, eram especialistas apaixonados.

Este livro começou a ser escrito quando atravessei a rua que separa a casa do meu pai da dos Gesualdi, e descobri que, além da paixão por Ayrton, dona Leda tinha guardado, ao longo de mais de 20 anos, na garagem em que eu e André jogávamos futebol de botão quando meninos, uma gigantesca preciosidade: dezenas de caixotes de papelão, com milhares de recortes de jornais e revistas cuidadosamente identificados. Tudo sobre Fórmula 1 e, em especial, Ayrton Senna. Era um tesouro. E o impulso definitivo para que eu, jornalista e apaixonado por automobilismo, mergulhasse de vez no antigo projeto de escrever o livro que nunca li sobre a vida de Senna.

Sempre achei que Ayrton, como personagem que conquistou um espaço único e extraordinário na alma dos brasileiros, merecia uma biografia abrangente, profunda e criteriosa. Sempre senti falta de um retrato de Senna como piloto, homem, filho, namorado, amigo e ícone do povo brasileiro. Ao mesmo tempo, eu também queria escrever um livro para quem continua perplexo e despreparado para o golpe que ainda aperta o peito, dez anos depois.

Este livro foi concebido, produzido e escrito na delicada e emocionante fronteira entre o Ayrton e o Senna, a pessoa e o piloto, o homem e a celebridade. A mim interessaram não apenas o campeão amado que explodia e nos contagiava de emoção, mas também o homem que se fechava, com férrea determinação, para preservar sua vida pessoal, expondo uma personalidade contida sobre a qual muitos mitos surgiram. Desvendar os enigmas que se criaram em torno de Ayrton com rigor e honestidade foi um dos desafios a que me propus.

Todos os episódios relatados neste livro são baseados em pelo menos uma fonte confiável de informação. Na maioria das vezes, em mais de uma fonte. Como este não é um livro acadêmico, com notas de pé de página, cumpre explicar, no prefácio, os critérios de atribuição das fontes. O uso de aspas demonstra que o trecho é uma transcrição literal de material de pesquisa ou de entrevistas feitas por mim ou pela equipe do projeto do livro. O uso do travessão indica que o texto foi reconstruído a partir da memória de pelo menos um participante, testemunha ou personagem, em depoimentos gravados digitalmente.

Cada reportagem, cada entrevista, cada declaração que considerei relevante foi transformada no que chamei de sinopse temática. Depois de meses de pesquisa, foram elaboradas 4.361 sinopses, que incluíam material de 491 edições do jornal *O Globo*, 291 do *Jornal do Brasil*, 267 do *Estado de S. Paulo* e 76 da *Folha de S. Paulo*. Juntando registros de outros jornais e de revistas em geral, cheguei ao banco de dados a partir do qual planejei e montei as entrevistas que fizemos no Brasil, Inglaterra, Itália, França, Portugal e Japão.

Destaco, entre as obras e autores consultados, os textos do jornalista Nigel Roebuck, na revista *Autosport* e em seu livro *Chasing the Title* [Em Busca do Título], por se tratar de um olhar imprescindível sobre os tempos de Senna na Fórmula 1. O livro *The Hard Edge of a Genius* [O Limite da Genialidade], de Christopher Hilton, considerado uma espécie de biografia esportiva autorizada por Senna até sua primeira edição, em 1990, também mereceu minha atenção especial. Assim como o livro *O Caminho das Borboletas*, de Adriane Galisteu.

Entre os mais de 200 entrevistados, agradeço especialmente a confiança de alguns, que abriram sua intimidade ao reconstituir momentos da vida de Ayrton: Antonio Carlos de Almeida Braga, Galvão Bueno, Cristine Ferracciu, Lilian de Vasconcellos, Lúcio Pascoal, Alfredo Popesco, Pedro Queiroz Pereira, Juracy dos Santos, Owen O'Mahony, Marcos Magalhães Pinto, Nuno Cobra, Reginaldo Leme, Ubirajara Guimarães, Linamara Battistella, Ron Dennis, Julian Jakobi, Nelson Loureiro, Walderez Zanetti, Américo Jacoto Júnior, Gerard Ducarouge, Peter Warr, Takeo Kiuchi e Nobuhiko Kawamoto. Agradeço também a Leda Gesualdi, o marido Ismael, que já se foi, e seu filho, meu amigo André. A família de Ayrton foi procurada, mas preferiu não dar depoimentos.

Duas pessoas merecem minha fundamental gratidão por atitudes decisivas na realização do projeto do livro: Roberto de Almeida, vice-presidente de Relações Institucionais e Marketing da El Paso do Brasil, e José Lauro de Freitas Filho, diretor da empresa Getec — Guanabara Química Industrial S.A. Outras, como Alexandre Ferreira e Sérgio Gilz, pelos conselhos amigos nas horas certas. E Olenka Lasevitch, por sua solidariedade profissional.

Na fase de produção, este livro tornou-se realidade com o apoio e a dedicação de Roberto Wertman, Renata Rodrigues, Emily Sasson Cohen, Mitsuo Kawasaki, Gina Marques e, de forma especial, Carolina Lauriano. Na fase de edição, registro minha gratidão à equipe da Editora Objetiva. A Isa Pessôa, meu carinho pela confiança precoce e pela aposta, ainda no início do projeto. A Roberto Feith, uma mistura de agradecimento e celebração, pela descoberta de um editor sensível, equilibrado e entusiasmado.

Todas as respostas que considerei relevantes estão contadas. Não encontrei todas, mas acredito, sinceramente, que este livro nos deixa mais próximos, mais íntimos e um pouco mais capazes de decifrar a tristeza, a fúria, o sorriso e o inesquecível impacto que Ayrton Senna da Silva provocou em nossas vidas.

ERNESTO RODRIGUES
Janeiro de 2004

1º de maio de 1994, Ímola, Itália — Ayrton se concentra minutos antes de sua última largada.

Os Enigmas de Ímola

No horário da Itália, eram 13h27 do dia 1º de maio de 1994, quando Ayrton surgiu dos fundos do boxe da Williams, macacão amarrado à cintura, pronto para entrar no carro e seguir para o *grid* de largada. Como fazia em todas as corridas, o cinegrafista Armand Deus, da TV Globo, apertou o botão de sua câmera Betacam e começou a captar as imagens.

Procedimento de rotina. Não era uma transmissão ao vivo. As imagens seriam usadas para ilustrar a reportagem sobre a corrida que o correspondente Roberto Cabrini editaria no final do dia, a tempo de ser gerada para o Rio de Janeiro e exibida no programa *Fantástico*.

Não era um dia de sorrisos para ninguém no autódromo de Ímola.

Menos ainda para Ayrton, que havia anos já assombrava mecânicos, engenheiros, jornalistas e namoradas com sua capacidade de se concentrar nos momentos que antecediam à largada, tornando todos à sua volta rigorosamente invisíveis e inaudíveis. Seu olhar, naqueles momentos, parecia estar em outra dimensão. Sua seriedade formava uma muralha da qual poucos ousavam se aproximar, não importando a patente familiar ou a relação contratual.

Para alguns, naqueles momentos ele antecipava curvas e movimentos dos adversários. Para outros, rezava. Outros ainda achavam que aquela era uma travessia sensorial para um mundo cheio de fúria que só cabia e existia no *cockpit*. Uma travessia sem volta até que a corrida, a dele, terminasse.

A câmera de Armand Deus continuava gravando quando Ayrton se aproximou da parte traseira de sua Williams e pousou as mãos sobre o aerofólio. Teve uma rápida conversa sobre a suspensão traseira com o engenheiro David Brown. Depois, seu olhar passou a se alternar entre o nada e a Williams, ainda suspensa nos cavaletes, sem as rodas, recebendo os últimos ajustes dos mecânicos.

Era mais do que a concentração de sempre. Havia uma contida inquietação. E também uma tristeza solene e impotente. Estavam ausentes, no seu semblante, como desde o início daquele ano, a intensidade e aquele olhar de predador dos tempos da Lotus e da McLaren. Nem mesmo o rápido comentário de Patrick Head, o diretor da Williams, pareceu diminuir a distância que ele mantinha de tudo que o rodeava.

Algum pensamento finalmente o resgatou daquela estranha dispersão para o ritual do *cockpit*: balaclava, capacete, macacão fechado até o pescoço e uma espera disciplinada, de pé, com as mãos cruzadas sobre a cintura, pela ordem de entrar no carro e ajustar o cinto de segurança.

As imagens gravadas por Armand Deus no boxe da Williams e, minutos depois, as que foram feitas no *grid* de largada, quando Ayrton mudou a rotina e tirou o capacete, se tornaram históricas. Deflagraram o sofrido exercício ao qual milhões de pessoas, especialmente os brasileiros, se entregaram nos dias seguintes: o que estava por trás daqueles últimos olhares, gestos e silêncios?

Havia muitas respostas possíveis, sozinhas ou combinadas. Dentro e fora da pista.

Schumacher estava ali, quase ao lado, mais do que nunca disposto a destroná-lo. Roland Ratzenberger morrera depois de uma batida centenas de metros à sua frente, no dia anterior, e o fizera, pelo menos por algumas horas, desistir de correr. Rubens Barrichello, que ele vinha tratando como uma espécie de irmão mais novo das pistas, sobrevivera a um acidente assustador, na sexta-feira. Aquela Williams que ele chamava de "cadeira elétrica", um carro arisco e difícil de guiar, estava consumindo pneus com preocupante rapidez. E, na noite anterior, ele tinha ouvido uma gravação. Uma conversa de Adriane Galisteu com um antigo namorado.

A placa de um minuto foi erguida.

Vinte e cinco motores de Fórmula 1 começaram a rugir.

Ayrton, na hora de acelerar, costumava deixar todas as preocupações de lado. Não trocava as emoções do *cockpit* por nada da vida. Em mais alguns segundos, ele se entregaria de novo à aventura que tinha começado aos quatro anos de idade, ao soar de um motor de picadeira de cana, com três cavalos de potência.

Palmas no Tremembé

Milton Guirado Theodoro da Silva sempre foi o primeiro a dizer que jamais planejou ou sonhou que o filho se tornasse um piloto de competição, mesmo quando construiu para ele, em seis meses, o *kart* equipado com freios a disco e o motor de picadeira de cana que permitia uma velocidade de até 60 quilômetros por hora. No início, era mesmo uma brincadeira a mais para o filho inquieto e agitado, facilitada pelo fato de Milton ser dono de uma metalúrgica.

Um homem de origem simples, filho de um motorista do Horto Florestal de São Paulo, Milton começou a construir sua fortuna pessoal no ramo de compra e venda de automóveis, negociando com as lojas situadas nas proximidades do complexo penitenciário do Carandiru, no bairro de Santana, Zona Norte de São Paulo.

Habilidoso e rigoroso no trato com o dinheiro, Milton não demorou a acumular um capital que lhe permitiu não só financiar os donos das lojas como ampliar os negócios e montar a metalúrgica Universal, que o transformou num próspero fornecedor da nascente indústria automobilística brasileira. Milton também entrou no ramo da construção civil e, anos depois, tornou-se proprietário de dezenas de fazendas e milhares de cabeças de gado na região Centro-Oeste e na Bahia.

"Miltão", como sempre foi tratado pelos amigos e pela família, incluindo a mulher, dona Neyde, gostava de carros e de corridas. Por mais que gostasse, no entanto, é possível afirmar que nunca passou por sua cabeça que Ayrton pudesse se tornar piloto de competição.

Nem no âmbito sul-americano o automobilismo brasileiro era uma força. As poucas corridas, naquele início dos anos 60, eram muito perigosas e às vezes fatais, para pilotos e espectadores, principalmente quando disputadas em circuitos de rua, como os de Piracicaba, Petrópolis e Rio de Janeiro.

Um retrato da época: num fim de semana de outubro de 1964, no circuito da Barra da Tijuca, houve um episódio que muitos do esporte consideram um acontecimento único no automobilismo mundial: um mesmo carro, uma Alfa-Giulia, matou duas pessoas, na mesma corrida, em dois momentos diferentes, com dois pilotos diferentes ao volante. No primeiro acidente, o piloto Mário Oliveti atropelou dois guardas da Polícia Militar, um dos quais morreria dias depois. Depois, Carlos Augusto Lamego assumiu a direção da mesma Alfa-Giulia para concluir a corrida, mesmo não estando inscrito na prova. Derrapou, perdeu o controle do carro e foi em direção aos espectadores. Uma jovem morreu na hora.

O *kart* era para ser, portanto, um brinquedo. Uma alternativa às bicicletas e carrinhos de rolimã daquele menino que nascera de parto normal no início da madrugada do dia 21 de março de 1960, na tradicional maternidade Pro Matre, na Bela Vista, região central da cidade. A casa em que Ayrton passou os primeiros quatro anos de vida pertencia a João

Senna, pai de dona Neyde, e ficava na esquina da rua Aviador Gil Guilherme com avenida Santos Dumont, a menos de 100 metros do Campo de Marte, uma grande área onde funcionavam o Parque de Material da Aeronáutica e um aeroporto.

INCAS VENUSIANOS

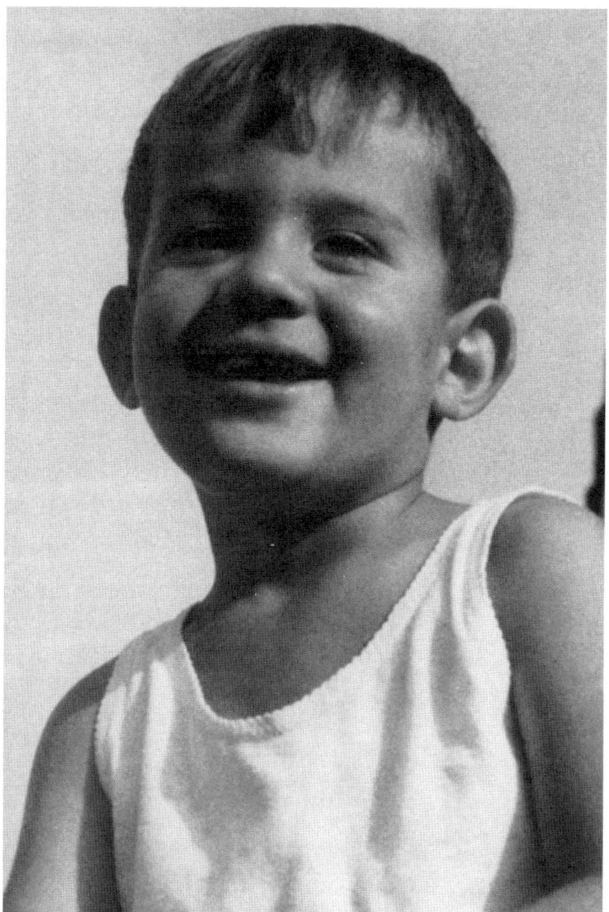

Ayrton, o Beco, um pequeno paulistano inquieto, estabanado e comilão.

Nos primeiros anos de vida, Ayrton não deu o menor sinal de que poderia se tornar o prodígio de precisão e concentração que assombraria o mundo do automobilismo. Dona Neyde e a irmã mais velha, Viviane, eram testemunhas diárias de seu jeito desastrado e de sua média preocupante de tombos, tropeções e batidas de cabeça, algumas delas fortes o suficiente para deixar grandes marcas pelo corpo e galos na cabeça.

Ser canhoto, naquela época, no Brasil, era motivo de preocupação até para educadores. Dona Neyde chegou a agradecer a oferta curiosa de uma professora de Ayrton: ela se ofereceu para forçar Senna a trocar a mão esquerda pela direita, na hora de escrever. A preocupação de dona Neyde com o que no futuro se chamaria de hiperatividade do filho a levou a procurar até um neurologista.

O resultado do exame foi tranqüilizador. Ayrton não tinha nada de errado. Na verdade, era desajeitado, soube a mãe, por ser rápido demais em tudo o que fazia. Era voraz na hora de experimentar, veloz na hora de aprender. Faltava apenas descobrir um pouco mais de precisão na ocupação dos espaços físicos. E era apenas uma questão de tempo para o problema desaparecer, levando com ele o estilo e a fama de desastrado.

O neurologista não fez apenas um diagnóstico. Tateou um fenômeno.

Em 1964, Milton da Silva, cada vez mais bem-sucedido nos negócios, levou a família para a região mais alta e nobre do bairro de Santana, uma área onde, graças ao aclive geográfico, os moradores tinham uma das mais belas vistas da cidade. A nova casa, situada na esquina das ruas Pero Leme e Condessa Siciliano, tinha dois pavimentos, jardim e garagem. Era a mais confortável e bonita da rua.

Os pais de Senna eram admirados por serem pessoas simples, apesar da notória e crescente riqueza. Robinson Gaeta, morador da rua e amigo de Ayrton quando os dois tinham entre quatro e sete anos, era um dos que admiravam a família Senna. O pai de Robinson, Martino, não escondia dele, também, a admiração que tinha pela beleza de dona Neyde. E dizia que a avó de Ayrton era chamada na vizinhança de Maria Bonita pelos mesmos motivos.

Dentro de casa, a preocupação de Senna era com a destruição do planeta pelos incas venusianos e, posteriormente, pelos seres abissais, vilões submarinos que emergiam do fundo do mar e provocavam terremotos, sempre no Japão. Todos exemplarmente derrotados, ao final de 39 episódios, por Nacional Kid, herói da tevê de Senna e dos meninos de sua geração. Alguns anos depois, Ayrton passou a ser um entusiasmado fã do desenho animado *Speed Racer*, um jovem piloto de competição, sempre disposto a lutar pelos amigos, pela justiça e para ser o melhor corredor do mundo, ao volante do Mach 5. Um carro construído pelo pai.

Na rua, Senna era o menino que tinha sempre os brinquedos mais bonitos e caros, pelo menos na memória de Virgínia Bertinni, vizinha três anos mais velha. Muito tímido, Ayrton gostava de emprestar tudo o que levava para a rua:

"Ele era uma graça. Tão bonzinho que alguns até se aproveitavam e tentavam fazer ele de bobo. Tudo o que falavam para ele fazer, ele fazia. E pediam tudo emprestado. Ele sempre emprestava e ficava sentadinho na calçada, olhando."

Quando o menino entrou no *kart* pela primeira vez, a ternura que ele despertava deu lugar à incredulidade.

Seria assim por 30 anos.

João Alberto, um vizinho, seis anos mais velho que Senna, amigo de Viviane, estava entre as pessoas que testemunharam a primeira vez em que Ayrton se ajeitou no banco anatômico do *kart* fabricado pelo pai e acelerou:

"Foi arrepiante. Ele tinha uns quatro anos e todo mundo ficou vendo ele andar no *kart*. Já na primeira volta na rua de terra, ficamos todos impressionados com a noção que ele já tinha."

Em pouco tempo, aos sábados, domingos e feriados, Milton começou a levar Ayrton, os amigos e o *kart* para locais mais amplos e fechados, para que eles se divertissem com mais segurança. Podia ser um loteamento próximo à rodovia Fernão Dias, na saída de São Paulo para o sul de Minas, ou as áreas ainda em construção da Marginal do Tietê. O local preferido, por anos a fio, foi outro loteamento, situado na parte alta do bairro, o

Palmas do Tremembé, futuro bairro de mansões, ainda vazio na época. João Alberto foi um dos primeiros adversários de Senna no volante:

"Não dava. Eu tinha uns 12 anos e não corria como ele, que tinha somente seis."

No início, Milton acompanhou o *show* de *kart* dos meninos com preocupação. Sempre havia um adulto por perto, ele ou Pedro, o motorista da família. Depois, aos poucos, o Ayrton foi ganhando autonomia. Aos sete anos, já ia por conta própria até a oficina mecânica de Martino Gaeta, pai do amigo Robinson, para providenciar "uma graxinha" para as rodas do *kart*. E acabava ficando:

"Ele punha a graxinha no *kart* e ficava por lá. Adorava observar os carros e o trabalho na oficina."

Em 1968, durante um fim de semana na cidade de Itanhaém, litoral de São Paulo, a família tomou um susto que depois virou motivo de muitas risadas. Ayrton, então com apenas oito anos, foi conduzido à casa de praia da família pelo delegado da cidade, que o flagrara dirigindo, sozinho, a camionete Veraneio do pai.

Ayrton era tão pequeno, que a primeira impressão do delegado foi de que o carro estava sem motorista.

Aos dez anos, Senna tinha uma espécie de aventura secreta. Vizinhos de porta da família no alto da rua Condessa Siciliano, Norberto Vieira Lima, então com 18 anos, e a irmã mais nova, Vera, saíam com ele de carro, um Puma, e, sem que Milton e dona Neyde soubessem, entregavam o volante para ele. Ayrton, de acordo com Vera, mal conseguia alcançar os pedais:

"A gente colocava almofada para ele dirigir o carro. E ele adorava. Nunca aconteceu nada porque ele sempre foi muito ponderado. Ayrton era audacioso, sim, mas muito responsável, sabia o que estava fazendo."

Trinta anos depois daquelas escapadas para matar a fome precoce e intensa de dirigir, Senna foi visto por Vera em uma rua do bairro do Morumbi, logo depois de vencer o GP do Japão de 1993. Vera estava com o filho Renato, de 12 anos, e se aproximou da Mercedes em que Senna estava.

A surpresa e a satisfação foram tão grandes que Ayrton fez questão de que ela entrasse no carro com o filho, para que ele retribuísse as voltas de carro às escondidas nas ruas de Santana. Vera entrou e Ayrton pôs o filho dela no volante da Mercedes. Deram uma volta para lembrar os tempos do Puma.

Susto em Campinas

Aos nove anos de idade, Ayrton ganhou um *kart* de verdade. O novo brinquedo era um pequeno foguete que pesava menos de 50 quilos, tinha volante igual ao dos carros de Fórmula 1, freios a discos hidráulicos e era empurrado por um motor com cerca de 100 cilindradas. Chegava a mais de 100 quilômetros por hora, em pistas que tinham como proteção alguns metros de gramado e pilhas de pneus velhos.

"Mataram o moleque."

Milton da Silva lembrou, em depoimento ao jornalista Lemyr Martins, que levou um grande susto logo na primeira corrida em que o filho enfrentou os pilotos oficiais da categoria. Ao defender a liderança, numa prova amistosa realizada em Campinas, Ayrton e seu novo *kart* sumiram no meio de uma nuvem de poeira, depois de um estrondo.

Já antes da corrida, Milton, assustado com o ar carregado de competição, com a média de idade dos concorrentes, quase todos mais velhos que o filho, e com o zumbido impressionante daqueles pequenos bólidos, tremeu com o resultado do sorteio da ordem de largada. Na sorte, aos nove anos de idade, Senna conquistou a primeira *pole position* de sua carreira. Em pânico, Milton partiu para uma solução radical:

"Fiz tudo para ele não entrar na pista. Retirei a inscrição e guardei o *kart*. Mas a insistência dele foi tão grande, que acabei concordando, com uma exigência: não sair na *pole position* e sim em último. Também perdi essa parada."

Ayrton não apenas aproveitou a *pole position* como manteve a liderança da prova por 35 voltas, resistindo à pressão dos veteranos que o seguiam. A cinco voltas do final, o acidente. Milton correu para o local pensando no pior:

"Cheguei na curva, ele já estava de pé, sacudindo a poeira e olhando feio para o garoto que o tirou da pista."

A brincadeira dos loteamentos tinha acabado. Mas o gosto do menino só aumentava.

Dever de Casa

Antes de completar 12 anos, quando freqüentava a piscina do clube Macabi, Ayrton costumava dar caldos em uma menina de olhos claros que tinha sua idade. Ela era filha de Grizelda, uma amiga de dona Neyde, casada com o psicoterapeuta Fábio de Vasconcellos. A menina era a bela Lilian de Vasconcellos, que, anos depois, seria namorada e única mulher a se casar com ele. Mais de 30 anos depois, ela identificou, no padrão ético e moral dos Senna da Silva, a mesma herança que tinha em casa.

O "lado ruim" da herança das duas famílias, de acordo com Lilian, era "a falta de permissão para errar". Uma situação que, para ela, muitas vezes impediu que Ayrton aproveitasse as coisas boas da vida:

"O Ayrton mesmo se cobrava. Ele perdeu algumas coisas, como eu também perdi, pelo excesso da obrigação de ser. O fato de o pai dele ter ficado rico saindo do nada, por exemplo, fez com que ele desejasse percorrer uma trajetória própria, sem nada do seu Milton."

Para Lilian, o perfil de comportamento da família de Ayrton combinava bastante com o estilo discreto, caseiro e conservador das famílias abastadas que tinham casas naquela região de São Paulo. E havia, também, para ela, uma grande vantagem naquele jeito de ser da família:

"A formação era moralmente rígida e tinha um lado muito bom: princípios, respeito às pessoas e aos compromissos de toda ordem. Foi nesse ambiente familiar que nasceu a determinação com que Ayrton perseguiu os objetivos dele."

Nada mais natural, portanto, que Ayrton fosse matriculado pelos pais no austero Colégio Santana, o melhor e mais tradicional do bairro. Em entrevistas futuras, Ayrton reconheceu que seu desempenho escolar diminuiu, à medida que seu envolvimento no mundo do *kart* ficou mais intenso. Ainda assim, a ex-professora Maria do Carmo, mais de 30 anos depois, lembrou que ele era um aluno educado, cujas notas não destoavam da média da sala. E que muitas vezes ele chegava atrasado do recreio, todo vermelho e suado. Correndo.

O velho desafio de canalizar as energias continuou na escola. E, no caso das aulas de judô, o tiro saiu pela culatra nos pátios do Colégio Santana. Em fevereiro de 1989, em entrevista à revista *Exame VIP*, Ayrton contou:

"Como todo ariano, sou um tanto difícil e estourado. Na escola, eu era brigão, com um agravante de saber lutar judô. Minha mãe me pôs na escola de judô naquela de que eu precisava queimar energias, ficar mais calmo. Fiquei cada dia mais brigão. Acabei batendo em muito garoto na escola apenas para treinar um pouco."

O Espanhol

Maurizio Sandro Sala começou a correr de *kart* seis meses antes de Ayrton, em 1973, na categoria Júnior. Tinha feito o prestigiado curso da escola de pilotagem de Carol Figueiredo e preparava seu motor na oficina do espanhol Lúcio Pascoal, o Tchê. Maurizio foi a sensação do kartódromo de Interlagos, até um dia em que Tchê avisou:

— Tem um moleque muito bom que está treinando na pista do Anhembi.

Era Ayrton, que vinha de uma série de vitórias na Categoria Estreantes e Novatos, e estava chegando à categoria Júnior. O que se viu com os dois pilotos, a partir da primeira prova em que eles estiveram na mesma pista, foi um enredo só, até o final da temporada: batidas, rodadas e saídas de pista todas as vezes, sem exceção, em que Ayrton e Maurizio disputaram posição. A razão de tanta encrenca, Maurizio lembrou 30 anos depois, era uma só:

"Ele era mesmo mais rápido. Eu que não deixava ele passar."

No final daquele ano, Maurizio mudou de categoria, passando a Piloto de Competição (PC). Ayrton ficou na Júnior. Os dois jamais voltaram a se enfrentar em competições oficiais. E ficaram amigos para o resto da vida.

Maurizio e outros contemporâneos de Ayrton que não resistiam a ele na pista lembraram que, desde o primeiro momento, Senna teve nas mãos um equipamento de qualidade e um "envolvimento mais profissional" que, na opinião de Maurizio, era decorrente da atitude do pai:

"O estilo Miltão era o seguinte: se vai fazer, faz direito."

Fazer direito incluía, de acordo com a indicação feita pelo piloto Aloísio Andrade a Milton da Silva, entregar o *kart* de Ayrton aos cuidados de Tchê:

— Se você quer um motor bom, fala com o espanhol da Mooca.

Assim foi feito. No dia 26 de junho de 1974, uma quarta-feira, Milton e Ayrton, então com 14 anos, foram até a oficina de Tchê, na Mooca, para pedir que o motor do *kart* fosse preparado já para a corrida daquele ano, em Interlagos. Tchê sabia o que tinha de ser feito com o motor e o preço era 361 mil cruzeiros. A reação de Milton, de acordo com Tchê, foi o primeiro ruído de um relacionamento que jamais deixaria de ser delicado e tenso:

— Está muito barato para ficar bom.

— Vai ficar bom. E se o moleque andar certinho, ele vence.

O negócio foi feito. Na pista, durante os treinos, o "moleque" teve a primeira lição daquele espanhol que tinha, em comum com o pai dele, um estoque limitado de sorrisos. Senna estava atravessando o *kart* nas curvas, crente que dava *show*:

— Menino, quem te ensinou a guiar desse jeito?

— Aprendi sozinho, na pista do Anhembi.

— Não é assim. Tenta andar mais redondinho.

No domingo, Tchê teve o orgulho de dar a bandeirada para a primeira vitória oficial de Ayrton Senna da Silva. A foto da bandeirada tornou-se uma espécie de grife da oficina. E logo nos primeiros dias de trabalho com o menino, Tchê viu algo que jamais tinha visto e jamais voltou a ver em mais de 30 anos de kartismo: Ayrton saía para treinar levando, na mão esquerda, um cronômetro. Um caso curioso de acumulação das funções de piloto e chefe de equipe.

Senna não cronometrava a volta completa. Ele dividia o kartódromo de Interlagos em quatro trechos e ficava experimentando diferentes freadas, trajetórias, acelerações e regulagens que lhe dessem mais alguns décimos ou centésimos de segundo. Para quem assistia ao treino, ele parecia lento, pois só andava no limite em um dos quatro trechos em cada volta que dava.

Só na hora da tomada oficial de tempos é que o kartódromo descobria que o *kart* número 42 era quase sempre o mais veloz. Sem o cronômetro na mão esquerda, a boa, ele juntava, em uma volta voadora, tudo o que tinha aprendido separadamente nos quatro trechos do circuito. Charles Marzanasco Filho, piloto na época e futuro assessor de imprensa de Ayrton nos tempos da Fórmula 1, lembrou do resultado visual:

Junho, 1974. A primeira vitória oficial de Senna na categoria Júnior, em Interlagos. Quem dá a bandeirada é Lúcio Pascoal, o Tchê, preparador que acompanhou Ayrton até a transferência para o automobilismo.

"Ele tinha um jeito de frear muito especial. Botava o *kart* de lado e o motor parecia até apagar. Escorregava por toda a curva até a saída, quando o motor voltava a funcionar já com os pneus numa posição perfeita de aderência para a retomada da aceleração. Ayrton era muito, muito mais rápido que os outros."

Um piloto, em especial, quis tirar a prova na pista.

O Maior Rival

A rivalidade entre Senna e Mario Sergio de Carvalho, seu maior e mais persistente adversário no *kart* brasileiro, era tanta, e os dois estavam com tal freqüência na primeira fila do *grid*, que o ato de autorizar uma largada, em movimento, como todas do kartismo, tornou-se um pesadelo para os diretores de prova.

Os *karts* eram empurrados, mas tinham de andar alinhados, lado a lado, até a bandeirada do diretor. Ayrton e Mario, tentando adivinhar, um na frente do outro, o momento em que a bandeira seria agitada, simplesmente não conseguiam ficar lado a lado. Depois de quatro ou cinco voltas lentas, o diretor parava todos os *karts* e advertia os dois rivais, ameaçando mandá-los para a última fila do *grid*.

Não adiantava. Empurrados os *karts*, Ayrton e Mario voltavam a se vigiar pelo canto dos olhos e a dar falsas largadas por mais quatro, cinco voltas. Era quando geralmente o diretor de prova perdia a paciência e os mandava para a última posição do *grid*, geralmente atrás de 15 pilotos. Acontecia quase sempre. E quase sempre um dos dois acabava vencendo a prova, mesmo largando lá de trás.

Foi em uma dessas corridas que Senna sofreu um acidente assustador, no fim da reta principal do kartódromo de Interlagos. Na luta para voltar à ponta, depois da punição, Ayrton decolou ao tocar na traseira de um adversário. Seu *kart* saiu capotando para um lado e o capacete voando para o outro. Ayrton terminou estirado no meio da reta. E quem deu de cara com ele foi Mario Sergio, andando no limite, igualmente determinado a voltar à ponta depois da punição da largada. Só teve tempo de desviar do rival caído no asfalto, entrando com duas rodas na grama.

Na origem daquele acidente, um provável erro na aplicação da técnica que Ayrton e outros kartistas usavam para tirar os adversários da frente. Tchê, mais de 25 anos depois, explicou:

"Ele não batia. Na verdade, empurrava os caras para fora da pista. E empurrava seguindo uma técnica que o mantinha na pista, enquanto os outros iam para a grama. Ela consistia em nunca acertar o carro por trás, para evitar a decolagem. A idéia era se aproximar pelo lado, evitar o toque de rodas e empurrar lateralmente o chassi do adversário."

Mario Sergio também usava a técnica, mas achava que Ayrton abusava um pouco dela:

"Ele tinha muita dificuldade de negociar as ultrapassagens."

A rigorosa economia de amabilidades entre Ayrton e Mario Sergio não impediu que os dois conseguissem, juntos, uma façanha. Nas Três Horas de Interlagos, no segundo semestre de 1976, correndo em dupla e usando pneus nacionais, bem mais lentos, eles deixaram para trás astros das categorias superiores como Chico Serra, Válter Travaglini e outros que usavam pneus Goodyear importados. A vantagem, no final, foi de três voltas e, mesmo assim, Senna e Mario Sergio não se falaram.

Os dois tinham em comum a determinação e o profissionalismo. Ayrton estudava de manhã e passava as tardes no kartódromo. Mario Sergio estudava de tarde e, por isso, usava as manhãs para treinar. De segunda a sexta. Fizesse sol, fizesse chuva. Os resultados apareciam nos fins de semana, quando os dois estavam sempre disputando a ponta à frente de 28, 30 adversários.

Para Lito Cavalcanti, jornalista especializado e correspondente brasileiro da revista inglesa *Autosport*, a façanha de Ayrton ultrapassava o duelo com Mario Sergio na pista:

"Ayrton era um demônio. Matava o filho do dono do *kart*."

O "dono do *kart*" era Mario de Carvalho, pai de Mario Sergio, fabricante e fornecedor de peças dos dois pilotos. Lito acrescentou:

"Notícia, para nós, era Ayrton Senna não ganhar."

Mario Sergio não discutiu, mas registrou uma incorreção que vinha sendo repetida pelos que contavam a história da carreira de Senna no *kart*:

"Parece verdade, mas não é. Ao contrário do que dizem muitos currículos de Ayrton publicados na mídia, ele não foi campeão paulista de *kart* em 1976. Senna foi vice. O campeão fui eu."

Chico Serra, a grande estrela do *kart* brasileiro na época, revelou, quase três décadas depois, que tinha uma rivalidade "estranha" com Senna. Um clima de animosidade que só existia fora da pista, já que os dois, salvo em competições amistosas ou extracampeonato, nunca se cruzavam. Por causa da idade, Chico, três anos mais velho que Ayrton, estava sempre na categoria de *kart* imediatamente acima da de Senna. Mesmo assim, os dois não se falavam. Para Chico, o fato de Ayrton chegar muito rápido e chamar logo tanta atenção fez com que o clima ficasse pesado:

"Um sabia quem precisava ser derrotado e o outro sabia quem era a ameaça."

Apenas um muro separava o kartódromo de Interlagos da pista onde se disputava o GP do Brasil de Fórmula 1 e as provas dos campeonatos brasileiros de automobilismo. De acordo com Tchê, Ayrton nem se dava ao trabalho de subir no muro para ver como era o autódromo. Mas um dia, durante os treinos para o GP do Brasil de 1979, ele ouviu um ronco tão forte, que trepou correndo no muro. Era a Ferrari de Gilles Villeneuve, entrando no antigo retão do circuito. Fórmula 1, para Ayrton, naquela época, ele diria em uma entrevista à revista *Exame VIP*, era "um sonho absolutamente inatingível".

No resto do ano, Ayrton não ligava para o que se passava no autódromo. Tchê tinha uma tese para explicar aquele descaso. Achava que Ayrton não se sentia tão seguro com os carros, pois vivia perdendo rachas para um amigo de Santana, Antônio Português. Oficialmente, porém, o comentário de Senna sobre o autódromo era o seguinte:

— Esse negócio é muito lerdo.

Sofia

Em uma tarde de julho de 1976, a jovem Barbara Gancia, filha de Piero Gancia, ex-piloto e sócio da Martini no Brasil, foi ao kartódromo de Interlagos acompanhar o treino do irmão Carlo. Ayrton estava na pista e a impressão que Barbara teve do rapaz que Carlo apontou como "futuro campeão do mundo" não foi das melhores:

"Ele não era muito simpático, ficava longe do 'auê' dos boxes, não se misturava e não fazia amizades. Não era um ser social."

A imagem de Ayrton, para Cristina Sala, irmã de Maurizio Sala e também freqüentadora do kartódromo, era diferente: um rapaz solitário que foi apelidado com o número do *kart* que pilotava, "42", e que tinha como companhia o preparador Tchê e, de vez em quando, o pai. A mãe e Viviane raramente apareciam. Leonardo, quatro anos mais novo, passou a freqüentar o kartódromo um pouco mais tarde.

Cristina e Ayrton começaram a ter mais intimidade quando ele passou a aceitar os convites da turma de pilotos que se reunia na casa dela, antes de programas que geralmente terminavam nas mesas do restaurante Juca Alemão, no bairro do Brooklyn. A casa de Enrico e Maria Luiza Sala, a "Pupi", pais de Maurizio e Cristina, era ponto de reunião de um grupo que incluía Mário Covas Neto, o Zuzinha, Dárcio dos Santos, futuro campeão de monopostos e tio de Rubens Barrichello, e outros, que usavam a garagem do fundo da casa para acertar ou revisar os *karts* nos fins de semana de corrida.

Ayrton era sempre convidado, mas só começou a freqüentar a casa timidamente, quanto mais interessado foi ficando em Sofia Aidar, uma morena de origem árabe extrovertida e atirada, amiga e vizinha de Cristina. Mesmo sendo menor, ele costumava aparecer na casa dos Sala num Corcel amarelo que fazia muito sucesso. Ao contrário dos outros pilotos, mais interessados em passeios de motocicletas e outros programas juvenis, ele era muito sério e, recordou Cristina, adorava o que sua geração chamava de papo-cabeça: conversas filosóficas e existenciais. Gostava tanto, que estava participando de um curso de controle da mente, o Power Mind, do qual falou com entusiasmo, em longos encontros com Cristina na casa dela e a bordo da lancha que ganhara do pai, na represa da Sabesp. Outro assunto obrigatório era o plano de namorar a amiga de Cristina:

— Eu vou conseguir namorar a Sofia, eu vou conseguir.

A hesitação de Sofia deixava Ayrton exasperado. E Cristina tinha uma explicação:

"Ela jogava muito charme, mas caía fora na hora do vamos ver."

Os outros pilotos aceleravam motocicletas e tomavam sorvete nos pontos da moda. Ayrton, obstinado, chegou a chorar por Sofia na frente de Cristina:

— Ela me deixa louco. Não sei o que fazer.

Quando Cristina já começava a se incomodar com o papel de inútil intermediária, Senna e Sofia finalmente se entenderam e começaram a namorar:

"Ele se revelou um namorado possessivo e conservador, mas afetuoso. Como confidente, não foi difícil, para mim, perceber a influência, nos gestos, idéias e reações, da postura provinciana de sua família e do estilo autoritário do pai."

Em poucos meses, o namoro acabou. Logo depois, Mário Covas Neto, o Zuzinha, começou a namorar Sofia. E nos meios do kartismo paulistano, na memória de Cristina, Zuzinha foi chamado por uns tempos de "namorado da namorada do 42".

Ayrton deixou de freqüentar a casa dos Sala algum tempo depois.

Alfredão e as Minas

Os amigos de verdade continuavam do outro lado da cidade, no bairro de Santana. Alfredo Popesco, um deles, era o filho mais velho de Ilse, uma viúva, imigrante romena, que sustentava os filhos com a venda de roupa na garagem da casa simples em que morava, na mesma rua dos Senna. No começo, Ayrton era mais chegado ao irmão de Alfredo, Ricardo, um ano mais novo. Mas logo a experiência, a segurança e a liberdade dos 17 anos de Alfredo fizeram com que Senna, então com 16, ficasse mais ligado a ele.

A amizade construiu-se a partir do intenso sentimento de competição de Ayrton. Primeiro, na mesa de pingue-pongue. Alfredo jogava muito bem. Senna não se conformava em perder e chegou a deixar o novo amigo irritado com a insistência para novos tira-teimas. E jogou muito até conseguir, finalmente, vencer Alfredo, meses depois de muito treino.

E bastou Ayrton botar a lancha *Sissa* nas águas da represa de Mairiporã para perceber que tinha outra obsessão pela frente: esquiar melhor que Alfredo, uma fera no esporte, que, por não ter dinheiro suficiente, vivia encostado nos donos de lancha do lugar. Alfredo mesmo se chamava de "puta de barco". Trocava sorrindo uma faxina ou um pequeno conserto por uma esquiada.

Quase três décadas depois, Alfredo disse que Senna ficou "desesperado" no dia em que o viu esquiar pela primeira vez. Imediatamente, começou, nas águas da represa, um processo muito semelhante ao que tinha ocorrido nas mesas de pingue-pongue. Ayrton treinou à exaustão até ter um desempenho comparável ao do amigo "puta de barco". E conseguiu, Alfredo reconheceu.

A disposição de "guia turístico" que tomava conta de Ayrton quando ele estava com os amigos mais chegados levou os dois a viverem uma situação arriscada. Em 1977, eles se encontraram uma noite na praia de Bertioga, litoral de São Paulo. Alfredo estava com o velho Fusca ano 73 amarelo da mãe e já deu uma bronca quando Ayrton encostou com o seu Corcel 77 também amarelo, equipado com rodas de magnésio e teto solar:

— Você é um bundão. Por que não trouxe alguma coisa? A lancha, por exemplo?

— Vamos buscar, então.

No início da madrugada, os dois já estavam em São Paulo no Corcel amarelo. Na nova casa de Ayrton, uma mansão no alto da rua Nova Cantareira, Alfredo teve de acompanhar, impotente, o ritual perfeccionista do amigo: calibragem dos pneus do reboque, amarração da lancha, conferência da documentação, engate, corrente e combustível para a Caravan do pai de Senna que puxaria o reboque. Tudo pronto, eram 3h30 da madrugada quando eles partiram novamente de São Paulo para Bertioga.

Duas horas depois, o dia já amanhecendo, nem Ayrton, nem Alfredo conseguiam mais ficar de olhos abertos. Na chegada a Guarujá, depois de os dois se alternarem no volante entre uma e outra cochilada, Alfredo dormiu de vez e a Caravan saiu da pista, parando num brejo com o pára-lamas amassado e um furo no casco da lancha.

Minutos depois, um carro da polícia se aproximou, e os dois amigos inventaram rapidamente que tinham sido fechados por um caminhão. O policial acreditou, partiu correndo em busca do motorista irresponsável do caminhão e chamou um trator para tirar a Caravan dos pobres rapazes do brejo.

Ninguém se feriu.

Não foi a primeira encrenca rodoviária de Ayrton Senna. Alguns anos antes, de acordo com Alfredo Popesco, a frota de carros da família, então formada por uma Mercedes verde de duas portas, outra branca, de quatro portas, a Caravan do brejo de Guarujá e uma Belina, foi subitamente reduzida. O máximo que Alfredo se permitiu revelar foi que, depois de um fim de semana no Guarujá, Senna chegou em casa apenas com o volante da Belina nas mãos.

Em 1976, Ayrton ganhou do pai uma moto Suzuki de 185 cilindradas. Imediatamente, começou a tentar a façanha de praxe: empinar a moto. Mas caía muito. E também não parava de tentar empinar e continuar levando dezenas de tombos. A situação chegou a um ponto em que Milton da Silva decidiu simplesmente vender a moto. Ao saber da decisão do pai de Senna, Alfredo sugeriu que ele aproveitasse a oportunidade para pedir uma lancha.

Conselho dado, pedido feito, e Senna, em vez de apenas perder a moto, trocou-a por uma lancha branca de 19 pés, motor Johnson de 115 HP, batizada posteriormente de *Sissa*. A partir deste momento, a represa de Mairiporã passou a ser um lugar muito freqüentado por Senna.

Alfredo foi o guia de Senna no mundo das mulheres. Ayrton, ingênuo e romântico demais para a média da turma, admirava a experiência e a firmeza de Alfredo com as moças. Em uma ocasião, porém, a abertura oficial do kartódromo de Natal, no Rio Grande do Norte, os dois ficaram iguais em matéria de inexperiência. Pela primeira vez, estiveram diante de um cigarro de maconha. Aceso.

Alfredo garantiu que, na última hora, assustados, os dois recusaram a experiência e optaram apenas por beber. E que foram dez dias de muita farra durante os quais, além de namorar, os dois tiveram nas mãos, por gentileza dos organizadores da festa, duas vedetes das ruas brasileiras na época: um Opala "seis cilindros" e um Maverick "V8".

Quem queria saber de maconha?

As dunas quentes de Natal e suas experiências assustadoras foram exceção. Normalmente, Ayrton, Alfredo e Américo Jacoto Júnior procuravam se enroscar com as moças do bairro durante a missa dominical das dez horas da manhã, na igreja Salete, na rua Doutor Zurquim, centro de Santana. Foi na chamada "missa da paquera", o agitado ponto de encontro dos filhos e filhas de classe média do bairro, que Alfredo apresentou Ayrton a Rosângela, uma morena bonita que acabou se tornando sua primeira namorada "firme".

O namoro durou mais de um ano, mas a primeira reação de Rosângela, após o encontro na missa, resumiu-se a uma frase meio decepcionada dela para Alfredo, longe de Ayrton:

— Puta orelhudo, meu! Não tinha um melhor para apresentar?

De acordo com Alfredo, no dia seguinte, ao conhecer mais o novo namorado e também a casa em que ele morava, Rosângela passou a prestar menos atenção às orelhas de Ayrton. O namoro acabou um ano depois, desgastado por uma série de "puladas de cerca" de Senna. Era a praxe na turma: namoro comportado até deixar a namorada em casa. Depois, gandaia.

Na abordagem das mulheres, em boates da moda de sua geração, como a Banana Power e a Papagaios, Ayrton fazia questão de não parecer rico. Detestava imaginar que uma garota saísse com ele por causa do dinheiro que tinha. Uma noite, ao volante de uma das Mercedes da família, ele se aproximava do Brunella, outro ponto de encontro famoso dos jovens de classe média de São Paulo no início dos anos 80, na rua Gabriel Monteiro da Silva, Jardins.

De repente, Ayrton parou o carro e pediu que Alfredo assumisse o volante. Alfredo sabia do receio do amigo e tentou convencê-lo a continuar no volante da Mercedes:

— Ayrton, não interessa, porra. Você não vai mesmo casar com essas mulheres!

— Não. Guia você.

Cumprindo com sinceridade o papel de amigo, Alfredo reconheceu que adorava passar ao volante da Mercedes na frente das mulheres.

Provavelmente por causa da admiração que tinha pelo jeito tranqüilo com que Alfredo lidava com elas, Ayrton tomou uma atitude pouco comum quando Alfredo falou da paixão que estava sentindo por uma modelo da grife Soft Machine. Convidado por ela para um encontro em Ubatuba, ele queria ir, mas não tinha dinheiro. Para sua surpresa, dois dias depois, Ayrton apareceu com uma raquete de tênis importada que tinha acabado de ganhar da mãe:

— Fica com ela, vende e eu digo que perdi. Depois você me paga.

O dinheiro da raquete permitiu que Alfredo passasse um fim de semana inesquecível com a modelo, em Ubatuba.

Américo Jacoto Júnior, o Júnior, outro grande amigo de Santana que acompanhou Ayrton pelo resto da vida, era da mesma idade de Senna. Os dois se aproximaram nos tempos do Colégio Rio Branco, mais exatamente durante as partidas de pingue-pongue disputadas no centro acadêmico. Júnior, conhecido na época como "Jacotinho", era um dos filhos de Américo Jacoto, um industrial do ramo metalúrgico do bairro do Tremembé.

A mãe de Júnior, Aldair Marinelli, morta em 1998, era amiga de dona Neyde. Por isso, Júnior era tratado como gente de casa na família Senna da Silva. Ele tinha planos de fazer agronomia, mas terminou sendo piloto de helicóptero. Antes, no entanto, acompanhou Senna ao longo da temporada de 1987 da Fórmula 1. Júnior seria usado por adversários de Ayrton como protagonista principal do boato que marcou o amigo para o resto da vida.

Caso Perdido

Em 1977, quando Ayrton foi campeão sul-americano de *kart*, os brasileiros passavam por uma espécie de entressafra de vitórias e boas notícias no automobilismo. O bicampeão mundial Emerson Fittipaldi, decidido a perseguir o sonho de vencer com uma equipe própria, entrava no segundo ano da frustrante saga da equipe Copersucar. José Carlos Pace, esperança brasileira na equipe Brabham, morrera tragicamente num acidente de avião, nos arredores de São Paulo. Nélson Piquet, ainda longe da Fórmula 1, pagava o preço de uma escolha de carro errada e enfrentava uma difícil temporada no campeonato europeu de Fórmula 3.

Coincidência ou não, havia um político que defendia, em janeiro daquele ano, a imediata suspensão das corridas de automóvel no Brasil, "pelo menos para dar sentido" às providências que estavam sendo tomadas pelo governo, na época, para conter o consumo de gasolina. Era o deputado governista José Bonifácio, líder da Arena no Congresso Nacional. Ele estava indignado com as exceções abertas pelo programa de racionalização de combustíveis aos pilotos de competição, "essa gente que não faz nada":

"Não é justo que nos autódromos se continue a desperdiçar gasolina com aqueles carros numa disparada inútil, pois não chegam a lugar nenhum, não trazem divisas para o país e não educam o povo. A medida não implicaria nenhum problema, pois os donos dos automóveis são empresas extremamente ricas e os corredores dispõem de dinheiro suficiente para passar o resto da vida sem trabalhar."

Longe da tribuna da Câmara dos Deputados, no kartódromo de Interlagos, Milton da Silva parecia mais distante do que nunca da idéia inicial de que o kartismo era um "brinquedo" para Ayrton extravasar as energias e se manter longe das drogas e de outros perigos. A medida do seu envolvimento na carreira já brilhante do filho no *kart*, e também da insolúvel rivalidade com o preparador Tchê, foi um episódio na preparação para mais uma prova do campeonato daquele ano.

Um erro de Tchê na montagem do motor do *kart* fez com que Ayrton não fosse bem nos treinos. Foi o que bastou para que Milton, antes da tomada oficial de tempos, fosse duro na cobrança de Tchê. Até Ayrton entrou na discussão para acalmar os dois. O clima ficou mais pesado ainda quando Senna, acostumado às *poles*, ficou em quinto lugar no *grid*. Milton manteve a postura de cobrança:

— Vamos ver como vai ser essa corrida.

No dia seguinte, Tchê já tinha descoberto a razão do surpreendente quinto lugar. Montou a coroa do motor do *kart* da maneira correta e ficou tranqüilo, confiante para a corrida. Estava certo. Ayrton largou em quinto, mas, no fechamento da primeira volta, para espanto de todos, ultrapassou os quatro competidores que estavam à sua frente na freada do final da reta. Chegou a abrir nove segundos e, de repente, misteriosamente, começou a perder terreno, até ser ultrapassado novamente pelos quatro pilotos, entre eles Mario Sergio de Carvalho, na 12ª volta.

No boxe, Milton da Silva começou a gesticular, impaciente. Tchê, intrigado, aproximou-se da beira da pista e fez um gesto de quem queria saber o que estava acontecendo. Ayrton tirou as mãos do volante, procurando acalmar Tchê, como quem diz:

— Fica tranqüilo que eu sei o que estou fazendo.

A cinco voltas do final, Ayrton começou a se aproximar de novo dos líderes. Na penúltima, passou outra vez os quatro pilotos. Na mesma freada. No mesmo ponto. Tchê saboreou a vitória com um olhar provocador para o pai de Senna.

Mais de 25 anos depois, Júnior, testemunha próxima do convívio difícil de Tchê com o pai de Senna, explicou:

"O Tchê era como um escudeiro sempre leal a Ayrton. Os problemas com o seu Milton tinham dois motivos: diferenças em relação ao que se devia e ao que se pagava e, principalmente, a preocupação da família com o crescente envolvimento de Ayrton com o *kart* e os riscos do esporte."

A mágoa e as palavras duras de Tchê deram lugar a um sorriso orgulhoso, quando ele exibiu, emocionado, em 2003, uma carta de Ayrton, escrita em Milão, no dia 16 de setembro de 1979, às vésperas da disputa do Mundial de *Kart*. Um dos trechos foi considerado por Tchê, chamado de "espanholo" por Ayrton, uma espécie de testamento sobre sua importância na carreira extraordinária que ele ainda tinha pela frente:

"És uma pessoa que tem uma responsabilidade incrível no que diz respeito à minha vida, pois quem me pôs neste mundo do *kart* foi meu pai, mas quem me colocou realmente na direção certa, quem me ensinou quase tudo que sei, quem me ajudou e esteve ali em todos os momentos, a pessoa que me fez chegar onde estou e que é a maior responsável pelas minhas vitórias é você. E nem imagina o quanto sou grato."

Os Mundiais

As cores verde, amarela e azul não foram uma escolha de Senna. Eram obrigatórias. Os organizadores do Mundial de *Kart* de 1978 tinham determinado que os pilotos usassem capacetes com as cores das respectivas bandeiras nacionais. O desenho que Senna ia adotar para o resto da vida não foi nem exclusivo dele, no início. O rival Mario Sergio de Carvalho, que também ia disputar o título mundial em Le Mans, na França, tinha uma pintura idêntica no seu capacete. Na lembrança do *designer* Sid Mosca, no entanto, a inspiração do desenho foi o estilo de Senna:

"Eu queria fazer com que saísse algo agressivo de dentro dos olhos. As duas faixas que fiz, na posição que o Ayrton ficava ao pilotar, dão esse efeito."

Campeão brasileiro pela primeira vez naquele ano, Ayrton usava até então um capacete pintado de vermelho e branco. A solução gráfica concebida por Sid Mosca, um fundo amarelo cortado por duas faixas, verde em cima, azul embaixo, e por filetes das mesmas cores, jamais foi alterada. Na volta do Mundial, Ayrton pediu e ganhou de Sid a exclusividade do desenho. Cloacyr Sidney Mosca, um ex-piloto de carros-turismo que trocou o volante pela pistola de pintura e ganhou fama internacional por criar a identidade visual de todos os pilotos brasileiros que foram para o exterior e de alguns estrangeiros, como sempre, não cobrou nada:

Tchê é o primeiro à esquerda, junto de Ayrton. O piloto argentino Jorge Oswaldo Dias, que fez dupla no kart *com Senna, e o mecânico Silvestre, também posam para o fotógrafo, numa cena acompanhada por Leonardo – o irmão caçula, atrás do grupo.*

"Eu fico muito orgulhoso. Ao criar um desenho, vou junto com eles."

Ayrton terminou o Mundial em sexto lugar. Um resultado expressivo em uma competição na qual a escolha de equipamento e a estrutura da equipe eram tão decisivas que ótimos pilotos brasileiros, em anos anteriores, não conseguiam nem se classificar. O consolo de Ayrton foi, como sempre, aproveitar a viagem internacional para uma esperta manobra alfandegária que garantia a ele e à oficina de Tchê um precioso estoque de peças importadas.

Na saída do Brasil, Tchê empacotava para viagem um *kart* completo e registrava o equipamento, como mandava a legislação. Na volta, Ayrton trazia o mesmo velho chassi, equipado com muitas novidades que teriam preço proibitivo, se taxadas separadamente.

Senna jamais conseguiu ser campeão mundial de *kart*. Em 1979, quando a sede do Mundial foi Estoril, em Portugal, o título foi perdido por causa de uma controvertida interpretação do regulamento, por parte dos comissários. Na pista, Ayrton venceu a bateria final contra o holandês Peter Koene e ficou empatado com ele na primeira colocação. Sem maiores explicações, de acordo com os kartistas da equipe brasileira, os comissários abandonaram o tradicional critério do confronto direto entre Senna e Koene na fase classificatória, pelo qual Senna seria campeão. Decidiram levar em conta uma bateria da fase eliminatória da competição na qual o holandês fora quatro décimos de segundo mais rápido e deram o título a ele.

Dez anos depois, em Suzuka, Ayrton perderia a chance de ser campeão em circunstâncias semelhantes: vitória na pista, decepção na hora do resultado oficial.

Ainda em 1979, Ayrton mandou para Tchê, de Milão, no dia 16 de setembro, outra carta. Um documento de sua entrega total ao que fazia. Mesmo quem não entende de mecânica ou automobilismo pode sentir a intensidade. E para imaginar o que aconteceu depois, nos boxes da Fórmula 1, basta trocar os nomes: Fullerton por Prost, Angelo por Ron Dennis, Aquiles por Yoshitoshi Sakurai, Parila por McLaren, Parma por Silverstone, carburadores por motores turbo. Alguns trechos da carta:

"As coisas por aqui estão bem, pois o Fullerton está muito arrogante e tanto o Angelo quanto o Aquiles (donos da fábrica Parila) estão para explodir com o inglês. Isso tudo, na verdade, porque consegui me entrosar muito bem com os italianos e com isso o inglês naturalmente se morde de ciúmes. Mas tudo bem comigo. Depois de amanhã partiremos de avião para Estoril. [...] E tudo acabou sendo resolvido com a troca do balanceamento do virabrequim, ou seja, foi trocado o alumínio por náilon como o Parila de tempos atrás e também aliviada aquela biela fortíssima que você conhece. Com isso, a vibração dos motores diminuiu bastante e o problema de anéis acabou sendo resolvido. Quanto aos pneus, chegaram da Bridgestone alguns jogos de pneus especiais para cada bateria. Com respeito aos chassis, é o mesmo do ano passado com algumas poucas alterações no caster, mangas e distância entre eixos de um metro e cinco centímetros, pois Estoril parece ser muito veloz. E levando-se em conta que os pneus possibilitam uma velocidade maior

Campeonato Mundial de Kart *em Estoril, Portugal, 1979.*
Veloz e agressivo na pista, Ayrton não era de muita conversa quando descia do carro e se mantinha à distância dos outros pilotos, que se referiam a ele como "42".

ainda, torna-se necessário aumentar a distância entre eixos. Estamos apenas um pouco atrapalhados com carburadores, pois aquele suíço da fábrica está fazendo um grande mistério para nos vender alguns poucos carburadores, que são de uma importância vital, você sabe bem, não preciso explicar. Bem, espero que tenham saído notícias nos jornais. Procura comprar *O Estado de S. Paulo*, pois estou passando notícias diretas para esse jornal. Abraços, Ayrton."

No Mundial de 1980, em Nivelles, na Bélgica, um menino alemão de 11 anos de idade chamado Michael Schumacher estava na platéia e não tirou o olho do piloto que terminou em segundo no campeonato:

"Imediatamente prestei atenção num dos caras, seu traçado e sua tocada precisa. Você podia ver que ele seria verdadeiramente especial, mesmo que não tivesse equipamento especial. Eu me lembro que perguntei a alguém o nome daquele piloto. Era Ayrton Senna."

O insuspeito rival Mario Sergio de Carvalho foi quem discordou com veemência dos que viam de forma negativa o fato de Ayrton jamais ter conseguido vencer o Mundial de *Kart*. Para Mario Sergio, Senna na verdade acabou com a tradição de resultados ruins ou pouco expressivos do kartismo brasileiro na disputa do Mundial:

"Piloto brasileiro, antes de Ayrton, às vezes ficava até fora dos 34 classificados para a final. Ayrton mudou esta sina com talento e garra, mas também com a ótima pesquisa que fez antes de decidir qual equipamento usaria na competição. Ele apostou na novidade da época, os motores da fábrica DAP, e terminou vice-campeão mundial."

E o que dizer da comparação entre Senna e Terry Fullerton, considerado o melhor piloto de *kart* do mundo por muitos anos, na época de Ayrton? Mario Sergio não hesitou:

"O Fullerton era muito bom e rápido, mas o Ayrton jantava ele. Com certeza."

Lilian

— Volta, volta!

Ayrton e Alfredo paqueravam de carro pela rua Augusta, no final de 1980. E finalmente surgiu uma oportunidade. Senna queria saber o que Alfredo, o amigo que ele tanto respeitava no assunto mulheres, achava de uma jovem loura que andava pela calçada, acompanhada da mãe:

— O que você acha?

Alfredo nem precisou responder. Sua boca aberta e os olhos vidrados deixavam claro que ele estava impressionado. Ayrton continuou:

— É amiga da minha mãe.

Alfredo aprovou com entusiasmo a idéia de Ayrton de "atacar". Eles estavam em frente a uma loja da Kopenhagen no bairro dos Jardins. Lilian de Vasconcellos descia a rua com a mãe, dona Grizelda, e percebeu a aproximação de Senna e Alfredo.

"Ele me olhou diferente."

Uma semana depois daquele encontro, ela terminou o namoro de quatro anos com um engenheiro civil. O avô do namorado já tinha dado uma casa de presente para eles. E os pais de Lilian já tinham comprado os móveis. Duas décadas depois, no entanto, Lilian avaliou que fez certo:

"Caiu a ficha que a gente era muito diferente."

No dia seguinte ao fim do namoro, Ayrton apareceu na casa dela com "Filhinho", o *dobermann* da família. Obra menos do acaso e muito mais da torcida das amigas Neyde e Grizelda. Seguiram-se dias de muita conversa, entremeada de treinos e corridas de *kart*, até que o namoro dos dois começou pra valer. A rotina era típica das famílias ricas e discretas da Zona Norte: fim de semana na piscina de uma das casas e esqui na represa de Guarapiranga.

Ao som da orquestra de Barry White, a "Love Unlimited", eles jogaram muitas partidas de "War" e gamão. De vez em quando, tomavam um vinho. E iam ao cinema. Ayrton assistiu duas vezes, com Lilian, ao filme *Nosso Amor de Ontem*, com Barbra Streisand e Robert Redford. Religião, nessa época, segundo Lilian, nem pensar:

"Zero, nada, simplesmente nada."

Numa das brigas durante o namoro, Ayrton e Lilian ficaram sem se falar, e ela resolveu aceitar um convite para ir sozinha à festa da amiga Lilinha. Quando soube, Senna não hesitou: foi até a casa de Lilinha e interrompeu a conversa de Lilian com um dos convidados:

— Vamos embora!

Foi imediatamente obedecido. Duas décadas depois, Lilian lembrou com carinho aquele "momento machista" do ex-marido:

"Achei lindo."

INGLATERRA

Naquele final de 1980, Ayrton conseguiu convencer os pais a deixá-lo disputar o Campeonato Inglês de Fórmula Ford 1600, a chamada categoria de entrada para qualquer piloto que sonhasse fazer carreira no automobilismo europeu. Senna estava seguindo a trajetória que toda a imprensa especializada brasileira já antecipava para ele, depois dos resultados que obteve no kartismo brasileiro e internacional. Lito Cavalcanti, um dos repórteres que cobriram a carreira de Ayrton no *kart*, deu a ele um conselho simples:

— Esquece o automobilismo brasileiro. Vai direto para a Inglaterra.

Para dar o novo passo, Ayrton contou com a ajuda de um antigo rival no *kart*, Chico Serra. Naquele ano, Chico enfrentava uma temporada dificílima na equipe Project Four de Ron Dennis de Fórmula 2 e recebeu uma carta surpreendente de Ayrton. Um trecho:

— Posso imaginar o que você deve estar passando. Mas no *grid* lembre-se de que você é muito bom.

Chico jamais esqueceu o gesto:

"A gente era moleque. Ninguém sentava para fazer uma reflexão sobre a carreira. Nesse sentido, a carta do Ayrton foi muito especial."

Chico Serra indicou Senna para o dono da mais prestigiada equipe inglesa de Fórmula Ford 1600, a Van Diemen, de Ralph Firman. Não que Chico fosse um grande amigo de Ayrton. Mais de 20 anos depois, ele fez questão de deixar claro que sua iniciativa foi muito mais um gesto de gratidão a Ralph, seu ex-patrão na Fórmula Ford 1600, do que uma ajuda de início de carreira a Senna.

Chico sabia que Ayrton ia vencer muitas corridas. Daí a idéia de indicá-lo a Ralph. O que nem Chico nem Ralph esperavam semanas depois, durante a conversa, na Inglaterra, foram as exigências cada vez maiores feitas por Ayrton para correr pela Van Diemen. Durante uma providencial ida de Senna ao banheiro, o perplexo Ralph cobrou de Chico:

— Quem diabos ele pensa que é?

Anos depois de ter contratado Ayrton e vencido com ele o Campeonato Inglês de Fórmula Ford 1600 de 1981, Ralph, ao reencontrar Chico Serra, tinha a resposta:

— Acho que ele sabia quem era.

Oscar Dantas de Medeiros, dono da Tranzero, uma frota de jamantas que operava na distribuição de carros da General Motors no Brasil, e dos *jeans* Pool, foi o principal patrocinador de Ayrton em sua primeira incursão no automobilismo europeu. Entrou com 180 mil dólares.

Ralph Firman, com tanto dinheiro e um piloto daquele calibre, não esperava tanta gratidão de Chico Serra.

Casamento

A farmácia do Bruno era o ponto de encontro da turma de Senna. Foi diante dela que Ayrton fez mais uma consulta sentimental ao amigo Alfredo. Dentro do carro, ele disse que estava pensando em casar com Lilian. E que, além de estar gostando da namorada, tinha outro bom motivo. Queria ter uma companhia na Inglaterra:

— Lá fora a vida é muito difícil. Você vê como ela é de família, trata a gente bem e a minha mãe gosta dela.

A reação de Alfredo:

— Se é para o seu bem, tudo bem.

Na verdade, Alfredo estava preocupado com o fato de Ayrton ser muito jovem. Mas só daria uma opinião contrária se Lilian fosse uma das "galinhas" que conhecia no bairro. E não era. Lilian, ao que constava ao bem-informado Alfredão, era virgem.

Ayrton propôs casamento a Lilian logo depois de ir para a cama pela primeira vez com ela, no motel Chalé, situado no alto da serra da Cantareira. De acordo com Lilian, a proposta de Senna foi direta:

— Eu sei que você é casamenteira. E sei que, se eu for embora pra correr na Europa, quando eu voltar, você já vai estar casada. Portanto, quero casar. E espero que dê certo.

— Também espero. Vamos tentar.

Depois de uma pausa, Lilian perguntou:

— Em quanto tempo você quer casar?

— Dois meses...

O namoro dos dois ainda não durara o suficiente para que Lilian decidisse que destino dar ao volumoso enxoval que estava fazendo para se casar com o ex-namorado. Dois jogos de lençóis de cetim já estavam até bordados com as iniciais "F" e "L". Dois meses depois, tudo foi embarcado para a Europa em quatro malas pesadas, junto com novas peças compradas por dona Grizelda. Na hora de planejar como seria a cerimônia, a hipótese de um casamento na igreja não foi sequer contemplada por Ayrton:

— Casar na igreja não. Eu me sentiria um palhaço.

A alternativa foi uma cerimônia dupla e ecumênica. Naquela época, Viviane, casada com Flávio, filho de um pastor, já era uma evangélica convicta e conseguiu convencer a todos de que a melhor solução seria uma cerimônia em que um pastor abençoasse o casamento. A porção católica apostólica romana das duas famílias seria contemplada com a bênção de um padre, horas antes, na manhã do mesmo dia, junto com o casamento civil.

E assim foi feito.

2º Capítulo

Um Certo Da Silva

O Corcel verde de Ayrton estava todo preparado para a viagem de lua-de-mel de Santana até o hotel Maksoud Plaza, na região nobre dos Jardins. Quando ele e Lilian foram pegar o carro na garagem da casa dos pais dela, a sogra, dona Grizelda, foi atrás, descendo as escadas com uma bandeja de doces:

— Beco, Beco, aqui os docinhos pra vocês comerem...

— Dona Grizelda, a última coisa que eu quero comer hoje é um docinho...

Era o final de uma cerimônia de casamento que transcorreu exatamente como Ayrton e Lilian haviam planejado na saída do motel Chalé, dois meses antes. As fotos que Lilian guardou para o resto da vida mostram o noivo de calça social, cinto preto e camisa de seda azul aberta no peito. Dona Neyde, séria, olhava para o chão. Milton, parecendo disperso, usava apenas uma camisa de mangas curtas bege-clara, cujo bolso deixava transparecer um maço de cigarros Carlton. Viviane, de colar, usando um elegante vestido branco gelo, maquiagem azulada, era abraçada por trás pelo marido, Flávio. E Lilian, sorridente, estava com um vestido branco amarrado na cintura por um fino lenço azul, da mesma cor da camisa de Ayrton.

Dez mesas decoradas foram colocadas em volta da piscina da casa de Senna. A operação de convidar os amigos mais íntimos foi tão rápida, que alguns, pegos de surpresa, nem levaram presentes. Mas tudo correu de acordo com o combinado, a não ser por uma brincadeira de Júnior, que empurrou dona Neyde de roupa e tudo na piscina. Além do constrangimento, a mãe de Ayrton sofreu uma fratura no dedo na queda. Júnior foi severamente repreendido pelo pai de Lilian.

Tchê viveu nesse dia um episódio que o deixou muito triste. Ele viu, em um canto da lavanderia, coberto por uma lona, o torno mecânico que montara para Ayrton. E arriscou:

— Ayrton, posso pedir um presente? Quero levar o torno...

— Por mim, tudo bem. Mas tem que falar com o Miltão...

Esse era o problema. A resposta:

— Nem vem que não tem. Vou levar para a fazenda.

Inconformado, Tchê esperou Milton se afastar e puxou Ayrton num canto.

— Ayrton, o torno é seu!

Não adiantou. Tchê passou a maior parte do tempo da festa isolado, conversando com um tio de Ayrton e com Júnior. Ao voltar para casa, disse para a mulher uma frase que mostrava toda a mágoa daquele dia:

— O que eu não tenho, eu devo a Ayrton Senna...

A noite na suíte presidencial do hotel Maksoud Plaza foi precedida por um ritual que a maioria das moças de família de Santana adorava. Lilian entrou no quarto carregada nos braços por Ayrton. No dia seguinte, o casal foi para Chicago passar dez dias na casa de Fabio Machado, o primo de Senna que se tornaria, anos depois, seu sócio e diretor do Instituto Ayrton Senna. Depois de dez dias com Fabio e a mulher, Nice, o casal seguiu direto para a Inglaterra.

Lá, a filha única e mimada, acostumada com o calor do Brasil e as mesas fartas das famílias abastadas de Santana, sofreu dois choques. Primeiro, a casa pequena, sem aspirador de pó e com uma sala em que havia um sofá cor mostarda onde exatos 19 gatos de estimação do morador anterior costumavam dormir. Não havia como eliminar o cheiro. Tudo estava tão sujo, que o casal teve de pernoitar na casa de Ralph Firman, dono da Van Diemen. Nada de passeio, cinema ou restaurante. O segundo choque: no jantar na casa de Ralph Firman, um bife, um ovo e uma folha de alface para cada um dos comensais.

O condomínio era tranqüilo, mas parecia ser habitado apenas por pessoas acima de 50 anos de idade. Lilian teve a sensação de que ia morar num cemitério.

Os Selvagens

— Pelo amor de Deus, não chega nem perto que amanhã tem corrida!

Na véspera das provas da Fórmula Ford, era sempre assim. Ayrton chegava a dormir em cama separada para não encostar em Lilian e dar à libido a chance de pôr em risco seu ritual de preparação. Também fazia parte do ritual tirar a aliança de casado do dedo e pendurá-la no cordão de ouro do pescoço. Para não atrapalhar a sensibilidade das mãos no volante.

Foi uma temporada de 28 corridas, 22 das quais vencidas por ele. Na primeira, disputada no circuito de Brands Hatch, no dia 1º de março, dez dias depois da lua-de-mel em Chicago, Senna, apresentado no programa oficial como "Ayerton" da Silva, um brasileiro que fazia sua estréia na Inglaterra "depois de brilhar no Mundial de *Kart*", terminou em quinto lugar. Os pilotos favoritos da categoria eram o argentino Henrique Mansilla, o inglês Rick Morris, o mexicano Afonso Toledano e outros que, de modo fulminante, passaram à condição de coadjuvantes 15 dias depois, quando Senna conquistou sua primeira vitória, na mesma pista de Brands Hatch.

As encrencas também não tardaram a acontecer. Já na quarta etapa, disputada no circuito de Mallory Park, Senna teve um incidente de pista com Mansilla: na saída de uma curva, disputando a liderança lado a lado com o argentino, Ayrton foi empurrado para a grama, caindo para a segunda colocação. Nos boxes, os dois pilotos tiveram de ser separados à força, Ayrton sendo afastado do rival na base da gravata. Em uma carta escrita ao amigo Tchê, no dia 7 de abril, Senna punha a culpa das encrencas em um defeito dos carros Fórmula Ford. Eram lerdos demais.

"É uma categoria muito boa, mas os motores são um pouco

pequenos e, com isso, carecem um pouco de aceleração. Eu me lembro de ter que bater roda para conseguir uma ultrapassagem. Pois é um tal de dar fechada que não é mole. Estou agora pegando a mão do carro e começando a dar umas atravessadas. Mas é muito perigoso rodar. Acaba batendo por isso. Estou experimentando pouco a pouco, mas chego lá."

Chegou tanto, e de forma tão determinada, que a sucessão de fechadas, rodadas, batidas e virtuais lutas corporais entre os três pilotos latino-americanos da equipe Van Diemen — Senna, o argentino Mansilla e o mexicano Toledano — levou a revista *Autosport* a publicar um editorial cujo título, "Loucura na Fórmula Ford", alertava para os riscos e exageros daquele tipo de pilotagem, "agressivo como não se via há muito tempo na categoria". O semanário *Motoring News* concordava:

"Esses moços têm talento, mas podiam ser mais civilizados. Competem como selvagens."

O inglês Rick Morris, um veterano de dez temporadas na Fórmula Ford, então com 31 anos, acabou vencendo uma das provas graças à briga feroz entre os três pilotos da Van Diemen. E ironizou:

"Muito obrigado, feras latinas. Devo a vocês essa vitória."

Tristeza na Estrada

"Eu roí o osso e as outras ficaram com o filé *mignon*."

Assim, misturando ironia e resignação, Lilian de Vasconcellos se referiria, no futuro, à rotina que enfrentou em Ethon, Norfolk, nordeste da Inglaterra, ao lado de Ayrton Senna: levantar, fazer café, ver as roupas brasileiras serem irremediavelmente encolhidas na alta temperatura das lavanderias inglesas, preparar as duas preferências do cardápio do marido, bolo de chocolate com cobertura de brigadeiro e macarrão regado a molho de tomate, e enfrentar uma solidão que não estava nos planos desenhados no motel Chalé, ao som de Barry White. O uso constante da pílula anticoncepcional, combinado com o de um antibiótico para a garganta, fez aumentar sua pressão arterial, provocando enxaqueca e uma prostração muito grande.

Ayrton chegava em casa no fim de tarde, quase sempre cansado e triste. Olhava Lilian com carinho e a botava no colo. Reclamava da falsidade e da concorrência que enfrentava nos autódromos, e os dois se sentavam no sofá. Às vezes, choravam. E passavam tardes e noites abraçados, vendo televisão no tal sofá mostarda horroroso que já tinha sido freqüentado por 19 gatos ingleses e cujo cheiro remanescente havia sido finalmente atenuado por um edredom novo em folha. Era um casal jovem se protegendo da solidão e das imensas diferenças que separavam a pequena Ethon do bairro de Santana. Os programas sociais se resumiam a visitas esporádicas às casas dos pilotos Chico Serra e Raul Boesel.

Ayrton não estava disposto a pedir qualquer tipo de ajuda aos pais no Brasil. Por isso, o casal passou por apertos que, nos momentos mais drásticos, levaram Lilian a se perguntar se deveria ou não comprar um simples pote de creme. Só não faltava comida. Comiam do bom e do melhor, como manda a tradição brasileira.

Lilian tinha certeza de que o pai mandaria dinheiro, se Ayrton deixasse. Mas ele não deixava. Impunha-se não pedir "arrego". Vivia do salário de piloto que recebia para desenvolver os *karts* da fábrica italiana DAP e dos prêmios da Fórmula Ford. As economias ficavam numa gaveta da cômoda da sala de jantar e eram administradas por Lilian. Senna pedia dinheiro até pra fazer um simples lanche.

O amigo Alfredo Popesco era uma das testemunhas distantes da tristeza de Senna e da mulher. Recebeu cerca de 40 cartas nas quais Ayrton se queixava muito da solidão, da dificuldade de lavar roupa, da comida, "uma merda", e do frio. Senna tentava acompanhar à distância a situação de Alfredo na loja de materiais de construção da família, perguntando sempre como o amigo estava sendo tratado pelo pai. E pedia:

"Escrevam pra mim!"

Para o amigo Tchê, as cartas chegavam a ter um tom de cobrança. A que Ayrton escreveu no dia 7 de abril foi uma delas:

"Tchê, antes de tudo estou esperando sua carta, que até então não chegou, pois essa já é a segunda vez que escrevo a você sem ter contestação."

Depois do desabafo por escrito, o resumo da difícil aventura na Inglaterra:

"Sobre minhas corridas, não tenho muito o que falar, pois parece que estão sendo bem noticiadas e você deve estar acompanhando o pupilo, não é? E a família, como vai? Estou me adaptando bem à vida de casado e não tenho reclamações a fazer. Parece que agora vai esquentar um pouco, pois até agora o frio tem dado o que fazer."

Foi quando o frio deu lugar ao verão europeu, aos seis meses de casados, que Ayrton e Lilian viveram seu pior momento: a pílula estava provocando tantos efeitos colaterais, que o médico brasileiro de Lilian recomendou que ela parasse de tomar por algum tempo. Apesar da preocupação com a gravidez, ela foi incentivada a correr o risco e parou. Depois de 70 dias, o ciclo menstrual não aconteceu. A notícia foi dada após uma corrida, a caminho de casa, a bordo do Alfasud cinza do casal. Ayrton reagiu mal:

— Só vai ter uma alternativa. Se você estiver grávida, vai criar nosso filho no Brasil.

Não era a resposta que Lilian esperava. Senna também sequer contemplou a hipótese de provocar um aborto. O choque de Lilian, porém, foi tão grande que ele ficou preocupado. Pôs a cabeça dela no colo, tentou acalmá-la e explicou por que achava que era melhor criar o filho no Brasil, se ele viesse.

Três dias depois, o ciclo menstrual se completou. Lilian não soube até hoje se o que aconteceu foi ciclo menstrual irregular ou aborto natural. Duas décadas depois, ela avaliou que aquela tarde de julho, no meio de uma estrada do interior da Inglaterra, foi o início do fim do casamento.

A alegria costumava voltar nas idas quinzenais do casal a Milão, quando Ayrton trabalhava nos *karts* da DAP e Lilian saboreava um país, um clima, uma comida e um povo mais parecidos com os brasileiros. Havia também as tardes vitoriosas nos autódromos ingleses, quando a beleza dela chamava quase a mesma atenção que o talento do marido.

Era ali que Ayrton fazia um agrado tão freqüente como suas vitórias: assim que recebia a coroa de flores que era entregue ao vencedor junto com uma pequena garrafa de champanha, ele chamava Lilian e a enlaçava com a coroa. Era o símbolo da gratidão que sentia por sua presença ao lado dele em um período tão decisivo. Naqueles momentos, Lilian estava descobrindo algo que todas as outras mulheres da vida de Ayrton Senna descobririam:

"O automobilismo, para Ayrton, era mais importante do que qualquer mulher. Era a vida dele. Por isso ele foi o que foi. Todas as mulheres ficaram em segundo lugar. Todas."

Ayrton comemora sua primeira vitória na Fórmula Ford com Lilian, na Inglaterra. O casamento não resistiria à solidão e à devoção absoluta de Senna à carreira de piloto.

— *Nice to meet you, nice to meet you!*

Era tudo o que Ayrton Senna, ainda um rapaz muito tímido, conseguia dizer para os surpresos chefes de equipe aos quais Emerson Fittipaldi o apresentava, no *paddock* do circuito de Zeltweg, durante os treinos para o Grande Prêmio de Fórmula 1 da Áustria, em agosto. Ninguém entendeu o inédito entusiasmo de Emerson, não muito dado a pajear iniciantes, fossem eles brasileiros ou não. Mas Emerson já vira e ouvira o suficiente para ter certeza do que estava para acontecer:

— Este é Ayrton Senna da Silva. Ele vai ser campeão do mundo.

Ron Dennis, Ken Tyrrel e outros chefes de equipe da Fórmula 1 aos quais Ayrton foi apresentado naquele dia não guardaram nome ou rosto. Não tinham nem tempo para ver os garotos da Fórmula Ford se enroscarem nas curvas de Silverstone, Brands Hatch, Thruxton, Mallory Park, Snetterton e Oulton Park. Já Dennis Rushen, dono da Rushen Green Racing, uma respeitada equipe de Fórmula Ford 2000, o passo seguinte para os que brilhavam na Fórmula Ford, tinha todo o tempo do mundo. Após a bandeirada final da sexta etapa do Campeonato RAC, disputada debaixo de chuva em Snetterton, no dia 9 de agosto, Dennis, de tão impressionado com a facilidade com que Senna deixou os outros pilotos para trás, fez uma oferta imediata:

— Se você voltar no ano que vem, garanto sua temporada por dez mil libras.

O caráter condicional da proposta fez sentido um mês e meio depois. No dia 29 de setembro, quando Ayrton alinhou no *grid* de Brands Hatch para a última etapa do Campeonato Townsend-Thoresen, pouquíssimos sabiam que, para ele, já campeão, aquela poderia ser a última corrida. Ayrton enfrentava em silêncio uma grande pressão dos pais, que o queriam de volta ao Brasil, longe do automobilismo e preparado para cuidar dos negócios da família. Além disso, estava chateado com os diretores da DAP, por achar que eles tinham desrespeitado detalhes financeiros e técnicos do acordo feito no início do ano. Também sentia falta de alguém que trabalhasse por ele, junto a patrocinadores brasileiros.

Talvez por estar mesmo muito propenso a obedecer ao pai e voltar, Ayrton fez uma despedida histórica na hora em que entrou no *cockpit*. Pulou da terceira fila para a liderança na largada, rodou sem bater em ninguém e caiu para 16º. Voltou à disputa ultrapassando seis adversários por volta e rodou novamente. Intacto. O *show* recomeçou, à mesma taxa de meia dúzia de ultrapassagens por volta, até ele terminar a corrida em segundo lugar. Uma tarde inesquecível. Um título conquistado. Uma notícia surpreendente.

— Que história é essa de parar?

A pergunta, irritada, era de Chico Serra, amigo de Ralph Firman, perplexo ao saber da decisão de Ayrton de fazer as malas e não esperar nem o mês de outubro para participar do Festival de Fórmula Ford de Brands Hatch — o grande evento da categoria no qual Senna, o campeão, e a Van Diemen, sua equipe, seriam as principais atrações.

— Vou voltar para o Brasil. Meu pai precisa de mim.

— Dar a mão pra quê? Você não sabe porra nenhuma do negócio dele! Você está é deixando o Ralph na mão.

Chico sabia que a volta de Senna não tinha nada a ver com negócios. Sabia também do poder que o pai exercia sobre ele. O amigo Alfredo Popesco ia mais longe: tinha certeza de que Ayrton não apenas cumpriria a ordem do pai de trabalhar na loja de material de construção da família, mas também continuaria trabalhando lá indefinidamente "se Miltão pedisse".

Senna desembarcou no Brasil no início de outubro. Levava na bagagem o melhor currículo jamais obtido por um piloto brasileiro em seu primeiro ano no disputadíssimo automobilismo inglês. Na entrevista que deu ao jornal *O Globo*, ele omitiu o fato de estar atendendo ao chamado do pai. E fez um juízo amargo do esporte que dominaria anos depois:

"A Fórmula 1 é muito fechada e não quero sofrer as mesmas decepções por que meu amigo Chico Serra está passando na equipe Fittipaldi. Todo piloto sonha, evidentemente, em competir na Fórmula 1. A experiência mostra, porém, que nela vale mais o dinheiro que um piloto pode pagar à equipe do que o seu talento."

Nélson Piquet também desembarcou no Brasil na mesma época, com o título de campeão mundial, conquistado em Las Vegas. Nélson retardara a volta ao país para fugir do assédio dos torcedores. Justificativa: não era muito seu estilo fazer desfile em carro aberto e outras comemorações. Mais um exemplo da conturbada relação de Piquet com a imprensa e a torcida brasileira.

Senna faria questão de não seguir o exemplo. Muito pelo contrário.

Tijolos e Tristeza à Venda

— Não agüento mais essa merda.

O amigo Júnior viu e sentiu de perto, dias depois da volta de Senna da Inglaterra, a infelicidade em pessoa atrás do balcão da Anhembi Materiais de Construção Ltda., o negócio que o pai preparara para Senna comandar no Parque Novo Mundo, um bairro pobre próximo de Santana. Disciplinado como sempre, o campeão inglês de Fórmula Ford de 1981 tentava mas não conseguia se envolver com estoques de areia, prazos de entrega de tijolos, caminhões de telhas e outras rotinas. Era, nas palavras de Júnior, um bicho aprisionado. A ponto de propor a Júnior que ele convencesse o próprio pai, Américo, a comprar a loja da família Senna:

"Ele jogou a jaca pra mim, mas não havia nada que eu pudesse fazer."

Senna acertara um salário com o pai e, enquanto era montado o apartamento de três quartos que alugou na serra da Cantareira para morar com Lilian, marido e mulher se hospedaram juntos, alternadamente, nas casas das respectivas famílias. Ela sabia que ele não estava bem. Ayrton dormia demais e este era um sinal de depressão que ela conhecia dos tempos tristes de Ethon. Já no início de 1982, durante um jantar na casa do piloto Afonso Giaffone, em São Paulo, Senna não escondia o constrangimento com a situação. Chico Serra, um dos convidados, aproximou-se de Lilian, querendo saber como o marido estava enfrentando a nova vida:

— Está péssimo. Ele quer correr, só pensa nisso. Ele não está legal.

O sinal de que uma crise inevitável estava a caminho aconteceu exatamente quando Lilian quis deixar o marido mais próximo das lembranças do automobilismo, no dia em que os dois foram ao apartamento alugado, às vésperas da mudança definitiva. Depois de ver a estante de troféus cuidadosamente montada na sala, Senna caminhou para a janela que dava vista para o bairro do Tremembé, localizou a casa dos pais a distância, fez mais alguns comentários e mudou o tom:

— Lilian, não é isso que eu quero. Eu não vou conseguir.

A partir daquele momento, os dois não conseguiram mais falar. Só no dia seguinte, Ayrton transformou o desabafo da véspera em decisão:

— Devolve o apartamento, os móveis, tudo.

Não foi surpresa para Milton, Neyde e Viviane. Eles já vinham sendo avisados, em várias conversas difíceis na cozinha e no escritório da casa da serra da Cantareira, que aquela situação era dolorosa e insustentável. Em um desses dias, Senna fizera um desabafo especialmente duro:

"Ninguém mandou me colocar sentado num *kart* quando eu era pequeno. Experimentei, gostei e agora não peçam jamais para eu desistir. É minha vida!"

A crise familiar começou a ser resolvida quando o amigo e sócio de Milton, Armando Botelho, sensibilizado com a sofrida empreitada de Ayrton no Parque Novo Mundo, decidiu ser um mediador. Armando, então com 49 anos, conhecera Milton quando ainda era um piloto em busca de horas de vôo no Campo de Marte. A amizade e a futura sociedade nos negócios nasceram depois de muitas viagens de avião dos dois, entre São Paulo e as terras de Milton, no interior do país.

Armando tinha certeza de que Senna, cedo ou tarde, voltaria às pistas. Queria apenas evitar que a retomada da carreira acontecesse contra a vontade de Milton. Não tinha interesse por automobilismo nem entendia de *marketing*. Mas se propôs a cuidar dos contratos e da busca de patrocínio. O pai de Senna aceitou. Em raro depoimento, dado ao jornalista Lemyr Martins 15 anos depois, ele disse que Ayrton era tão teimoso quanto ele e a mãe. E admitiu:

"Eu não queria vê-lo piloto profissional, mas ele ficou tão desmotivado trabalhando nos negócios da família, que acabei concordando."

No dia 27 de fevereiro de 1982, Ayrton embarcou para a Inglaterra para acertar sua participação nos campeonatos inglês e europeu de Fórmula Ford 2000. Antes, pedira a Lilian que ficasse na casa dos pais dela e desse um tempo até os dois decidirem o futuro. Convencera também o pai a entregar a gerência da Anhembi Materiais de Construção Ltda. ao amigo Alfredão. Dona Neyde não quis dar nenhum conselho especial ao se despedir de Ayrton. Apenas um beijo, acompanhado da carinhosa resignação que apenas as mães parecem ter:

— Eu cuidei de você até aqui. Agora te entrego nas mãos de Deus. É ele quem vai te guiar.

Em entrevista dada em 1984, Ayrton deixou claro que aquele início de 1982 foi muito difícil:

"Eles viram que eu não voltaria atrás. Depois de perceberem que poderiam me prejudicar, passaram a me apoiar como na época do *kart*."

Faltava resolver o casamento. Um telefonema da Inglaterra para São Paulo, dias depois, pôs fim a tudo, selado pela convicção mútua de que uma nova jornada de frio e solidão em um país estranho seria insuportável. Os sogros cuidaram da parte jurídica da separação, que só foi oficializada no dia 11 de fevereiro de 1983, Ayrton de férias no Brasil, na 1ª Vara Distrital da Casa Verde, através de um aperto de mãos formal dos dois, Lilian usando um terninho azul que ganhara da sogra, e Ayrton de *jeans*, camiseta e tênis. Nem se olharam direito.

Lilian voltou a morar com os pais, mas se casou meses depois. Teve um filho em 1987, separou-se e se deixou fotografar como ex-senhora Ayrton Senna quando trabalhava como decoradora da loja Artefacto, na região dos Jardins. Encontrada pela revista *Caras*, ela se queixou, com bom humor:

"Minha única mágoa é que sempre que falam de mim publicam fotos antigas nas quais estou muito feia."

Dona Neyde e dona Grizelda continuaram amigas e freqüentaram por muito tempo o mesmo curso de pintura de cerâmica. Lilian se casou pela terceira vez em janeiro de 1995. Pediu aos colegas da loja Artefacto para não dar pistas dela para a imprensa. O que ela sempre esperou ouvir de Ayrton, ele acabou dizendo não para ela, mas para a médica e confidente Linamara Battistella, dez anos depois do fim do casamento:

— Tenho uma preocupação muito grande em saber se a Lilian está bem. Foi uma atitude um pouco egoísta casar tão cedo e ir sozinho com ela para a Inglaterra. Tenho um sentimento de remorso muito grande. Um remorso que se tornou preocupação. Por isso, estou longe, mas acompanho tudo o que acontece com ela.

Quase 20 anos depois da separação, Lilian fez um balanço bem-humorado do triste e apressado casamento com Ayrton Senna:

"Fomos muito imaturos. Eu queria brincar de casinha, e ele de carrinho."

Uma Corrida Estranha

Ninguém entendia o que estava acontecendo com a Van Diemen RF82-Ford pilotada por Ayrton Senna, naquela tarde de 9 de abril de 1982, no circuito de Snetterton, quinta etapa do campeonato inglês de Fórmula Ford 2000. O comportamento do piloto na pista não combinava com o devastador desempenho que ele tivera nas quatro primeiras provas da temporada, em seu retorno depois da crise com a família: quatro *pole positions*, quatro voltas mais rápidas e quatro vitórias. Naquela tarde, porém, Senna estava muito estranho.

Ele tinha largado na frente, mas completara a primeira volta com o companheiro de equipe Kenny Andrews grudado na sua traseira, pronto para dar o bote. Não havia som de motor nem sinalizações de Ayrton que sugerissem problemas no carro. Na volta seguinte, Senna passou em sétimo, deu a impressão de entrar no boxe, mas desistiu e continuou na pista. De repente, algumas voltas depois, começou a ultrapassar todo mundo. Kenny Andrews, que chegara a sonhar com a primeira vitória, também não entendeu nada, quando Senna passou por ele como um foguete para retomar a liderança. Na hora da bandeirada, o mistério final: Ayrton só parou o carro cerca de 300 metros depois da linha de chegada. A explicação:

— Eu estava sem freio.

Dennis Rushen logicamente não acreditou e foi checar. Afinal, correr sem os freios dianteiros, mal comparando, é mais ou menos o equivalente a descer uma serra sinuosa num carro de passeio, usando apenas o freio de mão.

Era verdade. Uma farpa de metal de um dos carros que tinham batido na largada inutilizara os freios dianteiros. Os que continuaram duvidando da façanha apalparam os discos de freio dianteiros. Estavam gelados. Não tinham sido usados. A experiência foi descrita por Senna como um exercício de matemática no qual tivera de usar o acelerador e as reduções de marcha de forma muito precisa, para não bater ou ser atingido por trás. E ele não sinalizara manualmente para a equipe a falta de freio simplesmente porque o código não existia. O assombro dos mecânicos da Rushen Green Racing se completou com a resposta de Ayrton quando Kenny Andrews, definitivamente à vontade com a condição de coadjuvante, pediu um conselho para melhorar seu desempenho nas curvas de Snetterton:

— Você freia muito cedo para os "esses". Eu estava freando depois de você e só estava com freio traseiro.

O conselho foi inútil. Ayrton venceu 17 das 23 provas restantes, conquistando 11 *pole positions* e fazendo 19 vezes a volta mais rápida. O preço da façanha, mais uma vez, incluiria uma série de encrencas perigosas na pista, desta vez com o escocês Calvin Fish, o principal adversário naquele ano. Fish, que chegou a decolar e voar para fora da pista a três metros de altura, nos "esses" de Snetterton, no dia 10 de julho, depois de ser empurrado para a grama por Senna, ficou muito assustado:

"Era como se ele não pudesse ser ultrapassado. Bastava emparelhar, para ele ou te colocar pra fora da pista ou bater, tentando se manter à frente. Era uma coisa muito louca."

Tão louca que, no caso da decolagem de Fish em Snetterton, Senna foi multado em 200 libras, depois da apresentação de um protesto formal da equipe do rival. Ayrton ficou furioso, alegou que estava sendo punido por ser brasileiro e deixou de falar com Calvin. Dennis Rushen, igualmente assustado com a intensidade de seu piloto, deu até um conselho que não era para ser tomado como previsão:

— Você quer isso demais. Você assim vai acabar morrendo, rapaz.

O conselho se tornava grito de pânico para quem sentava no banco do carona quando Ayrton disparava pelas ruas e estradas da Inglaterra. Em uma dessas viagens, iniciada no circuito de Donnington Park, região central do país, o motivo da pressa, se é que fosse necessário, era chegar em Snetterton, na região nordeste, a tempo para acompanhar uma corrida de Maurício Gugelmin. Dennis olhou para o relógio, fez as contas e chegou à conclusão de que, mesmo andando depressa com o Vauxhall Astra, os dois chegariam uma hora depois da largada da corrida. Senna discordou:

— A gente consegue. Eu dirijo.

Dennis lembrou de ter ficado satisfeito de estar com um livro qualquer à mão. Não que fosse lê-lo. Era para colocá-lo diante dos olhos e não testemunhar a fenomenal confiança que Ayrton tinha em sua capacidade de guiar um automóvel. E sua certeza quase religiosa de que nenhum trator cruzaria lentamente a frente do Astra naquelas estradas perfeitas de mão dupla e nos *roundabouts*, as rotatórias onde a preferencial é de quem está dentro, fazendo a curva. Eles chegaram em Snetterton a tempo de ver a corrida de Maurício. Alguns minutos depois do tempo previsto por Senna, é verdade. Mas ainda assim, nas palavras de Dennis, foi um tempo de viagem impossível.

Adeus Gilles, Olá Nélson

"Rezemos por ti, Gilles Villeneuve, porque representas uma das ilusões do teu século: a velocidade confundida com liberdade."

O registro amargo do jornalista Artur da Távola sobre a morte de Gilles Villeneuve nos treinos para o Grande Prêmio da Bélgica, no circuito de Zolder, dia 8 de maio de 1982, foi apenas um exemplo, na mídia brasileira, do impacto e da polêmica provocados pela perda do herói canadense da Ferrari. Nos boxes de Zolder, no entanto, passados os momentos traumáticos que se seguiram à morte de Gilles, a vida continuou para mecânicos, engenheiros, chefes de equipe e pilotos, entre eles Ayrton Senna, que estava ali para disputar, na preliminar da Fórmula 1, a terceira etapa do Campeonato Europeu de Fórmula Ford 2000.

A perspectiva de passar pelo menos 25 vezes de pé embaixo pela mesma curva onde, um dia antes, a Ferrari de Villeneuve havia se espatifado, lançando o corpo do piloto num vôo mortal até a cerca de proteção, aparentemente afetou menos Senna do que a forma como ele foi recebido pelo campeão Nélson Piquet no boxe da equipe Brabham. O semblante decepcionado de Ayrton, ao voltar do encontro, chamou a atenção de Dennis Rushen. Para ele, aquele momento foi decisivo para o que aconteceria no futuro entre os dois pilotos. O jornalista Wagner Gonzales, à época acompanhando a Fórmula 1 pelo jornal *O Estado de S. Paulo* e futuro assessor de imprensa de Ayrton, achou que, considerando as circunstâncias do momento, Piquet campeão e Senna começando a aparecer, não havia razão para que o encontro fosse diferente do que foi: rápido, formal e frio. Mas a frase de Senna, ouvida por Dennis, disse tudo:

— O cara me esnobou. Um dia venço esse desgraçado.

Restava dar um *show* na pista naquele dia em que o automobilismo chorava a perda de Gilles Villeneuve. E o *show* aconteceu, até Senna rodar e ser obrigado a abandonar a prova. Para Dennis Rushen, o acidente teve a mesma origem de outro, famoso, seis anos depois, quando ele bateria sozinho a poucas voltas de uma vitória gloriosa no Grande Prêmio de Mônaco:

"Ayrton simplesmente não podia tirar o pé. Se tirasse, desconcentrava e batia."

E como Senna jamais admitia a possibilidade de errar, Dennis não esqueceu que, também naquela tarde, aconteceu o único momento, em todas as corridas de 1982, em que viu Ayrton admitindo ter cometido um erro. Ao passar pelo boxe a pé, de volta da rodada, Senna cruzou com Dennis e, sem diminuir o ritmo da caminhada, pronunciou, quase à força, duas palavras:

O sorriso só voltou no início de 1982, quando os pais desistiram de manter Ayrton longe das pistas. A conquista do título da Fórmula Ford 2000 não foi surpresa para ninguém.

— Sinto muito.

Zolder não foi apenas a morte de Villeneuve, a decepção com Nélson Piquet e a frustração de rodar sozinho na liderança de uma corrida. Naquele fim de semana, Ayrton se apresentou a um jornalista que seria um de seus maiores amigos e cuja lembrança daquele primeiro encontro era a de "um moleque magro, feio e orelhudo, mas determinado".

— O senhor que é o Galvão Bueno?

— Sou...

— Eu sou Ayrton Senna da Silva...

— Pelo jeito, eu vou falar muito de você.

— Espero que sim...

O Primeiro Flerte

O plano de Ron Dennis era simples: oferecer a Ayrton Senna, a estrela da Fórmula Ford 2000, na temporada de 1982, 100 mil libras esterlinas, o que cobria todos os patrocínios que Ayrton tinha para a temporada de 1983 na Fórmula 3, para que ele assinasse uma opção de correr pela McLaren a partir de 1984. Ron tinha a certeza de que qualquer jovem piloto do mundo venderia a mãe para receber oferta semelhante. No dia seguinte à reunião de Ron com Ayrton, o sócio da McLaren, Creighton Brown, que sugerira a contratação, percebeu que algo não tinha dado certo. Ron estava furioso.

—Você não vai acreditar. Ofereci a ele tudo o que tinha combinado. Mas não me importo: se esse filho da mãe vier de joelhos no futuro, jamais vou oferecer outro emprego a ele.

Perplexo, Creighton quis saber o que tinha acontecido. E Ron explicou:

— Ele queria 100% de garantia de que, em 1984, a McLaren seria capaz de vencer o campeonato. Nunca vi tanta arrogância em um principiante em toda a minha vida. Tivemos uma grande discussão e não fizemos o acordo. Ele queria ter opções abertas e eu não podia garantir que nosso carro seria campeão assim que ele começasse a correr para nós.

Ron estava escandalizado. Creighton também ficou impressionado, mas resolveu provocar o sócio:

— Ron, um dia você vai engolir o que está falando.

A McLaren foi campeã em 1984, com Lauda, em 1985, com Prost, e em 1986, com Prost novamente. Nem Ron Dennis podia prever. E Creighton Brown estava certo: Ron teve de engolir a promessa de jamais contratar aquele brasileiro insolente.

Não era insolência. Também não era o ótimo pacote financeiro que Ayrton já tinha assegurado para disputar a Fórmula 3 em 1983. A proposta de Ron Dennis, na verdade, não garantia de forma clara que Senna pilotaria uma McLaren em 1984. A equipe teria a opção, mas não a obrigação de dar um carro para Senna. Além disso, Ayrton tinha na memória relatos de Chico Serra sobre tempos difíceis que ele tinha passado sob o comando de Ron Dennis, na equipe Project Four de Fórmula 2. Uma relação descrita como péssima por Dennis Rushen.

Além do mais, Ayrton já tinha sido descoberto pelos outros donos da Fórmula 1, como mostravam os recados que Bernie Ecclestone, da Brabham, Peter Warr, da Lotus, Frank Williams e Alex Hawkridge, da Toleman, começaram a deixar na casa da mãe de Keith Sutton, então dublê de fotógrafo e assessor de Senna. A carreira na Fórmula 1 poderia até ter começado um ano antes, em 1983, se ele tivesse aceitado a oferta da equipe Toleman. Bastava obter a superlicença, disputando algumas provas de Fórmula 3. Senna recusou e Alex Hawkridge, que acabou sendo seu primeiro patrão um ano depois, só não concordou com a explicação:

"Ele queria provar-se o melhor na Fórmula 3. Estava desesperadamente ansioso por demonstrar isso para si e para os outros. Isso era meio ridículo. Qualquer um que se desse ao trabalho de olhar ia perceber que ele era um talento excepcional."

O dono da Toleman tinha uma certa razão: na conquista do título europeu da Fórmula Ford 2000 em Jyllandsring, na Dinamarca, no dia 22 de agosto de 1982, Ayrton cruzou a bandeirada, aos prantos, com uma vantagem de 27 intermináveis segundos sobre Calvin Fish, o segundo colocado. O título inglês foi conquistado dias depois, com a confirmação de uma vitória de Senna em Snetterton.

Agora era escolher a equipe de Fórmula 3.

O autódromo de Silverstone foi o cenário do primeiro teste na categoria, que tem mais potência, pneus mais largos e maiores opções de aerodinâmica que os carros da Ford 2000. Ayrton precisou de 20 voltas para baixar o recorde do piloto oficial da equipe Jordan, James Weaver, e de outras dez, na parte da tarde, para pulverizá-lo. Foi para casa deixando para trás um acerto de suspensão e aerodinâmica que, rigorosamente mantidos, garantiriam a James Weaver, àquela altura ainda disputando o título europeu da Fórmula 3, três vitórias seguidas. Senna recebeu uma oferta de Eddie Jordan, o dono da equipe, mas recusou. Eddie se tornaria seu grande adversário. Martin Brundle, o grande rival de Senna na Fórmula 3, seria o contratado.

Antes de testar o carro de outra, a West Surrey Racing, Ayrton tinha, como referência, o fato de seu ex-adversário dos tempos da Fórmula Ford, o argentino Henrique Mansilla, ser um dos pilotos e, mais importante, estar vencendo corridas:

— Se Mansilla está andando tão bem no carro é porque o carro é muito bom.

Senna estava certo. O carro era muito bom e, nas palavras do futuro patrão, Dick Bennetts, saiu voando assim que Ayrton entrou no *cockpit* e acelerou, na primeira volta do primeiro teste. Para confirmar a ótima impressão inicial, Ayrton decidiu disputar uma prova extracampeonato em Thruxton, no dia 13 de novembro.

Foi *pole*, venceu a corrida e fez a volta mais rápida.

Negócio fechado com a West Surrey Racing.

Solidão e *Headphones*

PQP era o apelido que o piloto e empresário português Pedro Queiroz Pereira usava para correr na Stock-Car no Brasil sem que a família, que era contra, percebesse. Filho do milionário Manuel Queiroz Pereira, um dos maiores fabricantes de cimento de Portugal, PQP era um dos pilotos que insistiram em se manter com pneus lisos na pista molhada, em uma prova realizada em Interlagos, no final de 1983. Na cabine da TV Bandeirantes, o comentarista Ayrton Senna, convidado especial, fenômeno da Fórmula 3 inglesa já descoberto pela imprensa brasileira, falou sem malícia:

— O português foi inteligente.

O elogio marcou o início de uma grande amizade. PQP tornou-se cicerone de Ayrton em Portugal, país que com o tempo se transformou no refúgio afetivo dele na Europa. Mais exatamente, PQP se encarregou de reunir, de um lado, Ayrton, e de outro, belas garotas portuguesas. Em uma das poucas vezes em que PQP mudou o enredo do programa noturno, levou Ayrton ao teatro para assistir a uma revista musical de sátira política. Não deu certo. Para PQP, não foi nem o caso de gostar ou não gostar:

"O Ayrton não entendeu nada."

Afetivamente, mesmo livre do casamento malsucedido e tendo toda a liberdade de que precisava na Europa, Senna continuava no Brasil. Seu rápido reencontro com a amiga de juventude Cristina Sala, em Londres, durante a temporada de Fórmula 3, foi marcado pela nostalgia. Cristina, a confidente de Ayrton quando ele se apaixonara por Sofia Aidar, estava se preparando para voltar ao Brasil, depois de um curso de inglês em Oxford. Na véspera da partida, foi jantar na casa de Ayrton. Os dois trocaram confidências sobre os respectivos desencontros afetivos e, no final do jantar, se deram conta de que o limite da amizade tinha ficado para trás.

Ayrton chegou a pedir que Cristina ficasse na Inglaterra por mais um tempo, mas ela decidiu que tinha de voltar. A despedida dos dois, no aeroporto de Heathrow, só reforçou em Cristina a sensação de que Ayrton estava muito só na Inglaterra. O reencontro mexeu tanto com os dois que, a partir daquele dia, passaram a se olhar de um jeito especial. Cristina voltou para São Paulo com a certeza de que o preço pessoal que Ayrton estava pagando pela carreira era muito alto.

Ao longo da temporada de Fórmula 3, no *paddock*, a imagem de

Ayrton não foi muito diferente da que ele já construíra nos autódromos: *headphones* no ouvido, sempre afastado, pouca conversa e raras companhias. Para Dick Bennetts, essa postura de Ayrton em treinos e corridas dava mesmo a impressão de que ele não era muito feliz. Mas ele também se lembrou de Senna se divertindo bastante longe da pista, bebendo caipirinha em churrascos e sorrindo, quanto maior fosse a intimidade com as pessoas à sua volta.

Dick Bennetts registrou, na memória, a presença de apenas uma namorada, acompanhando Ayrton nos boxes por algumas corridas: uma jovem que se envolveu tanto com a profissão do namorado, que chegou a pedir a Dick que ele reconstruísse, em horas, um carro que Ayrton desfizera numa batida forte, logo depois de conquistar a *pole position* para a etapa Cadwell Park, no dia 19 de junho. Impossível. Senna não teve carro para largar.

No *paddock* de Silverstone, quando a Fórmula 3 foi preliminar do Grande Prêmio da Inglaterra, outro ponto foi dado na costura de uma grande amizade. Um atropelamento de brincadeira, Senna ao volante de uma Vespa, marcou seu reencontro com Galvão Bueno. Neste dia, Galvão foi apresentado a Armando Botelho. A empatia do trio seria imediata e duradoura.

O Ayrton que Galvão passou a conhecer mais, como todo garoto que começava no *kart*, comia sanduíche com as mãos às vezes tingidas de graxa, não tinha maiores preocupações com cultura. Ler, nem pensar. Não fazia parte do perfil. Era inquieto demais para ficar tanto tempo parado. Gostava mais de música e tinha um gosto eclético, que passava por *rock*, *blues* e alguns clássicos populares. À mesa, no início, ele só comia espaguete com molho de tomate e manjericão, o famoso "Pomodoro e basilico". Não era nem se tornou, na lembrança de Galvão, um apreciador de vinho:

"De vez em quando era um porrista. Do tipo que só chegava em casa carregado."

Novo Batismo

A conversa foi na sede da West Surrey Racing, nos arredores de Londres, às vésperas da primeira prova da Fórmula 3 britânica. O carro de Senna estava pronto e pintado. Chico Serra acompanhava e viu o nome "Ayrton da Silva" nas laterais do *cockpit*.

— Cara, você precisa trocar esse nome...

— Por quê?

— Com esse nome, você jamais vai ser campeão mundial.

Ayrton não fez nenhum comentário na hora, mas nunca mais usou o Silva que herdara do pai. O nome de guerra seria Ayrton Senna, e os ingleses, cuja notória dificuldade com o prenome já os levara a pronunciar algo semelhante a *Harryington*, emplacaram definitivamente o sobrenome que Ayrton ganhara de dona Neyde. O início de temporada da Fórmula 3 em 1983 mostrou que aquela preocupação com sonoridade e carisma foi, se não desnecessária, supérflua.

Qualquer que fosse o nome pintado nas laterais do *cockpit* daquele Ralt RT3-Toyota da equipe West Surrey Racing, o lugar na história da categoria estava assegurado. Com três vitórias espetaculares que incluíram a quebra da barreira dos 200 quilômetros por hora de média em Silverstone, Ayrton, imediatamente, passou a ser comparado, pelos jornalistas ingleses, a Jim Clark, Jackie Stewart, Emerson Fittipaldi, Nélson Piquet e Alberto Ascari. Os editores da revista *Autosport*, adeptos do uso de trocadilhos nos títulos das reportagens, não tiveram dificuldade de adaptar o sobrenome de dona Neyde às façanhas do filho no mais tradicional dos autódromos da Inglaterra. Depois de duas vitórias categóricas, o circuito foi simbolicamente rebatizado: *Silvastone*. Era mais ou menos o que Ayrton esperava, na época:

— É preciso fazer algo especial, sobressair e não simplesmente ganhar. Todo ano alguém vence um campeonato. Eu procuro algo além disso.

Martin Brundle foi a testemunha mais próxima daquela intensidade. Antes mesmo de alinhar com um dos carros de Eddie Jordan para a primeira corrida do ano, Brundle percebera que a conversa no *paddock* não era sobre quem seria campeão depois de 20 etapas. Era sobre quem conseguiria chegar perto de Senna. Achou aquilo muito estranho. Entenderia tudo em Silverstone, ao ser ultrapassado duas vezes na pista molhada:

— Ele era incrível. Chegou a ficar com duas rodas na grama, mas continuou na minha frente. Tinha uma espécie de sexto sentido e sabia antes, e não depois de uma curva, quanta aderência teria.

O patrão de Brundle, Eddie Jordan, descreveu aquele início de temporada como um bando de pilotos tentando se encontrar, enquanto era desmoralizado por Senna.

O patrão de Senna, Dick Bennetts, comemorava não apenas o fato de ter em seus carros um piloto muito veloz. Em uma época em que a telemetria ainda estava sendo desenvolvida, ele tinha, a bordo daqueles Ralt, o que chamava de "computador móvel". Os relatórios precisos e ricos em detalhes feitos por Senna ao longo da temporada se tornaram uma atração à parte para os pilotos que o sucederam na West Surrey Racing. Sete anos depois, Rubens Barrichello foi campeão pela equipe e adorou folhear os mesmos relatórios para saborear as observações de Ayrton sobre ajustes de suspensão, de motor e de aerodinâmica. Com a evolução da categoria, os relatórios perderam a utilidade, mas, guardados com carinho por Dick Bennetts, são uma prova do grau assombroso de dedicação do mais genial dos pilotos que passaram por lá.

Longe dos autódromos ingleses, a determinação de Ayrton era a mesma. Uma reunião dele e de Armando Botelho para tratar de patrocínio com Flávio Rocha, diretor da grife de *jeans* Pool, realizada na sede da Companhia Guararapes, em São Paulo, foi testemunhada pelo piloto de *stock-car* Reynaldo Campello. A pauta do encontro, estratégias futuras de patrocínio, foi levada ao pé da letra por Ayrton. Com admirável precisão, em maio de 1983, um ano antes de estrear na Fórmula 1, Senna antecipou o que viria a ser sua trajetória no automobilismo.

Disse que venceria várias corridas na F-3 aquele ano. Que, no ano seguinte, passaria por uma equipe pequena da Fórmula 1, onde não ficaria por muito tempo. Partiria então para uma equipe um pouco maior, na qual começaria a vencer. Depois, seria campeão mundial em uma grande equipe. Para os participantes daquela reunião, foi um típico episódio de Ayrton Senna, daqueles em que o tempo foi confirmando o que, no presente, parecia pretensão e falta de humildade.

Futuro à parte, Ayrton ainda venceu mais cinco provas na Fórmula 3, completando nove vitórias consecutivas, antes do primeiro dissabor, o abandono na décima etapa, em Silverstone, no dia 12 de junho. Àquela altura, porém, outras revistas européias especializadas, como a italiana *Autosprint*, a inglesa *Motoring News* e a francesa *Auto Hebdo*, já registravam o surgimento de um novo fenômeno. Jeremy Shaw, da *Autosport*, sem mais trocadilhos sobre as façanhas de Ayrton, arriscou outra expressão para descrever o que ele fazia com adversários como Brundle e Davy Jones: *Senna-sational*. Alain Prost, então piloto da equipe Renault, em plena disputa do título da Fórmula 1 com Nélson Piquet, da Brabham, e René Arnoux, da Ferrari, leu algumas daquelas reportagens. Vinte anos depois, disse que não se impressionou muito. Precisava ver como Ayrton evoluiria na carreira. E veria.

John Hogan, então o executivo da Philip Morris responsável pelo maior e mais importante patrocínio da história da Fórmula 1, os cigarros Marlboro, tinha visto o suficiente. Uma das equipes patrocinadas, a Ferrari, procurava um piloto para a vaga de René Arnoux, que ainda não sabia. Hogan, que fora apresentado a Senna um ano antes, durante o Grande Prêmio da Áustria, sugeriu então ao diretor da Ferrari, Marco Piccinini, que contratasse logo Ayrton, já para a temporada de 1984. A resposta de Piccinini, posteriormente lamentada como um "grande erro" pelos inúmeros chefes que tinha, foi curta:

— Não. Ele é muito jovem.

Piccinini, quem sabe, temia o que andava acontecendo nos circuitos ingleses da Fórmula 3. O acidente que deixou Ayrton sem carro para correr, no circuito de Cadwell Park, foi apenas uma das quase-tragédias da temporada: em plena volta voadora, tentando melhorar a *pole* já conquistada, ele entrou tão rápido na curva ao final da subida chamada de *Montanha*, situada atrás do *paddock*, que seu Ralt simplesmente decolou, pousando violentamente num posto da direção de prova, atropelando um dos comissários de pista e quebrando-lhe uma das pernas.

Anos depois, Senna fez questão de corrigir, nas bordas do texto original do livro *The Hard Edge of a Genius,* de Christopher Hilton, o trecho que relatava uma preocupação muito maior dele com o que restara do carro do que com o estado de saúde do comissário. Insistiu que, na hora do acidente, não percebeu que um fiscal ficara ferido. O jornalista Lemyr Martins contou depois que Senna chegou a esperar por um processo de indenização, mas se deu conta de que o comissário era também um fã. Só quis dois ingressos para a corrida, um autógrafo na perna engessada e a foto de uma pose com a namorada, ao lado de Ayrton. Conseguiu tudo, menos que Senna fosse seu padrinho de casamento, no final daquele ano.

Até acidente escondido, com um carro de outra categoria, Ayrton sofreu. Não foi para a equipe de Dick Bennetts. A pedido do ex-patrão Ralph Firman, Senna foi até a pista de Snetterton testar uma de suas Van Diemen de Fórmula Ford. O segredo acabou, quando uma roda quebrou, e o carro capotou espetacularmente, assustando a todos. Dick ficou sabendo, quando alguém no *paddock* comentou com ele dias depois, imaginando que soubesse. Senna tomou uma bronca:

— Você podia ter perdido o campeonato. Não faça mais isso.

Acidentes já bastavam os da Fórmula 3, que acabaram com cinco das 20 corridas de Senna. Esse número, no entanto, escondia a ferocidade do duelo que ele manteve ao longo de toda a temporada com Martin Brundle, e que teve dezenas de saídas mútuas de pista, rodadas, heróicas recuperações e batidas. O emblema histórico dessa ferocidade foi o estado em que ficaram os dois Ralt, após um assustador acidente no circuito de Oulton Park, no dia 11 de setembro: um carro sobre o outro, como que simbolizando a interminável disputa pelo mesmo espaço, mesmo a zero quilômetro por hora. Brundle tinha uma explicação:

"Ele desviou por dentro de mim e batemos. Nem se tivéssemos um mês inteiro só de domingos de corrida, aquilo iria dar certo. Eu teria que ter ido embora do autódromo para evitar o acidente."

Senna também:

"Não existe curva onde seja impossível fazer uma ultrapassagem. É só uma questão de saber quando vou ultrapassar."

Pechincha

O mago Colin Chapman tinha morrido um ano antes. Ou, alguns desconfiavam, apenas sumira do mapa, fugindo dos credores à custa de um enterro tão veloz quanto falso, como se a Fórmula 1 fosse cenário de mais uma aventura de James Bond. Ainda assim, a Lotus, sua criatura, patrimônio do automobilismo inglês, mantinha-se como grande equipe. Peter Warr assumira o comando, tentando realizar um dos últimos desejos do fundador: um contrato para ter o motor Renault Turbo. Ao mesmo tempo, mantendo a tradição de bons projetistas, Peter Warr contratou o respeitado engenheiro francês Gerard Ducarouge. Este foi o pacote oferecido a Ayrton Senna no outono de 1983.

Warr queria manter o piloto Elio De Angelis na equipe. Senna foi convidado para a vaga de Nigel Mansell, por quem Peter Warr não tinha a menor admiração ou simpatia. A conversa aconteceu numa tarde de outubro de 1983, no castelo de Ketteringham, a sede da Lotus. Não foi difícil convencer Senna a aceitar a oferta de US$ 50 mil. Por um ano de contrato.

Acerto feito, Peter Warr achou que o melhor momento para comunicar a boa notícia ao patrocinador principal — o fabricante dos cigarros John Player Special — era o fim de semana do Grande Prêmio da Inglaterra, no circuito de Brands Hatch, onde, por obra de uma surpreendente eficácia dos pneus Pirelli, a Lotus conseguira a *pole position*, com Elio De Angelis, e o terceiro lugar no *grid* de largada, com Nigel Mansell. Na conversa com Peter Dyke, o executivo da John Player Special responsável pelo patrocínio, Warr se encheu de entusiasmo e anunciou:

— Tenho uma ótima notícia. Consegui um acordo com Ayrton Senna. E nós o teremos por apenas US$ 50 mil.

O choque: Dyke começou a exibir manchetes de jornais ingleses que não citavam a *pole position* de De Angelis, mas destacavam o terceiro melhor tempo conquistado por Mansell. E emendou:

— Precisamos de um piloto inglês. Não pago por Senna. Pago por Mansell.

Dyke pagou quatro vezes mais, US$ 200 mil, para continuar com Nigel Mansell. Dias depois, numa reunião previamente marcada com Senna para acertar os detalhes do contrato, Peter Warr se viu na constrangedora obrigação de desfazer o acerto. Na memória que guardou da conversa, Senna não ficou com raiva, mas muito desapontado. Estava começando a perder a inocente crença de que, na Fórmula 1, para vencer, bastava o talento.

Peter não perderia por esperar.

O Teste

Não havia vivalma nas arquibancadas do autódromo de Donnington Park na manhã de 19 de julho de 1983. A rigor, nem era para ter: nos boxes desertos, apenas os mecânicos e engenheiros da equipe Toleman, acompanhando um teste do piloto Derek Warwick, e, a metros de distância, parte da equipe Williams, à espera do patrão, Frank, e de Ayrton Senna, o convidado para testar o Williams FW08C do campeão Keke Rosberg. Era para ser uma daquelas manhãs banais de testes de Donnington. De vez em quando, os pilotos, artistas sem platéia, saíam para a pista, e o grito metálico dos motores quebrava o silêncio dos pastos verdes em volta. O cheiro do coquetel de óleos e gasolina do *paddock* formava uma curiosa mistura com o adubo das fazendas próximas.

"É hoje..."

A frase curta de Ayrton, após dois toques carinhosos na base da suspensão traseira da Williams de Rosberg, quando o carro ainda estava suspenso, dentro do caminhão-oficina da equipe, foi registrada pelo cinegrafista Sérgio Gilz, da TV Globo. A imagem tornou-se um marco histórico não apenas do dia em que o gênio encontrou o instrumento definitivo de sua arte. Foi também um dia de assombro e incredulidade com o que ele fez na pista.

Era julho, verão, e Ayrton suava tanto, que trocou de camiseta várias vezes, até o fim do teste. Não era só calor, confessou tempos depois. Era medo de errar. E uma emoção tão grande, que ele estava às lágrimas quando Reginaldo Leme, enfim, lhe estendeu o microfone pouco depois das nove da manhã.

"Isto é um presente que Deus está me dando. Não só o de pilotar um Fórmula 1, mas o Fórmula 1 campeão do mundo."

O chefe dos mecânicos, Alan Challis, decidiu não esperar Frank Williams e pediu que Ayrton entrasse no *cockpit* para receber as instruções sobre os comandos e os botões do painel. Não houve tempo para os ajustes do banco de Keke Rosberg às dimensões de Senna. Ele não teria, portanto, uma posição confortável para guiar. Os pneus não foram de classificação, mais velozes. E havia ainda uma pequena imperfeição com os freios. Problema? Nenhum. Ayrton queria ir para a pista e acionou, pela primeira vez, um Ford Cosworth de 600 cavalos.

Assim que Senna saiu para a primeira volta, Reginaldo Leme correu para a *chicane* que antecede à reta dos boxes. Queria ver como Ayrton se adaptava. E não acreditou. Com cinco voltas, Senna já andava como se estivesse pilotando um Fórmula 3. Com medo de ser traído por uma falsa impressão, Reginaldo correu de volta para os boxes para conferir os tempos. Encontrou a equipe Williams inteira e os outros jornalistas brasileiros perplexos com o que estava acontecendo na pista.

Com dez voltas, Ayrton já tinha igualado a melhor marca mais recente do mesmo carro, duas semanas antes, nas mãos do piloto oficial de testes da equipe, Jonathan Palmer. O próprio Frank Williams anotava os tempos na planilha de cronometragem. Frank tinha preparado um plano de adaptação de Ayrton, mas desistiu, espantado:

"Sua adaptação foi imediata. Simplesmente impressionante!"

Foram 83 voltas, ao fim das quais Senna, com o tempo de 1m0s9, baixou em quatro décimos o recorde da pista para carros equipados com motores aspirados, um pouco mais lentos que os de motores turbo, dominantes naquela temporada. Frank Williams guardou para o resto da vida aquelas planilhas de cronometragem.

Dois dias depois do teste, Senna voltou a Donnington Park para mais uma prova com seu Ralt de Fórmula 3. Antes de ir para a pista, previu:

"Hoje vou demorar uma eternidade para fazer essa reta. Com a Williams era muito mais rápido."

Donnington Park, 1983: no primeiro teste com um carro de Fórmula 1, a Williams de Keke Rosberg, Ayrton Senna se adaptou imediatamente e baixou o recorde da pista. Na foto, ele analisa o desempenho do teste com Frank Williams.

Ayrton registrou, em uma carta que escreveu ao amigo Tchê, uma outra impressão que teve naquele teste com a Williams:

"A Fórmula 1, em termos de sensação, comparada com o *kart*, é mais lenta."

Nostalgia de kartista. Naquele dia quente de verão, começava uma carreira que só terminaria dez anos, quatro meses e 11 dias depois. No *cockpit* de outra Williams.

Ameaça no Final

O piloto Chico Serra estava na mureta dos boxes do mesmo autódromo de Donnington Park, na tarde do dia 24 de julho, para acompanhar a vitória do amigo Senna na 14ª etapa da Fórmula 3. Mas não foi Senna quem cruzou em primeiro. Foi Martin Brundle. Na volta de Ayrton aos boxes, Chico estava intrigado:

— O que houve?

— Nada...

— Como assim, nada?

— Meu carro estava perfeito e eu guiei pra caralho. Só que o Brundle foi melhor que eu...

Havia algo além da humildade de reconhecer que um adversário fora mais rápido, gesto raríssimo na categoria profissional dos pilotos de competição. Senna também estava se dando conta de que o desfecho do campeonato não seria o passeio anunciado nas primeiras corridas do ano. Além de ser vencido na pista, Ayrton sofreu algumas quebras e acidentes que reduziram de 30 para ameaçadores quatro pontos a diferença que abrira sobre Brundle. Armando Botelho tinha uma explicação curiosa para os acidentes:

"É a ansiedade de Ayrton em voltar ao Brasil o mais rápido possível. Temos que lembrar as dificuldades de quem mora sozinho num país com língua e costumes estranhos. Isto faz com que ele queira garantir o título por antecipação. E talvez por isso tenha errado."

Não era só saudade de casa. Martin Brundle estava mais veloz. E exatamente por isso, às vésperas da final do campeonato, Ayrton não hesitou em desmontar o Ralt, botar o motor Toyota no porta-malas de seu carro de passeio e viajar até a Itália para acompanhar pessoalmente a revisão e a preparação atualizada da máquina na oficina da Novamotor, o mesmo fornecedor de motores de Martin Brundle. Ron Tauranac, construtor dos Ralt de Senna e Brundle, também foi pressionado respectivamente por Dick Bennetts e Eddie Jordan a fornecer equipamento idêntico aos dois pilotos na reta final do campeonato.

No Brasil, Senna já era motivo de uma disputa entre a TV Globo, detentora dos direitos de transmissão da Fórmula 1, e a TV Bandeirantes, cujo diretor de esportes, o piloto Reynaldo Campello, comprara da BBC o direito de transmitir a Fórmula 3 inglesa ao vivo, pagando US$

5 mil por corrida. A emissora se interessara pelo negócio depois de receber, de Armando Botelho, uma fita de vídeo que mostrava as vitórias espetaculares de Ayrton no início do campeonato.

Reynaldo chegou a alimentar o sonho de enfrentar a TV Globo na luta pela audiência nas manhãs de domingo. Até Bernie Ecclestone entrar em cena e conseguir impedir que o sinal das transmissões saísse dos autódromos ingleses para as antenas da Bandeirantes no bairro do Sumaré, em São Paulo. Restou à emissora o direito de exibir compactos das corridas de Fórmula 3.

Foi a TV Globo que acabou transmitindo, pela primeira vez, ao vivo, uma corrida da Fórmula 3 inglesa. No dia 2 de outubro, em Silverstone, a corrida que seria a consagração de Senna, virtual campeão, foi precedida de um investimento de produção muito semelhante ao que era feito na Fórmula 1, na qual Nélson Piquet estava prestes a conquistar o bicampeonato: reportagens especiais, participação da equipe de repórteres do escritório da emissora em Londres, entrevistas ao vivo com a família Senna, comentários de Reginaldo Leme e narração de Galvão Bueno, ambos certos de que o Brasil tinha uma nova estrela do esporte. Só houve um problema.

Martin Brundle venceu a corrida. Senna chegou em segundo.

O Golpe da Fita

O que aconteceu de mais emocionante na corrida que enfim definiu o título, no dia 27 de outubro, no circuito de Thruxton, nenhuma tevê da época conseguiu mostrar. Ayrton, mesmo garantindo a *pole position*, a uma distância segura de Brundle, que largou na terceira fila, tinha preparado uma operação de alto risco para as primeiras voltas.

A idéia era provocar um rápido aquecimento do motor e, com isso, um ótimo rendimento desde a largada, tapando a entrada de ar que refrigerava o tanque de óleo com tiras de fita adesiva. Quando o motor fosse chegando à temperatura ideal, o que normalmente só acontecia depois de seis ou sete voltas, Ayrton começaria a arrancar os adesivos, para evitar um indesejável e fatal superaquecimento.

Eles largaram. Senna manteve a ponta, enquanto Brundle disputava a segunda colocação com Davy Jones. O motor Toyota atingiu logo a temperatura e a potência ideais. Era o plano. O motor começou a esquentar depois de algumas voltas. Era o esperado. Ayrton esticou o braço para arrancar a fita adesiva e não a alcançou. A ponta da fita que ele puxaria tinha colado na carenagem por causa do vento. Essa ninguém esperava.

O cinto de segurança, apertadíssimo, pregava as costas de Senna no encosto do *cockpit*. A solução era aproveitar a reta que antecedia à *chicane*, soltar o cinto, arrancar as fitas adesivas do radiador e reatar o cinto a tempo de contornar o "esse" da *chicane*, novamente amarrado. Um *cockpit* de Fórmula 3 não é exatamente o banco dianteiro de uma Mercedes. Era muito arriscado ficar solto dentro dele na travessia da *chicane*.

Mas não deu tempo. E foi um grande susto para Ayrton:

"Quando vi, já estava na *chicane*. De repente, eu não era mais parte do carro. Fiquei completamente solto."

Senna venceu a prova, cruzando seis segundos à frente de Davy Jones. Brundle terminou em terceiro. Milton, Neyde e o amigo Chico Serra estavam em Thruxton naquela tarde e foram testemunhas do choro de alegria do novo campeão da Fórmula 3. Na entrevista coletiva, Senna elegeu Brundle o melhor piloto inglês desde Jim Clark. Martin tinha uma explicação para o terceiro lugar: um motor enfraquecido por duas corridas do campeonato europeu, que Senna não disputara, e o fim do orçamento de Eddie Jordan. Mas não questionou o título de Ayrton:

"Acho que terminamos percebendo que havíamos feito muito bem um para o outro. Se ele tivesse vencido o campeonato com folga, não teria sido a mesma coisa."

Coração de Passarinho

Ayrton achava que tinha algum problema cardíaco, quando encontrou com o professor Nuno Cobra pela primeira vez, na Universidade de São Paulo, no final da temporada de 1983. Acostumado a trabalhar com atletas olímpicos e praticantes de vela, golfe e tênis, Nuno nem sabia o que era Fórmula 3, quando o jornalista Odyr Cunha apresentou Senna a ele.

Com alguma notoriedade por causa do trabalho de preparação do tenista Eduardo Oncins e, principalmente, pelo condicionamento da tenista Cláudia Monteiro — que superara uma hipertrofia prematura do miocárdio e conquistara o título brasileiro —, Nuno nunca tinha trabalhado com pilotos de automobilismo e quase não aceitou a proposta de trabalhar com Senna, que, naquele primeiro encontro, lhe pareceu "meio raquítico". Mas pensou:

"Na pior das hipóteses, eu vou deixar esse cara mais forte."

E tomou a decisão que mudou sua vida. O trabalho de preparação só começou em janeiro de 1984, semanas antes da estréia de Senna na Fórmula 1, no GP do Brasil, em Jacarepaguá. Naquela época, Nuno já flertava com um método de trabalho que o tornaria famoso na mídia e polêmico nos meios acadêmicos: o de que a engenharia de modificação física passa necessariamente pelo crescimento mental, espiritual e emocional do atleta.

Todos os exames cardíacos foram feitos e o resultado mostrou que Ayrton não tinha nenhuma doença. Na visão de Nuno Cobra, era apenas um sistema cardiovascular atrofiado, típico do homem moderno. Ou o que Nuno chamava de "coração de passarinho": aquele que bate e bate sem conseguir levar sangue para lugar algum, incapaz de atender às necessidades diárias do homem, menos ainda de um atleta.

Doce e Limão

A preparação para a estréia na Fórmula 1 incluiu também, ao longo de 1983, uma disciplinada ofensiva de Ayrton nas principais redações da imprensa brasileira. Além de enviar as fotografias feitas por Keith Sutton e os competentes *press-releases* ao final de cada etapa da Fórmula 3, ele esteve pessoalmente em algumas redações. No jornal *O Globo*, acompanhado de Armando Botelho, não se limitou a contatos com os jornalistas que cuidavam do noticiário esportivo, o editor Cláudio Mello e Souza, o colunista Celso Itiberê e os repórteres Renato Maurício Prado e Paulo César Martins. Foi também à diretoria conversar com Roberto Marinho, o filho João Roberto, um apaixonado por carros, e o irmão de Roberto, Rogério, que se tornaria um fã apaixonado nos anos seguintes.

Senna procurava ocupar um espaço que Nélson Piquet, com quem já começava a dividir as manchetes, parecia fazer questão de dispensar. Nas redações, sua chegada foi uma espécie de redenção para os jornalistas, já um pouco cansados do convívio difícil com Nélson, um campeão mundial que ganhava também sucessivos troféus *Limão*, pela falta de paciência e a antipatia com que lidava com a fama e, de modo muito especial, com a ignorância da maioria absoluta dos repórteres brasileiros em relação ao automobilismo.

Celso Itiberê via na ofensiva de Senna e Armando uma bem montada estratégia de quem sabia que precisava agir para conseguir visibilidade. Em contraposição, Celso percebia uma enorme desorganização profissional na postura de Nélson Piquet:

"Ayrton corria, porque tinha uma obsessão. O Nélson corria, porque gostava de correr."

Os correspondentes brasileiros que trabalhavam na Europa também sentiram a diferença. Eurípedes Alcântara, da revista *Veja*, ficou até contrariado com as tentativas de Senna de controlar o material que ele mandava para o Brasil. Ayrton chegava a querer escolher as fotos e não hesitou em pedir socorro quando passou pelo risco de não assinar nenhum contrato com uma equipe de Fórmula 1 para 1984:

— Você precisa me ajudar a ficar aqui. Se eu voltar, fico louco.

Ricardo Pereira, então correspondente do escritório da TV Globo em Londres, ouviu de Senna uma queixa resignada, quando foi entrevistá-lo depois de uma daquelas corridas espetaculares na Fórmula 3:

— Por que o Reginaldo Leme nunca me entrevistou?

Reginaldo Leme, o principal repórter de Fórmula 1 da TV Globo, conhecera Ayrton Senna no ano anterior, ao ser procurado pelo piloto no hotel em que estava hospedado, o Alt Heildelberg, às vésperas do Grande Prêmio da Alemanha, em Hockenheim. Antes da conversa, ouvira falar do novo fenômeno, mas tinha relevado, já que era sempre assediado por pretensos gênios do *kart* brasileiro à espera de uma cobertura simpática. O encontro, porém, deixara Reginaldo duplamente impressionado: nunca vira alguém saber tanto o que queria. E poucas vezes cruzara com uma pessoa tão tímida. Seriam grandes amigos.

E brigariam feio.

O Começo da Encrenca

"Quem fizer a primeira proposta me leva."

O tom de liquidação de estoque usado por Senna ao final do teste que fez na equipe Toleman, no dia 9 de novembro, tinha razão de ser. A temporada da Fórmula 3 estava perigosamente próxima do final e ele ainda não tinha garantido um contrato para correr na Fórmula 1 em 1984. O teste na Williams, em julho, apesar do resultado espetacular, ele sabia, não era garantia de emprego. Frank Williams, determinado a ficar com Keke Rosberg e Jacques Laffite, não tinha planos imediatos para ele.

A McLaren oferecera a Ayrton, e também a Martin Brundle e Stefan Belof, a chance de um teste em Silverstone. Mas Ron Dennis, além de propor um tipo de contrato não muito atraente naquela época, estava contratando Alain Prost para substituir John Watson e formar dupla com o bicampeão Niki Lauda. Não tinha pressa. Peter Warr, da Lotus, pressionado pelos patrocinadores ingleses de Nigel Mansell, tivera de desfazer um acerto para Senna correr ao lado de Elio De Angelis. Restavam a Brabham e a Toleman.

Bernie Ecclestone, desde julho, queria contratar Ayrton para correr ao lado de Piquet, mas tinha dois problemas: a Parmalat, principal patrocinadora da equipe, mais interessada em ver um piloto americano fazendo dupla com Nélson, e Piquet, que era contra. Nélson negou insistentemente o veto no futuro, mas Herbie Blash, diretor da Brabham, Chris Witty, diretor da Toleman envolvido nas negociações, e o próprio Senna, entre outros, disseram o contrário. Para Bernie Ecclestone, foi mais até que um veto:

"Nélson ficou muito chateado quando descobriu. Percebi isso porque ele, pela primeira vez, levou um assunto ao patrocinador. Disse à Parmalat que era estupidez ter dois brasileiros, pois eles não iriam nunca se dar bem. E eu disse à Parmalat que Senna era mais veloz que Piquet e que era por isso que ele não o queria na equipe."

Vinte anos depois do primeiro duelo entre os dois brasileiros, Bernie avaliou que Nélson estava certo:

"Eu faria o mesmo, se fosse ele. Seria um grande problema ter dois brasileiros."

Bernie guardou como recordação o contrato oferecido a Senna. No dia 14 de novembro, a equipe que ele imaginou chegou a ser realidade durante algumas voltas, no circuito de Paul Ricard, quando Ayrton e Nélson testaram a Brabham-BMW. Ecclestone, entusiasmado com o talento de Senna, quis apostar que ele seria mais rápido do que Piquet. Mordido, o então bicampeão aceitou:

— Tudo bem, aposto 100 mil dólares...

Bernie recuou, mas Piquet continuou mordido na pista, na hora do teste. Acabou sendo o mais rápido do dia, com um tempo de 1m06s, um segundo e seis décimos mais rápido do que Senna e Mauro Baldi, os convidados de Ecclestone. Anos depois, ao comentar o teste durante uma entrevista, Piquet continuava mordido:

"Claro que eu seria mais rápido. Eu tinha acabado de ser campeão mundial naquela Brabham. Se um cara que estava conhecendo o carro naquele dia conseguisse me superar, era hora de fazer a mala e ir embora para casa."

Aquele primeiro duelo, na pista, entre Senna e Piquet, dividiu dois dos mais respeitados especialistas da mídia automobilística brasileira. Primeiro, Celso Itiberê:

"Piquet tinha desenvolvido o carro. Não poderia ser de outra maneira. Você sai da Fórmula 3, que é um chassi primário, e senta num carro muito mais sofisticado, um projeto do Gordon Murray, a diferença é muito grande. Ayrton nunca seria mais rápido que o Nélson."

Reginaldo Leme, testemunha do *show* de Ayrton no teste da Williams, discordou. Para ele, a diferença de 1s06 se deveu muito mais à grande amizade que Piquet tinha com o projetista Gordon Murray. Os dois entraram para a história da Fórmula 1 pelos truques que aplicaram na pista, como a introdução do *pit-stop* de reabastecimento e o aquecimento prévio dos pneus. E Reginaldo não considerou impossível que a Brabham tenha ido para o teste um pouco diferente, na hora de Ayrton pilotar.

Coincidência ou não, Senna, que nunca tinha acelerado antes um motor turbo, estava com pneus usados na hora do seu teste.

Enfim, o Contrato

Restou a Toleman.

No teste realizado em Silverstone, Ayrton baixou, com pneus de corrida, mais lentos, o tempo que o piloto oficial da equipe, Derek Warwick, tinha conseguido com pneus de classificação, mais velozes. Alex Hawkridge, o diretor da Toleman, uma equipe que era aventura do dono de transportadora Tedd Toleman, um apaixonado por lanchas *off-shore* e pelos carros do rali Paris-Dakar, decidiu que contrataria Senna a qualquer custo. E Ayrton tinha um custo:

"Se o carro não for bom o suficiente e vocês me impedirem de mudar para outra equipe, eu simplesmente paro de correr. Vocês não poderão me forçar a pilotar. Ou vocês põem isso no contrato ou me deixam sem opção."

Alex Hawkridge, é claro, aceitou. Era o fim de uma negociação que ele definiu, tempos depois, como completamente unilateral, na qual a questão não era dinheiro, mas liberdade de rescisão. A reunião que oficializou a ida de Senna para a equipe Toleman aconteceu em um escritório da Inglaterra, mas cada uma das cláusulas do contrato, cada frase, foi traduzida para o português e repetida ao telefone para advogados de Senna em São Paulo. Ayrton, inseguro com seu inglês ainda modesto, teve muito trabalho para garantir que suas exigências fossem respeitadas. Mas conseguiu o que queria.

Com o mesmo jogo duro em mente, Ayrton instruiu Keith Sutton a pedir mais, bem mais, quando este lhe apresentou uma proposta de patrocínio anual de US$ 60 mil, oferecida pela fábrica de capacetes Arai. O negócio não prosperou e foi encerrado com uma ironia do proponente:

— Sinto muito. Não temos um capacete do tamanho de sua cabeça.

Senna não se importou muito. Ele tinha um plano. Seu macacão foi loteado e oferecido a patrocinadores brasileiros por Armando Botelho. Quem estivesse disposto a gastar cerca de US$ 900 mil teria direito a todos os espaços, menos a faixa frontal do capacete, exclusiva do patrocinador da equipe Toleman. O preço incluía participação de Senna em três comerciais de televisão, promoção de até quatro produtos da empresa e uso da imagem de Ayrton nas mensagens corporativas.

A segunda opção de patrocínio, US$ 400 mil anuais, daria direito aos espaços do macacão e do capacete, dois comerciais de televisão, mensagens corporativas e promoção de dois produtos. Por US$ 250 mil, só capacete, uma mensagem corporativa, um comercial de tevê e um produto da empresa. Por U$ 50 mil, só espaço no macacão. E por US$ 30 mil anuais, o mesmo direito, em espaço menor. Total, se tudo desse certo: US$ 1.630.000.

Armando queria repetir o sucesso da operação que montara para a Fórmula 3 e que garantira a Ayrton o apoio do Banerj, do qual Armando era um poderoso correntista, e dos *jeans* Pool, do Grupo Guararapes. Ele já tinha até uma boa história de retorno publicitário para contar: no início do ano, o empresário Flávio Rocha, antes de assinar com Ayrton, pedira a opinião do piloto Reynaldo Campello, que já era patrocinado pela grife no Campeonato Brasileiro de Divisão 3. Campello apoiou com entusiasmo. Disse que Senna era uma aposta excelente. E resolveu brincar, ressalvando:

— Só que no fim do ano a pasta de retorno do menino na mídia vai ser bem menor que a minha.

A partir de agosto, Reynaldo se arrependeu da brincadeira. E ficava sem graça todas as vezes que ia à *jeans* Pool buscar as cotas do seu patrocínio. A pasta de retorno de mídia do menino era dez vezes mais volumosa.

Antes mesmo de estrear na Fórmula 1, Ayrton despertou a imaginação de pelo menos um político brasileiro. O então deputado federal Paulo Maluf recebeu-o no comitê que montara em Brasília para sua candidatura indireta à sucessão do general presidente João Figueiredo. Ayrton foi levado por um grupo de jovens malufistas. O assunto da conversa, garantiu Maluf, 20 anos depois, não tinha passado por política, mas pelo assunto que os aproximava: carros e corridas. Maluf, ex-participante de pegas na pista de Interlagos ao volante de carros importados americanos e dono do primeiro Jaguar XK 120 importado para o Brasil, perdeú a eleição para Tancredo Neves um ano depois.

Mas o voto de Ayrton nas eleições futuras estava garantido.

Ressaca

— Não toquem no carro. Ele está ok. O problema é comigo.

O problema de Ayrton, momentos antes de começar a treinar para o tradicional Grande Prêmio de Macau, uma espécie de *show* de encerramento da Fórmula 3 no dificílimo circuito de rua da então colônia portuguesa na China, era ressaca.

Ayrton caíra na noite e chegara ao *paddock* quatro horas atrasado. Após algumas voltas não tão velozes como se esperava, ele encostou no boxe e pediu um tempo a Dick Bennetts. Ayrton caminhou algumas dezenas de metros até o hotel, dormiu cerca de uma hora e voltou.

Com ressaca e tudo, fez a *pole*. No dia seguinte, venceu a corrida e fez a volta mais rápida.

Os desafios já eram outros, naquele final de 1983.

3º Capítulo

Começa o Espetáculo

Ayrton Senna caminhava sozinho com seu *dobermann* Books, numa rua próxima à casa dos pais, na serra da Cantareira, em janeiro de 1984, e se surpreendeu: antes mesmo de dar a primeira volta em uma corrida de Fórmula 1, ele já começava a ser reconhecido. Foi cercado por um grupo de meninos, felizes simplesmente por estar perto dele. E não eram só meninos do bairro de Santana, orgulhosos do vizinho que andava estourando nas pistas européias.

Também naquele verão de 1984, Ayrton teve outra surpresa, quando viajava com seu Escort XR3 vermelho para Ubatuba, tendo ao lado uma antiga namorada do bairro de Santana e no banco traseiro o amigo

Alfredo, com a irmã dela. Obviamente Senna estava muito, muito acima do limite de velocidade. No meio de uma reta em descida, a mais de 150 por hora, pista de mão dupla, ele se aproximou de um carro que ia não tão rápido, na mesma direção. Em sentido contrário, vinha outro, mas ele não esperou e saiu para cortar, ultrapassando o carro sobre uma ponte, no mesmo momento em que o outro cruzava em sentido contrário. Na lembrança de Alfredo, não houve tempo de sentir medo.

No alto da lombada que se seguia à ponte tinha uma patrulha da Polícia Rodoviária. Ayrton obedeceu, sem hesitação, à ordem de encostar. Alguns minutos depois, quando o guarda do lado direito do acostamento já preparava o talão de multas para lavrar a coleção de infrações cometidas, o colega que estava do outro lado da pista interrompeu-o:

— Como você acha que eu vou explicar lá em casa que deixei você multar o Ayrton Senna?

O flagrante múltiplo terminou com dois autógrafos. E nenhuma multa.

Senna estava determinado, naquele verão e para o resto da vida, a manter todos os laços possíveis com o Brasil, apesar da vida profissional na Inglaterra. Bastava uma chance de viajar para São Paulo e ele corria para o telefone, pedindo que Alfredo ou Júnior convocassem os amigos mais chegados para novas tardes de autorama, tênis, bilhar e esqui na represa de Mairiporã. Às vésperas da idolatria, ele não escondia, nas entrevistas, uma paixão que muitos custaram a acreditar que fosse autêntica:

"Graças a Deus fico aqui até março. O Brasil é um país maravilhoso de se viver."

Para os amigos de Santana, tudo. Para os vizinhos do condomínio de luxo em que Ayrton passou a morar em Esher, perto do Hampton Court Palace, nos arredores de Londres, uma intimidade à inglesa. Um desses vizinhos, Robin Leale, que ainda mora a menos de dez metros da porta da casa de dois andares comprada por Senna, nunca convidou o ilustre vizinho brasileiro para um jantar, um café ou um chá. Também nunca foi convidado por ele. Passaram anos trocando simpáticos *hi's*, *good evenings* e *good mornings*. Nada mais.

Durante uma das viagens de Ayrton de São Paulo para Londres, em companhia de Leonardo, na primeira classe de um DC-10 da Varig, o advogado paulista Paulo Casseb estava em uma das poltronas. Os três acabaram conversando horas e, na chegada a Heathrow, os irmãos Senna aceitaram a carona oferecida por Paulo em sua perua Renault. Combinaram de sair naquela noite mesmo e ficaram amigos. Pelo menos nos primeiros tempos, Paulo, que vivia no eixo Londres–São Paulo havia algum tempo, seria o guia da vida prática de Ayrton na Inglaterra — para comprar um *cashmere* genuíno, escolher um bom restaurante, conseguir entradas para um jogo de tênis, obter descontos no imposto de compras feitas no país e resolver problemas aduaneiros no envio de mercadorias e produtos ao Brasil. Por isso, ganhou o apelido de *Mister Fix It*.

Entre os ingleses com quem Ayrton se relacionou naquele período, um dos poucos que se tornaram mais próximos foi Creighton Brown, ex-piloto e sócio de Ron Dennis na McLaren, casado com Tereza, uma catarinense que conhecera durante uma viagem de negócios ao Brasil. Creighton fora apresentado a Ayrton em um jantar na casa de seu vizinho, Chico Serra, em Reading, em 1981, e, embora não tenha desempenhado papel decisivo nas negociações de Senna com a McLaren, foi testemunha da contradição básica que Senna viveu na Fórmula 1:

"Ayrton enfrentava muito bem a pressão, mas não gostava do que existia em volta. Assim que saía do autódromo, ele mudava, queria ser outra pessoa."

Sucessão na Pista

Jacarepaguá. Rio de Janeiro. Grande Prêmio do Brasil. Não poderia haver melhor maneira de estrear na Fórmula 1.

Poderia. Se o carro de Ayrton Senna fosse a McLaren-Porsche de Niki Lauda e Alain Prost, a Ferrari de Michele Alboreto e René Arnoux, a Lotus de Elio De Angelis e Nigel Mansell ou a Brabham-BMW do bicampeão Nélson Piquet. Não era. E logo nos testes de pneus realizados com a Toleman-Hart na pista carioca, em janeiro, Ayrton descobriu que tinha um problema muito sério: pneus.

Um comentário do repórter da *Autosport* que acompanhou o teste disse tudo:

"O problema maior de Senna é encontrar um pneu de corrida que dure mais de cinco voltas."

Em sua estréia na Fórmula 1, no dia 25 de março, em Jacarepaguá, Senna não teve de fazer as muitas paradas no boxe que a calamitosa resistência dos pneus Pirelli de sua Toleman sugeria. Sua corrida foi curta. Largou em 16º, mas o motor quebrou na oitava volta.

Alain Prost venceu aquele grande prêmio que jornalistas brasileiros viram como um encontro único, poético e triste entre dois ídolos brasileiros: Ayrton, iniciando a caminhada inexorável para o estrelato, e Emerson Fittipaldi, depois de não se classificar para a corrida com o fraquíssimo Spirit-Hart, em sua frustrada volta à Fórmula 1, quatro anos depois de pôr fim ao pesadelo da equipe Fittipaldi.

Sem uma ponta de mágoa, Emerson explicou, quase 20 anos depois, à frente de uma prateleira cheia de troféus que ganhou na Fórmula Indy depois daquele período, que, ao aceitar o convite da Spirit-Hart, só queria "matar o tesão" de guiar um Fórmula 1 novamente.

Mais do que um incômodo referencial dos novos tempos, Ayrton foi uma ótima companhia para Fittipaldi naquele fim de semana no Rio de Janeiro. Como Emerson, ele estava hospedado no Copacabana Palace e acabou perguntando se Tereza Fittipaldi tinha alguma amiga carioca. Tinha. Os quatro saíram para jantar em Ipanema e o programa de Ayrton, na lembrança de Emerson, não terminou no cafezinho do restaurante.

Nessa época, ninguém no circo da Fórmula 1 obviamente prestava muita atenção, mas Ayrton, quando estava na Europa, mantinha um caso com Marie-Claude van der Graffl, uma holandesa tão bonita, que foi até convidada para trabalhar na área *vip* do *paddock*, durante o Grande Prêmio da Bélgica, em Zolder.

Senna, machista, a proibira de aceitar o convite. Mas o motivo do fim do namoro de seis meses, ela contou ao *Jornal do Brasil*, foi outro: o tipo de independência que Ayrton queria para si e a dedicação total que ele passou a dar à Fórmula 1 a partir do início da temporada:

"Não há mais espaço pra mim. Estou apaixonada pelo Ayrton, não pelo Senna, o piloto."

Os dois continuaram amigos.

A Descoberta da Fraqueza

Reginaldo Leme foi um dos que correram entusiasmados em direção à Toleman de Senna, depois da bandeirada do Grande Prêmio da África do Sul, em Kyalami, o segundo da temporada de 1984, no dia 7 de abril. Queria cumprimentar Ayrton pelo heróico sétimo lugar, que mais tarde, com a desclassificação da Tyrrel de Stefan Bellof, se tornou sexto e garantiu a ele seu primeiro ponto na Fórmula 1. Mas Ayrton não estava sorrindo. Não conseguia sequer sair do *cockpit*. Ia desmaiar:

— Estou muito mal, estou muito mal, me leva para o hospital...

Quando os chefes Peter Gethin e Brian Hart chegaram, junto com alguns mecânicos da equipe Toleman, Ayrton estava desfalecido, a cabeça caída sobre o volante. Ele foi tirado do *cockpit* e deitado na grama. Momentos depois, uma ambulância trouxe o equipamento de reanimação. Ele estava desidratado, os músculos completamente enrijecidos. Depois de o pescoço e os ombros passarem uma hora e meia sob o efeito da força centrífuga, do calor e da tensão, os espasmos continuavam. O médico deu-lhe um Valium e determinou repouso absoluto de pelo menos uma hora.

Ayrton já tinha avisado a equipe sobre o volante do carro, que ficara pesadíssimo depois que os mecânicos encheram o tanque de combustível para a corrida. Era impossível dirigir, manter o carro no traçado. Cada curva, ele disse depois, parecia que ia lhe custar o braço, tamanho o esforço ao virar o volante. Para completar, o bico do carro voara longe no meio da corrida, agravando ainda mais a dirigibilidade. Senna nem vira. Só sentira um baque.

Reginaldo e Galvão Bueno tiraram o macacão de Ayrton, substituindo-o por uma roupa mais leve. Depois, por quase duas horas, ele continuou precisando do amparo dos dois amigos para caminhar pelo *paddock*. E explicava a quem quisesse ouvir:

— Eu queria muito completar minha primeira corrida.

Senna acabara de perceber, de forma dramática, a diferença entre uma corrida de Fórmula 1, guiando carros muito mais rápidos, contra os melhores pilotos do mundo, durante quase duas horas, e os *shows* de meia hora que dava na Fórmula 3. E o tom da conversa de Brian Hart, ao determinar que ele só retornasse aos treinos depois de um bom repouso, soou mais como advertência do que como preocupação:

"Você tem que se preparar, rapaz. É isso que os pilotos fazem."

Hart estava certo, mas a equipe podia ter evitado o terrível sofrimento físico de Ayrton. Havia um chassi novo em folha, versão um pouco melhorada do TG 183 que tanto o maltratara, guardado na sede da Toleman na Inglaterra. A equipe, *business as usual*, estava reservando o novo modelo para o Grande Prêmio da Bélgica, em Zolder, quando trocaria os problemáticos pneus Pirelli pelos Michelin. Na verdade, segundo admitiu o diretor Chris Witty, anos depois, poucos achavam que Senna fosse conseguir dar mais do que cinco voltas com o velho TG 183 em Jacarepaguá e Kyalami. E ele conseguiu um sexto lugar na África do Sul.

Ayrton não sabia do carro novo guardado na garagem na Inglaterra. E ficou chateadíssimo quando lhe contaram a história, três semanas depois, durante os treinos em Zolder. Mas não demoraria muito e Senna também teria histórias para não contar aos donos da Toleman.

O Desafio de Nuno

O professor Nuno Cobra sabia apenas que o *cockpit* de um carro de Fórmula 1 era um lugar angustiante, extremamente quente, pequeno e claustrofóbico, comparável às primeiras cápsulas dos astronautas, quando começou a trabalhar com Senna naquele verão de 1984. Preparador fisico graduado em fisiologia pela Universidade de São Paulo, então com 45 anos, ex-decatetla e um apaixonado por trabalhos pioneiros na área de preparação física, Nuno participara de uma pesquisa de cinco anos com os melhores tenistas do mundo e ficara impressionado com o que acontecia com o sueco Bjorn Borg, o melhor de todos na época: Borg nunca perdia a lucidez. Por maiores que fossem a tensão e o esforço, seu ritmo cardíaco não ultrapassava 118 batimentos por minuto e, com isso, o corpo e o cérebro jamais sofriam *deficit* de oxigênio.

Ayrton estava longe da *performance* de Borg naquela época. E Nuno apenas começava a entender o que acontecia naquele "lugar angustiante", onde seu jovem treinando exercia a profissão. Nas curvas velozes, a força da gravidade exercia uma carga lateral de 30 quilos na cabeça do piloto. O corpo ficava superaquecido pelo esforço, pelo macacão antifogo e pela própria posição imposta pelo banco. A pressão aerodinâmica, quando a velocidade chegava a 240km por hora, fazia com que o carro ficasse três vezes mais pesado, passando de 500 quilos para uma tonelada e meia.

A média de troca de marchas, naqueles tempos em que a tarefa cabia aos pilotos, era de duas mil por corrida. O preço era pago com queimaduras, bolhas e até sangramentos nas mãos. A visão do *cockpit* não era exatamente a que se tinha da poltrona do cinema, assistindo ao genial *Grand Prix*, de John Frankheimer: a perspectiva ficava prejudicada pelas bruscas desacelerações e agravada pela curvatura da viseira do capacete.

Na hora de frear, atividade tão crucial para os pilotos como a de acelerar, as pernas eram submetidas a forças de gravidade superiores a 100 quilos. O preço: pequenos edemas, provocados pelas violentas desacelerações e a conseqüente acumulação de líquidos nas áreas periféricas do corpo. Às vezes, câimbras. À medida que a temperatura corporal se aproximava dos 39°C, o piloto começava a ficar desorientado e com a coordenação motora reduzida, mais exposto, portanto, a erros causados pela deterioração na *performance* cognitiva e psicomotora. A chamada coordenação olho-mão ficava comprometida. Passando dos 40°C, o risco passava a ser o que se conhece como insolação, intermação ou hipertermia.

O estresse corporal causado pelo calor também fazia diminuir, como no caso dos aviadores militares, a atenção do piloto aos acontecimentos laterais. Em outras palavras, risco maior de acidentes em ultrapassagens. O macacão, capaz de resistir a até 700°C durante 30 segundos, também cobrava um preço pela proteção, bloqueando a evaporação do suor entre a pele e o tecido em 100%, o que significava desconforto pessoal e esforço maior para dirigir. E não adiantava perguntar aos pilotos de Fórmula 1 que prazer eles sentiam naquela atividade. Menos ainda para Ayrton Senna, que encarou de forma religiosa, quase obsessiva, o programa de condicionamento físico com Nuno Cobra, e chegou a viajar à Universidade McGill, em Montreal, em junho daquele ano, para fazer uma avaliação física.

Nuno Cobra ainda desconfiava de que o trabalho com aquele rapaz que chegara a qualificar de "meio raquítico" no primeiro encontro, meses antes, no *campus* da USP, não ia dar grandes resultados. Mas o início dos testes, no Centro Olímpico do Ibirapuera, às vésperas do Grande Prêmio do Brasil, mudou radicalmente sua expectativa. Ayrton demonstrou destreza, uma ótima coordenação motora e uma capacidade de improvisação que Nuno considerou admiráveis.

Haveria ainda novos desmaios, alguns ao final de corridas históricas. E Ayrton demoraria alguns anos para se tornar um atleta completo. Mas sua assustadora vontade de vencer estaria sempre algumas voltas à frente dos limites do corpo, por mais forte que ele ficasse pelas mãos de Nuno Cobra.

Um Francês no Meio do Caminho

"Você não está nem disputando o título mundial. E desse jeito jamais vai disputar."

A profecia em forma de reclamação do italiano Michele Alboreto, após vencer com sua Ferrari o Grande Prêmio da Bélgica, em Zolder, marcou a primeira encrenca conhecida de Ayrton Senna na Fórmula 1. Nada grave: Alboreto, líder da prova, tentava colocar uma volta de vantagem sobre a Toleman, mas Senna disputava o sexto lugar com a Renault de Patrick Tambay e a Arrows de Marc Surer. Alboreto, é claro, teve de esperar Senna garantir o sexto lugar, ultrapassando Surer. E não gostou.

Ayrton acabou a corrida em sétimo e viveu na prova seguinte, Ímola, no dia 5 de maio, outra experiência inédita, esta única: não conseguiu se classificar para um grande prêmio. A Toleman, envolvida numa crise com a Pirelli, lhe entregara um carro tão ruim, que ele não precisava nem virar o volante nas curvas para a esquerda: bastava frear e as rodas, travadas, viravam violentamente. Nos treinos livres, com pista molhada, uma façanha: ele foi o mais rápido de todos. Mas na tomada oficial de tempo, com pista seca, o motor Hart quebrou e os mecânicos não tiveram tempo de preparar o carro.

A surpresa para quem, como o jornalista Wagner Gonzales, já estava se acostumando à dedicação de Senna foi a tranqüilidade com que ele encarou o revés. Cristina Sala, passeando pela Itália, dividiu uma mesa naquele fim de semana com Ayrton, a amiga e ex-kartista Ana Walker e o irmão dela, Johnny. E nunca vira Senna tão solto:

"Ele tinha tomado uns vinhos e contou muitas piadas. A gente se divertiu bastante."

A descontração desapareceu completamente uma semana depois. Ayrton, já traumatizado com a experiência de ter nas mãos, pela primeira vez na vida, um carro inferior, viu-se diante da oportunidade de enfrentar os melhores pilotos do mundo com um equipamento absolutamente idêntico, mais exatamente o sedã Mercedes 190E, que estava sendo festivamente lançado no mercado europeu.

Ele era um dos convidados para uma corrida que reuniu, no novo autódromo de Nurburgring, guiando aqueles carros, Stirling Moss, Niki Lauda, Jack Brabham, Phil Hill, James Hunt, John Surtess, Carlos Reutemann, Klaus Ludwig, Jacques Laffite, Elio De Angelis e, entre outros, Alain Prost. A pedido dos organizadores da corrida de celebridades, Prost esperou por Ayrton no aeroporto de Frankfurt e deu a ele uma carona até o circuito. Os dois foram conversando ao longo de cerca de 100 quilômetros, a 240 por hora, como de praxe no meio. A primeira impressão de Alain foi a de um rapaz muito tímido. Mais tarde, Alain conquistou a *pole* e o rapaz muito tímido ficou ao seu lado, na segunda posição. Na largada da corrida, começou um dos maiores duelos da história do automobilismo.

Duelos de pista e de versões. Em março de 2003, Alain Prost disse que Ayrton queimou a largada naquela corrida. Ao amigo e admirador Nigel Roebuck, no livro *Chasing the Title*, Alain disse que foi "empurrado para fora da pista por Senna, depois de meia volta". Já Christopher Hilton, no livro *The Hard Egde of a Genius*, observou que Senna "levou a corrida muito a sério" e registrou o que ninguém discutiu: em 12 voltas, ele venceu aquele conglomerado de celebridades do passado e do presente do automobilismo mundial, seguido de Niki Lauda e Carlos Reutemann. Prost foi o 11º. Aquela corrida foi o primeiro duelo de uma longa e feroz batalha entre Senna e Prost pela supremacia nas pistas. Disputa que, anos depois, levou Alain a comentar, com ironia, para Nigel Roebuck:

"Eu sempre achei que Senna não queria me vencer. Ele queria me destruir."

Em Nurburgring, Prost ainda não tinha visto nada. Faltava menos de um mês para o Grande Prêmio de Mônaco.

Revelação

"Se me deixarem sozinho, com certeza me perco. Nunca estive aqui nem mesmo para ver corrida."

A solução de Ayrton, para conseguir alguma familiaridade com as ruas de Mônaco, fechadas como sempre ao tráfego normal para se transformarem na mais anacrônica e charmosa pista de corridas do mundo, foi pegar uma bicicleta motorizada e dar algumas voltas.

Ao chegar à cidade, na tarde de 30 de maio, Ayrton descobriu que tinham roubado seu passaporte da bolsa de uma secretária da equipe Toleman. E mais: um dos capacetes e sua mala estavam retidos no aeroporto de Londres. Mas não se deixou abater: à noite, jantou descontraído com Reginaldo Leme e Alex Hawkridge no Gianni, restaurante tradicional da avenida Princesa Grace. Depois, resolveu apostar no cassino Loews, onde uma morena, definida por Reginaldo como "meio feiosa e de corpo bonito, uma dessas moscas de padaria da Fórmula 1", ficou dando muito em cima dele. Dele, Ayrton. Que, por sua vez, desandou a ganhar no cassino, apostando sempre no 19, número de sua Toleman. Animado com a roleta, arriscou:

— Domingo vou ganhar essa corrida.

No primeiro treino, quinta-feira, Senna passou pelo menos oito voltas dirigindo bem devagar pelo circuito. Nas palavras do projetista da Toleman, Rory Byrne, ele estava fotografando mentalmente todos os detalhes do circuito. Parecia estar absorvendo naquelas voltas o que os outros pilotos geralmente levavam anos para assimilar. De repente, uma volta rapidíssima para os modestos padrões da Toleman, e que deixou lembranças:

"Olhe que eu tirei cada fino que só vendo. Andei raspando não sei quantas vezes no *guard-rail*. Tanto que até o número pintado no meu pneu sumiu."

No domingo, chuva forte. Ayrton começou a se aproveitar do inesperado benefício de ter, em seu carro, o mesmo tipo de pneus de chuva que a Michelin estava fornecendo para as McLaren de Prost e Lauda. A explicação: pelo contrato barato que assinara com a Michelin, a Toleman só podia receber restos do estoque de pneus da temporada anterior. Só quando caiu o aguaceiro em Mônaco, os técnicos da fábrica francesa se deram conta de que não tinham mais pneus de chuva *safra 1983* e que seria uma loucura pedir para Ayrton e Johnny Ceccoto, o outro piloto da Toleman, saírem acelerando naquela pista alagada com pneus lisos. Alex Hawkridge adorou a falta de estoque temporária do fornecedor:

"De repente, a McLaren via aquele jovem chamado Ayrton Senna, num carro ridículo chamado Toleman, com os mesmos pneus que eles estavam usando."

Prost largou na frente, mas o que chamou a atenção de todos foi a caçada empreendida por Senna, a cada volta inventando novos pontos de ultrapassagem. E também descobrindo o inesperado: quanto menos pressão ele punha no turbocompressor, mais controle e velocidade ele conseguia no meio daquele aguaceiro.

Ayrton passou então a guiar por ouvido, sem ligar para o ponteiro do conta-giros. Desse modo, ele se precavia contra a falta de precisão dos turbocompressores daquela época. Eles costumavam simplesmente não funcionar depois de um toque no acelerador para, no segundo seguinte, liberar para as rodas traseiras, de forma intensa, explosiva e descontrolada, uma potência que chegava perto de mil cavalos. Uma falta de precisão que poderia ser fatal nas curvas encharcadas e apertadas de Mônaco. E que colocava Senna em desvantagem em relação ao motor Ford, sem turbo, da Tyrrel de Stefan Bellof, que largara em último lugar e vinha se aproximando dele de forma igualmente espetacular.

Prost, com problemas nos freios, passou a gesticular para o diretor da prova, Jacky Ickx, pedindo o fim da corrida. O chefe dele, Ron Dennis, fazia o mesmo pessoalmente. Ickx acabou cedendo à pressão, encerrando a prova e fazendo valer as posições da volta 31, quando Alain estava pouco mais de sete segundos à frente de Senna. Àquela altura, rigorosamente ninguém tinha dúvida de que, em uma ou duas voltas, Ayrton encostaria na McLaren de Prost e o ultrapassaria, ou na freada da curva Saint-Devote ou na entrada da *chicane* depois do túnel, como já fizera com Lauda e outros. O argumento de Ickx era óbvio: melhor parar uma corrida antes do que tarde demais. Para Reginaldo Leme, o que passou pela cabeça de Ickx foi algo um pouco mais pragmático:

— Estou dentro do regulamento. Vou encerrar logo antes que dê uma merda.

Um dos que questionaram a decisão de Ickx se tornaria anos depois o maior inimigo de Ayrton Senna fora de um *cockpit*. Em entrevista ao jornal italiano *Gazzetta dello Sport*, o francês Jean-Marie Balestre, então presidente da FISA, condenou a decisão de Ickx de suspender a corrida, considerou irregular a participação dele como juiz de prova — pelo fato de Ickx estar ainda em plena atividade como piloto, disputando o Campeonato Mundial de Marcas — e ainda apontou uma quebra do regulamento:

"Foi irregular o uso da bandeira vermelha e da quadriculada ao mesmo tempo. O regulamento não foi respeitado e, por isso, estabeleceu-se a confusão."

Puro leite derramado. Não havia o que fazer. Na entrevista coletiva realizada no anfiteatro de uma escolinha próxima à área dos boxes, Ayrton conteve sua raiva e bebeu quase uma jarra inteira de água. Mais tarde, quebrou a tradição e não compareceu ao tradicional baile de gala oferecido à Fórmula 1 pela família real monegasca, preferindo jantar com um grupo de pessoas que incluiu Alex Hawkridge, Galvão Bueno e Reginaldo Leme. Senna tomou um porre que Alex descreveu depois como "espetacular". O vinho, na lembrança de Galvão, era da pior qualidade, mas Hawkridge não conseguiu se aborrecer nem com o vinho, nem com aquele resultado que muitos, principalmente no Brasil, passaram a chamar de "marmelada". Alex saboreava, com o heróico segundo lugar de Ayrton, um retorno publicitário que jamais sonhara para sua pequena Toleman.

Alguns jornalistas apostaram depois que Stefan Bellof alcançaria Ayrton, se a corrida não fosse interrompida. Entre eles, uns poucos, talvez desconhecendo o que tinha acontecido na temporada inglesa de Fórmula 3 do ano anterior, apostavam que Bellof ultrapassaria Senna. O que quase ninguém no *paddock* desconhecia — e que se tornou público semanas depois, com a desclassificação dos dois carros da equipe no Grande Prêmio da Inglaterra — era que a Tyrrel de Bellof estava fora do regulamento, cerca de 50 quilos abaixo do limite mínimo de peso.

O tempo e o sistema de pontuação do campeonato se encarregaram de punir Prost com uma caprichosa ironia: se a prova de Mônaco tivesse continuado, mesmo sendo ultrapassado por Senna, como era iminente, Prost ganharia seis pontos. Como a corrida foi encerrada antes da metade, ele ganhou quatro pontos e meio, metade dos nove normalmente dados ao primeiro colocado. Alain perdeu o título daquele ano para Niki Lauda por meio ponto de diferença.

Stefan Bellof jamais pôde confirmar a previsão de que seria o grande rival de Senna: no dia 1º de setembro de 1985, durante uma prova do Mundial de Marcas, ao tentar ultrapassar o mesmo Jacky Ickx na entrada da curva Eau Rouge, no circuito de Spa-Francorchamps, ambos pilotando carros Porsche, Stefan saiu da pista, bateu de frente no *guard-rail* e morreu depois de ficar preso entre as ferragens por 20 minutos.

Ickx também bateu, mas saiu do carro andando.

Assédios e Contratos

Todos os jornalistas foram convidados para um churrasco regado a muita caipirinha. Ao anunciar a confraternização a um grupo de repórteres, em São Paulo, dias depois do *show* de Senna no Grande Prêmio de Mônaco, Armando Botelho fazia, na verdade, o papel de bombeiro. Ele tentava tirar as pontas das farpas surgidas com a reação irritada de Senna e dos pais ao assédio dos jornalistas à casa da família na serra da Cantareira, nos dias que ele passou em São Paulo para gravar comerciais de televisão.

"Ocupar a casa sem marcar entrevista é algo que Ayrton não aceita. Ele sempre manteve um ótimo relacionamento com a imprensa, é uma pessoa simples, solícita, mas gosta que este relacionamento seja cordial e organizado."

Era o início de uma relação que nunca foi muito tranqüila. De um lado, uma família conservadora, discreta e reservada, que não tinha experiência ou intenção de se expor à mídia. De outro, procurando interpretar a empatia imediata que Senna provocara nos brasileiros, a imprensa, com uma motivação que Carlos Augusto Montenegro, dono do maior instituto de pesquisa de opinião pública do país, o Ibope, passados quase 20 anos, atribuiu muito mais à situação do Brasil da época do que ao universo do automobilismo:

"O país saía da ditadura, era o tempo da campanha pelas eleições diretas, havia um clima de emoção no ar, mas faltavam pessoas marcantes. Senna apareceu na hora certa: uma pessoa simples, corajosa e orgulhosa de seu país."

O empresário Flavio Andrade, presidente da Souza Cruz, maior fabricante brasileiro de cigarros, foi um dos pioneiros em outro tipo de assédio, este, obviamente, muito bem-recebido por Senna e a família. Convicto do potencial de Ayrton na pista e na mídia, Flavio tomou a iniciativa de aproveitar a ida de Ayrton a São Paulo para uma reunião com ele, o pai, Milton, e Armando. No encontro, realizado num escritório do bairro de Vila Guilherme, em São Paulo, ficou decidido que a Souza Cruz seria patrocinadora pessoal de Senna, desde que não houvesse conflito com a equipe para a qual ele fosse correr a partir de 1985.

Ainda era segredo, mas já naquele momento a tendência de Ayrton era de se transferir para a Lotus. E a tarefa que Flavio Andrade se impôs foi conseguir que os sócios ingleses da British American Tobacco, a BAT, detentora de 75% do controle acionário da Souza Cruz e já patrocinadora minoritária da equipe, convencessem a Imperial Tobacco, patrocinadora principal e detentora da marca John Player Special, de que Ayrton era mais negócio que Nigel Mansell.

Não deu certo. Mais uma vez, a exemplo do que acontecera um ano antes, no contrato frustrado negociado por Peter Warr, os ingleses preferiram Mansell. E a única forma de garantir a ida de Ayrton para a equipe, caso tudo desse certo, foi a Souza Cruz praticamente assumir o contrato de Senna com a Lotus.

O dinheiro da empresa brasileira acabou fazendo a diferença. Por trás do famoso logotipo do cigarro John Player Special, passaram a existir três fontes de recursos: British Tobacco, BAT e Souza Cruz. A cota garantida por Flavio foi de US$ 200 mil a US$ 300 mil no primeiro ano, 1985, e cerca de US$ 600 mil no segundo ano, 1986. Ele se hospedou na casa de Ayrton, em Esher, para acertar os últimos detalhes com Peter Warr.

Uma guerra ia começar assim que a história se tornasse pública.

Crise

Da glória de Mônaco para um novo sacrifício no *cockpit* foram três semanas. No circuito da ilha de Notre Dame, no GP do Canadá, sétima prova da temporada, dia 17 de junho de 1984, Ayrton desconheceu, de novo, as limitações da Toleman e completou mais um grande prêmio, desta vez em sétimo lugar, 20 milésimos de segundo atrás da Lotus-Renault de Nigel Mansell. E ninguém o viu depois da bandeirada, dada a Nélson Piquet e sua Brabham.

Os repórteres brasileiros encontraram a Toleman vazia, encostada na área de controle dos boxes. Só então ficaram sabendo que Ayrton fora levado para a enfermaria. Ao ser liberado, 40 minutos depois, mão direita enfaixada, ele insistia em dizer que não tinha desmaiado, como acontecera na África do Sul.

O freio não funcionara direito, o braço esquerdo adormecera a partir da metade da corrida e o câmbio escapava em segunda marcha. O esforço de segurar a marcha deixara a mão em carne viva, a tal ponto que Senna não hesitou em arrancar a luva, que, com o sangue, passara a atrapalhar a pilotagem. Era, portanto, apenas mais uma tarde no *cockpit* da Toleman.

Mas uma crise estava prestes a acontecer, mais exatamente no dia 7 de julho, em Dallas, quando Ayrton chegou engasgado com os dois abandonos que tinham se seguido àquela corrida no Canadá. Fora espremido no *guard-rail* por Mansell, em Detroit, quando estava em quarto lugar, e traído pelo motor Hart na 35ª volta do Grande Prêmio da França, em Dijon.

Só que, em Dallas, outro circuito de rua, o calor era tão forte, que, além dos carros, a pista também estava se desfazendo. Algumas equipes chegaram a encher galões de 50 litros com água e pedras de gelo. E simplesmente mergulharam neles os capacetes, para que os pilotos suportassem, na hora do treino oficial, a altíssima temperatura no *cockpit*.

Mesmo nessas circunstâncias, Senna conseguira a façanha de colocar a Toleman na terceira fila, em quinto lugar no *grid* de largada. Pouco para ele, melhor que a encomenda para o patrão, Peter Gethin, que, sem o menor constrangimento, impediu Ayrton de voltar ao treino para tentar melhorar a posição:

"Você não vai sair mais nessa pista."

Quem estava por perto testemunhou uma inédita explosão de Senna. À beira do descontrole, ele insistiu em voltar à pista, mas Peter manteve a ordem. Ele fora ver de perto os trechos onde os organizadores tentavam tapar com cimento os buracos que os carros estavam abrindo no asfalto. Nada mudaria sua decisão. Enfurecido, Ayrton foi embora para o hotel sem falar com os chefes.

Dos 26 pilotos que largaram no dia seguinte, só oito resistiram até o final, em uma pista que continuou se desfazendo durante a corrida. Ayrton chegou a estar em quarto lugar, mas também ficou pelo caminho, quando a embreagem da Toleman travou e as marchas não entraram mais.

Em Brands Hatch, a prova seguinte, ele começou a costurar concretamente sua saída da equipe.

Primeiros Sustos

A visão que Ayrton teve ao chegar à curva Wastfield, no décimo minuto do treino livre de sábado, 21 de julho, véspera do Grande Prêmio da Inglaterra, em Brands Hatch, foi terrível: 20 segundos antes, seu companheiro na Toleman, o ex-campeão de motociclismo Johnny Ceccoto, tentando diminuir a eternidade de 1s08 que separava seu tempo de volta do de Senna, perdera o controle do carro a quase 260 por hora, batera violentamente no *guard-rail* e voltara rodopiando até parar no meio da pista desmaiado, a frente do carro totalmente destruída e os pés fraturados e ensangüentados tocando o asfalto. Minutos antes, Ceccoto e Senna conversavam no boxe da Toleman, Johnny, 13º no *grid* provisório de largada, e Ayrton saboreando uma espetacular quinta posição.

Ayrton e Nélson Piquet foram os primeiros pilotos a parar perto da Toleman destruída e testemunhar o início de uma operação de resgate que durou quase uma hora até que os comissários conseguissem serrar o que restara do *cockpit* para retirar Ceccoto. Da parte de Senna, não era só preocupação com o companheiro de equipe, mas também apreensão com a resistência de um carro que era idêntico ao seu. Ceccoto jamais voltou a um *cockpit* de Fórmula 1 e não perdoou Ayrton por nunca mais tê-lo procurado depois do acidente. Anos depois, Senna deu razão a ele, em entrevista à jornalista Karim Sturm:

"Foi um erro de minha parte sim. O acidente me preocupou tanto que nem pensei que Johnny fizesse tanta questão que eu fosse procurá-lo."

A atitude de Senna foi, no máximo, qualificada como frieza por quem se deu ao trabalho de observar. A rigor, seu comportamento estava muito próximo do padrão de uma época em que a Fórmula 1 era, de certo modo, acostumada a acidentes graves e, de vez em quando, mortes. A cabeça dos pilotos continuava funcionando mais ou menos como no início dos anos 70, quando, ao ser informado por Bernie Ecclestone de que François Cevert estava morto, com o corpo quase partido ao meio, em uma curva do circuito americano de Watkins Glen, o piloto argentino Carlos Reutemann reagiu com uma pergunta:

"Você sabe que relação de marchas ele estava usando?"

Ceccoto, como todo piloto acidentado, passou a ser uma preocupação apenas da família e dos amigos. O *show* continuou no domingo, com só uma das Toleman alinhada no *grid* de largada. E a corrida de Ayrton, podendo se beneficiar pela primeira vez do ótimo chassi projetado por Rory Byrne, deixou a torcida inglesa de pé nas arquibancadas. Não dava para ultrapassar a McLaren de Niki Lauda e a Renault de Derek Warwick, respectivamente primeiro e segundo colocados, mas a Lotus de Elio De Angelis, o terceiro, quem sabe?

A cinco voltas do final, Ayrton, que havia algum tempo andava a centímetros do aerofólio traseiro de Elio, atacou por dentro, na freada do *paddock* Hill, trecho do circuito que Christopher Hilton descreveu como "uma arremetida alarmante onde o piloto às vezes deixa o estômago para trás". No pódio, momentos depois, ao comemorar o terceiro lugar, nas palavras do mesmo Hilton, Senna estava "inteiramente consumido por um vasto sorriso". E fez uma surpreendente comparação:

"Este sim foi um resultado normal, sem aquelas confusões de Mônaco."

As pernas fraturadas de Johnny Ceccoto ficaram para trás, mas, duas semanas depois de Brands Hatch, foi a vez de Ayrton tomar seu primeiro grande susto na Fórmula 1. Na quarta volta do Grande Prêmio da Alemanha, no velocíssimo circuito de Hockenheim, o aerofólio traseiro se desprendeu e a Toleman de Senna se tornou o que Galvão Bueno costumava chamar de "pombo sem asa", rodando violentamente a mais de 250 por hora, antes de bater e começar a se destruir ao longo do *guard-rail*, no meio do trecho de floresta do autódromo.

Senna não sofreu um arranhão, mas a experiência o afetou tanto que Nuno Cobra usou com ele, na época e nos outros acidentes sérios que viriam, um recurso muito particular. Ex-trapezista, Nuno sugeriu a Senna que, nessas ocasiões, fizesse o mesmo que os acrobatas de circo fazem quando caem ou sofrem acidentes potencialmente traumáticos: tentar outra vez, imediatamente, ainda que seja algo mais simples. Na lembrança de Nuno, tão logo teve condições, Ayrton entrou novamente na Toleman e seguiu o conselho:

O pódio de Brands Hatch, em 1984. Ayrton conquistou o terceiro lugar depois de uma ultrapassagem antológica sobre a Lotus de Elio De Angelis nas voltas finais. À esquerda, o vencedor Niki Lauda.

— Ele baixou o cacete, criou uma emoção boa no lugar de uma emoção ruim. E passou a fazer isso pelo resto da vida.

O neurocirurgião Sid Watkins, que revolucionou os sistemas e procedimentos de segurança e atendimento aos pilotos da Fórmula 1 ao longo dos anos 80 e 90, também começou a dar conselhos a Senna naquela época, acabando por se tornar um de seus poucos amigos no *paddock*. A quem pedisse uma explicação, do ponto de vista neurológico, sobre o que se passava pela cabeça de Ayrton e dos outros pilotos, *professor* Sid respondia brincando:

"Se você ganha a vida como piloto de Fórmula 1, a última coisa de que precisa é de um cirurgião de cérebro."

Alguns pilotos jamais entenderam a piada.

Vendetta em Monza

"Só faltou uma cláusula dizendo que o carro de Ayrton deveria ter quatro rodas."

A lembrança de Peter Warr dos dias decisivos da negociação secreta do contrato de Senna com a Lotus, no mesmo fim de semana do Grande Prêmio da Inglaterra, no final de julho, não foi boa. De uma hora para outra, o acordo verbal dos dois se transformara numa sessão interminável de reuniões que entraram pela noite e deixaram Warr à beira da exasperação.

Ayrton estava acompanhado de Armando Botelho e de um advogado inglês, mas não foi a tropa de choque que impressionou. Warr viu em Senna uma capacidade de negociar inexistente naquele jovem tímido que, um ano antes, aceitara 50 mil dólares por uma temporada inteira. Agora, somando tudo, ele ia ganhar quase dez vezes mais. Peter chegou até a oferecer a condição de primeiro piloto, surpreendentemente recusada por Senna:

— Não quero ser primeiro piloto. Estarei chegando na equipe e quero aprender com Elio. Ele é mais experiente do que eu.

Não se tratava de humildade ou generosidade. Era, na visão de Peter Warr, uma decisão inteligente, que criou um ótimo ambiente para Senna na equipe.

A assinatura do contrato, em um pequeno escritório do centro de Londres, com a presença de Ayrton, Armando, Peter Warr, Tony Jardine, *manager* do patrocínio da John Player Special, e de um advogado da British Tobacco, durou menos de cinco minutos e foi registrada por uma equipe da TV Globo, liderada por Reginaldo Leme. Os participantes tomaram champanhe e reafirmaram o compromisso com o sigilo absoluto até que Senna formalizasse sua saída da Toleman.

O passo seguinte de Peter Warr foi realizar o antigo projeto de se livrar de Nigel Mansell. Comunicou ao compatriota que ele não mais guiaria para a equipe em 1985 e preparou, junto com o pessoal de imprensa da John Player Special, um *press release* para ser distribuído, com embargo, na sexta-feira que antecederia ao Grande Prêmio da Holanda, em Zandvoort. O embargo, é claro, não deu certo. E Peter Gethin ficou furioso:

"Ayrton é o melhor e mais determinado piloto que já encontrei. Ele sabe que é bom. Mas também é um cara terrivelmente ambicioso, terrivelmente mercenário, no sentido de que coloca tudo de lado para fazer o que deseja. O único pensamento de sua vida é vencer corridas."

Peter Gethin não se satisfez apenas em traçar um perfil da personalidade de seu jovem empregado. Queria sangue. A quebra do embargo, que Peter Warr atribuiu a comentários feitos em Zandvoort pelo jornalista inglês Alan Henry e por Brian Wray, um diretor da Lotus, provocou um desastre de *marketing* para a Toleman, naquele mesmo fim de semana empenhadíssima em usar Senna para atrair novos patrocinadores. Alex Hawkridge, igualmente furioso, também queria vingança e começou a xingar Peter Warr abertamente no *paddock*. Para completar, Ayrton também ficara chateadíssimo com o vazamento e desconfiado de que a quebra de embargo não fora acidental. Em entrevistas futuras, considerou o episódio, além de "abominável", um mau começo de seu relacionamento com Peter Warr.

Senna abandonou o Grande Prêmio da Holanda na 19ª das 71 voltas. Nigel Mansell, de aviso prévio na Lotus, antecipou que Ayrton teria problemas de relacionamento com Elio De Angelis. Bem antes de poder confirmar a previsão, Senna provou o prato da vingança que estava sendo preparado pelos donos da Toleman. Ele foi servido gelado, às vésperas do Grande Prêmio da Itália. E Alex Hawkridge queria que doesse muito:

"A única coisa que Ayrton não poderia tolerar era ser impedido de fazer o que amava: pilotar um carro do GP. E nós tiramos o carro dele."

Foi um fim de semana único na carreira de Senna. Ao chegar ao boxe da Toleman, no autódromo de Monza, ele foi informado de que não teria um carro para disputar o GP da Itália. Estava também sem carro de passeio para ir ao circuito, sem hotel e sem credencial. Teve de dormir no quarto do produtor da TV Globo, Alain Vignais, no motel Tourist. A credencial para continuar entrando no *paddock* também foi emprestada pela equipe da TV Globo, e o carro foi o que Galvão Bueno tinha comprado em sistema de *leasing* para usar na Europa durante a temporada e, ao mesmo tempo, "matar o tesão": um Porsche 911 Carrera Turbo. A experiência fez Ayrton até esquecer a crise com a Toleman:

— Cara, que carro! Nunca dirigi uma coisa assim na minha vida. Se um dia eu tiver dinheiro, vou comprar um carro desse.

Além do castigo físico de privar Senna de um *cockpit*, a Toleman também tentava salvar pelo menos uma parte do prejuízo com ações judiciais, mas Armando Botelho estava tranqüilo: o contrato com a equipe tinha uma cláusula de rescisão com pagamento de multa e era esse direito que Ayrton estava fazendo valer na transferência para a Lotus. Peter Gethin também ameaçou substituir Senna definitivamente pelo sueco Stefan Johansson, que brilhou em Monza com o carro dele, terminando em quarto lugar. Mas, já no domingo daquele GP da Itália, o coração do chefe da Toleman estava mais aquecido. Ele já dizia que seu desejo era que Ayrton corresse feliz as provas restantes de 1984. Não se arrependeu. Ou, nas palavras de Wagner Gonzales, não estava fazendo mais do que a obrigação:

"A Toleman nunca progrediu tanto. O Ayrton empurrava os caras para a frente."

O Homem do Papelzinho

Oscar Pedroso Horta Filho, então vice-presidente responsável pela área de *marketing* do Banco Nacional, tivera uma péssima impressão quando a "proposta de patrocínio" de um certo Ayrton Senna pousou em sua mesa, na sede do Banco Nacional da avenida Paulista, no segundo semestre de 1984. A proposta tinha sido encaminhada a ele por Luiz Furkim, diretor de *marketing* da área de cartões de crédito do banco e um fanático por Fórmula 1, e se resumia a uma xerox do desenho primário de um macacão de corridas, loteado em oito espaços de patrocínio, com os respectivos preços.

Apesar da má impressão, Oscar se interessou em continuar a conversa, porque o Banco Nacional acabara de optar por uma estratégia de rejuvenescimento e de popularização de sua marca. Além disso, a experiência pioneira de patrocinar o uniforme de times cariocas de futebol, em clássicos do Maracanã, tinha dado muito certo. Oscar decidiu então relevar o macacão mal desenhado e pedir que marcassem a reunião com Milton da Silva e Armando Botelho. Não sem antes consultar alguns jornalistas conhecidos sobre o potencial de Ayrton. O locutor Luciano do Vale e o diretor de Esportes da TV Globo, Ciro José, foram dois dos consultados. E disseram que seria uma boa aposta.

No dia e na hora marcada, Milton e Armando chegaram à sede do banco, prontos para falar de automobilismo e de *marketing* esportivo. Mas o assunto foi política. O pai de Oscar tinha sido ministro de Jânio Quadros, o mais breve dos presidentes brasileiros. Do outro lado da mesa, dois admiradores de primeira hora, correligionários do ex-presidente na Zona Norte de São Paulo, berço eleitoral do janismo. Conversaram quase uma hora. Milton, que entrara na sala como "um caboclão desconfiado", se transformou. A certa altura, os três se lembraram de que o assunto da reunião era outro, e Oscar foi logo dizendo que o Banco Nacional tinha interesse no patrocínio, mas não queria dividir a "colcha de retalhos" do macacão de Ayrton com nenhuma outra empresa:

— Queremos exclusividade.

Armando, apesar de jeitoso e muito habilidoso, não conseguiu esconder que gostava da idéia de abrir mão da "colcha de retalhos". Mas como a verba que o Banco Nacional oferecia era menor do que a soma dos oito patrocínios planejados, ele queria mais e acenava com o potencial interesse de um grande concorrente do Nacional, o Bradesco, presidido na época por Antonio Carlos de Almeida Braga, o Braguinha, um notório entusiasta dos esportes. Oscar não teve certeza se era um blefe de Armando. Não era. Ficaram de fazer uma nova reunião.

Três dias depois, novamente na sede do banco em São Paulo, novo encontro. Oscar obtivera autorização para fechar o negócio. Contrato de um ano, com alguns ajustes. Armando queria bônus por pontos de classificação de Ayrton nas corridas e no campeonato, a partir do quarto lugar. E Oscar aceitou. Em contrapartida, Oscar exigiu direito de renovação por mais um ano. Acertaram a data do anúncio oficial e, em determinado momento, Armando tomou nas mãos um bloco comum de papel que estava na mesa e registrou nele os principais números, prazos e compromissos do contrato. Depois, pediu que Oscar fizesse o mesmo, com sua letra, em outro pedaço de papel do mesmo bloco. E explicou:

— A partir de hoje, o que vale é o que está no papelzinho.

Dias depois, Oscar mandou para Armando Botelho uma minuta de cerca de 20 páginas, preparada pelo departamento jurídico do Banco Nacional. E pediu:

— As coisas que você quiser mudar me fala, porque a gente tem que assinar o contrato.

— Não temos um advogado muito bom pra olhar isso. O que vale é o nosso papelzinho.

— Vamos estabelecer, então, que o Ayrton vai participar de quatro eventos do banco por ano, certo?

— Nenhum problema.

Na véspera da assinatura do contrato, nada da minuta. Armando e, agora, Ayrton em pessoa, viajaram para o Rio de Janeiro para fechar o negócio, mas Oscar ainda esperava ajustes e alterações propostas. No encontro com os dois no hotel Rio Palace, em Copacabana, a explicação de Armando:

Amigo e sócio do pai de Senna, Armando era garantia de que a família nunca sairia de perto de Ayrton.

— A gente assinou a minuta mesmo. E, qualquer coisa, o que vale é o nosso papelzinho.

Ayrton e Armando, cada vez mais ricos, tornaram-se clientes do Banco Nacional. Finanças à parte, a exclusividade que estava começando, no que se referia ao mercado brasileiro, resistiria a poderosas investidas de outros patrocinadores, alguns deles cotistas das transmissões da Fórmula 1 na TV Globo, com ofertas muito superiores ao valor do contrato com o banco. Duas ou três vezes maiores. Oscar só ficou sabendo delas por terceiros, dois ou três anos depois de terem sido feitas. E recusadas por Ayrton, com a mesma resposta:

— O patrocínio do Banco Nacional foi fundamental na minha carreira. Eu tenho como ganhar mais fora do país, com outros patrocinadores.

Mais tarde, com o sucesso e os títulos mundiais, Senna e Armando até propuseram ao Nacional um aumento no valor do contrato, mas sem citar as ofertas que estavam recebendo, para evitar a indesejável atmosfera de um leilão. Oscar, sem condições de atendê-los, chegou a abrir mão da exclusividade do banco, pedindo apenas para ser consultado sobre o perfil do futuro parceiro do patrocínio. Dois dias depois, Armando deu a resposta de Senna:

— Ayrton disse que não. Fica do jeito que está.

E ficou. Até 1994.

SAIDEIRA

Apenas Alain Prost, com a McLaren, e Nélson Piquet, com a Brabham, ficaram à frente de Senna no *grid* de largada da última corrida que ele disputou pela Toleman, o GP de Portugal, em Estoril, o último da temporada de 1984. Ayrton queria uma despedida de gala, já que na corrida anterior, o GP da Europa, em Nurburgring, ele se envolvera numa batida múltipla na largada e fora acusado de tirar da prova a ATS de Gerhard Berger, a Arrows de Marc Surer e a Williams de Keke Rosberg. Quem acusava era Keke, e ele tinha um motivo especial: seu capacete fora carimbado pela Toleman, quando Senna passou voando sobre ele.

Em Portugal, a marca deixada por Ayrton foi mais psicológica. E a vítima foi Michele Alboreto e sua Ferrari, ultrapassados na última volta. Além do troféu do terceiro lugar, Senna garantiu uma posição privilegiada no pódio para apreciar a festa do tricampeonato de Niki Lauda, segundo colocado na corrida, e a ironia que o sistema de pontuação havia preparado para Alain Prost, vencedor da prova e vice-campeão por meio ponto.

Mais espetacular do que a façanha do domingo, no entanto, foi o que Ayrton fez na segunda, na mesma pista, arquibancadas vazias, na última vez em que entrou no *cockpit* de uma Toleman. O pedido de Alex

Hawkridge foi irresistível: ele queria que Senna fosse para a pista e marcasse um bom tempo de volta para, desse modo, dar à equipe uma referência em relação aos outros pilotos e carros.

Os outros, naquela manhã, eram Roberto Moreno, Manfred Winkelhock, Jan Lammers e Ivan Capelli. Senna foi para a pista com uma Toleman reserva equipada com pneus macios de corrida. Deu meia dúzia de voltas e cravou 1m21s70, um tempo três milésimos mais rápido que o da *pole position* conquistada para a corrida da véspera por Nélson Piquet, com a Brabham calçada com velozes pneus de classificação. Por trás do *guard-rail*, na descida que antecede à curva Ingo Hoffmann, uma das mais difíceis de Estoril, Brian Hart quis acompanhar de perto a última façanha de Senna com o motor que levava seu nome.

Ganhou de brinde inacreditáveis acenos de mão de Ayrton, de dentro do *cockpit*, no exato momento em ele que produzia aquelas voltas fantásticas.

A Conquista de Ketteringham

Ayrton chegou ao castelo de Ketteringham, sede da equipe Lotus, em Norfolk, dirigindo a Mercedes 190E que ganhara como prêmio pelo primeiro lugar na *celebrity race* de Hockenheim. Recebido gentilmente por mecânicos e engenheiros, foi levado a uma das salas do castelo onde estava sendo comemorado um aniversário.

O veterano mecânico Bob Dance, um brincalhão descrito pelos colegas como "aquele sujeito que está sempre perto quando acontece a encrenca e longe quando a polícia chega", se aproximou com um pedaço de bolo num prato de papelão e pediu que Ayrton cheirasse para checar se o creme branco de cobertura, supostamente guardado havia dias, estava bom. Quando Senna inclinou a cabeça para cheirar, Bob espalhou o bolo inteiro no seu rosto. Ayrton reagiu bem, resignado, mas o teste da simpatia dos mecânicos teria outra prova, marcada ainda para aquele dia, depois das conversas sérias que ele teria com Peter Warr e a direção da Lotus.

Ayrton chegava à equipe num momento em que ela ainda procurava se recuperar da perda do carisma, da liderança e do poder político do fundador Colin Chapman. A contratação de Peter Warr, que conseguira os motores Renault, de Fred Bushell, que passara a cuidar das finanças, e de Gerard Ducarouge, um brilhante projetista, dera esperança para a família Chapman de que a equipe e a fábrica de carros esportivos se mantivessem como ícones do automobilismo inglês.

Colin Chapman entrara para a história da Fórmula 1 com um conceito surpreendentemente simples: se um projeto de carro de corrida é baseado em motores cada vez mais potentes, o resultado serão carros cada vez mais pesados. O que, é claro, dificultará ainda mais o controle do carro nas curvas, nas largadas e nas freadas de alta velocidade. A partir desta premissa, a Lotus passou a fazer a diferença com carros leves. Uma leveza revolucionária no *design*, na aerodinâmica e na geometria de suspensão e que também tornou os carros perigosamente velozes em algumas ocasiões. Essa era a herança de Ducarouge.

Para Ayrton, a missão foi dupla: conseguir um desempenho à altura das ótimas lembranças que aqueles carros pretos tinham deixado no coração de milhões de brasileiros, quando pilotados por Emerson Fittipaldi, e obter triunfos que não destoassem muito dos mitos que o precederam naquele *cockpit*: Jim Clark, Graham Hill, Jochen Rindt, Ronnie Peterson e Mario Andretti.

Ducarouge estava trabalhando em sua sala no castelo e começou a ouvir, sem querer, a conversa do outro lado da parede. A voz do interlocutor de Peter Warr lhe era familiar, tinha a mesma determinação da conversa do primeiro encontro, na piscina do hotel Copacabana Palace, às vésperas do GP do Brasil, quando aquele jovem piloto fora apresentado a ele por Reginaldo Leme e Galvão Bueno:

— Eu não viria para a Lotus se o Gerard Ducarouge não estivesse na equipe.

Peter Warr aproveitou a frase para entrar com Ayrton na sala de Ducarouge e dizer:

— Pois não. Aqui está ele.

Em outro momento, ao ser apresentado ao mecânico responsável pelas caixas de câmbio, Ayrton ofereceu uma prévia do tipo de cliente que eles teriam:

—Você sabe que se vocês errarem demais e eu não terminar as corridas existe uma cláusula no meu contrato que me deixa livre para sair da equipe?

Ao deixar o castelo, acompanhado por um grupo de futuros companheiros de equipe, Senna percebeu que todos queriam assistir a uma bela arrancada na Mercedes 190E. Entrou no carro, ligou o motor, engatou a primeira marcha e acelerou forte. Inutilmente. O carro tinha o eixo traseiro suspenso por um toco. A reação de Ayrton foi um sorriso.

Ele acabara de passar no segundo teste de simpatia da nova equipe.

— Sid, quando vi o carro, minhas pernas até tremeram. É lindo demais.

O *designer* Sid Mosca, criador do desenho do capacete de Senna, foi um dos amigos para quem ele ligou, depois do primeiro contato com a Lotus-Renault que guiou a partir de 1985. E Sid, já pensando no efeito visual daqueles carros pretos, também tinha uma novidade:

— Ayrton, eu estou com um amarelo aqui que só vai dar você no carro. É uma bola luminosa muito bonita.

Senna adorou na hora a nova cor, um amarelo quase limão que só foi abandonado quando o patrocínio passou dos cigarros John Player Special para a marca Camel. Sid costumava dizer que seu ofício era tirar a frieza dos capacetes. Aquele amarelo-limão foi uma prova emocionante do seu êxito.

E a causa do frio na espinha quando os adversários de Senna olhavam para o retrovisor.

4º Capítulo

O Mágico da Lotus Preta

Era para ser um Natal de muita tranqüilidade. Contrato assinado com a Lotus e um delicioso verão brasileiro pela frente. Mas Ayrton começou a perceber que o canto direito de sua boca não mexia. Ele também não conseguia encher as duas bochechas de ar. Pior: o olho direito ficava pequeno e ardia muito quando exposto à luz e ao vento. A pálpebra não obedecia. Sem domínio completo dos músculos, cada vez que ele tentava sorrir, o resultado era constrangedor. Mais parecia uma vítima de derrame cerebral.

Senna tinha uma paralisia facial periférica, resultado de uma mastoidite, inflamação do nervo mastóide, responsável pelos comandos do cérebro à musculatura facial. Reginaldo Leme foi uma testemunha do efeito devastador da doença:

"Aquilo acabou com ele. Ayrton pareceu interpretar o que aconteceu como um sinal e se fechou. Não saía, não falava com ninguém."

No auge da preocupação, de acordo com o amigo PQP, Ayrton chegou a atribuir a paralisia à sua movimentada vida sexual em Portugal. Mas não era algo que se transmitisse necessariamente pelo contato sexual. A doença, de origem virótica, exigia um tratamento à base de doses elevadas de cortisona. Senna, sensível ao medicamento e com medo de efeitos colaterais nos rins, fígado e estômago, parou com o remédio e chegou a experimentar um tratamento alternativo com o médico Haruo Nishimura, famoso por cuidar, na época, do general presidente João Figueiredo. Teve uma recaída. E foi obrigado a retomar o tratamento com cortisona, porque tinha compromissos com a Lotus na Inglaterra. Resolveu, então, preparar Peter Warr para a surpresa que o novo chefe teria quando o visse pessoalmente:

— Peter, tenho um problema. Não é sério, mas você vai perceber a diferença. É um problema no meu rosto, uma paralisia que não vai afetar a minha pilotagem.

Não adiantou. Warr ficou chocado com o semblante torto de seu novo piloto. Principalmente porque Ayrton precisava sorrir nas fotos que seriam feitas para uso publicitário e divulgação para a imprensa. Mas Senna não queria sorrir:

— Não posso fotografar, Peter.

— Como não pode? Nós temos de fotografar de qualquer maneira.

Ayrton cedeu. As fotos foram feitas e não esconderam que havia algo de errado no rosto do novo piloto da Lotus. Bob Dance, o chefe dos mecânicos, ficou preocupado. Chris Dinnage, que trabalharia diretamente no carro de Senna, mais ainda:

"Estávamos com medo de que ele não pudesse treinar."

Tinha razão. Temendo o agravamento que era sempre provocado pelas trocas de temperatura, Senna cancelou sua participação nos testes da equipe no circuito francês de Paul Ricard. Na volta ao Brasil, a doença já era notícia. Nas palavras de dona Neyde, "jorrou solidariedade". Reginaldo Leme, que recebera fax de fãs com sugestões de tratamento que incluíam receitas, simpatias e nomes de remédios, decidiu juntar uma pilha deles e entregar para Armando Botelho. A reação de Ayrton, Armando revelou depois, foi péssima:

— Ele não quis nem ler.

Quando o medo de seqüelas aumentou, Ayrton chegou a receber orações de benzedeiras indicadas pela família ou por amigos. Mas o que prevaleceu foram a orientação à distância de Sid Watkins e o tratamento em São Paulo, a cargo do médico Paulo Dauar.

O efeito da paralisia facial se fez sentir também no programa de preparação física de Ayrton. Ele parou de treinar, ficou cerca de dez dias sem sequer aparecer na pista do clube Pinheiros. Preocupado, Nuno Cobra foi buscá-lo em casa e, sem que Senna percebesse, acabou estacionando o carro junto à pista de treinamento. Tomou uma bronca:

— Olha o que você fez! Você me trouxe aqui. Eu não queria. Nem sei como você conseguiu. Não quero mais saber de nada. Estou de saco cheio. Não consigo nem falar!

Nuno viu Ayrton no fundo do poço, irritado, deprimido e falando em "desistir de tudo". Para tentar reverter a situação, iniciou um lento e gradual programa de exercícios temperados com muita conversa sobre feitos olímpicos e superação física e psicológica. Foram necessários cinco meses, entre o final de 1984 e o início de 1985, para resgatar Senna daquele quadro de desânimo.

Nuno percebeu que Ayrton ficava fascinado com histórias de superação como a do atleta norte-americano Bob Beamon, que, em 1968, chegara aos oito metros no salto a distância, quebrando um paradigma. Por isso, convidou, para acompanhar os exercícios, o tenista César Kist, um dos poucos brasileiros que chegaram às quadras de Wimbledon. César deixava Senna impressionado, ao dar 40 voltas na pista do clube sem sequer mudar o ritmo da respiração. Na verdade, Kist, a pedido de Nuno Cobra, estava passeando, em um ritmo bem abaixo do seu limite, para que Ayrton não se sentisse desmoralizado em sua lenta recuperação.

Nuno não queria "quebrar a coluna" de Ayrton, então às voltas com as dificuldades do lábio paralisado e tendo às vezes de enfrentar situações embaraçosas diante de repórteres e curiosos. O momento máximo do mal-estar: um jornalista registrou, durante uma conversa, na hora do treinamento, que a água que Ayrton bebia estava escorrendo pelo canto da boca.

Em vários momentos, o trabalho de preparação feito ao longo de 1984 pareceu ter sido inútil. E Nuno chegou mesmo a acreditar que Ayrton fosse desistir de tudo. Por isso, até escondeu algumas planilhas cujos resultados eram perigosamente desanimadores. A recuperação só começou quando Nuno propôs que, em vez de quatro quilômetros, Ayrton corresse seis. A reação foi de surpresa:

— Mas você está ficando louco?

— E além de seis quilômetros, quero que sua freqüência cardíaca não ultrapasse 120 batimentos por minuto.

Ayrton levou a sério o desafio e fez exatamente o que Nuno Cobra pediu. Ele já tinha trabalhado, correndo grandes distâncias carregando peso, sem que a freqüência cardíaca aumentasse. Para Nuno, a nova postura de Ayrton foi o início da recuperação.

Até o boné do Banco Nacional, que no futuro se tornaria o objeto mais cobiçado pelos fã-clubes de Ayrton, foi uma espécie de conseqüência da paralisia facial: na véspera do anúncio oficial do patrocínio do banco, no hotel Rio Palace, no Rio, a paralisia ainda era evidente. Para disfarçar, um dos integrantes da equipe de *marketing* do banco sugeriu que Ayrton usasse o boné o tempo todo. E ele aceitou a sugestão, embora não houvesse cláusula alguma no contrato.

O humor de Ayrton começou a melhorar quando seu medo maior se dissipou: o de que a paralisia fosse decorrente de problema neurológico causado por alguma pancada na pista. A essa altura, Galvão Bueno sentiu-se até à vontade para debochar das caretas involuntárias de Senna e criou para ele um apelido temporário que foi recebido com humor: "boca de sandália". Para dona Neyde, porém, o rosto do filho jamais foi o mesmo:

"O Beco ficou com seqüelas. Meu olho de mãe percebia isso. Bastava ele estar preocupado ou mesmo um pouco cansado que o olho ficava menor."

Adriane, a Primeira

A jovem paulistana Adriane Yamin, de 15 anos, conhecia o dono daquele rosto, agora torto, desde os tempos de infância no bairro de Santana. E teve uma reação carinhosa ao ver as fotos na imprensa:

"Puxa, tão bonitinho assim, vai ser uma pena."

Dias depois, durante os feriados do *réveillon*, em Angra dos Reis, ela levou um susto: Ayrton estava subindo a bordo do iate do pai dela, o industrial Amilcar Yamin, dono da fábrica de duchas Corona, para ser apresentado à família. Era o início de um namoro que foi longo, comportadíssimo e severamente mantido à distância do *paddock* da Fórmula 1. O que, na opinião de Galvão Bueno, estava longe de ser um problema:

"O fato de ter que se preocupar com a namorada criava uma certa desconcentração que Ayrton não queria na Fórmula 1. Mas ele tinha muito respeito com a Adriane. Era uma coisa seriazinha."

Na prática, foi um namoro de modos respeitosos e namorada virgem em casa, aventuras ligeiras e mais profundas na rua ou nos efervescentes bastidores da Fórmula 1. Coerente com este padrão, Ayrton ficou fascinado e levou para o hotel uma filha de brasileiros cuja beleza tirou o fôlego dos convidados de um jantar da Ford, na semana do GP dos Estados Unidos daquele ano. Wagner Gonzales, além de testemunhar a aproximação dos dois, também perdeu o fôlego.

Portugal foi, a partir de 1985, o cenário principal de rápidas aventuras no meio freqüentado pelo amigo milionário Pedro Queiroz Pereira, o PQP. Em uma delas, Ayrton ficou muito interessado por Ana Gama, uma portuguesa que tinha duas características que PQP considerou decisivas e que levaram Senna a viajar algumas vezes de Londres para Lisboa só para vê-la:

"Ela era filha de boa família e, com ela, Ayrton não teve logo tudo aquilo que queria ter."

Anos depois do fim do namoro com Adriane Yamin, ocorrido no Natal de 1988, Ayrton disse à médica e confidente Linamara Battistella ter certeza de que ela jamais se adaptaria ao tipo de vida dele, embora representasse tudo o que queria de uma mulher: uma moça com estrutura e hábitos de família iguais aos dele, o que incluía virgindade:

"Não era nada chocante, para o Ayrton, naquela época, a mãe de Adriane Yamin dizer que ela não podia viajar sozinha. Para ele, conservador que era, isso era o correto."

Adriane Yamin hospedou-se apenas uma vez na casa de Ayrton em Esher, em 1986, para uma única oportunidade de acompanhá-lo durante os grandes prêmios da França, Inglaterra e Alemanha. Estava, claro, acompanhada pelos pais e pela mãe de Senna. A vigilância da mãe de Adriane foi tão rigorosa, que, uma tarde, antes de sair para compras com dona Neyde, ela encarregou a empregada Juracy de ficar de olho no casal. Ayrton estava dormindo na hora em que a sogra e a mãe saíram. Quando acordou, perguntou por elas. Juracy ficou dividida:

— Saíram. Por quê? O que é que você está pensando em fazer, Ayrton?

— Deixa comigo...

Seguiram-se algumas horas de privacidade dos dois namorados no escritório do segundo andar. Ficaram, nas palavras de Juracy, namorando. Quando os pais de Adriane e dona Neyde chegaram, Juracy correu para avisar Ayrton e a namorada. Só por desencargo.

Linamara Battistella não resistiu à tentação de denunciar carinhosamente a contradição entre o perfil de mulher ideal de Senna e a liberdade que ele se dava, enquanto rodava o mundo com a Fórmula 1. Na lembrança de Linamara, Ayrton ficou sem graça e sem resposta. Para ela, ele só veria a questão da virgindade de modo menos conservador muito tempo depois, com Adriane. A Galisteu.

No Calor do Rio

Chris Dinnage nunca soube de outro piloto da Fórmula 1 moderna que tenha tido uma atitude como a que Ayrton teve naqueles dias quentes de fevereiro. Ao final dos testes de pneus em Jacarepaguá, Senna convidou cinco mecânicos, Chris entre eles, para passar três dias em Ubatuba, no litoral de São Paulo.

Ayrton, com a Lotus-Renault, e o ocupante anterior do carro, Nigel Mansell, agora guiando uma Williams-Honda, tinham conseguido bater durante um teste de pneus, ao disputarem a tomada da curva da Vitória. Depois, por pouco não tinham saído no tapa nos boxes. Todo mundo queria relaxar.

Na hora combinada, um dia de chuva torrencial no Rio, Senna apareceu na porta do hotel Intercontinental, em São Conrado, dirigindo uma kombi. Todos a bordo, ele parou logo depois num posto de gasolina, onde abasteceu a kombi e calibrou os pneus pessoalmente. Depois, pegou a estrada e deu mais um de seus *shows*. Debaixo de um temporal que não parava, ele fez o percurso Rio-Ubatuba, de kombi, em três horas. Um mortal brasileiro, com o mesmo "equipamento" e naquelas condições, não faria o percurso em menos de quatro horas.

Os mecânicos da Lotus apenas dormiram num hotel da cidade, passando os três dias na casa em que Senna estava hospedado, entre muitas doses de caipirinha, corridas de *jet-ski* e passeios de barco no mar. Mansell voltara para a ilha de Man, onde a temperatura média, naquela época do ano, costumava ficar em torno de zero grau.

Era covardia pedir que os mecânicos da Lotus fizessem comparações.

Essa ainda era uma época em que Ayrton Senna e Nélson Piquet aceitavam até dividir uma mesa de restaurante. É bem verdade que o jantar, realizado no início de março, no Rio, era também uma entrevista conjunta proposta aos dois pelo repórter Paulo César Martins, do jornal *O Globo*, mas ainda assim houve momentos de autêntica cordialidade. Um mês antes de começarem a se enfrentar na luta pelo título mundial, Nélson, bicampeão de sete temporadas, e Ayrton, muito mais que um estreante a caminho de sua segunda temporada, tomaram suco de laranja e água mineral e comeram, respectivamente, omelete de frango e filé mignon grelhado. Convidado para o jantar, o repórter Renato Maurício Prado, que anos depois se tornaria o maior crítico de Senna na mídia brasileira, viu naquele encontro alguns sinais da feroz rivalidade que separaria os dois pilotos no futuro:

"Vi o Ayrton tentando muito mais ser amigo. Nélson estava diplomático, mas cético."

Senna, generoso em elogios, premiou Keke Rosberg com um comentário que muito provavelmente nunca mais fez, sobre qualquer piloto, em qualquer tempo:

— Eu não consigo fazer o que ele faz. O Keke tem um talento extraordinário.

Sobre Piquet, sentado ao lado, Ayrton foi menos criativo:

— Nem preciso dizer nada. O que eu poderia falar sobre quem foi duas vezes campeão mundial e duas vezes vice?

Os dois pilotos deram respostas semelhantes para explicar o sucesso brasileiro nas pistas européias — um conhecimento técnico nascido da mistura de experiência prévia no *kart* com solidão e falta do que fazer — e renderam homenagens ao pioneirismo de Emerson Fittipaldi. Piquet se queixou como sempre da falta de conhecimento técnico dos jornalistas brasileiros sobre Fórmula 1 e deu uma espécie de conselho que, à luz dos comentários que faria sobre a vida pessoal de Senna no futuro, soaria um tanto irônico:

— Você ainda vai sentir que a popularidade às vezes irrita. Faltará privacidade na sua vida.

Elio De Angelis, que passara pela mesa no início do jantar, definiu sabiamente aquela reunião inusitada:

— *La prima e la ultima.*

Nas manchetes da imprensa brasileira, como escreveu, no *Jornal do Brasil*, o repórter Sérgio Rodrigues, outro futuro correspondente de Fórmula 1, Ayrton tornara-se a menina-dos-olhos de todos os que acompanhavam o automobilismo: as atenções, "cansadas do mau humor de Nélson Piquet", estavam voltadas em peso para o "garoto-prodígio". A festa para comemorar os 25 anos de Senna, no dia 21 de março, na danceteria paulistana Pool Music Hall, com quase duas mil pessoas, foi um marco de que o prestígio do ídolo tinha aumentado muito. Em meio a pedidos de autógrafo e aplausos, Ayrton circulou alegre pela festa, que teve sorteio de ingressos para o GP do Brasil, bolo de aniversário e exibição de um vídeo cujo título não fez justiça ao brilho do homenageado: *Um Piloto em Senna*. Cristiane, uma fã administradora de empresas, se aproximou de Ayrton e pediu:

"Permanece simples como você é. Admiro sua simplicidade, mesmo quando você está lá em cima, no pódio."

Satisfeito, Senna agradeceu às homenagens com um pedido que provavelmente nunca mais voltou a fazer:

"Obrigado, gente. Conto com a força de vocês para mim e para o Piquet."

Ayrton não estava bêbado. Não tinha tomado uma gota de álcool durante a festa. Ele deu uma explicação verdadeira, mas incompleta, para a decisão de não beber:

"Não é bem o que mais gosto, mas uma vez por ano não faz mal."

Faltava dizer que, quando ele resolvia beber, ninguém conseguia acompanhar.

No *paddock* da Fórmula 1, mesmo em Jacarepaguá, às vésperas do GP do Brasil, estréia de Ayrton na Lotus, não havia tanta reverência para Senna. Ele ainda era apenas uma grande promessa naquele início de temporada. As estrelas continuavam sendo Alain Prost, Niki Lauda, Keke Rosberg e Nélson Piquet. O publicitário Miguel Barros, responsável pelas ações de *marketing* dos cigarros John Player Special no Brasil, estava ao lado de Ayrton no boxe quase vazio da Lotus, observando a agitação de fãs e repórteres em volta da Brabham de Nélson Piquet. E chegou a se perguntar:

"Será que isso vai acontecer algum dia com a gente aqui?"

Não naquele ano. Na segunda de muitas frustrações que sentiu ao disputar o GP do Brasil, ao longo dos anos, Senna teve de abandonar a corrida na 41ª das 61 voltas. Chegara a disputar o segundo lugar com a Ferrari de Alboreto, mas o motor Renault sofreu uma inapelável pane elétrica. O pior: ficara possesso e chegara a tratar Peter Warr e outros integrantes da equipe de forma grosseira na volta ao boxe. O relato é do próprio Ayrton e consta em um *press release* que sua assessoria distribuiu no dia seguinte à corrida, vencida por Alain Prost:

"Eu reconheço hoje, depois de profunda análise, que fui até ríspido com membros da minha equipe, com os amigos jornalistas e até com os torcedores. Por isso, quero me desculpar publicamente e garantir que me esforçarei para que isto não ocorra mais, não deixando que a pressão e a tensão nervosa me dominem. O momento era impróprio até para conversar com Peter Warr, pois eu estava frustrado e o que acabou acontecendo foi que perdi as estribeiras e fiquei durante horas sem conseguir falar com ninguém."

As explosões, as horas de silêncio e isolamento e os arrependimentos, por mais que ele se esforçasse, jamais teriam fim. Mas aquela foi a única vez em que Senna pediu desculpas a tanta gente e de forma tão pública e solene.

CRISTINE

Cristine Ferracciu tinha apenas 17 anos quando viu Ayrton Senna pela primeira vez. Típica jovem da elite carioca, era neta de italianos, filha do almirante Edson Ferracciu, ex-adido militar do Brasil na França, ex-ministro do Estado-Maior das Forças Armadas (EMFA) e então presidente do Tribunal Marítimo, moradora de um amplo apartamento na Lagoa Rodrigo de Freitas e dona de um Chevette Hatch preto com logo da grife Company no vidro traseiro. Já trabalhando como supervisora da grife Elle&Lui, ela batia perna com a amiga gaúcha Andréia nas butiques do São Conrado Fashion Mall, num final de tarde do verão de 1985.

Ambas tinham em comum o fato de serem muito bonitas, admiradoras de Ayrton e a coincidência de estarem namorando jogadores titulares da seleção brasileira de vôlei. Os pais de Cristine estavam na Europa, os namorados tinham viajado para Curitiba, onde enfrentariam a seleção da Rússia, e as duas se divertiam no *shopping* quando, na Fiorucci, começou um grande alvoroço. Era Ayrton Senna, acompanhado pelo amigo Júnior, fazendo compras numa loja ao lado. Cristine e Andréia, de tão fascinadas com o encontro, resolveram seguir os dois até o estacionamento do *shopping*.

Quando eles entraram no Escort XR3 preto conversível de Ayrton, elas foram atrás, no Chevette Hatch de Cristine, tirado sem autorização do pai da garagem do prédio em que morava. Menos de um quilômetro depois, Ayrton parou no estacionamento do hotel Intercontinental e caminhava com Júnior para a recepção quando Andréia, mais atirada, correu na direção deles. Cristine, envergonhadíssima e escondida atrás de uma pilastra, ficou em pânico:

— Sua louca, volta aqui!

Ao ser abordado, Ayrton quis saber de Andréia onde estava "a outra que saltou do carro". E nem esperou a resposta. Caminhou até a pilastra e queimou várias etapas com um convite que mais pareceu uma ordem:

— Vamos jantar?

— Que jantar? Você está doido? Eu tenho namorado.

— Não sou ciumento.

Andréia observava a cena torcendo para que Cristine cedesse, mas ela não queria. Senna insistiu:

— Então me espera que eu vou trocar de roupa.

— Não, não vou esperar de jeito nenhum.

Mais ousado ainda, Ayrton simplesmente tomou a bolsa de Cristine e disse que só devolveria se ela fosse jantar com ele. Ela ficou brava:

— Eu tenho namorado, ele é muito grande e não vai gostar nada disso, viu?

Andréia não se conformava com a resistência. E cochichou para a amiga:

— Você deve ser uma débil mental...

Depois de muita insistência, Cristine aceitou aguardar Ayrton no térreo e sair para jantar, passando primeiro no apartamento da Lagoa. Enquanto esperavam Ayrton e Júnior, as duas amigas não se entendiam. Até que Andréia, inconformada com a lealdade de Cristine ao namorado, entregou. Contou com detalhes um caso dele com uma jogadora da seleção brasileira de vôlei na Vila Olímpica de Los Angeles, no ano anterior.

Cristine ficou furiosa com a revelação. A partir daquele momento, Ayrton Senna começou a ser um doce instrumento da vingança. Não satisfeita, Cristine também resolveu entregar. Revelou que o noivo de

Andréia também tinha tido alguns casos. A partir daquele momento, Júnior começava a ser um doce instrumento da vingança de Andréia.

Senna foi no carro de Cristine e deixou que ela dirigisse, explicando que faria um "teste de volante". Júnior foi no Escort com Andréia. Passaram pelo apartamento de Cristine, onde, retido na sala pelo olhar severo e vigilante da empregada Almerinda, Ayrton se limitou a provocar, gritando:

— Não põe vestido que eu vou desmaiar...

Os quatro foram jantar no Vice-Rey, um restaurante da moda na Barra da Tijuca. À mesa, uma molecagem de Ayrton: o teste do cabelo, uma armadilha que consistia em fazer todos à volta acompanharem, inclinados sobre um prato cheio de água, se os fios de cabelo de duas pessoas se cruzavam — sinal de relação feliz — ou se afastavam — sinal de sofrimento. No momento decisivo, o autor da brincadeira dava um tapa no prato, molhando todo mundo.

Cristine garantiu que o jantar foi até de madrugada, mas a noite não passou da mesa do Vice-Rey, à exceção de alguns beijos trocados por Júnior e Andréia. O namoro de Cristine terminou, mas ela acabou voltando com o namorado e casando com ele antes de se separar de vez e viver dois anos com Senna, entre janeiro de 1990 e dezembro de 1991. O noivado de Andréia acabou de vez no dia seguinte.

A Primeira

Faltavam algumas horas para o presidente eleito Tancredo Neves morrer e levar milhões de brasileiros às lágrimas, quando, no início da tarde de 21 de abril de 1985, dia de Tiradentes e dos heróis da Inconfidência Mineira, debaixo de um forte temporal, Ayrton Senna da Silva alinhou na *pole position* do *grid* de largada do circuito de Estoril, segunda prova da temporada, para vencer o primeiro grande prêmio de sua vida. A pista alagada, onde os pilotos mal conseguiam manter os carros em linha reta, transformou a vitória de Senna em uma façanha que muitos consideraram seu maior espetáculo nas pistas. Mas ele não estava pensando no lugar que teria na história do automobilismo, quando, a 25 voltas do final, apertou o botão do rádio e gritou para Peter Warr:

— Acabem logo com essa porra!

Senna, embora estivesse liderando a prova com folga, merecia pelo menos ser ouvido. A pista encharcada de Estoril, ele disse depois, estava em condições muito piores do que as ruas de Mônaco no ano anterior, quando alguns acenos de Prost do *cockpit* tinham sido suficientes para que Jacky Ickx encerrasse a prova antes da metade. O mesmo Prost, em Portugal, nem precisou de curva: rodou espetacularmente em plena reta dos boxes, ao disputar o segundo lugar com Elio De Angelis. Peter Warr chegou a discutir com os comissários, pedindo que a prova fosse encerrada. Inútil.

O resultado foi uma corrida que o próprio Senna, em entrevista à *Autosport,* anos depois, considerou bem mais difícil e significativa do que outro espetáculo que ele deu na chuva, em Donnington Park, 1993, quando contou com a chamada ajuda eletrônica:

"Em Donnington, eu usei o controle de tração. Em Estoril, usei meu pé direito."

Ele referia-se ao fato de, em Estoril, ter conseguido guiar e trocar as marchas de ouvido o tempo todo. Olhar para o conta-giros, obrigatório para que os motores daquela época não explodissem, poderia significar a perda da fração a mais de concentração que o mantinha no asfalto naquele aguaceiro, enquanto os outros pilotos iam ficando pelo caminho. Acima de tudo, porém, Ayrton não fez segredo para ninguém: teve também muita sorte. Ao dar uma entrevista ao assombrado Dennis Jenkinson, o mais respeitado cronista de automobilismo da Inglaterra, ele confessou:

"Na verdade, eu não sei como consegui ficar na pista."

Galvão Bueno foi outro que correu para abraçar Senna, celebrando a "corrida perfeita". A resposta:

— Você está dizendo que foi perfeita porque a televisão não mostra o que aconteceu. Eu quase me fodi umas dez vezes.

Gerard Ducarouge, que no meio da prova chegara a exibir placas com a palavra *easy*, sugerindo que Ayrton diminuísse o ritmo e administrasse a liderança, recebeu uma mistura de pedido com advertência:

"Gerard, não me mostre mais aquela placa. Eu sei o que posso fazer na pista."

O entusiasmo da Lotus com a vitória de Ayrton foi tão grande, que alguns integrantes da equipe, Chris Dinnage entre eles, quase provocaram um acidente. Eles repetiram o gesto histórico do fundador Colin Chapman e invadiram a pista para saudar a passagem de Senna, na hora da bandeirada. Emocionado, Ayrton tirou o pé do acelerador para saudá-los e quase foi atingido por trás pela Williams-Honda de Nigel Mansell, que saiu descontrolado como um sabonete reta abaixo. Aquele tipo de festa foi banido para sempre da Fórmula 1 naquele domingo, por ordem do presidente da FISA, Jean-Marie Balestre, que chegou a cogitar até a aplicação de uma multa de US$ 5 mil a Senna e sua equipe.

A comemoração da vitória foi no restaurante Faroleiro, na praia do Guincho, junto com os amigos. O telegrama de congratulações do presidente da República, uma praxe brasileira, foi assinado por José Sarney, ainda interino no palácio do Planalto. A morte de Tancredo Neves, recebida com grande consternação pelos portugueses, foi a única notícia a tornar secundário o *show* de Ayrton em Estoril. Procurado pelos jornalistas, ele mostrou que sabia como estava o coração dos brasileiros:

"Embora todos já esperassem por isso, a morte do presidente, que tanto representava para o povo brasileiro, nos deixa tristes e consternados. Mas temos que manter a confiança no futuro e esperar que o presidente José Sarney realize tudo o que esperávamos de Tancredo Neves."

Ao longo daquela segunda-feira, a cobertura da tevê portuguesa sobre a morte de Tancredo foi intensa. E Ayrton veria imagens de sua São Paulo em prantos: milhares de pessoas na rua, despedindo-se do presidente morto.

Ele jamais veria uma manifestação parecida com aquela.

Roda-presa

Quando Ayrton chegou a Mônaco, para disputar o segundo grande prêmio de sua vida no principado, as pessoas ainda falavam do *show* da primeira vitória em Portugal. A corrida que se seguira, em Ímola, no dia 5 de maio, fora um concerto inacabado de Senna: domínio total dos treinos, *pole position*, liderança absoluta durante 56 voltas e o abandono, a três do final, por causa de um turbo defeituoso que secara o tanque de combustível antes da hora. A vitória caíra no colo do companheiro da Lotus, Elio De Angelis, após a desclassificação de Alain Prost por peso irregular.

Mais um abandono estava a caminho. E antes dele, a primeira grande polêmica de sua carreira. Depois de garantir a *pole position*, Ayrton voltou à pista com pneus gastos e lentos, apenas para dificultar as tentativas dos outros pilotos de melhorarem seus tempos. No caso das ruas de Mônaco, uma tática com 100% de chances de dar certo. E deu, especialmente quando a McLaren de Niki Lauda, a Ferrari de Michele Alboreto e a Williams de Nigel Mansell saíram para suas voltas de classificação. Os três voltaram aos boxes indignados. E Ayrton passou o resto do dia pedindo desculpas; para Lauda, inúteis:

"Ele me segurou e depois veio pedir desculpas. Assim é fácil fazer a *pole position*."

A presença, no boxe da Ferrari, dos príncipes monegascos Albert e Stephanie fez Alboreto desistir de partir para o boxe da Lotus. Mas ele reclamou:

"Um piloto pode ser mais rápido que os outros, mas tem que ter esportividade."

Dezoito anos depois daquela tarde polêmica, Peter Warr assumiu inteira responsabilidade pela manobra. E fez questão de dizer que Ayrton se arrependeu dela muito antes de o assunto ir para as manchetes e ganhar a repercussão negativa que ganhou. O arrependimento, de acordo com Warr, aconteceu dois minutos após Senna deixar o *cockpit* do carro:

— Peter, não quero fazer isso nunca mais. Se alguém tiver que ser mais rápido que eu, que seja. Não faço nunca mais.

Ayrton liderava a corrida, quando o novo motor Renault explodiu sem aviso prévio na 13ª volta. O *show* em Mônaco, naquele ano, ficou por conta de Alboreto: depois de rodar na mancha de óleo deixada por uma violenta batida entre Piquet e Patrese, ele reconquistou a liderança até ter um pneu furado. Voltou ao boxe e iniciou uma recuperação espetacular que valeu a ele a segunda colocação. Parecia até Senna.

Braga

— Esse coroa está me convidando para a casa dele, mas não vou não.

— Ayrton, fica chato. Além disso, o Braga é sensacional. Você vai gostar dele.

— Não tenho saco. Não vou me sentir à vontade.

— Ayrton, escuta o que eu estou dizendo: você vai gostar dele.

— Tudo bem, então.

Pedro Queiroz Pereira fora ao aeroporto de Lisboa pegar Ayrton, às vésperas do GP de Portugal. O empresário Antonio Carlos de Almeida Braga, o Braguinha, estava no mesmo vôo e, apaixonado por esportes, fizera com Senna o mesmo que fazia com outras estrelas do esporte brasileiro: oferecera o conforto e a privacidade de sua casa. A simbiose, de acordo com PQP, foi imediata, perfeita e absoluta. De não querer, Ayrton passou a só querer ficar na casa "do Braga", sempre que ia a Portugal. Aos empregados portugueses, Braguinha sinalizou que uma grande amizade estava começando:

— Quero que o garoto coma bem. Como é a primeira vez, faz bife com batata frita. Depois a gente vê o que ele gosta de comer. Mas trate-o fazendo de conta que sou eu.

Ouviram aquela recomendação a governanta Maria Assunção Bessa Leite, então com 40 anos, e o marido dela, o jardineiro Fernando Pereira Leite, 42. Estava aberto o caminho para que a casa tivesse, com o passar dos anos, um outro proprietário, pelo menos do ponto de vista afetivo. A ligação começou, quando Ayrton passou pela primeira vez sob o portão de ferro que separava a casa da rua, nos números 22 e 24 da Calçada da Penalva, freguesia de São Pedro, na cidade histórica de Sintra, arredores de Lisboa.

Como outros visitantes que tiveram o privilégio de cruzar aquela entrada, Ayrton teve uma ilusão de óptica: não imaginava que a casa fosse uma mansão de quase 30 cômodos que abrigavam salas — de estar, leitura, televisão, jogos, reuniões de negócios, jantares íntimos e recepções de gala —, suítes, quartos, copas, cozinhas, adega, jardim de inverno, piscina térmica, quadra de tênis, piscina e jardim ao ar livre. Aquele refúgio, um monumento à privacidade e à discrição, decorado com sobriedade e escondido da curiosidade alheia por uma densa mata, no alto de uma das colinas de Sintra, era tudo o que Ayrton queria. E foi sua base afetiva na Europa para o resto da vida.

O anexo da mansão, que tinha, além de uma suíte, uma grande sala de estar, uma varanda coberta voltada para o jardim, um sótão transformado em escritório e, no subsolo, uma grande piscina térmica, transformou-se em residência exclusiva dele. Ali ele poderia dormir até tarde, como gostava, sem ser importunado.

Naquela mansão ele teria a comida caseira que adorava — bacalhau ou galinha assada nas refeições e pão assado na manteiga "à brasileira" no café da manhã. Ouviria suas músicas prediletas no quarto e teria a praia do Guincho, a poucos quilômetros, para correr. A pé e, de vez em quando, como se não bastasse o autódromo, de carro.

Como no dia em que Galvão Bueno, Reginaldo Leme, o cinegrafista Marco Antônio Gonçalves e o técnico Marco Nascimento estavam indo num sedã Mercedes para o circuito de Estoril por Cascais, o caminho normal, e Senna os convenceu a pegar uma estrada de serra à qual eles chegavam passando pelas longas retas da praia do Guincho. Ayrton num Renault. Nas tais retas do Guincho, Ayrton começou a acelerar: 170, 180, 200, 210 por hora. Galvão atrás, colado. Na ultrapassagem de um caminhão, só Ayrton conseguiu passar. E sumiu na estrada.

Galvão tentou acompanhar. Naturalmente impossível. Alguns minutos depois, desesperado para alcançar Senna, Galvão tomou um susto: de repente, atrás dele, piscando o farol, buzinando e quase empurrando a

Mercedes, a Renault de Ayrton. Tão rápido quanto surgiu, Senna ultrapassou a Mercedes pela esquerda e deu um cavalo-de-pau, parando de lado. Desceu do carro, apontou para Galvão e caiu na gargalhada.

Quase duas décadas depois, Galvão garantiu:

"Nunca corri tanto na minha vida."

Esquilos e Canja de Galinha

Quando estava na Inglaterra, na casa que comprara e decidira dividir com o amigo Maurício Gugelmin, que disputava a Fórmula 3 inglesa, e a mulher dele, Stela, Ayrton costumava acordar por volta de 11h30, meio-dia. Até essa hora vigorava uma rígida lei do silêncio. Aspirador de pó, nem pensar. Ele odiava o barulho. Depois de acordado, dedicava-se a atividades surpreendentemente contemplativas para um piloto de Fórmula 1: ficava horas em silêncio, imóvel como uma estátua, observando esquilos se aproximarem e se fartarem na macieira dos fundos da casa.

Outra diversão era brincar com seus aeromodelos no gramado de um hipódromo situado a cerca de 200 metros do condomínio. Não recebia muita gente em casa, além de uma ou outra namorada de ocasião, Armando Botelho, Nuno Cobra, o amigo Júnior e o pai. Era apaixonado pela canja de galinha que a empregada Juracy preparava como entrada do prato básico: arroz, feijão, bife e batata frita. E gostava de silêncio à mesa:

— Ou eu converso ou eu como.

A capixaba Juracy Moreira dos Santos trabalhara como doméstica em Copacabana até 1971, quando aceitou conselho de uma amiga que trabalhava em Paris e conferiu um anúncio de jornal que oferecia emprego no exterior. Acabou mudando para Londres, para trabalhar com diplomatas brasileiros. Conheceu o polonês Filix Starnowski, o homem com quem se casou e viveu por 14 anos em Wimbledon, até ele morrer de doença renal, em 1992.

Juracy fora indicação de Ana Walker, a amiga de Senna dos tempos do *kart* que morava em Londres. Na primeira vez em que Ayrton e Juracy se encontraram, uma conversa de cozinha em que também estavam Maurício e Stela, a empatia foi tão grande, que Senna ofereceu emprego e quis exclusividade. Fiel a um antigo cliente inglês, *Mr.* Friedman, morador de Hampstead, do outro lado da cidade, Juracy inicialmente recusou. Mas a insistência de Ayrton foi tanta, que ela acabou trocando o cliente inglês pelo jovem brasileiro que passaria a tratar como filho.

O que acontecia de bom ou ruim na pista dificilmente era percebido por Juracy. O máximo de comemoração que Senna se permitia na frente dela era uma frase que ele costumava usar depois de uma vitória ou de um bom resultado nos autódromos:

— Quero comer e descansar que hoje estou muito feliz.

Em Esher, a não ser quando o assunto era negócio, Ayrton tratava o pai como um irmão. Exemplo: em uma das estadas de Milton na casa, Senna, Gugelmin, Nuno Cobra e Júnior tramaram uma armadilha na porta do quarto onde ele tirava um cochilo. Deixaram na entrada uma caixa de som e abriram o volume até o máximo. Milton deu um pulo de susto e desceu as escadas furioso. Encontrou os quatro às gargalhadas. Mas, quando se tratava de negócio, Juracy percebia que, às vezes, a relação era outra:

— Era um bravo para um lado e outro bravo para o outro.

Para Júnior, a explicação para as diferenças entre Senna e o pai era simples:

— Ayrton era o coração e o Sr. Milton a cabeça.

O momento mais triste para Juracy na casa de Esher aconteceu quando Ayrton lhe comunicou que estava se mudando para Mônaco, para fugir do apetite do imposto de renda na Inglaterra. Na despedida, a senha do convite que Juracy receberia anos depois para trabalhar em Portugal:

— Juracy, fica tranqüila. Você ainda vai trabalhar comigo.

Elio Joga a Toalha

"Só permaneço na Lotus, se Ayrton Senna não continuar."

O italiano Elio De Angelis tinha 24 pontos no campeonato, contra nove de Senna, às vésperas do GP da França, em Paul Ricard, quando decidiu tornar públicas suas queixas sobre o que considerava um tratamento desigual. Curiosamente, além de ter menos pontos, Ayrton vinha de duas corridas frustradas: o abandono no GP do Canadá, traído por uma braçadeira que soltara do motor, e a batida no muro no GP dos Estados Unidos, em Detroit, em manobra que lhe custara uma forte luxação e muitas críticas pela afoiteza na caçada a Michele Alboreto. Naquele mesmo fim de semana na França, Senna teve outra decepção: uma nova batida, depois de uma rodada provocada pelo óleo que o motor Renault jogou no pneu traseiro esquerdo. O que, então, incomodava tanto Elio De Angelis?

Gerard Ducarouge, no olho desse pequeno furacão por ser o responsável pelas decisões técnicas da Lotus, considerava De Angelis um homem educado, com quem era muito fácil conviver, exceto por um detalhe:

"Difícil era convencer o Elio de que não havia qualquer favorecimento de Ayrton. Não adiantava explicar. Elio voltava sempre com a pergunta: Gerard, por que não tenho um carro igual ao de Senna?"

No fundo, refletindo sobre aqueles momentos difíceis, 17 anos depois, Ducarouge achou que De Angelis até aceitava o fato de Ayrton ser melhor do que ele. O problema, de acordo com Gerard, era enfrentar a pressão de seu pai, que não admitia ver o filho em segundo plano e pressionava muito o comando da equipe. Peter Warr também considerava Elio "um jovem sofisticado e incapaz de uma grosseria". Para Peter, além de ter sido surpreendido pela rapidez com que Ayrton aprendeu tudo sobre o carro, a equipe e os mecânicos, Elio tinha outra diferença básica:

"Ayrton chegava no final da tarde, ia para o hotel, tomava uma sopa e estava de volta ao boxe uma hora depois. Elio não fazia isso. Ia para o hotel para tomar banho e depois beber um uísque ou sair para jantar."

Wagner Gonzales, outra testemunha próxima daquele divórcio anunciado, via também profundas diferenças culturais e psicológicas, duas visões de mundo:

"Ayrton se sentia prejudicado por ser sul-americano e brasileiro. Era um rapaz de classe média ascendente que virou classe A. O Elio De Angelis era a aristocracia européia. Riquíssimo, cheio de princípios, puro demais para a Fórmula 1, ele não queria provar nada a ninguém. Ayrton queria provar tudo."

Ou, como disse Celso Itiberê, Ayrton sentia-se na obrigação de entrar para a história. Para isto, teve de fazer o que Galvão Bueno definiu com uma frase curta:

"O Ayrton destruiu o Elio."

A Lenda do Pé Pesado

Não haveria pedidos de desculpas à equipe em forma de *press releases* ou frases estudadas depois daquela explosão. Na volta ao *paddock* de Silverstone, dia 21 de julho, após ter de abandonar o Grande Prêmio da Inglaterra a seis voltas do final por causa do motor, Senna, possesso, foi direto para o boxe da Renault. Ele largara em sétimo e dera um *show* na conquista da ponta, resistindo espetacularmente às investidas da McLaren de Prost até ter de parar. Dedo em riste, ameaçou:

"Se o problema que me tirou da corrida foi mesmo falta de combustível vai ter encrenca!"

Tempos de gasolina contada, 220 litros sem direito a *pit-stop* para reabastecimento. Tempos também em que a Fórmula 1, meio espantada com o que Senna estava fazendo com a ordem estabelecida, começou a procurar uma forma de criticá-lo. Um dos pratos preferidos, na época, pelos críticos de Ayrton, inclusive Alain Prost e Nélson Piquet, era dizer que Senna, pé pesado, estava aumentando irresponsavelmente a pressão do turbocompressor e, com isso, provocando panes secas e outros problemas no motor Renault. Piquet chegaria, tempos depois, a responsabilizar Senna pela desmoralização completa do motor Renault na Fórmula 1.

Gerard Ducarouge, na insuspeita condição de aposentado da Fórmula 1, contestou com um sorriso resignado a tese do pé pesado. Na verdade, segundo ele, Ayrton ficava sempre abaixo da pressão recomendada por Bernard Dudot, o diretor da Renault. E mesmo assim, as panes secas continuavam. A explicação de Ducarouge: a Renault não tinha uma eletrônica suficientemente desenvolvida para ser mais precisa em relação ao consumo de combustível de seus poderosos motores.

Então por que nunca se falava dessa fragilidade da Renault? Com outro sorriso resignado nos lábios, Peter Warr revelou:

"Havia uma cláusula no contrato da Lotus com a Renault que praticamente impedia a equipe de atribuir a responsabilidade ao fabricante dos motores. Nada mais falso dizer que era culpa de Ayrton."

Warr sabia engolir sapos. Nos velhos tempos da Lotus, quando o motor Ford-Cosworth vencia, era vitória da Ford. Quando perdia, derrota da Cosworth. Se a Lotus vencia, vitória de Colin Chapman. Se perdia, derrota de Peter Warr.

Senna não sabia engolir sapos. Não admitia a insinuação de que era um esbanjador de combustível e se dava até ao trabalho de recolher e guardar dados telemétricos que provavam que seus motores eram usados em regime máximo de economia. E como não tinha contrato de silêncio com a Renault, punha o dedo em riste e soltava o verbo:

— O maior dos meus problemas, uma palavra basta: motor. Para explicar, um motor que não melhora, que não muda, que não fica perfeito por mais que eu informe, indique, localize até em detalhes as falhas. Meus problemas se chamam Renault. E não aceito tapinha nas costas pedindo paciência.

Ayrton teve um novo dissabor depois da explosão de nervos em Silverstone: o abandono no GP da Alemanha por causa de uma quebra na transmissão. Nas corridas seguintes, porém, ele mostrou que as palavras duras que usara contra a fábrica francesa não deveriam ser interpretadas como prenúncio de acomodação. Em Zeltweg, na Áustria, largou em 14º e terminou num heróico segundo lugar. E no GP da Holanda, em Zandvoort, cruzou em terceiro, depois de um pega histórico cujas últimas voltas foram de tirar o fôlego: Lauda metros à frente de Prost e, um pouco mais atrás, Senna metros à frente de Alboreto, que, na impossibilidade de ultrapassar, chegou a bater de propósito na Lotus de Senna na última volta. Depois da prova, Ayrton deu a medida de sua disposição, apesar dos problemáticos motores Renault:

"Ele não me passaria de jeito nenhum."

Logo em seguida, na véspera do GP da Itália, em Monza, a 12ª prova da temporada de 1985, veio o dia em que Gerard Ducarouge ficou mais impressionado com a capacidade de Senna ser, ao mesmo tempo, calculista e incrivelmente veloz. Piquet, com a Brabham-BMW, liderava o treino com um tempo que era 1s06 mais veloz que ele. Ayrton chamou Ducarouge a uma sala, debruçou-se sobre um mapa do circuito de Monza e começou a descrever, de forma incrivelmente precisa, o que acontecia com o carro, o que precisava ser feito em termos de aerodinâmica e geometria de suspensão e qual seria o ganho de tempo em cada trecho do circuito.

Junto com a receita de acerto, Ayrton fazia também uma análise crítica de sua *performance* em cada ponto, dizendo onde freara errado, onde precisava corrigir a trajetória e onde teria de acelerar mais. Ducarouge fez tudo o que Ayrton pediu e, no final do treino oficial, a diferença de 1s06 em relação à Brabham de Piquet simplesmente tinha desaparecido. Momentos como esse levaram Ducarouge a uma inspirada comparação:

"A diferença de Senna para os outros pilotos é a de um filme colorido para um filme preto-e-branco."

Para Piquet, o filme era outro. Naquele mesmo GP da Itália, depois de se recuperar de forma brilhante de uma péssima largada, Nélson acabou sendo empurrado para a grama por Ayrton. Deu o troco em plena reta dos boxes, jogando a Brabham para cima da Lotus a quase 300 por hora. Não houve vítimas. Apenas um pouco mais de cimento na construção de uma sólida inimizade.

O Grande Prêmio da Bélgica, em Spa-Francorchamps, uma semana depois, foi, para Peter Warr, a maior demonstração do talento e do perfeccionismo de Ayrton. No primeiro treino, sexta-feira, Senna conseguiu um tempo um segundo e meio mais rápido do que o resto. No sábado, os outros pilotos se aproximaram do tempo dele, mas estavam longe de igualá-lo, quanto mais de ultrapassá-lo. Como sempre, Ayrton fez a primeira tentativa — um bom tempo — e voltou aos boxes. Hora de trocar o turbo, operação que levava quase 40 minutos. Peter Warr percebeu que ele continuou no *cockpit* e se aproximou. A explicação:

— Não estou feliz com o meu tempo.

— Tudo bem, relaxa um pouco fora do carro. Vão levar 40 minutos para trocar o turbo.

— Vou ficar aqui. Quero fazer a volta em 1m16s09.

E lá ficou Senna, amarrado pelo cinto de segurança, olhos fechados dentro do capacete, concentrado, pensando na volta em 1m16s09 e acompanhando pelo monitor as tentativas, inúteis, dos outros pilotos de melhorar o tempo dele. Faltando 15 minutos para o fim do treino, ninguém chegara nem perto de seu tempo. Mas ele fez um sinal para Peter Warr, dando a entender que queria ir para a pista:

— Estou pronto.

— Não é necessário!

— Quero ir...

— Você está louco?

Ayrton não ligou, saiu para mais uma volta voadora e cravou exatamente o tempo que achou que poderia conseguir: 1m16s09. No retorno ao boxe, emoldurou a façanha com um sorriso maroto, de dentro do capacete, para o perplexo Warr.

Aquele fim de semana na Bélgica também marcou Bernard Dudot, o responsável pelos motores Renaut. No caso dele, Ayrton nem precisou entrar no carro e acelerar. O espetáculo foi mental, no *motohome* da Lotus, e teve duração aproximada de uma hora e 45 minutos. Durante esse tempo, Senna descreveu uma única volta rápida em Spa, suas impressões, sensações e, principalmente, todos os dados técnicos, número de rotações do motor, pressão do óleo, temperatura e consumo. Em cada trecho, cada curva, com toda a precisão, à entrada da curva, ao meio da curva, à saída da curva. Dudot confrontou os dados de Ayrton com os da telemetria. Tudo igual, com uma precisão inacreditável.

Quem não estava por perto como Ducarouge, Warr e Dudot tinha todo o direito de dar outras explicações para a humilhante superioridade de Senna nos treinos de classificação. Alain Prost exercia esse direito, dizendo que havia algo mais do que o inegável talento de Ayrton: um motor de treino da Renault que chegava a 1.400 HP, enquanto o Porsche que equipava a McLaren não passava de 1.100 HP. Tinha razão, em parte. Peter Warr garantiu que a potência dos foguetes de treino da Renault era 1.200 HP, mas disse que a resistência deles era mínima, suficiente apenas para uma volta voadora de Ayrton. A equipe trocava de motor e de turbocompressor do mesmo modo que trocava os jogos de pneus.

Às vezes, era necessário fazer a troca do turbo durante a tomada de tempos. Ayrton chegava no boxe com os pneus derretendo e o turbo inteiramente vermelho, incandescente. Um mecânico, usando luvas grossas e resistentes, começava a tirar o turbo enquanto outro jogava água com um balde para que a peça, custando 800 dólares a unidade, esfriasse rápido. Eram, em média, dois motores e dois turbos para dois dias de treino.

Havia ainda outra vantagem técnica que Gerard Ducarouge descobrira quase por acidente: na mudança do desenho do fundo do carro, para que ele recebesse um novo tipo de exaustor recomendado pela Renault, a Lotus ganhara um efeito aerodinâmico adicional que só acontecia quando o fundo do carro estava a uma certa distância do chão. Por isso, Senna tinha de aquecer os pneus a uma determinada temperatura, para que eles erguessem o conjunto todo na altura desejada.

O sinal deste segredo eram as fagulhas a mais que a Lotus arrancava do chão na saída do boxe. O desafio de Senna era então acelerar o suficiente, nem mais nem menos, para que os pneus deixassem o carro na altura do efeito aerodinâmico. Milímetros que viravam décimos de segundo e só aumentavam a sensação de impotência dos adversários.

Havia também os que desconfiavam de malandragem. Patrick Head, traumatizado com uma diferença que, nos treinos oficiais de Detroit, deixara Senna a inacreditável 1s08 do velocíssimo Nigel Mansell, o segundo colocado, com sua Williams-Honda, não resistiu e procurou Ducarouge para levantar a suspeita:

— Vocês estão fora do regulamento.

Ducarouge já estava cansado de se explicar e perdeu a paciência:

— Vamos fazer o seguinte: vocês param o carro de Ayrton logo depois de uma volta de qualificação. Levem para seu boxe e chequem tudo o que quiserem. Fiquem uma hora com o carro e façam todas as medidas. Depois, façam o seguinte: não percam mais tempo procurando irregularidades que vocês não vão encontrar. Se vocês querem desclassificar alguma coisa, desclassifiquem o piloto por ser rápido demais! Porra!

Patrick Head obviamente não aceitou fazer a acareação. Havia outras evidências de que algo extraordinário realmente acontecia quando Senna saía para a pista em busca da *pole position*. O companheiro de equipe, De Angelis, um piloto reconhecidamente veloz, não conseguia chegar nem perto. John Watson deu um depoimento que entrou para a história da Fórmula 1 dos anos 80, ao descrever a sensação de ser ultrapassado por Ayrton durante uma daquelas voltas:

— Era como se ele tivesse quatro mãos e quatro pernas. Freava, trocava de marcha, girava o volante, bombeava o acelerador e o carro parecia estar no fio da navalha, à beira do descontrole.

No domingo, 15 de setembro, Spa-Francorchamps assistiu a uma continuação do espetáculo do treino, a segunda vitória da carreira de Senna. E até Nélson Piquet deixou o cimento de lado:

"Ele correu maravilhosamente. Teria vencido qualquer um, por melhor que fosse o carro."

Uma semana depois, de acordo com Christopher Hilton, em seu livro *As Time Goes By* [Enquanto o Tempo Passa], Senna foi até a sede da Lotus, em Norfolk, acompanhado de Maurício Gugelmin e surpreendeu Peter Warr ainda entusiasmado com os feitos na Bélgica:

— Ayrton, agora você tem nível de um campeão mundial.

— Não, Peter. Eu sempre tive nível de campeão mundial. É a equipe que tem de chegar a esse nível.

Gugelmin não encontrou nenhum local onde pudesse ficar, a uma distância segura, do imenso constrangimento que tomou aquela ala do castelo de Ketteringham Hall.

Ayrton muitas vezes não conseguiu terminar corridas com a Lotus-Renault. Mas suas voltas voadoras em busca da pole position, *na linda Lotus preta e dourada, se transformaram em um espetáculo à parte.*

Não era uma crítica exatamente depreciativa. Era mais uma mistura de contrariedade e espanto, partindo de um dos mais arrojados pilotos da história da Fórmula 1. Era Keke Rosberg, depois de uma dramática disputa com Ayrton Senna em Brands Hatch, ao comentar, para Christopher Hilton, as tentativas de Senna de impedir a ultrapassagem:

"Depois de oito anos na Fórmula 1, parece que eu preciso voltar aos tempos da Fórmula 3 e ficar lá por um mês para aprender como se pilota um carro de corrida. Os olhos ficam esbugalhados quando você vê alguém fazendo ziguezague na sua frente a 200 quilômetros por hora. Você não se acostuma com isso. Admito que não tenho colhões para começar a tocar rodas nessa velocidade. E isso é o que eu teria de fazer se não tivesse recuado."

Keke dava a dimensão da dificuldade de se enfrentar, na pista, um piloto que, ainda no início daquele ano, dissera em uma entrevista que nunca seria capaz de fazer o que ele, Keke, fazia com um carro de corrida.

Naquele fim de semana do GP da Europa, em Brands Hatch, o tempo a ser batido nos treinos era o da Brabham-BMW de Piquet, *pole* provisório, com 1m09s204. Antes, a Lotus preta e dourada, aquele reluzente capacete amarelo-limão e o som abafado em baixa rotação do motor Renault Turbo chamaram a atenção de todos por completar duas voltas em baixa velocidade. Nas palavras de Hilton, um predador a segundos do ataque mortal.

Ayrton abriu a volta e o som das explosões violentas do turbo a cada troca de marcha encheu o autódromo de expectativa. Ao cruzar a linha, Senna tinha destruído os tempos de Piquet e Rosberg em mais de um segundo: 1m08s020. E achou pouco porque, disse mais tarde, o carro tinha saído um pouco de frente. A concorrência também tinha mais o que tirar dos carros. Mansell e Rosberg, os dois pilotos da Williams, no entanto, nem puderam comemorar a chegada à casa do 1m08s. Ayrton foi para a pista logo depois e recolocou a diferença: 1m07s786.

Quando todos se preparavam para celebrar mais um *show* de Senna, a surpresa: Piquet cravou 1m07s482, cruzando a linha a exatos 296 quilômetros por hora. E Brands Hatch, mais uma vez, prendeu a respiração para acompanhar o contra-ataque do predador. Em plena volta voadora, no descortinar de uma lombada, Senna deu de cara com a McLaren de Prost em volta de desaceleração. Não se permitiu o direito de levantar o pé nem por uma fração de segundo. Ultrapassou o futuro rival como uma bala. Ao cruzar a linha, 1m07s169.

A corrida foi vencida por Nigel Mansell, com Senna em segundo. Mas o que ficou para a história foram aqueles 313 centésimos de segundo da *pole*. Que duram bem menos que o pronunciar da palavra genialidade.

Circo Africano

A convocação feita a Ayrton Senna e Nélson Piquet pelo deputado João Hermann, presidente da Comissão de Relações Exteriores da Câmara dos Deputados, tinha o tom do que no futuro seria identificado como comportamento politicamente correto. O poeta negro Benjamim Moloise, de 30 anos, militante do Congresso Nacional Africano condenado à morte pelo regime racista do *apartheid*, seria executado na prisão de Pretória na sexta-feira, dia 17 de outubro, a 20 quilômetros do circuito de Kyalami, onde a Fórmula 1 estaria acionando os motores para o primeiro treino do GP da África do Sul. Na carta divulgada à imprensa e enviada separadamente aos dois pilotos, João Hermann interpretava os apelos do movimento negro e de partidos progressistas do Brasil, antecipando "o especial apreço e regozijo do povo brasileiro", caso Ayrton e Nélson não corressem:

"Mesmo condenando a utilização do esporte como instrumento político, não podemos deixar de recorrer a esse método para expressar nosso repúdio à política de *apartheid* que impera na África do Sul. Apelamos ao ilustre esportista todo o empenho possível no sentido de abster-se de participar da prova."

Ao chegar a Kyalami para o que alguns jornalistas chamaram de "corrida da vergonha", Piquet, empregado de Bernie Ecclestone, negou que estivesse ali sob pressão:

"Estou aqui para exercer o meu trabalho. Essa história de que fui pressionado é invenção de um jornalista. O meu desejo é fazer uma grande exibição."

Senna teve outro comportamento, interpretado, por alguns, como demagogia e, por outros, como um legítimo sentimento de mal-estar: sempre condenando a política de *apartheid*, primeiro ele admitiu contrariar a Lotus e não disputar a corrida. Depois, disse que a única alternativa de boicote seria o Ministério das Relações Exteriores proibi-lo formalmente, como cidadão brasileiro, de participar da prova.

Atendendo a um pedido do governo francês, as equipes Renault e Ligier haviam desistido de participar. Mas o motor Renault que equipava as Lotus de Ayrton e De Angelis foi ligado em Kyalami. Assim como os Honda das Williams de Rosberg e Mansell. Frank Williams deu o tom predominante no *paddock* ao responder aos apelos do governo da Finlândia para que Keke não participasse:

"O governo da Finlândia não paga minhas contas."

Os que propunham o boicote lembravam que o campeonato já fora decidido na corrida de Brands Hatch, quando, com o terceiro lugar, atrás de Mansell e Senna, Alain Prost garantira seu primeiro título mundial. Não adiantou. Todos largaram. O consolo dos que condenavam a realização da corrida foi o resultado dela, descrito com ironia por Janos Lengyel, correspondente de *O Globo*:

"A África do Sul teve a corrida que mereceu. Desfalcada nos primeiros momentos de Nélson Piquet, Ayrton Senna, Michele Alboreto e, pouco depois, do campeão mundial Niki Lauda, a disputa da prova, altamente controvertida, somente não passou a ser ridícula por causa da reação sempre teatral de Keke Rosberg, já que o trabalho, sem dúvida louvável, do vencedor Nigel Mansell não foi perturbado por ninguém."

Prost esqueceu a promessa de não ir ao pódio por Moloise e celebrou o terceiro lugar, ao lado de Rosberg e Mansell, o vencedor da prova.

Ayrton, sem marcar pontos, perdeu a chance de tirar o vice-campeonato de Alboreto. O jogo de 1985 estava definido, com Prost e sua McLaren campeões. Alain, com 73 pontos, e o vice Alboreto, da Ferrari, com 53.

Restava relaxar um pouco.

Turcos, Taicos, Porres e Molecagens

Um garçom passava entre os competidores uma tábua comprida e estreita, cheia de copos com um líquido que juntava tequila, champanhe, vodca e outras bebidas. O coquetel ficava tão forte que, a uma batida do fundo do copo na mesa, o líquido parecia entrar em ebulição, pouco antes de ser despejado goela abaixo. Ayrton ouvira alguém à mesa propor uma competição. E competição era com ele. Entrou para valer na gincana alcoólica e voltou ao quarto do hotel por conta das próprias pernas. Galvão Bueno e Reginaldo Leme, dois dos derrotados, tentaram o mesmo, e o resultado foi deprimente.

Era uma das noites em que Senna, Galvão, Reginaldo, Gerard Ducarouge, o piloto Thierry Boutsen, a mulher dele, Patrícia, e outros da Fórmula 1 passaram na minúscula Turcos e Taicos, uma ilha de 170 milhas quadradas situada entre as Bahamas e a República Dominicana, no mar do Caribe, com menos de 20 mil habitantes que falam inglês e recebem em dólar. Um refresco antes da corrida final da temporada, em Adelaide, na Austrália.

E também um símbolo do tipo de divertimento a que Senna se dedicou ao longo da carreira, nos raros momentos em que lhe foi possível desviar o olhar e o coração dos carros que pilotava. Não que ele gostasse muito de beber. Nas poucas vezes em que encheu a cara, como todo "porrista", bebeu pelo feito da quantidade, pelo arrebatamento juvenil, pela licença temporária que o álcool lhe dava de ser irresponsável e bagunceiro. Não era um profissional.

À exceção dos bons restaurantes, que Ayrton apreciou cada vez mais com o passar dos anos, seus programas, quase sempre comprometidos por horários de folga muito apertados, passaram sempre muito longe de museus, casas de ópera, galerias de arte e locais históricos das cidades. Restava o mesmo que sobra para quem viaja a serviço: os hotéis e, no caso de Ayrton, as inesgotáveis possibilidades que eles abriam para que ele e seus amigos mais chegados aprontassem, uns contra os outros, molecagens que entraram para o folclore da Fórmula 1.

Uma das primeiras aconteceu naqueles dias em Turcos e Taicos, mais exatamente no apartamento de Reginaldo Leme, no hotel Mediterranée. Ayrton e Galvão entraram e desmontaram tudo o que podia ser desmontado, encharcaram de água o colchão, soltaram os parafusos de camas, mesas e cadeiras. Uma sabotagem completa, que incluiu pendurar as roupas de Reginaldo no ventilador de teto. O troco não tardou. E a seqüência de sacanagens mútuas continuou anos a fio, até o sério estremecimento que a amizade do trio sofreu no início de 1990.

Ao voltar ao *cockpit* da Lotus, na corrida de encerramento em Adelaide, na Austrália, Senna deu a alguns amigos a impressão de ainda estar respirando os ares de Turcos e Taicos. Na corrida que marcou o adeus de Niki Lauda à Fórmula 1, Ayrton fez de tudo: saiu da pista várias vezes, voltando milagrosamente ao asfalto, incluiu as zebras no traçado, parou no boxe para trocar o bico e os *spoilers* que perdera ao sofrer, de Keke Rosberg, um *brake test,* aquele toque inesperado e malicioso no freio que os motoristas da frente, no mundo inteiro, aplicam quando os de trás estão com pressa.

Na 62ª volta, Senna encheu a carenagem de terra e finalmente parou, mais uma vez traído por um estouro do motor. Acabou em quarto no campeonato, com 38 pontos, depois da vitória de Rosberg. Na resposta aos que tentaram entender aquela pilotagem de circo, ele mandou um afago aos fãs brasileiros que haviam encarado a diferença de fuso horário para assistir à corrida:

"O pessoal precisava ficar acordado."

O Veto

Por muito pouco, a dupla de pilotos da Lotus de 1985 não foi desfeita em meio a uma pancadaria, nos boxes de Kyalami. Elio De Angelis, irritado com uma manobra de Ayrton na pista, partira para cima dele, chegando a lhe aplicar um empurrão. Senna não quis briga. Deixou Elio esbravejando e foi para o outro canto do boxe com um olhar e gestos que, na lembrança de Chris Dinnage, eram o retrato do enfado. Ayrton e todos em volta tinham outras preocupações. De Angelis, o italiano gente fina, era passado. A pergunta era quem iria substituí-lo.

Mais uma vez a imprensa inglesa queria um piloto britânico na Lotus. E mais uma vez Peter Warr foi em busca desse piloto. Para ele, Derek Warwick era uma ótima escolha para a temporada de 1986, por ser querido pela mídia e por não se opor à condição de segundo piloto. Feito o acordo com Derek, perto do Natal, Peter ligou para dar a notícia a Senna.

— Ayrton, temos a solução perfeita para o segundo carro. Warwick é experiente, uma ótima pessoa e não se importa com a condição de segundo piloto.

Do outro lado da linha, um tom de voz preocupante.

— Não estou muito satisfeito, Peter. Vou pensar no assunto e a gente conversa depois.

Cinco dias depois, a decisão de Senna:

— Não quero o Warwick na equipe, Peter.

— Mas como, Ayrton? Eu já assinei com ele.

— Não quero, Peter.

Para Warr e outros que acompanharam a negociação, Ayrton temia Warwick por sua grande capacidade de fazer amigos, não exatamente pelo que ele viesse a fazer na pista. Bob Dance, o chefe dos mecânicos, sabia que nada mudaria a decisão de Senna:

"Senna simplesmente não se importava. Tinha um objetivo a seguir e era isso que interessava, ponto."

Gerard Ducarouge nem se preocupou com o assunto:

"Eu não tinha a menor dúvida de que quem ia conseguir os melhores resultados possíveis para a Lotus era Ayrton Senna."

O dia 22 de dezembro foi um dos piores momentos da vida profissional de Peter Warr. Chamado à sede da Lotus, Warwick entrou no castelo de Ketteringham pensando que ia assinar o contrato para dividir as Lotus-Renault com Senna. Encontrou um clima de constrangimento e uma explicação curta e grossa:

— Derek, sinto muito, não haverá contrato. Senna não quer você na equipe. Falou com o patrocinador no Brasil e nós não temos outra saída.

Warwick ficou devastado com a notícia. Não estava apenas perdendo o lugar na Lotus. Estava perdendo o lugar na Fórmula 1. Mais indignação que ele sentiram a imprensa inglesa e a mulher. Sem tempo para negociar com outra equipe, ele assinou com a Jaguar para disputar o Mundial de Marcas, mas acabou voltando à Fórmula 1. Um retorno amargo, substituindo, na equipe Brabham, o mesmo Elio De Angelis, que morreria num treino no circuito francês de Paul Ricard.

Eleito imediatamente inimigo dos ingleses pela imprensa, Senna deu dezenas de entrevistas dizendo que o veto não era uma restrição pessoal a Warwick, mas uma medida necessária para evitar futuros problemas internos na Lotus. Não adiantou. Arrogante foi o adjetivo mais encostado ao seu nome nas manchetes. Com o tempo, o próprio Warwick deu razão a Senna. A Lotus, Derek sabia, não era capaz de atender aos dois pilotos. De um lado, o fenômeno Senna; de outro, um inglês no pico da carreira, queridíssimo de todos no *paddock* e na imprensa. Seria crise na certa.

Ayrton sabia que, além de ter a verba da Souza Cruz, fora uma peça-chave na renovação dos contratos que mantiveram na Lotus os motores Renault, o combustível da Elf e os pneus Goodyear. E chegou a insinuar que o amigo Maurício Gugelmin, então disputando a Fórmula 3, seria a melhor opção para o segundo carro. Poderoso, sim, mas não absoluto: prevaleceu o indicado da Imperial Tobacco, John Colom Crichton-Stuart, conde de Dumfries e filho do sexto marquês de Bute. De acordo com Clive Chapman, Dumfries ficou muito feliz só de estar na Lotus:

"Dumfries deu à equipe uma certa leveza que compensou a intensidade de Senna."

Ainda naquele Natal, Derek Warwick foi surpreendido com um cartão inesperado. O remetente lhe desejava um feliz 1986 e "tudo de bom" na temporada. Era Ayrton. Derek rasgou o cartão com raiva, certo de que fora uma gafe indesculpável dos responsáveis o envio da mensagem pelo trabalho de relações públicas de Senna.

Nos anos seguintes, Derek receberia de Senna, na pista, uma generosidade que não existia para outros pilotos. Em algumas ocasiões, Ayrton tentou até ajudá-lo a tirar o máximo de seus carros, sempre pouco competitivos. Em Monza, num treino de classificação, Senna terminava uma de suas voltas voadoras e, na entrada da curva Parabólica, que antecede à longa reta de chegada, ao ultrapassar Warwick, naquele momento iniciando a sua volta rápida, resolveu continuar acelerando forte a McLaren para puxá-lo com o vácuo. Uma camaradagem a 300 quilômetros por hora, sem palavras, acenos ou conversas posteriores no boxe. Alguns décimos de segundo para diminuir um pouco a distância entre o campeão e o piloto bom caráter que tivera o azar de cruzar o seu caminho.

Um outro cartão de Ayrton chegou à casa de Warwick em 1989. E este certamente não era uma gafe de relações públicas. Eram pêsames pela morte trágica de Paul, irmão mais novo de Derek, num acidente da Fórmula 3000, no circuito de Oulton Park. Senna foi o único piloto da Fórmula 1 que mandou pêsames. Warwick nunca esqueceu o gesto.

A Tesoura da Walderez

O relacionamento de Ayrton com Walderez Zanetti Aranega, uma paulistana que ele conheceu em 1986, quando ela tinha 42 anos, durou mais do que qualquer um dos namoros ou casos que Senna teve. Foram oito anos de fidelidade absoluta e mais de uma centena de cortes de cabelo. Ao longo desse tempo, Walderez nunca conseguiu cobrar. Acabou até recebendo, mas quatro cheques assinados por Senna jamais foram ou serão descontados. Estão guardados em casa com ela, junto com um feixe de fios de cabelo dele.

Apresentado a Walderez pela namorada Adriane Yamin, Ayrton jamais deixou que outro profissional tocasse nos seus cabelos. Ligava de onde estivesse, no Brasil ou do exterior, marcando pessoalmente as idas ao salão L'Officiel, filial da rua Mário Ferraz, bairro do Itaim Bibi, um dos mais procurados pela elite paulistana, principalmente mulheres de políticos e empresários poderosos de São Paulo. No início, chegou a cortar o cabelo na cadeira de Walderez, num amplo salão que ela dividia com 36 outros cabeleireiros. Mas, com o tempo, a fama e o tumulto que sua chegada provocava entre as clientes, passou a usar uma sala reservada para um ritual que foi o mesmo até o último corte.

Ele chegava geralmente muito cansado e arisco com o assédio de fãs e jornalistas. Primeiro, uma massagem capilar feita pela assistente de Walderez, Cláudia, que o deixava num estado extremamente relaxado. Em seguida, ele se acomodava na cadeira de couro de frente para o espelho e, depois de um chá de ervas, enquanto Walderez cortava o cabelo, passava os olhos na pilha de revistas de fofocas que, com intensidade crescente ao longo dos anos, publicavam fotos e textos sobre sua vida. Não tinha grandes reações de raiva ou de satisfação. No máximo, expressões de espanto diante de alguma besteira sensacionalista:

— Brincadeira, hein, Walderez!!!

Depois, ainda sob efeito da massagem capilar, ele adormecia rapidamente, roncando alto, e entrava num sono tão profundo, que Walderez não tinha coragem de interromper. Para não acordá-lo, ela pedia que Cláudia ficasse segurando a cabeça de Ayrton até o término do corte. Walderez sempre teve a sensação de que momentos como aqueles 50 minutos de paz que Ayrton tinha regularmente no salão, em média a cada 40 dias, eram algo muito precioso e raro na vida dele.

Ela tinha razão. Uma vez, ao tentar uma solução para a falta de tempo de Senna para um corte no Brasil, Walderez aproveitou o fato de ele estar na Itália para sugerir que o corte fosse feito por lá, um país de ótima tradição em cabeleireiros. Ayrton ficou bravo com a sugestão. E cabeludo. Outro momento extremo de fidelidade aconteceu quando Walderez viajava de férias pela Grécia, após um curso de atualização com cabeleireiros de Londres. No desembarque no aeroporto da ilha de Mikonos, a coincidência: Senna descia de outro avião, acompanhado do irmão Leonardo e de dois casais. A surpresa de Ayrton durou apenas um instante:

— Walderez! Que mundo pequeno! Eu não sabia o que fazer com meu cabelo.

Um problema inesperado atrasou o corte de emergência: ninguém conseguia uma tesoura na ilha de Mikonos. Walderez acabou encontrando uma, meio enferrujada, que ela lubrificou secretamente com azeite, por baixo da mesa de um restaurante. O pente de plástico amarelo tinha os dentes tão apertados, que mal dava para pentear o cabelo de Ayrton. Mas o corte, feito no hotel de Walderez, ficou do jeito que ele gostava. Como sempre.

Revelações Brasileiras

Jacarepaguá. Rio de Janeiro, primeira prova da temporada de 1986. Uma Lotus preta e dourada igual à de Emerson. Não poderia haver melhor maneira de, enfim, vencer pela primeira vez o Grande Prêmio do Brasil. Flavio Andrade, presidente da Souza Cruz, foi um dos poucos interlocutores que souberam, da boca do próprio Senna, já no início dos treinos, que seria muito difícil acontecer daquela vez. E Ayrton também tinha uma solução para não decepcionar sua torcida e continuar desfalcando a de Nélson Piquet:

— Esse meu carro não vai andar bem na corrida. Vou fazer o seguinte: vou mandar o cacete e, se quebrar, quebrou.

Num dos testes do GP de Interlagos, em 1986, o motor pegou fogo. Ayrton disparou no meio da nuvem formada pelos extintores de incêndio.

Na ponta do lápis, de acordo com o balanço estatístico feito pela Olivetti, empresa responsável pela cronometragem oficial da Fórmula 1, Senna iniciava sua terceira temporada não apenas como o piloto que estivera mais voltas e quilômetros em primeiro lugar no campeonato anterior, mas também como o mais rápido nos treinos. Apesar de ter terminado na quarta colocação, com 38 pontos, Ayrton, na corrida fictícia que juntava as distâncias dos 16 grandes prêmios de 1986, liderara 271 voltas, contra 227 de Keke Rosberg e 175 de Alain Prost, o campeão. Na soma das 16 voltas de classificação, Senna fora seis intermináveis segundos mais rápido que Keke Rosberg, novamente o segundo. Definitivamente, o bicampeão Nélson Piquet, agora na Williams-Honda, tinha com quem dividir a atenção do público e da imprensa do Brasil.

A sede de reconhecimento que Ayrton tinha naquela fase da carreira era tanta, que ele ficara aborrecido com o fato de não ter sido eleito, de novo, "revelação do ano", nas tradicionais enquetes de fim de ano das revistas esportivas internacionais. Wagner Gonzales, dublê de correspondente de Fórmula 1 do jornal *O Estado de S. Paulo* e assessor de imprensa de Ayrton na Europa, fora testemunha do mau humor do patrão. E não quis argumentar que ninguém pode ser revelação mais de uma vez.

No Brasil, porém, não faltou massagem para o ego. Senna fora escolhido pela equipe da revista *Placar* como "O Esportista do Ano" e, naquela mesma semana do GP do Brasil, comparecera à festa, na boate Gallery, em São Paulo, para receber um prêmio que antes fora dado a Zico, Sócrates, Jorginho, Montanaro, da seleção de vôlei, e Joaquim Cruz, recordista mundial de atletismo. Piquet, mesmo tendo sido duas vezes campeão, nunca o ganhara. Na festa, Ayrton ficou sem graça em dois momentos: ao perceber que, trajando calça bege e camisa social branca, era o único sem terno, e ao levar uma bronca carinhosa do veterano Chico Landi pelas "loucuras" que fizera no circuito de Adelaide em 1985.

Na volta ao *cockpit*, Senna mostrou aos brasileiros, já depois de o locutor do autódromo anunciar, precipitadamente, o fim do treino oficial, o *show* que os europeus já tinham aprendido a apreciar em 1985: nos últimos instantes da sessão, uma volta perfeita, recorde da pista, *pole position* e uma explosão de delírio nas arquibancadas. As vítimas da vez: Nélson Piquet, o mais rápido até aquele momento, e Mansell, com a outra Williams, empurrado para a segunda fila no último instante. Ayrton saiu do *cockpit* emocionado:

"Foi maravilhoso! Viva o Brasil!"

O que o Brasil tinha a ver ou não com momentos como aquele passou a ser uma das polêmicas freqüentes na fronteira cada vez mais hostil que separou os chamados *piquetistas* dos *sennistas*. Os primeiros viam nos gestos de Ayrton uma fria e bem-fabricada estratégia de *marketing*.

Os fãs de Senna exaltavam aquelas atitudes como o comportamento ideal de um esportista, atento ao seu papel de ídolo e orgulhoso de seu país. Uma discussão que estava apenas começando naquele GP do Brasil, e que foi adiada pelo resultado da corrida, uma gloriosa dobradinha brasileira, com Piquet em primeiro e Senna em segundo.

Ayrton e Mansell se tocaram no meio da velocíssima curva 1, depois de uma freada, a mais de 300 por hora. Senna conseguira se manter no traçado e Mansell escorregara pelo lado interno da curva até bater no *guard-rail* e lá ficar, para delírio de mais de 60 mil torcedores brasileiros.

Era outra encrenca que estava apenas começando e que teria um capítulo histórico na corrida seguinte.

Humildade em Centímetros

Poucos, além de Nigel Mansell, teriam coragem de incluir Nigel Mansell na seleta lista de monstros sagrados do automobilismo. Mas nenhuma pessoa que gostasse de corridas de automóvel poderia ignorá-lo. A fúria que o contaminava a cada largada, qualquer que fosse a posição no *grid*, fosse em que carro fosse, só costumava se aplacar na bandeirada, nas caixas de brita das áreas de escape, em *guard-rails* inesperados ou em precoces retornos ao boxe. Enquanto permanecia na pista, ele era uma promessa itinerante de curvas impossíveis, caminhos audaciosos e ultrapassagens antológicas. E também de trapalhadas que o fizeram perder títulos mundiais por causa do pé pesado, do destempero quase suicida de certas manobras e da infantilidade de algumas atitudes dentro e fora das pistas.

Em seu livro *My Autobiography* [Minha Autobiografia], ao descrever os momentos finais do GP da Espanha de 1986, em Jerez de La Frontera, um dos resultados mais apertados de toda a história da Fórmula 1, Mansell expõe uma enorme dificuldade de ser humilde e até confunde leitores apaixonados ou desatentos na hora de dizer quem, afinal, cruzou a linha de chegada em primeiro lugar, se ele ou Ayrton Senna. O trecho:

"Nós disparamos como dois atletas de 100 metros livres e, embora eu tenha ultrapassado ele no meio da reta, ele cruzou a linha de chegada 93 centímetros à minha frente."

"Ele" era Senna, o vencedor incontestável da prova. Em sua curiosa versão, Mansell omite o fato de que só ultrapassou Ayrton "no meio da reta" depois da linha de chegada, e, portanto, depois de Senna ter tirado o pé do acelerador, como todos os pilotos fazem quando acaba uma corrida. Como um goleiro que dá um vôo sensacional para agarrar uma bola que já entrou, Mansell lamentou, no livro:

"Se a linha de chegada estivesse cinco jardas à frente, eu teria vencido."

O que Mansell e Senna fizeram na pista, e não o que Nigel ditou ao biógrafo James Allen, é que foi espetacular, naquele 13 de abril de 1986. A nove voltas do final, Mansell cedeu a liderança a Ayrton, depois de fechá-lo várias vezes, e entrou no boxe para trocar pneus. A caçada à Lotus de Senna, àquela altura se equilibrando como podia em pneus perigosamente gastos, terminou com o autódromo e milhões de telespectadores incapazes de perceber, a olho nu, os 14 milésimos de segundo de diferença de um para o outro. O que Mansell e Senna fizeram depois da bandeirada não entrou nem na biografia de Mansell nem na história da Fórmula 1: trocaram desaforos e empurrões no carro que os levou ao pódio.

O Eixo

— Se eu não tiver o motor Honda no ano que vem, não piloto para vocês.

A advertência feita por Senna, ainda no *paddock* de Jerez de La Frontera, quando o campeonato de 1986 mal começara, deixou Peter Warr perplexo, a imaginar o que teria de fazer para quebrar o contrato com a Renault sem ter de pagar uma fortuna de indenização. Warr já vinha negociando com Nobuhiko Kawamoto, o chefe supremo da Honda na Fórmula 1, desde o ano anterior, para que a Lotus dividisse com a Williams os motores japoneses. Só que a conversa não era para 1987.

Peter Warr não sabia, mas conseguir os motores Honda não seria suficiente para manter Senna. A Lotus, na verdade, estava começando a perder Ayrton para a McLaren de Ron Dennis, aquele mesmo chefe de equipe que, quatro anos antes, prometera nunca mais fazer uma oferta a um jovem insolente da Fórmula Ford 2000 que ainda era conhecido como Da Silva. As conversas com Senna resultaram, depois de muitos e longos telefonemas, num acordo de cavalheiros pelo qual Ayrton se transferiria para a McLaren, assim que os japoneses o fizessem.

Senna sabia que não era peão naquele jogo pesado de xadrez e, sempre com Armando Botelho por perto, também retomava conversas em separado com a Honda. Os primeiros contatos com os japoneses tinham acontecido em agosto do ano anterior, quando o chefe do programa de motores, o engenheiro Yoshitoshi Sakurai, começava a colher os frutos de um projeto que tinha começado de forma discreta em 1984, através de uma parceria da Honda com a equipe Williams.

Keke Rosberg tinha vencido o Grande Prêmio dos Estados Unidos de 1984, em Dallas, e, em 1985, o novo motor japonês, de 850 cavalos, já era muito elogiado no *paddock*. Peter Warr chegara a tentar um contrato com a Honda já para 1986, mas Sakurai recusara a oferta. Tinha um contrato de exclusividade a cumprir com Frank Williams. A Lotus então recuara e renovara o contrato com a Renault.

Senna agora estava decidido a não perder mais tempo. E trocar de fornecedor no meio do contrato não foi o único problema de Peter Warr. Antes de negociar a rescisão com os franceses da Renault, ele se reuniu ali mesmo, em Jerez, com Nobuhiko Kawamoto, o chefe supremo da Honda na Fórmula 1, e ficou sabendo de outra condição para que a Lotus pudesse ter o motor que Senna queria:

— Quero um piloto japonês, Satoru Nakajima, no segundo carro.

Ao aceitar Nakajima, piloto oficial de testes da Honda, como companheiro de equipe de Senna, Peter Warr não poderia imaginar que estava salvando a própria pele. O fator Nakajima foi decisivo semanas depois, quando o comando da Honda ficou seriamente tentado a trocar a Lotus pela McLaren.

Um mês e meio após aquelas conversas em Jerez, enquanto muitos técnicos e engenheiros europeus da Fórmula 1 tomavam sol nos iates ancorados na marina de Mônaco, na véspera do Grande Prêmio, o brasileiro Ayrton Senna teve o primeiro encontro privado com o japonês Yoshitoshi Sakurai, então apelidado de "novo Gengis Khan" pela revista italiana *Autosprint*, por estar desmoralizando os motores da concorrência européia com o desempenho das Williams-Honda de Piquet e Mansell. Foi o início de uma poderosa aliança.

O treino de classificação de sábado havia terminado e, quando Ayrton bateu na porta do *motohome* da Honda e entrou, Sakurai sentiu o que descreveu, 17 anos depois, como uma lufada de vento. Senna queria falar das negociações, mas Sakurai estava mais intrigado com suas façanhas na pista:

— Como você consegue baixar até meio segundo entre uma e outra saída para a pista?

— Eu penso. Memorizo toda a volta, lembro como os pneus se comportaram, como estava a rotação do motor, a suspensão e a aerodinâmica nos vários trechos do circuito. Depois, peço as modificações necessárias para que o carro melhore em cada trecho. Entro no carro e fico quieto, esperando a hora de voltar à pista.

— Muitos pilotos reclamam do tráfego. Você não costuma reclamar muito.

— Eu sei o que os pilotos vão fazer na minha frente.

Sakurai teve uma ótima impressão. Despediu-se de Ayrton com a certeza de que, com ele, poderia conquistar as vitórias que o venerado fundador da empresa, Soichiro Honda, cobrava religiosamente, toda terça-feira seguinte a cada grande prêmio, desde 1984. Sakurai também estava cansado da parceria com a Williams. No ano anterior, ele e seus comandados haviam sofrido muito para obter informações dos pilotos Keke Rosberg e Nigel Mansell sobre o comportamento dos motores. Na lembrança de Sakurai, Rosberg ficava especialmente mal-humorado depois das corridas e não dava qualquer resposta. A situação se agravava muito, segundo ele, com a diferença do idioma:

"Decidi que nós íamos conversar direto com os motores. Achei que era inaceitável os pilotos serem os únicos detentores das informações sobre o que acontecia com o carro."

Por conversar direto entenda-se: mergulhar intensamente na busca do domínio da telemetria, desenvolvendo um novo sistema de monitoramento eletrônico que foi introduzido pela Honda na temporada de 1987 e que revolucionaria a Fórmula 1 nos anos seguintes. Ayrton, ao contrário de muitos pilotos, adorou mais essa ferramenta de trabalho e fez dela uma arma muitas vezes decisiva nos duelos futuros com Alain Prost, em 1988 e 1989, ambos correndo pela McLaren.

Nobuhiko Kawamoto sabia, naquele verão europeu de 1986, o que significava ser um japonês na Fórmula 1 desde meados dos anos 60. Na época, trabalhara como mecânico iniciante dos motores Honda que equiparam por uns tempos os carros de Fórmula 2 da Brabham. Voltara ao Japão com um apelido baseado num grosseiro equívoco geográfico, *Hong Kong Mechanic*, e com a determinação de convencer Soichiro Honda a investir na Fórmula 1 e desenvolver, para os carros de passeio da fábrica, uma engenharia de vanguarda em motores. Vinte anos depois, agora um executivo, ele começara a realizar o projeto com a Williams. A Lotus, de acordo com ele, já parecia a melhor alternativa à conversa de surdos na Williams, mas o pacote ficara ainda mais atraente depois da chegada, na equipe, daquele brasileiro "magro, calmo, gentil e esperto":

"Nosso interesse e nosso contrato seria com a Lotus, mas é óbvio que ficamos muito satisfeitos quando a equipe contratou Senna."

Mas Ron Dennis também se achava em condições de fazer a felicidade de Senna e dos japoneses, já a partir de 1987. Ele embarcou em julho para o Japão, levando Alain Prost e, no bolso, o acordo de cavalheiros que tinha assinado com Ayrton, para embaralhar de vez o jogo de bastidores. O argumento de Ron:

— É muito fácil tirar Senna da Lotus.

A frase em forma de proposta, apresentada em julho ao comando técnico da Honda na Fórmula 1, durante reunião no hotel Ana, em Tóquio, deixou os executivos da Honda em uma encruzilhada. Afinal, a solução encontrada anteriormente por Sakurai para ter duas equipes em 1987 usando o motor Honda-Williams, contrato antigo, com Piquet e Mansell, e Lotus, com Senna em dupla com o ídolo japonês Satoru Nakajima, fora recebida com entusiasmo pela direção da fábrica.

Nakajima já tinha sido convidado e ficara em estado de graça, assim como os jornalistas japoneses que foram informados sigilosamente sobre a operação. Mas os argumentos de Ron Dennis balançaram a convicção de Sakurai e de seus auxiliares diretos, Goto e Ishida. A possibilidade de fornecer motores para Nélson Piquet, Nigel Mansell, Alain Prost e Ayrton Senna, se o plano de tirar Ayrton da Lotus fosse para a frente, era um sonho para qualquer engenheiro.

Durante a conversa, quanto mais Ron Dennis falava, mais Sakurai se identificava com as idéias e os conceitos do diretor da McLaren. Os dois queriam a mesma coisa: formar a maior equipe da história da Fórmula 1. E Ron garantia: para que o contrato de Senna com a Lotus fosse desfeito sem grandes prejuízos para o piloto e sua futura equipe, bastava, por exemplo, que o projetista Gerard Ducarouge pedisse demissão da Lotus. E insistia:

— É um contrato muito confuso e precário.

Sakurai estava definitivamente conquistado pela proposta, mas havia um problema chamado Nakajima. Pediu dois dias para pensar, enquanto Ron Dennis voltou à Inglaterra para convencer o sócio majoritário da McLaren, Mansour Ojeh, de que a operação valia a pena. Três dias depois, a resposta de Sakurai: a Honda teria duas equipes em 1987: Williams e Lotus. A McLaren só poderia receber os motores japoneses a partir de 1988.

Alain Prost disse, 17 anos depois, que sugeriu, durante as reuniões com a Honda, a contratação de Ayrton Senna pela McLaren, em vez de Piquet, supostamente pretendido por Ron Dennis. E que surpreendeu a todos ao abrir mão da exigência de ser primeiro piloto. Sakurai desmentiu:

"Nós queríamos formar uma estrutura com Senna e Prost na McLaren. Alain preferia um piloto mais fraco. Na verdade, ele queria que Ayrton fosse para a Williams."

Nobuhiko Kawamoto não apenas desmentiu, mas criticou:

"Prost só pensa nele. Ele não liga para ninguém, principalmente quando se trata de outro piloto."

E Ron Dennis revelou:

"Alain não sabia do meu acordo de cavalheiros com Ayrton."

Peter Warr, que também não sabia do acordo de cavalheiros de Ayrton com Ron, acabou contando com a ajuda de Senna para explicar à diretoria da Renault as razões da quebra do contrato e a opção da Lotus pela Honda. Deu certo: os franceses, resignados, aceitaram. Surpresa maior: a ELF, petrolífera estatal historicamente ligada à Renault, manteve o patrocínio e o fornecimento de combustível.

Nos treinos para o Grande Prêmio do Canadá, Montreal, sexta prova da temporada, em junho de 1986, o motor da Lotus na pista ainda era o Renault, mas, num *draft* encomendado por Peter Warr e mostrado a Yoshitoshi Sakurai, o nome na carenagem era Honda. Sakurai, por sua vez, precisava saber qual seria a reação de Senna à solução que ele encontrara para convencer a direção da fábrica japonesa a fornecer motores para uma segunda equipe da Fórmula 1, um piloto japonês:

— Ayrton, o que você acha de ter um segundo piloto japonês, o Satoru Nakajima?

— Sem problemas.

Senna e Warr se reuniram num quarto do hotel Holiday Inn às vésperas do GP da Alemanha, em Hockenheim, e enfim redigiram, usando uma única folha de papel, os principais pontos do acordo: a mudança para os motores Honda, o piloto japonês e a permanência da ELF. Tudo acertado, os dois deram, no circuito de Hockenheim, a entrevista conjunta que marcou o fim da exclusividade dos motores Honda para a equipe Williams.

Também ficou acertado, só entre os dois, que Ayrton ganharia US$ 1,6 milhão por dois anos de contrato. Quase três vezes o valor do contrato assinado em 1985.

Foi mais, muito mais. No Natal daquele ano, uma mudança de patrocínio deixou Senna livre para trocar a Lotus pela McLaren.

A brecha contratual de que Ron Dennis falara em Tóquio.

Quem se desse ao trabalho de ler os jornais ou conversar com as pessoas pelo *paddock* de Mônaco, naquele início de maio de 1986, entenderia perfeitamente por que Ayrton era uma peça tão importante nas negociações milionárias que envolviam Lotus, Renault, Honda e McLaren. Ele já merecia reportagens especiais da imprensa que o colocavam no nível dos grandes da Fórmula 1. Pilotos e ex-pilotos, no entanto, se dividiam. Jacques Laffite, por exemplo, achava que Senna era "um mito criado pela mídia". Patrick Tambay discordava e chamava Ayrton de E.T. da Fórmula 1, capaz de "coisas extraordinárias". O jornalista francês Gerard Crombac, uma instituição da imprensa especializada, era um dos que se maravilharam com Ayrton, nas páginas da revista *Sport Auto*:

"O melhor piloto depois de Jim Clark. Combina a inteligência de Prost com a agressividade de Gilles Villeneuve. Piquet continua sendo o número 1, mas não por muito tempo."

Dia da Bandeira

Zico já tinha perdido um pênalti e o jogo, no tempo normal, terminara num empate de 1 a 1. Na disputa de pênaltis, Michel Platini até ajudara, perdendo uma cobrança, mas Júlio César e Sócrates, este de forma displicente, também tinham perdido as suas e o Brasil estava fora da Copa do México, eliminado pela seleção francesa. Nas cidades brasileiras, drama, tristeza e a notícia de que pelo menos cinco pessoas morreram de enfarte pelo choque da derrota. No *paddock* improvisado nas ruas de Detroit para o GP dos Estados Unidos, muita festa e cuidadosas provocações dos técnicos e engenheiros da Renault. Ayrton Senna, cliente insatisfeito do motor francês e simpatizante do Corinthians, registrou.

Ayrton não era exatamente um favorito para a vitória. Os seis resultados da temporada até aquele momento, à exceção de seu centimétrico primeiro lugar em Jerez, eram o retrato da superioridade da

Williams-Honda, vitoriosa com Piquet no Brasil e com Mansell na Bélgica e Canadá, e da McLaren-Porsche de Prost, vencedor em Ímola e Mônaco. Mas Detroit era um circuito de rua e Ayrton largou na frente, mais uma vez *pole position*.

Deu tudo errado no início. Ele perdeu a liderança para Mansell e fez uma primeira parada tão desastrosa no boxe para a troca de pneus que voltou à corrida em oitavo. A reconquista das posições foi relativamente fácil, até ele encostar em Piquet e iniciar uma disputa tão intensa, que Nélson chegou a raspar a Williams no muro de concreto. Na segunda parada no boxe, Ayrton demorou os esperados oito segundos. Piquet fez um *pit-stop* desastroso de 19 segundos. Acabou batendo e abandonando. Vitória de Ayrton.

Logo depois de cruzar a linha de chegada, Senna viu um torcedor agitando uma pequena bandeira brasileira por trás do alambrado. E lembrou das brincadeiras dos franceses da Renault no dia anterior, após o naufrágio brasileiro na Copa do México. Encostou a Lotus, tomando o cuidado para não deixar o motor morrer e gesticulou, pedindo que o torcedor lhe desse a bandeira. Daquele ponto em diante, ele passou bem próximo de todas as câmeras de tevê do circuito, olhando para as lentes e agitando vigorosamente a bandeira, ao som do *Tema da Vitória*, a música que a TV Globo usava quando pilotos brasileiros venciam na Fórmula 1.

Era tarde de domingo no Brasil, o país inteiro imerso na ressaca da inesperada eliminação da seleção de Telê Santana. E o gesto simpático daquele rapaz tímido de São Paulo ficou na memória de muita gente que não dava a menor atenção para a Fórmula 1: gente que costumava chamá-la de "corrida de baratinhas", moças e donas de casa que não viam graça alguma em correr feito maluco por duas horas e não chegar a lugar algum, intelectuais que condenavam aquele culto burguês, milionário, perigoso e individualista do automóvel, jornalistas que não concediam aos pilotos sequer o direito de se apresentarem como esportistas, e piquetistas, cada vez mais incomodados com o bom-mocismo que Senna exibia fora do *cockpit*. Só fora, insistiam eles.

A seleção brasileira tinha acabado de ser eliminada pela França na Copa do Mundo de 1986. A vitória em Detroit foi o primeiro de muitos afagos de Ayrton no coração do torcedor brasileiro.

Naquela época, Washington Olivetto, já a caminho de se tornar um dos mais importantes profissionais de propaganda brasileira, torceria por Nélson Piquet, se existisse um Campeonato Brasileiro de Fórmula 1. Como não havia, ele apoiava os dois pilotos brasileiros contra o resto do mundo e se mantinha a uma distância segura do que chamava de "encrenca" entre piquetistas e sennistas. E não achava nada fácil separar o que era genuíno e o que era estratégia profissional nas atitudes de Ayrton:

"Senna tinha o que precisava na Fórmula 1 de sua época: uma disciplina fantástica e a percepção de que estava num negócio que contém esporte. Além disso, conseguiu provocar a adoração do mito, sendo um padrão de doçura absoluta, de bondade, de capacidade de luta. E mais o estilo destemido. Tudo o que se espera de um ídolo e, junto com isso, uma visão comercial muito grande. Ele misturava tudo de uma maneira que era praticamente impossível saber onde terminava uma coisa e onde começava a outra."

Celso Itiberê, um dos poucos jornalistas brasileiros que acompanharam toda a carreira de Senna na Fórmula 1, já tinha percebido, antes do gesto da bandeira em Detroit, que Senna era fiel ao torcedor e, ao contrário de Piquet, sentia uma certa responsabilidade:

"Ayrton precisava da torcida para poder vencer, para abrir grandes espaços para ele na mídia. Mas também havia sentimento. As coisas caminhavam paralelamente."

Qualquer que fosse a motivação, Senna praticamente não precisaria se preocupar mais quando vencesse e quisesse afagar o coração da torcida brasileira. O gesto de Detroit inspirou Cláudio Toledo, um paulista conhecido como Tigur pelos brasileiros que gostavam da Fórmula 1, e que assistia às corridas com muito sacrifício e improvisação. Em muitas das vitórias que se seguiriam, foi dele a mão esticada para entregar a Senna a bandeira que encheria de orgulho os brasileiros.

Dor e Vaidade

O capacete amarelo, poucos sabiam, continuava escondendo o alto preço físico que Ayrton ainda pagava pelos êxitos na pista, exatamente como nos tempos sofridos da Toleman. O heróico primeiro lugar de Jerez lhe custara dores insuportáveis nas costas. A exaustão em Mônaco o obrigara a ficar mais de meia hora imóvel, no *motohome* da Lotus. Ele não conseguia fazer as curvas fechadas e nunca sofrera tanto durante uma corrida. O esforço para manter o quinto lugar em Montreal com o carro desequilibrado enchera as mãos de bolhas dolorosas. E para completar, o pior, o que mais irritava Ayrton Senna, ele revelou num desabafo para Nuno Cobra:

— Porra, quando é que vão parar de me chamar de franzino?

Nuno Cobra acabou sendo convidado para passar alguns meses na casa de Senna na Inglaterra. Era a única forma de continuar com o programa de condicionamento. O convite foi aceito e, no início de junho de 1986, ele desembarcou em Londres para se hospedar na casa que Senna continuava dividindo com Gugelmin e Stela em Esher. Foram três meses durante os quais Nuno mudou a rotina de Ayrton, fazendo-o acordar cedo, meditar, conversar muito sobre superação de desafios ou personagens das olimpíadas e fazer cuidadosas sessões de alongamento. Sem prejuízo do costume de observar os esquilos se esbaldando na macieira do quintal.

Naquelas semanas, Ayrton se aprofundou no método que Nuno Cobra batizara de ABC e no qual são fundamentais o sono, a alimentação e a atividade física, três prioridades que afastaram Senna definitivamente do estereótipo clássico dos pilotos da geração que o precedera na Fórmula 1: mulherengos entregues à noite, ao sexo, ao álcool e às orgias gastronômicas entre uma e outra corrida. Para Nuno Cobra, não adiantava nada o piloto, cada vez mais um atleta, fazer exercícios e depois cair na noite ou se alimentar mal.

Senna criou, sob orientação de Nuno, um ritual que seguiria com uma certa regularidade: antes de cada prova, ele se isolava por um certo tempo e, para diminuir a freqüência cardíaca, respirava aceleradamente, expelindo todo o ar dos pulmões. Depois, repetia o mesmo exercício mais relaxadamente. Pegava então o capacete e começava a limpar a viseira. Nuno aposta:

"Nessa hora, ele não pensava em nada, apenas economizava energia."

Nuno não teve o prazer de ver seu cliente mais famoso vencer naquele verão europeu: Senna abandonou o GP da França na quarta volta, depois de sair da pista numa mancha de óleo deixada pelo motor do carro de Piercarlo Ghinzani. No GP da Inglaterra, em Brands Hatch, uma corrida marcada pelo grave acidente que encerrou a carreira de Jacques Laffite, a embreagem da Lotus não agüentou três largadas e ele abandonou na 27ª volta, sem conseguir engatar as marchas. Na Alemanha, porém, Nuno teve a alegria de ver mais uma dobradinha de brasileiros, com Piquet em primeiro e Ayrton em segundo, beneficiado pela parada das McLaren de Prost e Rosberg na última volta.

Nas corridas em que acompanhou Ayrton, Nuno se encarregou de enfaixar as mãos dele. A faixa tinha de cobrir do pulso à palma da mão, e Senna fazia questão de que a distribuição do tecido protetor tivesse precisão milimétrica. Nuno teve de refazer o enfaixamento várias vezes. Uma exigência que, segundo ele, era emblemática da entrega total de Ayrton ao que fazia:

"As pessoas acham erradamente que tudo era fácil para Ayrton. Pelo contrário: tudo o que ele conseguiu foi resultado de muito esforço e, às vezes, sofrimento."

Esse era o problema, pelo menos para Cristine Ferracciu, a bela morena carioca que Ayrton assediara em 1985 e que também o visitou naquele verão em Esher, durante uma viagem de férias à Europa. Foi recebida, ela lembrou anos depois, com o mesmo atrevimento do primeiro encontro:

— Você pode até casar, mas um dia você vai ser minha, seja casada, desquitada ou viúva.

Cristine, que se casou mesmo com o jogador da seleção de vôlei, achava a vida de Ayrton chata demais e não se via no papel de "dona de casa esperando o príncipe encantado chegar". Era uma época em que Ayrton só pensava na carreira, de uma forma muito mais intensa do que a dos dois anos em que eles praticamente viveriam juntos, depois de Senna ser tricampeão e de Cristine se separar. Ela não queria a clausura da carreira dele. Mesmo assim, bastava os dois se encontrarem para que tudo ficasse muito divertido e excitante.

Ayrton era de tal modo fascinado por Cristine que mal conseguia falar ao buscá-la no aeroporto de Heathrow. Depois, ao tentar passar com sua Mercedes nova em folha pelo guichê de saída do estacionamento do aeroporto, levou junto a cancela eletrônica, para espanto de Armando Botelho, que acompanhava o casal.

Senna costumava inserir o tíquete na máquina da cancela sem parar o carro. Naquele dia, nas nuvens, não conseguiu.

Também a partir de meados de 1986, a médica fisiatra Linamara Battistella, indicada por Nuno Cobra, iniciou um monitoramento intensivo das condições físicas de Senna. Ele foi acompanhado de perto por quase um ano e acabou incluindo Linamara no restrito rol das pessoas para quem ligava de onde quer que estivesse, qualquer que fosse a hora. Bastava sentir uma dor qualquer durante um treino ou uma corrida.

Não foi por outra razão, de acordo com Linamara, que nenhum problema físico se tornava agudo. Ayrton tinha uma leitura muito profunda do próprio corpo e bem antes da complicação, ao menor alarme, já estava consultando Linamara, pessoalmente ou por telefone. A exceção foi a dramática e estafante vitória em Interlagos, uma pista situada a alguns quilômetros do consultório dela, em 1991.

Dois comportamentos chamaram a atenção de Linamara, na primeira vez em que Senna foi ao seu prestigiado consultório na avenida Brasil, nos Jardins: ele não queria qualquer privilégio e, desde o primeiro momento, demonstrou uma religiosa obediência às orientações dela. A preocupação de Ayrton — e de Nuno Cobra — eram os efeitos colaterais dos antiinflamatórios que ele vinha tomando por causa das lesões que o grande esforço das corridas causava nos músculos e tendões. Ayrton detestava remédio e preferia agulhamentos e tratamentos localizados.

Linamara também ficou escandalizada com a falta de orientação sobre condicionamento físico na Fórmula 1. Aprendeu muito sobre o assunto nos oito anos em que cuidou de Ayrton em comum acordo com Nuno Cobra e o massagista e nutricionista Joseph Leberer, prevenindo principalmente alterações na coluna cervical, no ombro direito, pés e joelhos.

Outro gesto marcante de Ayrton, também desde a primeira consulta, foi a generosa paciência que ele teve — e teria sempre — com as crianças hemofílicas que eram tratadas por Linamara e que ficavam na sala de espera com ele.

A Batalha de Budapeste

As voltas finais da primeira corrida de Fórmula 1 no bloco socialista, no dia 10 de agosto, em Hungaroring, arredores de Budapeste, foram de mexer até com o coração daqueles comunistas que costumavam condenar o automóvel como um capricho decadente da burguesia imperialista ocidental. Na pista, Senna e Piquet, que tiravam o fôlego de todo mundo, bem que poderiam ser considerados, no jargão marxista das escolas de Budapeste, filhos da elite reacionária de um país subdesenvolvido e explorado.

Senna e Piquet provavelmente nem saberiam explicar o significado político e ideológico daquela corrida. Mas este detalhe não fazia a mais remota diferença naqueles momentos decisivos do GP da Hungria. Nélson, mais rápido, encostara em Senna e dava todos os sinais de que pretendia passar a Lotus na freada para a longa curva no final da reta dos boxes. Mas Senna não facilitou, mantendo o carro na parte central da reta e, com isso, deixando pouco espaço para Piquet fazer a tomada da curva.

Ninguém refez os planos reta abaixo. Resultado: Piquet chegou a ficar à frente de Senna por alguns instantes antes de escapar com as quatro rodas para a parte externa da curva e ver Ayrton reassumir a ponta. Nélson não gesticulou nem ensaiou qualquer protesto. Mas estava furioso.

Duas voltas depois, o público das arquibancadas e o pessoal do *paddock* mal respirando, os dois brasileiros entraram novamente pela reta, a Williams de Nélson grudada na caixa de câmbio da Lotus de Ayrton. Mais uma vez, Senna não facilitou, tentando apertar Nélson para o lado de dentro. Surpreendentemente, Piquet, em vez de se lançar por dentro, optou pelo lado externo, à esquerda.

Era o *trailler* de um grande acidente. Nélson Piquet, ora vejam, tentando ultrapassar logo quem, Ayrton Senna, e ainda por fora. Por alguns instantes, o que Ayrton viu, a poucos metros do bico de sua Lotus, foi um carro de Fórmula 1 completamente de lado, como se fosse um *kart*, continuar fazendo a curva, sem escapar para a caixa de brita como ele, os chefes de equipe, os mecânicos, os comissários de pista e milhões de espectadores mundo afora esperavam.

Piquet contrariou milagrosamente todas as previsões. Saiu da curva na frente de Senna, arranjou tempo para acenar um adeus para Ayrton com a mão direita, venceu a corrida e, em vez de saborear a façanha, criticou:

"Senna não podia ter mudado a trajetória no momento em que eu corria mais e estava preparado para passar. Fui obrigado a ir para o lado de fora da pista. Ele é assim mesmo na hora de entregar uma posição. A gente tem é de se acostumar com isso quando estiver numa disputa com ele."

Os dois mal se cumprimentaram na cerimônia do pódio. Mais tarde, Ayrton não estava para elogios e esqueceu do próprio estilo ao criticar o rival:

"Tive de frear muito para evitar um acidente. Foi uma manobra perigosa dele."

Senna deixou rapidamente a pista. Ele e Prost eram convidados de Gerhard Berger para alguns dias de descanso na fazenda do austríaco, perto do circuito de Zeltweg, na Áustria. Não se soube se a ultrapassagem de Piquet, no outro lado da Cortina de Ferro, foi assunto das conversas.

O veterano jornalista Lito Cavalcanti, correspondente brasileiro da *Autosport*, resumiu, anos depois, o significado daquele duelo:

"Ninguém jamais parou Senna como Piquet fez naquele dia."

Para Jackie Stewart, a façanha de Nélson teve uma descrição aeronáutica:

"Foi como fazer um *looping* com um Boeing 747."

No caminho para Budapeste, preso no grande congestionamento que se seguiu à corrida, Ayrton se deu a oportunidade de uma pequena vingança. Ele reconheceu, entre os brasileiros que se aproximaram para cumprimentá-lo, o empresário húngaro radicado no Brasil André Ranschburg, dono da então poderosa grife de *jeans* Staroup. O mesmo empresário que, anos antes, impusera a Senna um chá-de-cadeira inesquecível ao fim do qual Ayrton não conseguiu nem apresentar pessoalmente uma proposta de patrocínio de *kart*. Ao se aproximar da janela do carro de Senna, André não lembrava de nada:

— Ayrton, eu sou do Brasil. Meu nome é André Ranschburg. Meus parabéns!

Senna abriu o vidro do carro com a cara fechada e interrompeu:

— Eu sei quem você é. E fiquei muito puto da vida contigo. Você me deixou duas horas esperando na sala de espera da Staroup, e nem me atendeu...

André saiu do encontro duplamente frustrado: primeiro, pelo banho de água fria que tomou com a reação de Ayrton. Depois, ao começar a pensar quanto dinheiro poderia ter ganhado se tivesse atendido àquele jovem kartista que o procurou no final dos anos 70. Senna e André voltaram a se encontrar em outra ocasião, no Brasil. E novamente, ainda que de forma educada e fraterna, Ayrton cobrou a conta pelo chá-de-cadeira.

As encrencas entre Senna e Piquet continuaram no GP de Portugal, no dia 21 de setembro, quando os dois se envolveram em uma feroz disputa pelo segundo lugar. Cada um pagou seu preço. Piquet saiu da pista ao tentar ultrapassar Ayrton que, por sua vez, perdeu as chances matemáticas de disputar o título ao cair do segundo para o quarto lugar, sem combustível, gasto no duelo com Nélson. No México, em 12 de outubro, os dois voltaram a se enfrentar na pista, chegando a tocar rodas no início da prova.

Jogo Pesado

Era difícil encontrar no *paddock*, ao final da última corrida de 1986, em Adelaide, na Austrália, quem ainda condenasse Senna por suas insistentes críticas aos motores Renault e ao pacote de equipamentos que a Lotus lhe oferecia. Seu GP da Itália durara exatos 15 segundos, por causa da quebra da transmissão na largada. E as explosões do motor da Lotus no início do GP da Áustria e na 43ª volta daquela corrida em Adelaide o deixaram mais uma vez fora da disputa do título, como espectador da dramática decisão que deu a Alain Prost seu bicampeonato, beneficiado, nas últimas voltas, pelo estouro de um pneu do líder e favorito Nigel Mansell, e pelo *pit-stop* que Nélson Piquet teve de fazer para evitar o mesmo com os seus. O comentário de Ayrton era uma senha da obsessão que tinha naquele momento:

"Não foi a McLaren que venceu. Foi a Williams que perdeu."

Àquela altura, Senna estava tratando de realizar dois sonhos que não queriam esperar mais uma longa temporada confinados no *cockpit* da Lotus: ter à sua volta a equipe que dera o título a Prost, a McLaren, e no carro dela, em vez do Porsche, o motor Honda que Frank Williams, Patrick Head, Piquet e Mansell não tinham sabido usar para serem campeões. A chance de se livrar da Lotus surgira em setembro, quando a British Tobacco, fabricante dos cigarros John Player Special, comunicara a Peter Warr que não renovaria o patrocínio da equipe.

Warr, mais uma vez sem saber toda a verdade sobre o jogo pesado que o rodeava, tinha feito o dever de casa: após o choque de setembro, conseguira um patrocinador ainda mais generoso, a RJ Reynolds, fabricante dos cigarros Camel, disposta a gastar dinheiro suficiente para pagar o salário de Senna, um túnel de vento moderno e quantos testes fossem necessários para desenvolver a nova Lotus-Honda. Empolgado, Warr não entendeu a frieza de Senna ao contar a ele a notícia do novo patrocínio. Ficou sabendo no final do ano, quando, em vez de assinar o contrato rascunhado naquela folha de papel, num quarto do Holiday Inn de Hockenheim, Ayrton lhe aplicou o enésimo choque:

— Peter, não vou correr para a Lotus em 87.

— Como assim?

— Vocês quebraram o contrato.

— Ayrton, nós agora temos a RJ Reynolds.

— Mas não é o John Player Special.

Ayrton queria tempo. Não era obviamente um fumante exercendo a preferência. Era a brecha contratual de que ele e Ron Dennis precisavam para antecipar os planos adiados, contra a vontade deles, para 1988. Yoshitoshi Sakurai também fora avisado sobre a troca de patrocinador pelo próprio Warr, durante a festa de premiação da Fórmula 1 em Paris. E fora procurado por um Senna impaciente, ansioso para trocar logo de equipe.

Na conversa com Sakurai, Ayrton disse ter percebido que a Lotus não tinha muito dinheiro e que Peter Warr, embora estivesse agindo de forma eficiente e cordial, não detinha controle absoluto sobre as finanças da equipe e o controvertido espólio deixado pelo fundador Colin Chapman. Para completar, Ayrton não estava confiando muito no carro que a Lotus estava desenvolvendo para a temporada de 1987:

— Talvez o carro não seja bom. E se não for bom, eu vou desapontar vocês. E não gosto disso.

Era tarde demais. Sakurai já tinha anunciado solenemente no Japão o fornecimento de motores Honda para a Lotus e a participação de Satoru Nakajima na equipe. No dia 29 de dezembro, ele comunicou a decisão a Senna, por telefone:

— Por favor, não vá para a McLaren agora.

Ayrton ficou inconformado do outro lado da linha e só se acalmou quando Sakurai passou algum tempo falando dos planos que tinha de formar uma grande equipe com a McLaren a partir de 1988.

Restava rediscutir o contrato com a Lotus e ganhar dinheiro.

Não demorou muito para Peter descobrir que, para Senna, os números daquela folha de papel do Holiday Inn de Hockenheim já não valiam mais. Ayrton queria bem mais. E acabou botando no bolso não US$ 1,6 milhão, mas US$ 5 milhões. Cem vezes a oferta que recebera do mesmo Peter Warr nos tempos da Toleman. Quase sete vezes o valor do contrato de 1985. Era todo o dinheiro extra que estava entrando na equipe com o patrocínio da Reynolds. A quantia exata, Warr descobriu, mais uma vez tarde demais, fora revelada a Senna por Ron Dennis, sempre bem-informado sobre os negócios dos concorrentes e aproveitando para fazer um agrado ao futuro contratado.

Ron Dennis acabou também tendo suas surpresas com Senna naquele agitado Natal de 1986. Ayrton, como sempre desconfiadíssimo, estava inseguro em relação a ele e resolveu aplicar em Ron um teste de confiabilidade. Combinou com Sakurai que conversaria sobre um assunto delicado com o chefe da McLaren. Ayrton queria saber de que maneira Ron trataria daquele assunto com Sakurai. Dependendo do que Ron dissesse a Sakurai, Senna se sentiria seguro para continuar negociando com ele. Ron Dennis, de acordo com Sakurai, passou no teste.

Na entrevista coletiva que Senna deu sobre a renovação com a Lotus, já no dia 1º de fevereiro de 1987, o público, como sempre, não ficou sabendo de tudo:

"Tive grandes possibilidades de pilotar para a McLaren, por achar que ela é uma grande equipe e pela grande admiração que tenho por Ron Dennis, que me ofereceu as mesmas condições que tenho na Lotus. Mas eu havia me esforçado muito para conseguir o motor Honda e não iria abandonar esse desafio."

Senna acabava de se tornar o mais bem pago piloto da Fórmula 1. Carro para ser campeão, o tempo mostraria, ele só teria em 1988.

JÚNIOR

A idéia de dona Neyde, aprovada na hora por Ayrton, era retomar uma parceria que existira nos tempos do *kart* e que foi interrompida quando ele, de um lado, foi para a Inglaterra competir na Fórmula Ford, e Júnior, de outro, ficou no Brasil para estudar agronomia. Senna não teria nem de explicar o que esperava que o amigo fizesse na temporada européia. Júnior cuidaria da logística pessoal dele: aluguel de carros, reservas e confirmações de vôos, entrada e saída dos hotéis e a preparação de acessórios de corrida, macacões, luvas e capacetes. Além dessas atribuições típicas de um secretário particular — como os que assessoram os astros da música e do cinema —, Júnior teria outra responsabilidade: cuidar do que ele e Ayrton chamavam de "brinquedos".

Cuidar, no caso, era zelar para que tudo estivesse funcionando perfeitamente quando Ayrton tivesse tempo para fugir dos compromissos profissionais, no Brasil e na Europa, e se divertir com barcos, esquis, *jet-skis* e aeromodelos. Senna, que às vezes não se dava tempo nem para um almoço, não tinha a menor condição de preparar seus "brinquedos" para os dias de folga. Júnior tinha. E o convite foi feito no final de 1986:

— Você está a fim de passar uns tempos lá em Esher?

— Pra mim não tem tempo ruim.

A presença de Júnior na Fórmula 1 seria o pretexto para a briga definitiva entre Piquet e Senna.

Reginaldo Leme tentou evitar esse rompimento que parecia iminente, entre os dois pilotos brasileiros, naquele final de ano, na primeira classe do vôo da volta ao Brasil, depois do GP da Austrália. Ao perceber que o assunto esqui aquático despertava o interesse de Senna e Piquet, viajando em poltronas próximas, Reginaldo puxou o assunto o mais que podia e diz ter saboreado 40 minutos de uma conversa cordial e descontraída entre os dois rivais brasileiros:

"Tinha que ser algo cheio de adrenalina, mas sem ser Fórmula 1."

Reginaldo chegou a provocar Nélson, dizendo que tinha filmado Ayrton solando no esqui e que duvidava que ele fosse capaz de fazer o mesmo. Frank Williams estava no mesmo vôo e participou da conversa. Reginaldo, cada vez mais preocupado com as brigas de Piquet e Senna dentro e fora das pistas, estava feliz:

"Eu não queria transformar os dois em grandes amigos, mas pelo menos em colegas que se respeitassem."

Ele não conseguiria.

5º Capítulo

A Aliança

Satoru Nakajima saltou de sua Lotus-Honda em estado de choque. Aos 34 anos, três seguidos como campeão da Fórmula 2 japonesa, herói do automobilismo no Japão, escolhido pela Honda para representar o país na Fórmula 1 e havia muitos anos sonhando com o privilégio de enfrentar os melhores pilotos do mundo, ele já conhecia a fama de Ayrton Senna. O problema, de acordo com Satoru, duas décadas depois, era a diferença do desempenho entre os dois, no primeiro teste da equipe em Paul Ricard. Ele não achava que seria tão grande:

"Desci do carro com a sensação de que não tinha condições de ser um piloto de Fórmula 1."

Nakajima acabou convivendo bem com essa descoberta nos quatro anos seguintes de Fórmula 1, fazendo fama pelo ótimo humor e pelos momentos espetaculares em que perdeu o controle daqueles carros que tanto sonhava pilotar. Seu consolo, naquele ano, foi diminuir em alguns décimos a diferença para Senna na corrida de Suzuka, circuito que conhecia havia muitos anos.

Para Hideaki Machida, então repórter de automobilismo, hoje principal executivo do grupo editorial I-dea, especializado no assunto, um fator decisivo para que os japoneses se apaixonassem imediatamente por Senna foi a forma categórica, inapelável e devastadoramente rápida com que ele superou as *performances* do herói local Nakajima. Os japoneses, no entanto, jamais perderiam a admiração e o respeito por Satoru. O culto a Senna é que teria uma outra dimensão.

A admiração de Ayrton pelos japoneses não foi diferente. E teve a marca da lealdade já no primeiro treino, na conversa que teve em fevereiro de 1987 com Yoshitoshi Sakurai, no Hilton Hotel de Londres, logo depois de experimentar a Lotus-Honda no circuito de Donnington Park:

— Senhor Sakurai, o carro da Lotus, como eu imaginava, não é bom. O senhor não pode esperar que eu seja campeão este ano. Sinto muito. Não é apenas a suspensão que não é boa. A aerodinâmica também é ruim.

Sakurai reagiu com resignação:

— Entendo. Quem sabe nossas chances de vencer aumentam um pouco nos circuitos de rua?

— O senhor tem razão. Eu prometo vencer em Mônaco e em Detroit.

A promessa até foi cumprida. O volante da Lotus-Honda com a qual Senna venceu o GP de Detroit está até hoje em lugar de honra na parede do escritório de Sakurai nos arredores de Tóquio. Mas o que importava para os dois naquele início de temporada era a parceria que estava começando e que certamente continuaria, qualquer que fosse o desfecho do campeonato.

Gerard Ducarouge foi testemunha do deslumbramento imediato de Ayrton com o estilo de trabalho e a disciplina dos japoneses. Oito engenheiros monitorando cada quilômetro de treino e produzindo espessos relatórios. Era tudo o que Senna queria depois de dois anos problemáticos com os velozes mas frágeis motores da Renault. Os Honda, além de potentes, tinham durabilidade e resistência. Em cada grande prêmio, Ayrton teria dois deles para cada treino e um, zerinho, para o dia da corrida.

Um detalhe chamava a atenção de Ducarouge: muitas vezes, os técnicos da Honda chegavam de mais de 15 horas de vôo, vindos de Tóquio para Londres, passavam no hotel, deixavam as malas nos quartos e, sem sequer tomar banho, seguiam direto para reuniões técnicas que duravam, às vezes, cinco horas. O *boss* Nobuhiko Kawamoto via nessa disposição para o trabalho apenas a base do que ele chamava de "espírito da Honda":

"O lema é: trabalhe por si mesmo, não pela empresa. Se você trabalhar muito e cumprir seus objetivos, quem vai ficar mais satisfeito é você."

Cabia feito uma luva para Senna.

Os técnicos e engenheiros da Honda já eram fãs de Nélson Piquet. E a maioria até considerava Ayrton jovem demais para acrescentar benefícios ao programa de desenvolvimento de motores, até ele aparecer na Lotus, ainda em agosto de 1986, para conhecer o carro e o motor que teria em 1987. Ao conversar sobre o modelo de tacômetro, do tipo que media a quantidade de rotações do motor através de uma linha de pequenas luzes seqüenciais, Ayrton quis saber a quantos giros correspondia cada ponto de luz. Um dos engenheiros respondeu:

— Duzentas rotações por minuto.

— Por favor, manda fazer um com luzes para cada 50 rotações, ok?

O engenheiro ficou surpreso com o pedido. Ele sabia que um ser humano normal só conseguia perceber mudanças nas rotações dos motores, quando elas aconteciam na escala dos milhares, geralmente na arrancada de um sinal ou no erro na troca de marchas, em barbeiragens no trânsito. Pilotos de Fórmula 1, o engenheiro sabia, tinham ouvidos muito mais sensíveis à linguagem dos motores, mas nem tanto:

— Como você pode saber a diferença?

— Eu posso sentir.

Na dúvida, o novo tacômetro foi providenciado. Meses depois, durante um treino, Yoshitoshi Sakurai viu que não era estrelismo: Ayrton estava na pista e voltou inesperadamente ao boxe sem que houvesse qualquer som, fumaça, fogo ou desequilíbrio que indicasse a razão da parada. A explicação:

— O motor ia quebrar. Parei para que vocês identifiquem o problema antes.

Os engenheiros, um pouco contrariados, disseram a Sakurai que não havia nada de errado com a propulsão e que não havia motivos para Senna parar. Só alguns dias depois, na hora em que o motor foi desmontado na fábrica inglesa da Honda, os técnicos descobriram que ele tinha motivos para encerrar o treino: o virabrequim sofrera uma deterioração que faria o motor explodir em não mais do que um quilômetro.

Quando Senna passou a ser um piloto Honda, Hideaki Machida, então com 24 anos, estava cansado de "ser tratado como macaco no *paddock*". Para Machida, ser tratado como macaco era ser vítima de piadas e de preconceitos. Na cobertura das corridas, era também ter uma enorme dificuldade de conseguir credenciais e ainda não ser levado a sério pelos dirigentes e personagens da Fórmula 1. Entusiasmado com as perspectivas da união Senna-Honda, Machida e outros jornalistas japoneses presumiram que Ayrton sofrera o mesmo tipo de discriminação por não ser europeu. Esta identidade, de acordo com ele, foi uma das explicações para o sucesso instantâneo de Senna na mídia do Japão.

Nobuhiko Kawamoto já sabia a diferença de lidar com pilotos brasileiros. Piquet, mesmo na Williams, dera outra dimensão ao diálogo técnico, antes tão problemático com Keke Rosberg e Nigel Mansell. A chegada de Senna e o relacionamento "profundo e caloroso" que começou a ser construído a partir daquele início de temporada, na visão de Kawamoto, acabaram gerando uma discreta reação, intencional ou não, nas equipes européias da Fórmula 1:

"Nós éramos colocados um pouco de lado pelos europeus. Como resultado, nós e os brasileiros ficamos ainda mais unidos. E tínhamos confiança na pessoa do Senna. Esta era a principal ligação entre nós."

Takeo Kiuchi, o engenheiro da Honda que no futuro teria a delicadíssima missão de desenvolver os motores que seriam entregues a Senna e Prost, foi outra testemunha de que a ligação de Ayrton com a Honda mexeu com os brios dos europeus.

Entre os jornalistas brasileiros, um dos mais satisfeitos era Lito Cavalcanti, correspondente da *Autosport*. Ele sentia uma espécie de versão tropical do complexo definido por Machida:

"Não sei se é a minha alma de colonizado que não consegue conviver com o colonizador, seus crimes e seu desrespeito. Mas sempre vi o Senna, em muitos aspectos, como uma libertação, uma compensação, nossa afirmação de igualdade, de capacidade, um Cristóvão Colombo ao contrário, um Pedro Álvares Cabral voltando à Europa. É cachaça. Não é uísque."

Desmaios Patrióticos

No meio de cada movimento, Ayrton via pequenas bolas e perdia os sentidos por alguns segundos, amarrado no *cockpit*.

Foram quatro vezes e o piloto Silvio Potengi achou que era o suficiente. Senna tinha sido avisado de que ia desmaiar, mas queria mais.

Eram *loopings*. Os dois estavam num caça F5E da Força Aérea Brasileira, a 1.000 quilômetros por hora, nos céus do Rio de Janeiro, a duas semanas do GP do Brasil em Jacarepaguá. Já tinham ultrapassado a barreira do som a uma distância segura dos vidros das janelas da cidade e feito um rasante sobre a longa reta do autódromo a uma velocidade que Senna jamais alcançara com qualquer carro. Ao contrário do que tinha sido combinado na véspera com Armando Botelho, durante um almoço descontraído do trio na churrascaria Pampa, na Barra da Tijuca, Ayrton estava no *cockpit* da frente, e Silvio, hoje coronel Potengi, no de trás, o indicado para os caronas.

Não houve mais *loopings*; no entanto, Potengi pediu permissão de Senna para algumas manobras mais radicais. Nem precisava. Ayrton, a considerar o relato que fez depois ao amigo Tchê, viveu uma das experiências mais eletrizantes de sua vida. Depois de um grande mergulho, seguido de um rasante que deixou o avião a poucos metros do mar, na região de Ubatuba, voando rente às ondas em direção ao continente, Potengi fez um movimento brusco de 180 graus. De cabeça para baixo, tendo a água como um céu diferente muito próximo ao *cockpit*, Ayrton sentiu algo que não fazia parte de sua rotina: pânico.

Desembarcou daquela experiência de 40 minutos pálido e meio tonto, mas feliz e tomado por um curioso sentimento de patriotismo:

"Se todos os brasileiros pudessem experimentar o que senti talvez tivessem mais amor à Pátria."

A frase foi reproduzida pelos jornais e houve na época quem visse nela mais um estudado rompante de *marketing*, mas o tempo mostrou que Ayrton se tornou um amigo leal e freqüente dos pilotos e oficiais da FAB, a ponto de, nos anos seguintes, pousar algumas vezes seu helicóptero na Base Aérea de Santa Cruz e passar dias inteiros com eles, conversando sobre aviões e aeromodelismo. Senna também fez questão de mandar regularmente presentes para a base, sempre de forma discreta. Um deles foi uma moderna tenda, semelhante às usadas pela Fórmula 1, para substituir um velho palanque de madeira que era usado nas solenidades.

Ayrton usou um adesivo com o símbolo do 1º Grupo de Aviação de Caça de Santa Cruz no lado esquerdo do capacete durante o GP do Brasil daquele ano. E deu por encerradas as experiências supersônicas, mesmo quando, anos depois, o piloto de seu jato particular, Owen O'Mahony, com ótimas relações na Royal Air Force, se ofereceu para conseguir para ele a experiência de voar num dos jatos da Red Arrows, a famosa esquadrilha inglesa. Senna se lembrou daquele rasante invertido sobre as ondas de Ubatuba, no *cockpit* frontal de um caça da época da Guerra do Vietnã. E declinou:

— Acho que já vi o suficiente.

Promessas e Nada Mais

Senna também teve o seu dia de saltar da Lotus-Honda em estado de choque. E foi logo na primeira prova do campeonato de 1987, no final do treino de classificação para o GP do Brasil, em Jacarepaguá. Senna, o rei das voltas voadoras, o fenômeno das *poles*, fora dois inacreditáveis segundos mais lento que as Williams-Honda de Piquet e Mansell. Sinal do ano difícil que teria pela frente.

Alain Prost venceu a prova, com Piquet em segundo, prejudicado por um superaquecimento de motor provocado pelo papel picado jogado na pista pelos torcedores. Ayrton, inconformado com mais uma decepção em casa, atacou duramente a Goodyear, que levara um estoque de 2.800

pneus ao Rio. A empresa respondeu com uma dura nota oficial de 25 linhas em que responsabilizava o motor Honda e objetos jogados na pista pela torcida:

"A Goodyear se isenta de qualquer culpa e não aceita as críticas de Ayrton Senna."

Não houve réplica. Na corrida seguinte, em Ímola, um 1º de maio, a curva Tamburello daria um susto nos brasileiros.

Faltavam exatamente sete anos para Ayrton Senna morrer naquela mesma curva, quando algo se quebrou na suspensão traseira da Williams-Honda de Piquet, fazendo com que o carro, a mais de 250 quilômetros por hora, desse um giro de 180 graus e voasse de ré pela área de escape até se espatifar no muro. Ao ser retirado do carro, Piquet estava tonto, parecia sofrer de amnésia e mal conseguia articular as palavras. Passado o susto inicial, o treino foi reiniciado e Senna conquistou a *pole*. Na corrida, Ayrton não teve como resistir a Mansell, terminando em segundo. Piquet acompanhou e comentou a prova na cabine da TV Globo, ao lado de Reginaldo Leme e Galvão Bueno, impedido de participar da prova pelo médico Sid Watkins, que explicou:

"Piquet está fora de perigo, graças a Deus, e fora da prova, graças ao meu bom senso."

Nélson jamais foi o mesmo na pista, pelo menos naquela temporada. Passou quase três meses conseguindo dormir, no máximo, três horas. Antes, dormia dez, 11 por dia. Também perdeu a concentração em vários momentos. Mais lento e sem condições de enfrentar a Williams de Mansell, ele acabou decidindo correr propositalmente para chegar em segundo.

Ayrton não tinha planos ou razão alguma para andar atrás de Mansell. E na prova seguinte, os dois protagonizaram uma cena que, de longe, do ponto de vista captado pela câmera de tevê e transmitido para os quatro cantos do planeta, foi até bonita. Na primeira volta da segunda largada do Grande Prêmio da Bélgica, em Spa-Francorchamps, a Lotus amarela de Senna e a Williams azul e branca de Mansell chegaram juntas à curva

Fagnes, uma das últimas do longo e velocíssimo trecho em descida do mais seletivo circuito da Fórmula 1.

Ayrton por dentro, Nigel por fora, curva à direita. Como nenhum dos dois tirou o pé, houve um toque, leve mas suficiente para que os dois carros iniciassem uma coordenada rodada a dois, um balé em direção à caixa de brita. Fim de corrida, confusão logo depois no boxe. Furioso, Mansell invadiu a garagem da Lotus:

— O que houve, afinal?

Não era para Ayrton responder. Mansell investiu contra ele, agarrou-o pela gola do macacão e deu um soco que acabou atingindo o ombro de raspão. Para boa parte dos técnicos, mecânicos e engenheiros da Lotus, com péssimas lembranças dos tempos de Mansell na equipe, a briga teve um lado saboroso. Chris Dinnage, por exemplo:

"Foi divertido ver o idiota do Mansell descontrolado daquele jeito."

Em sua autobiografia, Mansell não repetiu os xingamentos de Spa. Preferiu usar o episódio para se igualar a Senna:

"O problema é que Senna e eu éramos duas criaturas incrivelmente competitivas, feitas, digamos, do mesmo molde. Éramos igualmente velozes e igualmente determinados a vencer, o que significava que freqüentemente estaríamos ocupando o mesmo pedaço da pista. Acho que Ayrton teve um ou dois oponentes na vida, provavelmente apenas eu e o Prost."

No livro, Mansell não mencionou que, enquanto ele e Senna ocupavam, mais uma vez, o mesmo pedaço da pista, o outro "oponente", Alain Prost, venceu tranqüilamente aquela corrida em Spa, igualando o recorde de vitórias de Jackie Stewart.

Em Mônaco, a prova seguinte, um gesto de Senna marcou a lembrança de Satoru Nakajima como um símbolo do ótimo relacionamento que eles tiveram naquele ano. Ayrton preparou pessoalmente uma bandagem de mão para o japonês, alertando-o sobre o desgaste da pilotagem nas ruas do principado. E deu todas as dicas sobre aquelas ruas difíceis e perigosas. Satoru foi para a pista e, ao conferir seu tempo de volta com o de Senna, teve uma humildade que muitos pilotos de Fórmula 1 jamais cogitaram:

— Isso é uma coisa que eu jamais vou conseguir fazer.

Ayrton venceu a corrida, cumprindo metade da promessa que fizera a Yoshitoshi Sakurai no início do ano. Nos treinos, porém, tudo fora muito difícil. Ele estava temeroso de que nem em Mônaco pudesse andar na frente e desistira de vez de sonhar com o campeonato, com o carro muito desequilibrado. Mas o estilo exageradamente agressivo ajudou, levando seu motor Honda a quebrar. Nigel, descontrolado, chutou o carro e jogou longe o capacete.

O início do reinado de Senna em Mônaco: Ayrton e a família real monegasca sorriem, momentos antes de tomarem um banho de champanhe.

A irreverente comemoração de Senna no pódio, com os famosos respingos de champanhe na família real monegasca, sob o olhar de Piquet, o segundo colocado, não agradou ao pai de Ayrton. Em São Paulo, a ex-vizinha e amiga da família, Nara Marcondes França, ligou para Milton, repetindo a tradição de festejar com ele as vitórias de Ayrton. A frase de desaprovação ficou em sua memória:

"A senhora viu o que ele fez? Fiquei muito preocupado. Como é que ele me faz uma coisa dessa?"

Senna aprontou muito mais naquele dia, longe do pai e fora do alcance das câmeras de tevê.

A garrafa gigante de Moet Chandon com que ele molhara a família Rainier foi levada por Júnior para o boxe da Lotus. Lá, o amigo e os mecânicos acabaram de tomar o champanhe e combinaram de festejar a vitória no bar Tip Top, perto da curva da velha estação. Antes, Ayrton precisava de uma carona de moto para se encontrar com os jornalistas brasileiros no hotel L'Hermitage.

O uso de capacete era obrigatório e, por isso, Júnior vestiu o capacete oficial de Senna e o próprio Ayrton foi na garupa, sem proteção para a cabeça. No caminho, três guardas de trânsito fizeram sinal para que o suposto Senna parasse. Ayrton, o verdadeiro, ordenou da garupa, moleque:

— Queima! Queima! Sai fora!

Júnior obedeceu, acelerou e achou que o problema estava resolvido. Quando todos confraternizavam mais tarde no Tip Top, ele foi detido pelos mesmos três guardas. Senna estava no fundo do bar e foi chamado a tempo de alcançar os policiais, que já levavam Júnior para a delegacia. Depois de sua intervenção, tudo terminou em mais uma série de autógrafos e tapinhas nas costas.

No final daquela tarde, Piquet tornou pública sua briga com a Williams e anunciou que não ia correr para a equipe em 1988. Era a senha de que o jogo de xadrez do mercado de pilotos já tinha começado na quarta corrida da temporada de 1987.

Senna e Piquet repetiram as posições na corrida seguinte, em Detroit, no dia 21 de junho. Na coletiva para a imprensa após o pódio, Reginaldo Leme procurou descontrair, brincando com o domínio brasileiro na Fórmula 1. Senna aceitou:

— No campeonato desse ano há muitas possibilidades de dar Brasil, não é, Nélson?

— É isso aí.

Os dois riram da resposta de Piquet, mas não conseguiram disfarçar completamente o clima pouco à vontade. Era um tempo em que Ayrton e Nélson, nas palavras de Renato Maurício Prado, ainda não eram "inimigos definitivos".

Com a vitória em Detroit, Ayrton cumpriu a segunda metade da promessa feita a Sakurai. A partir daquele momento, o campeonato se tornou um duelo feroz entre Piquet e Mansell na pista, no boxe e na imprensa. Senna foi o quarto colocado no GP da França e, uma semana depois, testemunhou, no pódio de Silverstone, como terceiro colocado, o momento mais desconcertante da carreira de Piquet: a vitória espetacular de Mansell no GP da Inglaterra, em Silverstone, depois de aplicar um drible surpreendente em Nélson a três voltas do final.

Rádio Boxe

"Tudo tem um limite. Até hoje recebi passivamente todas as críticas e comentários de Nélson Piquet, mas agora passarei a responder. As respostas serão dadas num nível mais alto, é claro, mas serão dadas."

Muitos não tinham entendido a razão daquele comentário ameaçador de Senna, no início de 1987, durante uma entrevista ao *Jornal do Brasil*. Alguns poucos sabiam que era uma resposta a uma diversão secreta à qual vinham se dedicando Piquet, Prost e alguns desafetos de Ayrton no *paddock* da Fórmula 1. A brincadeira, cuidadosamente mantida longe do conhecimento do público, àquela época, era dizer que Senna era homossexual.

Esse tipo de comentário, meio brincadeira, meio provocação, era bastante comum na Fórmula 1. O próprio Nélson Piquet se referiu a esta prática, em 11 de março de 1996, na coluna "Pé embaixo", que ele assinava semanalmente no jornal *O Estado de S. Paulo*. Piquet ditou ao jornalista responsável pelo texto da coluna um relato sobre como se divertia, inventando histórias para o que ele chamou de "Rádio Boxe":

"Rádio Boxe é uma estação de rádio virtual, via boca-a-boca, da qual eu participei ativamente, ajudando muito a tomar corpo, forma e — por que não dizer — importância. Explico melhor: Rádio Boxe é puro bochincho, especulação, invenção e funciona graças à necessidade que todos têm de passar à frente uma notícia, acrescida da sua contribuição pessoal. Sabe como é: a confirmação do ditado 'quem conta um conto aumenta um ponto'."

Sobre como funcionava a Rádio Boxe, o texto assinado por Piquet explicou:

"A gente começa inventando uma notícia daquelas impossíveis. Quanto mais impossível, melhor. Aí você conta, ao pé-do-ouvido, essa barbaridade para o primeiro que passar, de preferência alguém com quem não tenha muito contato, mas está louco para ficar íntimo seu. Depois, é só ficar de olho no relógio para ver quanto tempo vai demorar para alguém vir até você contar a mesma (ou uma versão bem alterada) história, como se fosse um segredo de Estado."

O texto terminou com uma referência a histórias inventadas que ficaram famosas:

"Quanto melhor a história, mais depressa ela volta. Quanto mais depressa ela volta, mais fica conhecida. Quanto mais conhecida a história, mais divertida fica a brincadeira. Inventei diversas que, de tão famosas, são tidas até hoje como verdades indiscutíveis."

Dois meses depois, no dia 13 de maio, em outra edição da coluna, o título era "Quem dá mais?". E a primeira linha do texto provocava:

"Calma, peraí, não é nada disso que vocês podem estar pensando. Não vou falar nada 'daquilo'."

Em março de 2003, confrontado com depoimentos de Galvão Bueno e Cristine Ferracciu, entre outros, que atribuíam a ele parte da responsabilidade pela propagação dos boatos, Alain Prost limitou-se a lamentar que uma "brincadeira" tenha sido levada a sério.

Não houve, nas 213 entrevistas feitas e gravadas para este livro, no Brasil e no exterior, com pessoas que conviveram intensa e intimamente com Ayrton dentro e fora da Fórmula 1, um fato, relato ou testemunho que sustente a brincadeira. Havia tentativas, honestas ou não, de decifrar a personalidade intensa e triste de Ayrton, aquela perfeição solitária que o colocava à parte, no mundo barulhento da Fórmula 1, a torturante dedicação que não sucumbia à festa que o rodeava e a seriedade mortal com que ele encarava as corridas. O desafio de decifrar o enigma Senna era e continua sendo complexo. Diante do estranhamento que provocava e da forma avassaladora com que ele conquistou seu espaço na Fórmula 1, Prost, Piquet, adversários e rivais na pista, e alguns poucos jornalistas brasileiros que não simpatizavam com ele, reagiram com uma certa hostilidade e, nesse contexto, surgiram as brincadeiras sobre a sexualidade de Ayrton.

Peter Warr, que conhecia como poucos a agenda de Ayrton, considerava ridículas as insinuações sobre a sexualidade de Senna e afirmava que ele não circulava mais vezes no *paddock* por pura falta de tempo. Geraldo Rodrigues, primeiro *manager* de Rubens Barrichello, foi testemunha da entrega absoluta de Ayrton à Fórmula 1, mesmo depois de conquistar três títulos mundiais, já nos anos 90. Também disse ter visto o suficiente, longe dos autódromos, para garantir que Senna "sempre foi bem de mulher". Geraldo só considerou que, para entender Senna, as pessoas precisavam entender primeiro que existia o Ayrton de sexta a domingo e o de segunda a quinta:

— Se a melhor mulher do mundo chegasse no boxe, sexta-feira, dizendo que queria ir pra cama com ele, eu tenho certeza de que Ayrton diria o seguinte: Olha, se você quiser mesmo dar pra mim, me liga na segunda-feira. Agora não vai ser possível.

Chris Dinnage, mecânico responsável pelo carro de Ayrton nos três anos em que ele pilotou para a Lotus, achou que os boatos não passaram de uma invenção de Piquet. Maurizio Sala, o rival do *kart* que se tornou um amigo, avaliou que foi o fato de Ayrton ir ficando cada vez mais fechado, mais introvertido, mais mergulhado no mundo dele, que provocou o que ele chamou de interpretações deturpadas.

Miguel Barros, o publicitário que acompanhou os primeiros triunfos de Ayrton na Fórmula 1, disse que ele pagou o preço de levar a sua própria *entourage* para o *paddock*:

"Ele gostava de ficar com as pessoas que conhecia. Só porque não ia para a sacanagem, para o lugar-comum para onde todo mundo ia, começaram a dizer coisas completamente absurdas."

Milton Coelho da Graça, que cobriu a Fórmula 1 pelo jornal *O Globo* em 1988 e 1989, tinha vários motivos para não levar a sério os boatos sobre a sexualidade de Senna. Um dos mais experientes chefes da imprensa brasileira, Milton sabia que jornalista é, por natureza, fofoqueiro. O outro motivo era simples: sua filha Djamila, que tivera um caso com Senna em 1986, dava um testemunho doméstico que não poderia ter sido mais claro:

— *Gay* eu sei que ele não é.

Nas palavras do jornalista Sérgio Rodrigues, Piquet representava a cultura machista dos super-homens e garanhões que enfrentavam a morte e pegavam as mulheres:

— Senna não combinava com isso.

Piquet, ao contrário de Senna, não se importava de assumir publicamente uma intensa vida sexual. A ponto de afirmar em entrevista para a *Veja*, em 7 de abril de 1993, que, principalmente nos anos em que não teve equipamento de ponta para ser campeão, restou-lhe o sexo. Muito sexo:

"Eu não tinha chance de ganhar nada. Mas tinha avião, barco e uma conta de 12 ou 13 milhões de dólares no banco. Nessa situação, você quer saber quem é a mulher que vai passar na sua frente para levá-la para algum lugar."

O Efeito Júnior

Um galão de combustível de altíssima octanagem foi despejado nas rodas de inimigos de Senna no início da temporada de 1987, quando o amigo Américo Jacoto Júnior, a convite de Ayrton, começou a acompanhá-lo em todos os treinos e corridas. Para quem já desconfiava ou fazia intriga, nas palavras de Sérgio Rodrigues, foi "um prato cheio".

Júnior estava sempre por perto, resolvendo problemas práticos que Senna não tinha tempo para resolver, como lembra Chris Dinnage, e isso desde aluguel de carros a eventuais consertos dos aeromodelos que ele adorava. Para Peter Warr, Júnior "ajudava a botar as coisas no lugar em que Ayrton gostaria que elas estivessem":

"Júnior era o interlocutor para as conversas sobre mulheres, feijoada e outros assuntos de gente jovem. Ele era um pedaço de Brasil que o Ayrton tinha sempre por perto."

Júnior também participava ativamente das molecagens e das tradicionais armadilhas que Senna preparava para amigos e colegas da Fórmula 1. Foi obra de Júnior, por exemplo, uma surpresa preparada para a festa de aniversário de Peter Warr na garagem do hotel onde as equipes guardavam seus carros, em Detroit, na semana do GP dos Estados Unidos: uma americana com ares de *drag queen* invadiu a festa supostamente contratada para uma sessão de sadomasoquismo com o comportadíssimo diretor da Lotus.

Celso Itiberê via em Júnior um certo deslumbramento pelo fato de ser amigo tão próximo de uma grande estrela da Fórmula 1. Para Sérgio Rodrigues, havia, ao mesmo tempo, um contraste muito grande de personalidades e uma inegável amizade:

"Júnior era mais garotão e musculoso. Não combinava muito com o estilo Senna. Era o cara que carregava o capacete e acompanhava Senna depois dos treinos. Num ambiente como o da Fórmula 1, onde a solidão é muito grande, às vezes em hotéis no meio do nada, era o cara que estava ali para divertir, para conversar e falar dos velhos tempos. Era um amigo."

Reginaldo Leme, que conheceu como poucos a intimidade de Ayrton nos primeiros anos dele na Fórmula 1, concordou:

"Júnior era um desses amigos de infância que não tinha eira nem beira. Uma puta companhia para o Ayrton."

Galvão Bueno, o maior amigo, entre todos os jornalistas que Ayrton conheceu, acrescentou:

"A vida de Fórmula 1 é muito difícil quando você fica sozinho. O Júnior era amigo, secretário, um faz-tudo, um moleque prestativo, divertido, alegre e esperto."

Piquet e Prost viam e comentavam a relação com outros olhos e palavras. A primeira vez em que Galvão Bueno testemunhou uma provocação dos rivais foi no hotel Klagenfurt, um castelo à beira de um lago situado a 40 minutos de helicóptero do circuito de Zeltweg, às vésperas do GP da Áustria de 1987. Gino Pilota, dono de franquias da Benetton, Piquet, Prost, Johannson e Reginaldo Leme estavam no hotel, assim como Ayrton, uma namorada brasileira cujo nome Galvão não lembrou, Júnior, Milton e dona Neyde.

Galvão dividia um quarto amplo com Reginaldo Leme e Júnior, que foram dormir antes dele. Ayrton, segundo Galvão, estava no quarto com a namorada, quando Piquet e Prost, ainda no saguão, por provocação, ofereceram dinheiro a uma das camareiras do hotel para que ela subisse e verificasse se Senna estava no quarto com a namorada ou com Júnior.

Não adiantava, de acordo com Galvão, argumentar que Alain Prost tinha um comportamento muito semelhante ao de Ayrton. Dificilmente ele era visto acompanhado nos autódromos. Mas Alain continuava com as brincadeiras e uma delas chegou aos ouvidos de Renato Maurício Prado. Aconteceu às vésperas do GP de Portugal de 1987, quando, ao se referir ao noticiário sobre a nova McLaren, tendo Senna como novo companheiro, Prost virou-se para um grupo de jornalistas franceses e perguntou:

"Onde o Júnior vai dormir no *motohome*?"

Marjorie Quem?

Armando Botelho e Milton da Silva, sempre envolvidos com todos os aspectos da vida de Senna, tomaram conhecimento das piadas e boatos sobre Senna e Júnior, e decidiram tomar uma providência de efeito imediato. Milton e o próprio Ayrton chamaram Júnior para uma conversa no apartamento de Senna em Mônaco, nos últimos dias de outubro, antes do GP do Japão de 1987. Senna e o pai citaram os comentários que Piquet e outros vinham fazendo no *paddock* e pediram que Júnior voltasse para o Brasil. A resposta de Júnior:

— Não estou aqui pra te prejudicar, Becão. Só pra te ajudar. Se vocês querem que eu volte, eu volto agora, sem problema.

Na entrevista a Mônica Bergamo, na edição da *Playboy* de agosto de 1990, Ayrton deu a dimensão da perda da companhia do amigo:

"A amizade nunca mais voltou a ser a mesma. Foi uma destruição muito grande."

Américo Jacoto, o Júnior, Ayrton e Armando Botelho. Volta ao Brasil para dar fim à boataria.

De acordo com o livro *Ayrton Senna: sua Vitória, seu Legado*, de Karim Sturm, Senna e Júnior, depois da volta do amigo ao Brasil, passaram a tomar até certos cuidados, quando se encontravam em Angra e saíam de barco. Como "medida de segurança" para evitar boatos, estavam sempre acompanhados de mulheres.

Nuno Cobra resumiu a infelicidade do Ayrton com o episódio do afastamento de Júnior, lembrando um comentário dele:

— Sabe qual é o meu maior amigo, Nuno?

— Não. Qual?

— É a mala.

Ayrton se referia ao ritual solitário nos hotéis do mundo, quando chegava ao quarto, abria a mala, tirava dela um pequeno aparelho de som e punha logo uma fita ou CD para tocar, para só depois verificar o tipo da cama, as instalações do banheiro, o telefone, a vista e a maciez dos colchões. Ele tinha de ter música sempre, e a mala era sua companheira. A partir daquele dia, algumas despedidas de Senna e Nuno teriam a marca da solidão:

— Lá vamos eu e a mala.

Quinze anos depois daquela reunião de Mônaco que o afastou da Fórmula 1, Júnior ainda demonstrava uma grande preocupação em não contrariar a família de Ayrton. Garantiu que não guardava mágoa, mas deixou claro, com o sorriso resignado, que concordou com os que consideraram seu afastamento uma atitude precipitada e desnecessária.

O professor Nuno Cobra foi um dos amigos que criticaram o afastamento de Júnior, definindo-o como "uma coisa horrorosa". Nuno acreditou que Senna foi forçado pelo pai, àquela altura convencido de que o afastamento de Júnior deixaria a situação mais confortável para Ayrton. Para Nuno, Júnior, como esportista que gostava de ginástica, exercia uma ótima influência, incentivando Ayrton a cuidar do corpo. A perda afetiva, continuou Nuno, também foi grande:

"O Ayrton sentia muito a falta de um crítico, aquele amigo que não larga do pé e que não precisa bajular, brigava por causa do som muito alto, saía para fazer compras, estava ao lado no aeroporto, sentava ao lado no avião e conversava em português."

Para Galvão Bueno, foi um erro estratégico:

"Nunca me pediram opinião sobre esse tipo de coisa, mas se tivessem me pedido eu diria: deixa o Júnior lá, cacete!"

Reginaldo Leme concordou, lembrando o exemplo de Elio De Angelis:

"Se as pessoas que assessoraram Ayrton tivessem a segurança que ele tinha e deixassem as coisas correr, seria tão fácil mostrar ao mundo um cara que botava as corridas acima de tudo e que tinha amigos."

Ainda em outubro de 1987, a revista *Manchete* publicou uma reportagem especial intitulada "Ayrton Senna e Marjorie Andrade: um romance de 12 milhões de dólares". No texto, a revista explicou que a modelo fotográfica e o piloto de F-1 estavam assumindo publicamente "a amizade colorida, após mais de três anos de encontros furtivos dentro e fora das pistas do circo na Europa e nos EUA". O que fora, para os íntimos de Senna, apenas mais um dos casos ligeiros e sem relevância foi transformado, na reportagem, num romance de longa data. Houve quem afirmasse que a disposição de Ayrton de se deixar fotografar e ser entrevistado ao lado de Marjorie fazia parte de uma tentativa de esvaziamento dos boatos envolvendo a ele e Júnior.

Longe da Fórmula 1, naquele final de 1987, uma boa pista sobre quais eram os verdadeiros sentimentos que Senna vivia naquela época foi um encontro que ele teve na boate Gallery, reduto da elite paulistana nos anos 80. Cristine Ferracciu e um grupo de amigos, que incluía o empresário Benjamim Steinbruch, se divertiam uma noite, quando o discotecário pôs para tocar a música "On my own", que ela considerava uma espécie de tema da relação com Ayrton.

No momento seguinte, Cristine pediu que um amigo da mesa a levasse para dançar. Na pista, a surpresa: Ayrton dançava a mesma música com a namorada de São Paulo, Adriane Yamin. Cristine sentiu raiva de ver Senna com outra mulher e começou a chorar no ombro do amigo.

Eles não se falaram naquele momento. Ainda naquela noite, para surpresa dela, Ayrton voltou sozinho à boate. Cristine dançava com o amigo Rafael Garson. Mais uma vez ousado e autoritário, numa cena testemunhada por várias amigas de Adriane Yamin, Senna pegou Cristine pelo braço:

— Vamos embora.

Ela resistiu e os dois acabaram indo para o piano-bar. Senna se explicou:

— Não sei o que acontece comigo quando te vejo.

Um beijo selou mais um encontro no qual Cristine se sentiu, de novo, decidindo entre uma vida gravitando em torno de Ayrton e o futuro mais livre que ela sonhava ter. Optou em seguir seu próprio caminho, sem Ayrton, se casando em 1988. A única referência a Ayrton, a partir daquele momento, até a futura separação, foram os comentários regulares que ela ouvia de Bernard Rajman, colega do marido de Cristine na Seleção Brasileira de Vôlei:

— Toda vez que eu encontro o Senna, ele pergunta por você.

IMPOSSIBILIDADES

"Deixa essa porcaria aí!"

Senna estava tão bravo, que o pai, assustado, largou mesmo, no chão do *motohome* da Lotus, o troféu pelo terceiro lugar no GP da Alemanha, em Hockenheim, o oitavo da temporada de 1987. Irritado com a impossibilidade de usar a mesma potência que Piquet, o vencedor daquela prova, e Mansell tiravam do motor Honda, Senna não parecia estar-se dando conta de que acabara de protagonizar uma façanha que deixara assombrados todos os que tinham tido a chance de ver o estado em que ficara sua Lotus. Ele terminara a corrida sem amortecedores. E freara tanto para manter o carro no velocíssimo circuito alemão que o pedal vazara o fundo do carro.

Peter Warr mal conseguia entender como fora possível para Ayrton se manter na pista. No meio da corrida, um vazamento no fluido da suspensão provocara a desativação total do sistema "inteligente", mas Senna continuara na pista, usando para se equilibrar os pequenos amortecedores — cuja função era sustentar o chassi com o carro parado ou permitir que o piloto voltasse aos boxes lentamente depois de uma pane.

Warr e Ducarouge começaram a chamar Ayrton para os boxes quando o problema surgiu nos monitores da telemetria. Para eles, aqueles pequenos amortecedores não agüentariam a pressão do chassi nas curvas de alta velocidade de Hockenheim. Ducarouge também sabia que, quando o sistema inteligente quebrava, a Lotus não voltava às condições do carro de suspensão normal. Ficava muito dura e dificílima de pilotar. Ayrton não obedeceu. Continuou na pista, conseguiu o terceiro lugar e, ao saltar do carro, deixou claro que não sabia a que extremos tinha chegado com o pedal do freio:

"É melhor vocês darem uma olhada no pedal do freio, porque o curso dele ficou mais longo nas últimas voltas."

Os mecânicos, incrédulos, constataram então que o arriamento do carro provocado pela pane na suspensão eletrônica fizera com que o fundo da Lotus ficasse muito mais próximo do chão, e que o esforço de Senna ao frear fora tão grande, que o pedal fizera um pequeno buraco. Atravessara o fundo do carro, ficando suspenso a milímetros do asfalto. Esta era a razão do curso mais longo do pedal.

Dezesseis anos depois, o então chefe dos mecânicos, Bob Dance, e o engenheiro Takeo Kiuchi ainda se espantavam ao lembrar daquele domingo na Alemanha. E Kiuchi ficou com uma certeza:

"Se fosse qualquer outro piloto, teria abandonado."

A suspensão inteligente que falhou em Hockenheim era a grande esperança da Lotus naquela temporada. Sensores espalhados pelo carro alimentavam um computador de bordo, que controlava a ação de molas e amortecedores. O sistema permitia ajustes automáticos, qualquer que fosse a quantidade de combustível no tanque, e a possibilidade de ganho em velocidade final nas retas, através de um leve abaixamento da parte traseira do carro.

A idéia inicial do comando da Lotus era construir um carro normal para Ayrton, enquanto Nakajima desenvolvia o carro com suspensão inteligente. Mas em Jacarepaguá, nos treinos preparatórios da temporada, Senna experimentou os dois carros e não teve dúvida: quis correr desde o início com o carro de suspensão ativa. O problema era que os componentes aeronáuticos usados no sistema computadorizado tinham um interminável prazo de entrega de 26 semanas. A equipe fez o que Peter Warr chamou de "milagre" para que Ayrton tivesse o carro de suspensão inteligente para disputar o campeonato. Senna descobriria mais tarde, no entanto, que superestimara as vantagens do sistema.

O problema, ironicamente, era o grande volume de dados gerados pelo sistema eletrônico da suspensão. Era impossível para a equipe, em plena temporada, monitorar e analisar a tempo aquele exagero informático. Além do desafio da vanguarda tecnológica, era tudo novo na Lotus em 87: carro, motor, suspensão e caixa de câmbio.

E havia um problema adicional: a inexistência de intercâmbio de informações com a Williams, que usava o mesmo motor Honda. Para complicar, o projeto do carro de Senna tinha um defeito de aerodinâmica que fazia aumentar o consumo, o que tinha como resultado a impossibilidade de os motores de Senna e Nakajima andarem com a mesma pressão que Piquet e Mansell usavam nos seus turbocompressores.

Quando Peter Warr percebeu que algo radical precisava ser feito para manter Ayrton na equipe, era tarde demais. Ron Dennis já tinha se acertado com Senna para tê-lo na McLaren na temporada seguinte. Warr se deu conta, observando o comportamento do concorrente:

"Percebi tudo pelo sorriso que Ron Dennis começou a exibir quando andava pelo *paddock*."

A Vingança de Warr

A Lotus perdeu Senna definitivamente. E começou a viver, naquele 31 de maio, um lento processo de decadência como equipe de Fórmula 1, ao som das taças de cristal cheias de champanhe com que os poderosos e celebridades comemoraram sua vitória em Mônaco, durante o tradicional jantar de gala de domingo com a família real monegasca, naquele 31 de maio de 1987. O primeiro lugar de Senna naquelas ruas seria o momento ideal para o comando da Lotus chamar a RJ Reynolds para uma conversa e pedir um aumento substantivo da verba de patrocínio. O que não foi feito porque a Lotus era uma empresa familiar e Peter Warr, um executivo, não tinha autonomia para uma aposta daquela envergadura.

Para Clive Chapman, filho e herdeiro do fundador Colin Chapman, e o próprio Peter Warr, o talento extraordinário e a dedicação de Ayrton foram uma espécie de máscara das fragilidades da equipe em 1987. A tradição da Lotus de superar a estrutura e o dinheiro das concorrentes através da inovação tecnológica não dera certo daquela vez. Senna, que no início chegara a se entusiasmar com a possibilidade de a suspensão inteligente ser um atalho para as vitórias e o título, já estava a caminho da McLaren. Para Warr, só depois da partida de Senna, a Lotus se deu conta de que tinha ficado muito para trás em relação às concorrentes Williams, Ferrari e McLaren:

"Ayrton nos deu o que os ingleses chamamos de verão indiano. Quando ele saiu, veio o inverno."

Restaram, para a Lotus, os dólares do contrato de patrocínio com a RJ Reynolds, os motores Honda, sua âncora na equipe, o piloto Satoru Nakajima — e uma jogada de *marketing*.

Estava chegando a hora de Ayrton Senna e Ron Dennis serem surpreendidos por Peter Warr nas estratégias de bastidores da Fórmula 1. Não que fosse difícil prever que Nélson Piquet seria a óbvia opção da Lotus para ocupar o lugar de Senna e garantir a sobrevivência da equipe. Nélson era campeão, tinha um ótimo relacionamento com os japoneses da Honda e não queria mais saber da guerra interna com Mansell na Williams. O que pegou Ron e Ayrton de surpresa foi a hora de tornar pública a mudança.

As conversas de Warr e Piquet foram exaustivas e atravessaram noites no escritório da RJ Reynolds, em Londres, só terminando às vésperas do GP da Hungria, no início de agosto. Eles não sabiam, mas um dos executivos da RJ Reynolds mantinha Senna informado sobre cada passo da negociação. A empresa, Senna revelou em entrevista à repórter Mônica Bergamo, tentou mantê-lo na Lotus até o último instante:

"Eu estava dentro do meu carro de passeio, uma Mercedes com telefone, e recebia vários chamados da Reynolds. Eles estavam reunidos com Piquet e a Lotus, mas ainda indecisos para fechar o negócio. Na última hora, um executivo saiu da sala, me telefonou e eu confirmei que estava mesmo fora da equipe. Só depois disso finalmente assinaram o contrato com ele."

Acordo feito, Peter Warr e Piquet voaram de Londres para Budapeste no jato de Nélson. Não havia tempo a perder. A RJ Reynolds queria se antecipar ao esperadíssimo anúncio da transferência de Senna e dos motores Honda para a McLaren. Os bons modos recomendavam, porém, que Ayrton e Frank Williams, respectivamente, fossem avisados.

Não foi bem assim. Piquet deixou uma carta para Frank na portaria do hotel. E Warr teve uma enorme dificuldade para falar com Ayrton. Possivelmente por já saber tudo o que lhe seria dito, Senna parecia estar decidido a não ser encontrado. De acordo com Warr, nem o fato de os dois estarem hospedados no mesmo hotel, em Budapeste, ajudou:

"Eu confirmei na recepção que Ayrton estava no hotel. Liguei várias vezes e ele não atendeu. Cansado de tentar, subi até o andar dele. Fui seis vezes à porta do quarto e bati. A última delas, depois da meia-noite. Ninguém atendeu."

Ayrton foi oficialmente informado quando já estava dentro do *cockpit* da Lotus-Honda, minutos antes de ir para a pista, no primeiro treino oficial do GP da Hungria, nona prova da temporada. Mais de 12 horas depois de o comunicado oficial ter sido distribuído para toda a imprensa, a partir de Londres. O título de *O Globo* para a reportagem de Renato Maurício Prado, publicada no dia seguinte, era: "Piquet substituirá Senna na Lotus em 88". A informação secundária da reportagem era a de que Ayrton já tinha decidido mudar de equipe, mas preferia não divulgar seus planos futuros.

Naquele fim de semana, os correspondentes brasileiros testemunharam um interminável bate-boca no qual fizeram o papel de leva-e-traz, na briga cada vez mais séria entre Piquet e Senna. Irritado com o drible de *marketing* da Lotus, Ayrton atacou primeiro:

"O outro foi muito esperto. Estava numa fria que não tem tamanho, ia ganhar muito menos do que ganha hoje em dia e aí, de repente, caiu do céu a Lotus. Teve, portanto, muita sorte e acabou conseguindo um grande contrato."

Piquet devolveu:

"Ele está é magoado porque a Lotus se antecipou à sua decisão. Acho que ele deveria é tratar de ir direitinho para a McLaren e não falar mais bobagem. Eu tenho o contrato que a Williams me ofereceu e posso provar que isto que ele está falando é bobagem."

A réplica de Senna:

"Eu soube que ele disse que foi convidado pela McLaren antes de mim. Realmente foi. Era tudo uma grande jogada, tudo *business*, tudo *budget*. Ele é uma peça importante, embora não seja decisiva em todo o jogo, e interessava que ele pensasse que o convite era para valer. Não era. Era só para ele acreditar e, como se vê, ele acreditou mesmo. Aceitar, porém, não aceitou, porque o convite não foi feito para que ele aceitasse."

Na tréplica, Piquet fez referência a um contrato pronto para ser assinado que Ron Dennis, 16 anos depois, disse nunca ter sido oferecido a ele:

"Tá bom que era só figuração. Então o Gordon Murray me chama, marca uma conversa minha com o Ron Dennis, eu vou até a fábrica e recebo um contrato para ser assinado e era tudo brincadeirinha? Pois bem, o Ayrton pode não saber, mas o Ron Dennis queria que eu assinasse na hora. Era um caminhão de dinheiro e só não topei porque não me interessava repetir na McLaren com Prost a mesma briga que tenho aqui na Williams com o Mansell. Além disso, eles não tinham certeza de receber os motores da Honda. Me contratando, assim como estão contratando agora o Ayrton, eles passam a ter muito mais possibilidades."

E Senna continuou:

"Se Piquet fez um grande contrato, deve a mim, pelos patrocinadores que eu trouxe."

Piquet devolveu:

"Se o contrato era tão bom, por que ele não ficou lá?"

Senna avisou:

"Se ele conseguir qualquer coisa aqui na Lotus no ano que vem também será graças ao nosso trabalho duro."

Piquet aceitou:

"Aí, só dizendo como um amigo meu: se eu ganhar o campeonato deste ano, ainda na Williams, o Senna tem um infarto. Se eu ganhar o do ano que vem com a Lotus, ele se suicida em plena pista."

O leva-e-traz não parava. A reportagem que Wagner Gonzales, Sérgio Rodrigues e Renato Maurício Prado tinham de mandar para *O Estado de S. Paulo*, o *Jornal do Brasil* e *O Globo* não terminava nunca. Os três começaram a rir do ridículo da situação e, em uma das idas e vindas entre os boxes da Williams e da Lotus, Renato desabafou:

— Porra, essa merda não vai acabar nunca!

Reginaldo Leme, que não tinha de concorrer com outros repórteres de televisão, não entrou no leva-e-traz, mas observou-o a distância. Ele puxou Ayrton para um canto e disse:

— Tome cuidado com o que você está fazendo. Isso vai virar o GP da fofoca.

Não foi. Foi o GP da porca. A porca que, misteriosamente, se desprendeu do cubo da roda traseira direita da Williams-Honda de Nigel Mansell, a poucas voltas do final, roubando-lhe a vitória certa e jogando o primeiro lugar e as chances do título no colo de Nélson Piquet — àquela altura do campeonato acumulando seis segundos lugares e apenas uma primeira colocação, a do GP da Alemanha. Senna cruzou em segundo, também presenteado pela porca de Mansell.

Aquele foi um fim de semana em que, do bate-boca de botequim acompanhado de perto pelos jornalistas brasileiros à cerimônia do pódio de Hungaroring, o assunto começava em Piquet e terminava em Senna. Ou o contrário. Era o retrato de um momento em que os dois pilotos brasileiros dividiam a hegemonia da Fórmula 1. Frank Williams tentou até minimizar a perda de Piquet:

"Gostaria que ele ficasse. Acho que Nélson está cometendo um grande erro. Fiquei triste, mas nem um pouco preocupado. Já estou nesse negócio há tempo suficiente para saber que o mais importante são os carros e não os pilotos."

Nem tanto. Frank estava perdendo, além de Piquet, o motor Honda, e iniciando um longo jejum de vitórias e de pilotos vencedores. Peter Warr, embalado pelos primeiros acordes do canto do cisne na equipe Lotus, valorizou o quando pôde a chegada de Piquet:

"Contratamos um verdadeiro campeão do mundo."

Num canto da equipe McLaren, o coordenador Jo Ramirez se divertia:

"Nós rimos muito daquela situação, porque Peter Warr sabia que estava perdendo o melhor piloto do mundo."

Príncipe Supersônico

Hirofumi Natsumo, produtor de programas esportivos da Fuji TV, tinha 27 anos de idade em 1986 e não entendia nada de Fórmula 1. O beisebol e o sumô eram o que contava. Naquele ano, quando a Lotus assinou com a Honda e Ayrton Senna passou a correr com o motor japonês, ele fez uma aposta, convencendo a direção da emissora, a terceira maior rede do Japão, a comprar os direitos de transmissão da Fórmula 1.

O envolvimento da Honda com a equipe Williams chamara sua atenção para a categoria. Através da equipe de *marketing* da Honda, ele entrou em contato com a Formula One Constructors Association (FOCA) e começou a receber fitas com o resumo das corridas. No início, entravam na programação da madrugada da emissora, longe do horário nobre e das grandes audiências.

Na visão de Natsumo, Senna, além de bonito, era a encarnação potencial de uma resposta dos japoneses — e dos brasileiros — à soberba dos europeus que dominavam a Fórmula 1. Ao contrário de Nélson Piquet, outro usuário do motor Honda, Senna era um personagem forte o suficiente no qual a Fuji TV poderia apoiar sua estratégia de cobertura da

Fórmula 1. Ele tinha condições de ser um contraponto para o todo-poderoso Alain Prost. E assim foi feito.

Natsumo sabia que japonês não gostava de esporte onde não se via o rosto dos ídolos. Por isso, investiu na produção de programas especiais cujo enfoque era muito mais o perfil humano — e físico — de Senna do que os aspectos esportivos. Chegou ao ponto de abolir a dublagem — recurso normal da emissora para entrevistados estrangeiros — e investir nas legendas, para que os espectadores, particularmente as fãs, pudessem ouvir a voz de Ayrton. E instruiu a equipe para que tratasse Ayrton como "o príncipe supersônico".

Na última corrida de 1985, Ayrton, ainda com o uniforme da Lotus-Renault, sela com o mítico Soichiro Honda a aliança que ia fazer história na Fórmula 1.

Ajudou muito a disposição que Senna demonstrou desde o início para esse tipo de abordagem. Para Natsumo, Ayrton "usava muito bem a TV". Por seu lado, Natsumo também não hesitava em filmar Senna de acordo com sua estratégia. Dava instruções explícitas para que os cinegrafistas da emissora captassem com cuidado e detalhe o ritual de Ayrton nos boxes, os cabelos revoltos na retirada do capacete, o suor, a retirada do macacão até a cintura. Tudo tinha de ser documentado. Hirofumi Natsumo jamais teve nas mãos um personagem como aquele:

"A aura que Senna tinha para os japoneses é algo que nenhum estrangeiro jamais vai entender."

O comportamento de Piquet com os japoneses era drasticamente diferente. Piquet simplesmente não perdia a chance de uma piada. Num dos jantares com executivos da Honda, ele se divertiu exibindo uma gravata na qual, ao puxar de uma cordinha, se descortinava um órgão sexual masculino, para enorme constrangimento das senhoras japonesas à mesa. E naquele mesmo ano de 1987, depois de conquistar o tricampeonato no autódromo de Suzuka, Piquet, segundo Sérgio Rodrigues, surpreendeu a todos que o conheciam com uma inédita disposição de dar autógrafos para uma fila de fãs japonesas.

A inesperada gentileza tinha uma explicação que só os brasileiros entendiam, na pergunta que ele fazia a cada uma das fãs, supostamente em japonês, depois de cada autógrafo:

— Tá com o cu coçando?

Na lembrança de Sérgio Rodrigues, todas as fãs respondiam afirmativamente, sorrindo. E Nélson se divertia, com dificuldade para conter as gargalhadas.

Piquet jamais foi chamado de príncipe supersônico no Japão.

Trem de Desafetos

Se na mídia e na estratégia das grandes equipes, Senna já era tratado como um fenômeno, na pista, na segunda metade da temporada de

1987, ele continuava enfrentando disputas ferozes. Michele Alboreto, da Ferrari, por estar quase sempre disputando com Ayrton as sobras da supremacia da Williams de Piquet e Mansell, era, nessa época, o mais refratário a generosidades. Na arriscada contabilidade de fechadas e revides que os dois atualizavam, a cada abertura de pista para treinos ou corridas, o saldo, positivo para um e obrigatoriamente negativo para o outro, às vezes era corrigido a 300 quilômetros por hora.

Foi nessa velocidade que Ayrton fez um ziguezague à frente de Alboreto, para evitar uma ultrapassagem em uma das longas retas de Hockenheim, durante o GP da Alemanha. E foi mais ou menos na mesma velocidade que Alboreto aplicou o revide, desta vez nos treinos de sexta-feira para o GP da Áustria, em Zeltweg, ao jogar a sua Ferrari contra a Lotus de Senna na saída da curva Bosch, depois de ser bloqueado por Ayrton na entrada da *chicane* da curva Rindt. Alboreto era um piloto veloz. E, depois do empurra-empurra que custou o bico do carro de Senna, revelou também uma ameaçadora sinceridade:

"Senna age na pista como um bandido. A impressão que tenho é que, sob o capacete, ele guia com uma faca entre os dentes. Nem mesmo nas categorias inferiores do automobilismo se age assim. Acho bom que ele se cuide em Monza. Se ele se fizer de bobo outra vez vai parar fora da pista. Não creio que ele tenha coragem de aprontar com a Ferrari em pleno GP da Itália, mas, de qualquer forma, fica desde já o meu aviso."

Senna não aprontou com a Ferrari em Monza. Arriscou sozinho, tentando compensar a inferioridade técnica da Lotus em relação à Williams com uma manobra ousada: não parar para trocar os pneus. Para quem tinha chegado em terceiro na Alemanha, sem amortecedores, o plano não era uma tática assim tão absurda.

Ele pulou da segunda fila para a primeira colocação na largada. E a tática de poupar os pneus funcionou até o meio da corrida, quando a Lotus começou a sair de traseira. Na consulta a Peter Warr pelo rádio, ficou sabendo que, na melhor das hipóteses, seus pneus chegariam ao fim da corrida em estado crítico. Era o que precisava saber.

Piquet, com pneus novos, começara a descontar a vantagem ameaçadoramente e Senna tentou resistir. A sete voltas do final, Piercarlo Ghinzani, da Minardi, deu uma entortada à frente de Senna na entrada da velocíssima e interminável curva Parabólica. Quanto Ayrton mudou a trajetória para desviar, a Lotus, que já vinha sendo guiada no fio da navalha, acabou desgarrando para a área de escape a mais de 200 quilômetros por hora.

Da nuvem de poeira levantada por Ayrton na saída da curva, surgiu a Williams de Piquet em primeiro. Furioso com Ghinzani dentro do *cockpit*, Senna conseguiu voltar para a pista e ainda acelerou o suficiente para descontar seis segundos em relação a Piquet. Cruzou a linha de chegada 1s08 atrás de Nélson. Piquet disse depois que Ayrton não passaria, que o tinha sob controle, mesmo se a corrida tivesse mais algumas voltas.

Uma nova tentativa de Senna de se manter na frente sem trocar pneus aconteceu em Jerez de La Frontera, no dia 27 de setembro, depois de um apagado sétimo lugar no GP de Portugal, uma semana antes. Segundo colocado na prova, Ayrton acabou liderando, por cerca de 20 voltas, um trem eletrizante em que vários pilotos — Prost com a McLaren, Thierry Boutsen com a Benetton e, claro, Alboreto com sua Ferrari — tentaram, sem sucesso, tirar-lhe o segundo lugar. Só Piquet, com a Williams-Honda, conseguiu ultrapassar Senna e acabar com o "trem". Mansell, com a outra Williams, chegou em primeiro. E Senna terminou em quinto.

À medida que a temporada se aproximava do final, a impaciência e a taxa de risco de Senna iam aumentando. No treino de sábado para o GP do México, no circuito Hermanos Rodriguez, ao tentar uma volta mágica que o tirasse da irreconhecível sétima posição no *grid*, ele rodou e bateu forte. Grogue, foi levado para o Centro Médico do Circuito Hermanos Rodriguez, onde os médicos tiveram dificuldade para mantê-lo quieto durante as duas horas que se fizeram necessárias para uma avaliação neurológica. Ayrton ficou indócil e quando, mais tarde, Lemyr Martins quis saber o que tinha acontecido, a resposta foi irônica:

"É o meu carro que precisa de observação, não eu!"

Galvão Bueno, àquela altura cada vez mais ligado a Senna, assustou-se com a violência da batida. Na volta do centro médico, mais tranqüilo, ele se juntou a outros jornalistas no *motohome* da Lotus. Foi quando Piquet, de passagem, fez uma provocação referindo-se à barreira de pneus:

— Seu amigo foi fazer serviço de borracheiro, né?

Galvão devolveu, no vácuo, lembrando uma rodada de Piquet:

— É, e você dando uma de jardineiro pela grama, hein?

Apesar das provocações, ainda naquele final de semana, Piquet surpreendeu a todos, ao responder para um jornalista, que lhe perguntou quem ele contrataria se fosse um chefe de equipe:

"Ayrton Senna. Eu e o Prost já estamos no fim de carreira. O Mansell é isso que se sabe: se tiver um motor um pouquinho mais delicado nas mãos, adeus, porque vai quebrá-lo mesmo. Já o Ayrton não. É jovem, tem muito talento e vontade enorme de conquistar um título mundial. Ele seria meu piloto."

Faltava, evidentemente, a crítica:

"Quando ele parar com essas bobagens de que o defeito está sempre no carro, vai ganhar muito mais e certamente chegará ao título."

E uma piada final que se tornaria uma previsão parcialmente errada:

"Ele será campeão, podem ter certeza. Basta eu e o Prost pararmos."

Na corrida, Senna perderia o controle do carro e a compostura, ao dar adeus às chances matemáticas de ser campeão, depois de bater na proteção de pneus e ver o motor Honda apagar. Ele queria que os comissários empurrassem o carro de volta à pista. Os mexicanos fizeram exatamente o contrário: levaram a Lotus para uma área de desaceleração. Ayrton saltou do *cockpit* furioso e partiu para cima dos comissários mexicanos, distribuindo socos e pontapés. Acabou multado em US$ 15 mil pela FISA.

Emoções no Oriente

Gerard Ducarouge aproveitou o GP de Suzuka, o penúltimo de Senna na Lotus, para escrever uma longa carta de despedida. O que ele não esperava era que Ayrton lesse a carta ainda no circuito. Resultado: pouco antes de começar um dos treinos, ao chegar à entrada do boxe, Gerard percebeu pelo olhar de Ayrton, dentro do capacete, no *cockpit*, que a carta tinha sido lida.

Senna estava com lágrimas nos olhos e mal conseguiu sair para a pista. Gerard, igualmente emocionado, não tinha cabeça para entrar direito no espírito do treino. Ficou até arrependido de criar aquela situação emocional para um homem que, em poucos minutos, estaria passando por ali a 300 quilômetros por hora. Mas não havia como voltar atrás. Estava feito.

A carta foi tão marcante, que Senna se emocionou novamente depois daquela corrida, diante de Galvão Bueno e a mulher, Lúcia, na primeira classe do jumbo da Garuda, a companhia aérea da Indonésia, a caminho de Bali. Às lágrimas com a releitura da carta, Ayrton mostrou-a a Galvão.

No texto, Ducarouge, um dos mais consagrados projetistas da Fórmula 1, explicava que decidira não se despedir formalmente porque não conseguiria falar olhando nos olhos de Senna. Pedia desculpas por, durante três anos, não ter conseguido dar a Senna um carro à altura de seu talento e antecipava que aquela frustração ele carregaria para o resto da vida.

Àquela altura, Ducarouge já estava de volta à Inglaterra para trabalhar na Lotus que Nélson Piquet ia pilotar em 1988. Mas o campeão, ele tinha certeza, não seria Piquet. Estava escrito na carta.

No treino classificatório para o GP do Japão, em Suzuka, Nigel Mansell, ao tentar superar o tempo de Nélson Piquet, escapou com a Williams no esse de alta velocidade do circuito e bateu violentamente no *guard-rail*. Embora não tenha sofrido ferimentos graves, Mansell não teve condições físicas de participar da corrida no dia seguinte. Com a ausência de Nigel, Piquet, então líder do campeonato, conquistou o título por antecipação. O terceiro de sua carreira.

Renato Maurício Prado disse que estava próximo de Piquet naquele momento de definição do campeonato:

"O Nélson fez uma cara de sério para parecer preocupado e depois foi para fora do boxe para rir."

Renato e Sérgio Rodrigues tinham recordações diferentes do estado de espírito de Senna, logo depois da definição do título de Piquet naquele treino. Para Sérgio, Ayrton manteve uma discreta distância porque já sabia, desde o GP da Itália, que o título seria de um dos pilotos da Williams-Honda. Renato viu abatimento no semblante de Ayrton:

"O fato de Piquet ser tricampeão não era bom para o Ayrton, não apenas por razões comerciais. Eu vi a cara do Ayrton no dia em que o Nélson foi tri. Era cara de enterro."

O que todos viram na corrida, no dia seguinte, foi um Piquet irritado com as tentativas frustradas de ultrapassar Senna. Nem a conquista do tricampeonato atenuou o tom agressivo e irônico de Nélson. Gerhard Berger venceu com a Ferrari, seguido por Senna. E Piquet abandonou com o motor estourado depois de tentar e não conseguir ultrapassar Ayrton.

"Sabe lá o que é passar 50 voltas atrás do Freio de Mão? Numa pista estreita como essa, ele fica ranhetando na sua frente e não há motor que agüente. Você chega, fica no vácuo uma, duas, três voltas. A temperatura do motor vai lá em cima, sobre a pressão do óleo, fritam os pneus, acontece de tudo."

No meio das reclamações sobre a manobra de Senna na largada, Piquet deixou escapar a intensidade de sua rivalidade com Ayrton:

"Só mesmo fazendo esse tipo de coisa o Ayrton consegue me passar, e assim mesmo, somente nas largadas. Sabe quantas vezes ele me ultrapassou, na pista mesmo, em quatro anos de corrida? Nenhuma. Rigorosamente, nenhuma vez ele me passou durante uma prova nesses anos todos."

Senna, em outro ponto do *paddock*, segundo Sérgio Rodrigues, reagiu com um sorriso irônico ao saber do apelido de Freio de Mão. Ele parecia saber que aquela seria a derradeira provocação do rival. O tempo mostraria que Nélson jamais teria equipamento para fazer novos desafios.

Um Pilha no Paraíso

"Fórmula 1 aqui, nem pensar, tá?"

Uma das poucas vezes na vida em que Senna se deixou acompanhar em férias pelos jornalistas brasileiros foi nos dias que passou no Clube Mediterrané da ilha de Bali, às vésperas da corrida de encerramento da temporada de 1987, em Adelaide, Austrália. O acordo prévio de não tocar no assunto Fórmula 1, no entanto, não significava que Ayrton estava prestes a cair na farra. O contrário: o que os correspondentes testemunharam foi um aumento quilométrico da distância entre Ayrton e o estereótipo *bon vivant*, etílico e mundano dos astros da Fórmula 1.

Nem o sol de Bali atenuou seu insaciável instinto de competição. Ayrton enfileirou adversários, entre eles Galvão Bueno, Reginaldo Leme e Renato Maurício Prado, para ininterruptas partidas de tênis, quase todas vencidas por ele na base da imensa resistência física que adquirira. Do tênis, ele pulava para o *windsurf*, do *windsurf* para o *jet-ski*, do *jet-ski* para o esqui aquático e deste para as mesas de pingue-pongue. Até de partidas de vôlei e futebol ele participou, obtendo um desempenho, na melhor das hipóteses, sofrível. Renato cansou só de acompanhar:

"Ele não ficava mais do que cinco minutos naquelas espreguiçadeiras."

Quando a noite chegava e o resto da comitiva brasileira se assanhava, Senna já começava a dar sinais de sono. Enquanto os jornalistas e amigos, entre eles Thierry Boutsen, a mulher, Patricia, e o piloto francês Phillipe Streiff, entravam na ciranda dos drinques, ele não passava do refrigerante. E não demorava muito para se despedir discreta e educadamente de todos e tomar o rumo do quarto para dormir até a hora do almoço do dia seguinte.

Naquele ano, com decisão do campeonato em Suzuka, o GP da Austrália, em Adelaide, se transformou numa festa descontraída da Fórmula 1, dentro e fora da pista. Para Senna, no entanto, sua corrida de despedida da Lotus teve a marca do constrangimento.

Ele desceu do carro comemorando o ótimo segundo lugar na prova e a antológica ultrapassagem dupla que aplicara em Prost e Alboreto, na entrada da curva, após a reta dos boxes:

"Eu joguei por dentro, onde havia um espaço mínimo. Apontei, fechei os olhos e rezei. Se alguém fecha um pouquinho, ia voar todo mundo."

Mas o esforço e o risco foram inúteis. A Lotus de Senna foi desclassificada por apresentar medidas irregulares nas tomadas de ar dos freios dianteiros. Peter Warr, na última corrida, foi chamado, a distância, de "estúpido" por Senna.

A noite já estava caindo quando Ayrton voltou ao boxe e encontrou os mecânicos da Lotus empacotando motores e peças. Fez questão de se despedir de cada um deles, agradecendo a um por um pela dedicação naqueles três anos que estavam chegando ao fim. Para Chris Dinnage, o mecânico das voltas voadoras, o cumprimento de Ayrton foi acompanhado de um convite:

— Quer ir para a McLaren também?

— Não, obrigado. Não quero sair de Norfolk.

Ainda naquela noite, Senna entrou no *cockpit* da McLaren de Stefan Johannson para tirar as medidas para a confecção do seu banco. Pediu uma posição menos deitada e também que o volante fosse ligeiramente inclinado para a frente, menos perpendicular em relação ao fundo do carro.

A partir daquele momento, Senna teria duas alternativas: vencer ou vencer.

A Lotus-Honda com suspensão ativa: a aposta na inovação tecnológica não deu os resultados esperados em 1987, como no GP de Adelaide – mas a aliança de Ayrton com os japoneses assombraria a Fórmula 1 nos anos seguintes.

6º Capítulo

Triunfo e Mágoa

O maior erro de cálculo da vida de Ayrton Senna não foi cometido a bordo de nenhum dos carros de Fórmula 1 que ele pilotou nos 161 grandes prêmios que disputou. Ayrton não estava nem na direção quando aconteceu. O carro era um sedã Monza de fabricação brasileira, pertencente a Galvão Bueno, que era também quem estava na direção, tendo ao lado o pai de Senna, Milton da Silva. Ayrton estava no banco traseiro esquerdo. Ao seu lado, Sérgio Rodrigues, correspondente do *Jornal do Brasil.*

Era o final da tarde do dia 6 de março de 1988, um domingo, véspera dos tradicionais testes de pneus da Fórmula 1 na pista de Jacarepaguá, na Zona Oeste do Rio de Janeiro. Os quatro seguiam do autódromo para o bairro do Flamengo, na Zona Sul, onde Senna tinha de posar para uma sessão de fotos publicitárias do Banco Nacional. Ele estava aproveitando a pequena viagem para dar uma entrevista que prometera a Sérgio.

Havia muito o que perguntar naquele início de temporada, véspera da estréia de Senna na McLaren. E ele se comportava como sempre, usando pausas cuidadosas para escolher com precisão as palavras, expressões e o tom exato que queria para as respostas. Até que Sérgio quis saber a razão de seu sumiço do noticiário, a poucos dias do Grande Prêmio do Brasil. A resposta era simples: Ayrton vinha de férias na fazenda da família, no interior de São Paulo, e de dez dias de sol e praia na casa que Galvão alugara em Búzios, no litoral do Rio.

Não foi o que ele respondeu. A pergunta de Sérgio era um convite tentador para uma pequena provocação ao rival Nélson Piquet, um tricampeão contestado por alguns por ter vencido a temporada anterior com três vitórias, sete segundos lugares e também por ter sido beneficiado pelas trapalhadas de Nigel Mansell.

Senna aproveitou. E cutucou:

— Eu tinha que dar aos outros uma chance de aparecer um pouco. Afinal, não fazia sentido o cara ser tricampeão e eu continuar sendo assunto. Já que ninguém gosta muito dele, o único jeito era eu sumir para que ele pudesse aparecer um pouco.

Galvão, ouvindo tudo, sentiu o calibre da manchete que acabara de ser passada às mãos de Sérgio Rodrigues. E ao ser cutucado por um Ayrton ainda meio moleque e satisfeito com o próprio atrevimento, antecipou o que foi o episódio mais doloroso da vida pública de Senna:

— Você acabou de se foder.

Senna percebeu rápido e fez uma apressada correção:

— Vem cá, isso é brincadeira, hein? Eu sumi porque estou há muito tempo sem férias e sem descanso.

Sérgio registrou as ressalvas, mas não jogou fora a manchete. Galvão não o perdoou. Quinze anos depois, Sérgio assumiu inteiramente a responsabilidade pelo texto e pelo tratamento dado à provocação de Senna:

"Foi uma brincadeira, é claro, mas em nenhum momento Ayrton me pediu para não publicar. Eu não ia correr o risco de queimar o meu relacionamento com ele às vésperas de uma temporada em que ia cobrir a Fórmula 1. Se Ayrton tivesse pedido para eu não publicar e eu publicasse, ele jamais voltaria a falar comigo. E não foi isso que aconteceu. E o texto deixava claro que era uma brincadeira."

No dia seguinte, o título de alto de página foi: "Senna diz que sumiu para Piquet aparecer". Na abertura que precedia a provocação de Ayrton, Sérgio escreveu:

"E Ayrton Senna, finalmente, falou. O silêncio que mantinha desde o fim da última temporada e que foi quebrado em raras e desinteressantes entrevistas terminou ontem. E terminou em gargalhada: ainda brincando com uma rixa que ele próprio espera estar definitivamente superada, o piloto da McLaren disse que Nélson Piquet foi o principal responsável por sua decisão de se ausentar das manchetes dos jornais."

Após reproduzir a provocação, Sérgio teve a preocupação de avisar:

"Não, enganam-se os que pensam que Senna está tentando declarar nova guerra. Foi apenas uma brincadeira, reflexo do excelente humor com que desembarcou ontem no Rio para testar de hoje a quarta-feira o único carro que a McLaren trouxe para os testes do Rio e que, a partir de quinta-feira, será entregue a Alain Prost."

Não adiantou.

O autódromo de Jacarepaguá estava silencioso e quase sem movimento no final da manhã de terça-feira, dia 8. Era a parada para o almoço nos testes de pneus das equipes. Exemplares do *Jornal do Brasil* com a provocação de Senna já tinham circulado pelos boxes desde o dia anterior. Um amigo de Piquet, Peter Schultzwenkel, o Peta, filho de um dos sócios da Volkswagen do Brasil, então dono da revenda Auto Industrial, ex-piloto de corridas e futuro sócio de Nélson no negócio de *kart indoor*, já tinha passado pelo boxe da Lotus, indignado, brandindo para Piquet um exemplar do jornal. De acordo com Reginaldo Leme, Schultzwenkel disse:

— Agora você não pode deixar de dizer que esse cara é veado.

Reginaldo, àquele momento já um alvo da desconfiança de Senna pela facilidade com que trafegava entre os piquetistas, e Celso Itiberê, querido e respeitado por Ayrton, não tinham dúvidas, passados 15 anos, de que Nélson foi levado para o incêndio pelos amigos que o rodeavam naquele dia:

"Amigo é aquele que está do seu lado, mas quando vê a situação ficar séria sabe apaziguar e não botar fogo. Os amigos de Piquet fizeram o contrário."

O que Reginaldo chamou de "um surpreendente momento de falta de inteligência" de Piquet aconteceu quando a maioria dos jornalistas tinha ido almoçar no Carrefour da Barra da Tijuca, a alguns minutos de carro do autódromo. Eloir Maciel, um repórter do *JB* que cobria automobilismo com regularidade desde 1977, circulava pelo *paddock* e, ao passar em frente ao boxe da Lotus, viu Piquet almoçando ao lado da mulher, Katerine, e foi chamado. Quinze anos depois, Eloir reconstituiu o diálogo que começou com uma frase surpreendente de Nélson:

— Eu queria responder a esse filho-da-puta. Vou dizer que ele é veado...

— Nélson, isso é sério. Se você disser, eu publico.

— Não. Não vou dizer que ele é veado porque não tenho como provar. Posso dizer que ele não gosta de mulher.

Eloir se lembrou das piadas de Alain Prost e dos comentários do próprio Piquet que vinham circulando entre os jornalistas sobre a presença constante de Américo Jacoto Júnior ao lado de Ayrton e sobre o fato de ele não aparecer com namoradas. E voltou a alertar:

— Nélson, se você disser que ele não gosta de mulher, eu vou publicar.

— Pode publicar...

Eloir pediu mais dados. Foi quando começou o que ele mais tarde considerou a "parte humilhante" da entrevista. Piquet chamou Katerine e ordenou:

— Diz aí quantas vezes você quis sair com o Ayrton Senna e ele não quis sair com você.

Katerine ficou constrangida, indecisa e, para Eloir, dando sinais claros de que não queria responder. E não houve resposta. Apenas vergonha e um grande desconforto. Na falta de um depoimento da mulher, Piquet se encarregou de dizer que Ayrton só andava com homens e que muitas mulheres queriam mas não conseguiam sair com ele. Eloir anotou tudo e, antes de ir embora, avisou mais uma vez:

— Nélson, isso vai dar uma merda que não tem tamanho amanhã.

— Se você não quiser publicar, então não publica.

Eloir respondeu que publicaria, mas reafirmou que a reportagem, embora refletisse boatos que realmente ocorriam, causaria muitos problemas. Os dois se despediram e Eloir seguiu direto para a redação do *Jornal do Brasil*. Passou por Sérgio Rodrigues e disse:

— Já tenho o lide de amanhã. Depois a gente conversa na redação.

Também encontrou com uma colega do *Estado de S. Paulo* e contou a história. A colega reagiu, assustada:

— E você vai colocar isso no jornal?

— Já coloquei...

Uma reunião informal foi realizada na redação do *Jornal do Brasil* no início da noite, para decidir se o tiro de canhão de Piquet seria publicado. Participaram o editor de esportes, João Máximo, Sérgio Rodrigues, o subeditor Vicente Senna e o repórter especial Mair Pena Neto. A questão não passou pelo "aquário" da redação, à época comandado por Marcos Sá Corrêa. Sérgio foi contra:

—Vamos tomar um furo, mas vamos manter a dignidade dessa cobertura. Isso é baixaria.

Mair concordou:

— Não tem significado jornalístico.

João Máximo não conhecia automobilismo, tinha uma falta de interesse absoluta pelo assunto e, 15 anos depois, disse que só se envolveu com a edição da réplica de Piquet porque a equipe ficou dividida: Eloir "um pouco do lado do Piquet", e Sérgio do outro, com Senna, "cada um do lado do seu respectivo entrevistado":

"Houve uma discussão sobre o aspecto ético de se publicar essa história, ainda que na boca do Piquet."

Na lembrança de Eloir Maciel, João Máximo recebeu com entusiasmo a reportagem e acrescentou à matéria a notícia sobre uma suposta ligação empresarial entre Senna e Galvão Bueno. João Máximo reescreveu o texto, mas, 15 anos depois, disse só ter usado informações surgidas na reunião que definiu o conteúdo da matéria. O texto final, o próprio Eloir reconheceu, atenuou o "tom emocional" da reportagem original.

Antes de ir para casa, Eloir ainda recebeu de João Máximo a missão de tentar ouvir novamente Senna sobre a matéria que ia sair no dia seguinte. Pelo telefone, chegou a Armando Botelho, que, na lembrança de Eloir, "ficou para morrer":

— Eloir, não publica isso, pelo amor de Deus.

— Quem publica é o editor. Você quer falar com ele?

O telefone foi passado para João Máximo e, dez minutos depois da conversa, Eloir começou a receber telefonemas de colegas jornalistas. Acabou sendo chamado à sala do dono do jornal, Manoel Francisco Nascimento Brito, que queria conferir pessoalmente as circunstâncias da entrevista de Piquet. O assédio passou a ser tão intenso e os telefonemas tantos, que Eloir decidiu ir para casa. E lá, as ligações continuaram: amigos, colegas, gente da imprensa, todos pareciam ter a mesma pergunta na ponta da língua:

— Eloir, que merda é essa?

— Eu sou da notícia. A notícia está lá. Se não quiserem dar, o problema não é meu.

Coube a Sérgio Rodrigues a tarefa de ligar para Ayrton. Quem atendeu foi o anfitrião Galvão Bueno:

— O que você quer com ele?

Sérgio contou como seria a manchete com a resposta de Piquet. Galvão gelou e, de acordo com sua lembrança do episódio, reagiu com espanto:

— Cacete, isso vai dar uma cagada filha-da-puta. Becão, se vira aqui, porque o Sérgio Rodrigues está no telefone dizendo que o Piquet disse que você é veado e que isso vai sair no *JB* amanhã.

Ayrton pegou o telefone em estado de choque. Sérgio explicou a razão do telefonema:

— Estou te ligando para dizer que a gente está saindo amanhã com uma declaração do Piquet, que ele praticamente obrigou o repórter a reproduzir, dizendo que você não gosta de mulher.

— Eu não acredito que ele fez isso... E vocês vão publicar?

— Olha, vamos publicar. Fui voto vencido. Por isso, quero saber se você quer responder agora.

— Não.

Na lembrança de Galvão, o choro indignado de Senna, ao desligar o telefone, foi imediato. Lúcia, mulher de Galvão, queria vingança. E fez uma sugestão que Ayrton só acabou acatando dois anos depois, na reveladora entrevista que deu à jornalista Mônica Bergamo, da *Playboy*, em agosto de 1990: mandar Piquet perguntar à mulher, Katerine, se ele, Senna, gostava ou não de mulher. Lúcia se referia ao fato de Ayrton ter tido um caso rápido com Katerine. Senna recusou a sugestão, mas queria fazer algo. Até convidou Celso Itiberê para ir até a casa de Galvão.

De acordo com Itiberê, Senna mal tinha condições de tratar do assunto. Ele falava e começava a se emocionar. Armando Botelho estava muito preocupado, e Celso tentou tranqüilizá-lo, sugerindo erroneamente — o tempo diria — que ele não esperasse um desastre:

— A capacidade que o brasileiro tem de intuir sacanagem é grande, mas o prestígio e a qualidade do trabalho de Ayrton vão se sobrepor a isso. Acho que neste fim de semana esse negócio vai minimizar totalmente.

Ayrton sabia que Itiberê tinha um relacionamento muito bom com Piquet. E lamentou:

— Seu amigo nunca poderia ter feito aquilo. Foi uma traição absurda. Eu queria saber o que você pensa, porque eu quero dizer o seguinte: pra mim, o seu amigo morreu.

— Concordo com você inteiramente, inclusive já escrevi uma coluna onde condeno totalmente a atitude dele. Acho que foi uma molecagem.

"Piquet reabre guerra particular com Senna."

Após o título de alto de página, o texto da reportagem do *JB* dizia:

"Nélson Piquet perdeu a paciência e o *fairplay* e decidiu reabrir a guerra particular que o envolveu no ano passado com Ayrton Senna. Tudo por causa da entrevista de Senna ao *Jornal do Brasil* de segunda-feira, na qual alegava que havia sumido do noticiário por algum tempo para dar chance a outros de aparecerem."

Em seguida, a citação literal da frase de Piquet:

"Senna estava desaparecido por esses meses não foi para me deixar aparecer. Foi para não ter que explicar à imprensa brasileira por que não gosta de mulher."

Ao abrir o *JB* na manhã seguinte, Eloir Maciel conferiu a edição final feita por João Máximo, que incluía a revelação da existência de antigos boatos e piadas envolvendo Senna e o amigo Júnior. Ao chegar ao autódromo, percebeu que a maioria dos jornalistas estava aguardando um desmentido categórico de Piquet, possivelmente achando que Eloir estava apenas "esquentando" os tais boatos e piadas. Em outras palavras, uma cascata.

Do início da manhã até 12h30m, a hora em que Piquet chegou, Eloir sentiu o peso e a gravidade do que tinha feito. Ninguém se aproximava dele. Percebeu que fotógrafos o acompanhavam a distância, possivelmente à espera de um flagrante de violência de pessoas ligadas a Senna. Ouviu xingamentos e ameaças de torcedores de Ayrton. Chegou a tirar a camisa e partir para a briga com um deles.

Quando Nélson chegou ao *paddock*, deu-se a esperada correria até o boxe da Lotus. Eloir, assustado, preferiu ficar de longe, trepado na mureta do boxe, incerto que estava sobre o comportamento de Piquet. Mas um discreto sinal de positivo de Piquet, a distância, foi a senha de que a matéria não seria desmentida. E não foi:

"Confirmo tudo."

Eloir sentiu um grande alívio e foi até o boxe da Lotus. Lá, Piquet pediu que ele o encontrasse mais tarde em sua casa no Rio, um apartamento na praia do Pepino. A conversa seria sobre supostas irregularidades envolvendo

Senna e a Receita Federal, caso fosse adiante a ação judicial por calúnia, injúria e difamação anunciada por assessores de Ayrton ainda naquele dia.

No *motohome* da McLaren, Creighton e Tereza Brown foram testemunhas do ódio que Senna carregara intacto noite adentro. Creighton tinha uma convicção:

"Se o objetivo de Piquet era o de desestabilizar Ayrton, o efeito foi exatamente o contrário: Senna queria destruir Piquet na pista."

Tereza tentava acalmar Senna com os argumentos de praxe, sugerindo que não valia a pena reagir nem se igualar a uma pessoa que não tinha "berço". Inútil:

"Nunca vi o Ayrton tão bravo. Ele chegou explodindo. Xingava Piquet de filho-da-puta e dava a impressão de querer fazer algo a respeito."

Ayrton chegou a querer partir em direção ao boxe da Lotus para brigar com Piquet, mas foi contido pelo pai e por Armando Botelho. Um dos argumentos que eles usaram para dissuadir Senna foi o risco de ele ser punido pelos comissários e ser impedido de disputar o GP do Brasil.

Ron Dennis já testemunhara outros episódios em que, na sua visão, Piquet fora agressivo e destrutivo ao tentar desestabilizar seus adversários. Ron considerava Piquet uma estrela em declínio e, ainda que tivesse classificado o ataque de Nélson como "uma coisa infundada, falsa e maliciosa", queria distância da briga. Sua instrução ao *manager* Jo Ramirez e, por extensão, a toda a equipe, dizia tudo:

— A não ser que Ayrton diga algo a respeito, não comente esse assunto com ele.

No mesmo boxe, Alain Prost manteve um distante e cuidadoso silêncio em relação ao incêndio à sua volta. Quinze anos depois, disse que ninguém da McLaren, naquele dia, deu importância às acusações de Piquet contra Senna, porque todos sabiam que elas tiveram origem em "brincadeiras e piadas que as pessoas fazem quando saem à noite". Brincadeiras que ele, em algumas ocasiões, também fez.

Gerard Ducarouge estava no salão do café da manhã do hotel Intercontinental, no Rio, quando percebeu, pela manchete do *Jornal do Brasil* e pelas conversas, que Piquet tinha feito uma acusação grave. Em três anos de convívio diário com Senna, Gerard não se lembrava de uma única situação que o levasse a qualquer tipo de ilação sobre a sexualidade de Ayrton. Indignou-se com Piquet dentro do carro, a caminho do autódromo, antecipando o clima péssimo que Nélson encontrou na Lotus logo às vésperas de disputar o primeiro grande prêmio por sua nova equipe:

— Que merda é essa que você fez?

— São os jornalistas. Você diz uma coisinha e eles exageram.

Não foi essa a explicação de Piquet à Justiça do Rio. Ao ser informado pela oficial de justiça Eulázia Maria da Silva de que tinha 48 horas para comparecer à 22ª Vara Criminal do Rio para confirmar ou não, na presença do juiz João Antonio da Silva, as declarações sobre Senna, Piquet, após um "ciente" na citação, brincou que não tinha advogado e provocou mais:

"É sinal de que bateu lá."

No dia seguinte, porém, a cautela voltou. No texto de defesa de Piquet entregue à Justiça, o advogado Geraldo Gordilho não comentou as referências a Júnior. E, ao explicar a frase em que Nélson dizia que Senna não gostava de mulher, exibiu um talento semelhante ao do cliente para se manter nas curvas da retórica:

"Na Fórmula 1, as entrevistas sempre se resumem num atropelo de perguntas as mais diversas, lançadas sobre um profissional aturdido e desgastado. As entrevistas, portanto, têm, necessariamente, o colorido da pressa [...] Foi apenas uma resposta jocosa e inofensiva às afirmações anteriores de Senna de que teria desaparecido do noticiário para abrir espaço a Piquet."

Em outro trecho da peça jurídica, o advogado de Piquet fez um raciocínio que permitia dupla interpretação:

"Quando dizemos que o senhor Fulano não bebe, não estamos garantindo que esse senhor Fulano, nas reuniões sociais que freqüenta ou nos jantares a que comparece, ou talvez na sua própria casa, recuse o copo de vinho ou se furte a preparar a sua dose de uísque. Estamos apenas assegurando que o dito senhor Fulano não é um alcoólatra."

Senna teve 48 horas para dizer se estava satisfeito com a resposta, mas o caso não prosperou na Justiça.

O estrago, porém, estava feito.

A polêmica teve uma grande repercussão no país. Na sede da Torcida Ayrton Senna, no bairro de Santana, em São Paulo, o presidente da entidade, Adilson Almeida, viveu uma situação delicada ao receber um dos muitos telefonemas de solidariedade. Do outro lado da linha, um homem que se dizia porta-voz de uma entidade de homossexuais fez uma proposta:

— Nós podemos fazer um grande protesto em solidariedade.

— Como assim? Vocês querem fomentar ainda mais a discussão?

— Como fomentar?

— Você vai botar mais lenha na fogueira...

— Então você também tem preconceito?

— Não...

— Então nós temos de nos manifestar...

— Não, até porque a gente não considera o Ayrton *gay*.

— Então você tem preconceito.

Entre os fãs de Ayrton Senna, houve um que queimou uma foto de Piquet durante uma entrevista de Adilson Almeida à TV Globo. Milton da Silva viu a reportagem e ligou, preocupado, para a TAS (Torcida Ayrton Senna):

— Adilson, é bom evitar isso.

Houve até uma leva de desertores do piquetismo que, de acordo com Adilson, procurou a TAS pedindo filiação. Foram aceitos, com ressalvas:

"Evidentemente a gente tomava cuidado. Torcedor de verdade mesmo vai até o fim com o ídolo."

A cabeleireira Walderez Zanetti ficou arrasada com as acusações de Piquet. E a tristeza se tornou fúria dias depois, quando ela viu uma manchete de primeira página do jornal paulistano *Notícias Populares*. Sem sequer se dar ao trabalho de ouvir Walderez, o *NP* estampou:

"Cabeleireira emboneca Ayrton Senna."

Walderez entrou em pânico, chorou muito e ligou para Ayrton para dizer que não tinha sequer recebido qualquer pessoa do jornal. Senna não deu muita importância:

— Fica calma, Walderez.

Sid Mosca, o *designer* dos capacetes de Piquet e Senna, amigo dos dois pilotos, viveu também um constrangimento que o deixou para sempre embaraçado, só de lembrar. Foi o dia em que o próprio Piquet, depois dos incidentes de Jacarepaguá, chegou à sua empresa, no bairro de Santo Amaro, em São Paulo, exibindo uma fotomontagem que mostrava Senna travestido de Carmem Miranda. Piquet:

— Olha aqui sua amiguinha.

— Porra, Nélson, pára com isso! Você não conhece o cara. É um cara legal pra burro!

Para Sid, Nélson era um "um bocudo que falava o que vinha na cabeça":

"O Nélson pegava meio pesado. Queria manter a posição e ficava enchendo o saco do Ayrton, que era um menino com princípios diferentes."

Obsessão Brasileira

Na confraria multinacional de pilotos, chefes de equipe, mecânicos, projetistas e jornalistas da Fórmula 1, o episódio não teve nem a sombra do impacto que provocou na opinião pública e na mídia do Brasil. Mesmo sendo um universo francamente machista, praticamente ninguém levou o petardo de Piquet a sério.

Para Bob Dance, o chefe dos mecânicos da Lotus, fora simplesmente "uma estupidez" de Piquet. Bruce Jones, então editor da *Autosport*, considerou a declaração de Nélson "um comentário típico de quem gostava de criar problemas". Vaughan Edwards, gerente do circuito de Donnington Park, presente em muitos testes de Senna e testemunha diária das chamadas "conversas de oficina", concordou:

"Foi mais uma idiotice daquelas que o Nélson gosta de dizer. Ninguém aqui levou essa história a sério."

O piloto Derek Warwick, que, vetado por Ayrton em 1986, teria algumas razões emocionais para se aproveitar do episódio, não acreditava nos boatos. E para quem perguntasse, ele tinha uma resposta curiosa, relacionada ao fato de Senna ser amigo de Gerhard Berger, que Derek considerava um dos pilotos mais mulherengos da Fórmula 1:

"Se Ayrton é amigo de Gerhard, ele não é *gay*."

Alessandro Nannini, mesmo dizendo não acreditar que Senna fosse homossexual, preferiu brincar, defendendo a liberdade sexual no circo da Fórmula 1, sob o argumento de que metade da população mundial era *gay*. O patrão de todos eles, Bernie Ecclestone, localizava na rivalidade brasileira a origem do episódio e fez coro com o que mais se ouviu, no autódromo de Jacarepaguá, naquele dia, sobre a atitude de Nélson Piquet:

"Foi uma coisa muito boba, uma estupidez."

Giorgio Piola, o jornalista italiano que se tornou um desafeto de Senna, afirmou não ter se importado com o fato de ser ou não verdade o que Piquet dissera:

"Só achei engraçado e rimos muito. Na realidade, não achei que fosse verdade. Não tínhamos indicação de que Senna fosse *gay*. É claro que ele era uma espécie de fundamentalista. Para ele, só importava o carro. Era um fanático como nenhum outro piloto. E Piquet não respeitava ninguém. Para nós, era bom porque tínhamos boas manchetes."

A revista semanal italiana *Panorama*, com 700 mil exemplares, foi um dos poucos veículos da mídia européia que deram destaque, mais precisamente duas páginas, para a acusação de Piquet. O título já dava uma idéia do tom:

"Sexo e motores, Fórmula Homo, Piquet acusa Senna de ser um *gay*. Alguém nega? Alguém confirma? Quem tem razão?"

O texto, depois de registrar "rumores de uma paixão *gay*" no circo e de citar, como contraponto, uma história de duas mulheres que teriam ido para a cama com Senna, zombava do machismo da Fórmula 1 e dizia que a polêmica foi um golpe à imagem libertina da categoria.

Sérgio Rodrigues se sentiu mal com o rumo dos acontecimentos depois daquela viagem no Monza de Galvão Bueno entre Jacarepaguá e o bairro do Flamengo. Lamentou o "tom de imprensa marrom" que o episódio ganhou com a reação venenosa de Piquet.

João Máximo reconheceu que, no dia seguinte à publicação da reportagem de Eloir Maciel, muita gente, "principalmente o pessoal ligado ao automobilismo", achou que publicar a resposta de Piquet fora "uma baixaria". Quinze anos depois, ele não se arrependeu:

"Só não se publica mentira."

Também 15 anos depois, Galvão Bueno considerou que talvez a agora ex-mulher Lúcia tivesse a solução certa naquela noite de 8 de março de 1988:

— Houve um exagero, uma parafernália muito grande, a coletiva, os advogados. Se o Ayrton tivesse simplesmente mandado o Piquet falar com a mulher dele daria mais resultado.

Celso Itiberê criticou os colegas brasileiros, sem citar nomes, por terem sido "provincianos e sensacionalistas" naquela cobertura:

— Nossa imprensa não procurou, em momento algum, analisar as causas subjacentes daquele episódio. Foi uma coisa sádica, imediatista e descuidada.

Eloir Maciel, o autor da reportagem em que Piquet responde à provocação de Senna, não aceitou a carapuça. O que ninguém perguntou a ele, naquele final de 1988, era se Eloir acreditava que Ayrton fosse homossexual. A resposta:

"Eu nunca acreditei que ele fosse. Aquilo era fruto da briga com o Nélson."

Qualquer que tenha sido a qualidade ética do jornalismo praticado em Jacarepaguá naqueles dias, Nuno Cobra foi uma das testemunhas do grande sofrimento pessoal que o episódio provocou em Ayrton:

"Foi uma porrada. Ele ficou muito abatido. Foi um estigma que acompanhou Ayrton a vida inteira. Era uma marca profunda na alma dele."

Ayrton, de acordo com Nuno, acabou tirando um benefício daquele sofrimento:

"De todos os rivais de Ayrton, incluindo Prost e Mansell, Piquet era o que mais involuntariamente ajudava Senna, pela energia emocional de antagonismo que ele criava. Ayrton tinha tanta raiva, que aquilo se tornava uma força. E no Ayrton o reforço negativo era maior que o positivo. Se você dizia para ele 'não pode', aí que ele ia fazer."

Chico Serra foi outra testemunha não só da dor da ferida, mas do impasse que ela representava para Senna:

"O que incomodava o Ayrton era saber que não adiantava tomar qualquer atitude: se saísse com mulher, era porque estava querendo limpar a imagem. Se não saísse, era porque Piquet tinha razão."

Na entrevista que deu à *Playboy* em agosto de 1990, Ayrton chegou a pedir que a repórter Mônica Bergamo desligasse o gravador para fazer um desabafo emocionado sobre o golpe dado por Piquet. Depois, um pouco mais refeito, retomou a entrevista. E Mônica fez uma pergunta sobre o processo aberto na Justiça do Rio:

"Você o processou por isso. A retratação dele na Justiça foi suficiente?"

"Irrelevante. Ele negou que tinha dito. Foi tudo um jogo baixo, sujo."

"Você namorou a Katerine, atual mulher dele, antes de os dois casarem, não é?"

"Não a namorei. Mas... eu a conheci."

"Conheceu como?"

Ayrton voltou a se emocionar:

"Eu a conheci como mulher. É curto e grosso. Eu a conheci como mulher."

"Você nunca havia dito isso. Não seria um motivo suficiente para que Piquet não lançasse dúvida a respeito?"

"Não há nada que sustente o argumento de que eu não goste de mulher."

Nos anos que se seguiram, Piquet jamais deu qualquer sinal público de reconsideração, muito menos de arrependimento. Celso Itiberê tentou várias vezes:

"Eu dizia a ele: pára com isso, rapaz. Você não sente nada disso. Você e eu sabemos que foi uma coisa completamente idiota. Vai lá e fala com o cara... E ele: 'Não, não vou não.'"

O máximo a que Piquet chegou, de acordo com Itiberê, foi admitir que a entrevista foi "uma reação excessiva". De resto, à medida que o tempo foi passando, ele foi flertando cada vez mais com a falta de memória alheia. Nas páginas amarelas da edição de *Veja* do dia 7 de abril de 1993, Piquet já estava prendendo os suspeitos de sempre:

"É a imprensa que faz questão de jogar um contra o outro."

Na mesma entrevista, porém, divertia-se com o estigma que colara para sempre na imagem pública de Senna:

"Depois dessa história, ninguém mais deixou o Ayrton em paz. Quando ele conversa com um rapaz da Goodyear que usa brinco, os fotógrafos ficam perseguindo para ver se fazem uma foto dos dois se tocando. Se eu fosse o Ayrton, acho que daria uma resposta melhor. Iria dar um beijo na boca de quem sugerisse algo a meu respeito. Se ele tivesse feito isso, eu certamente ia ficar sem graça. Não ia ser engraçado?"

Mais alguns anos e Piquet resolveu simplesmente esquecer o que tinha dito a Eloir e confirmado diante de dezenas de repórteres, ao ditar para o amigo e jornalista Marcus Zamponi uma nova versão. Está na página 153 do livro *Ayrton Senna, Saudade*, escrito pelo jornalista português Francisco Santos e publicado em 1999, no Brasil, pela editora Edipromo:

"Em um teste de pneus no Rio de Janeiro, um repórter sem assunto para o dia veio me dizer que o Ayrton tinha falado isso e aquilo. Certamente o cara exagerava — o repórter, não o Ayrton... — e eu respondi algo como 'aquele veado já tá dando desculpa porque vou ser mais rápido do que ele'. No dia seguinte o jornal punha em manchete que eu questionava a sexualidade de Senna. Um horror."

Ainda no depoimento a Zamponi, Piquet atropelou de vez:

"Quem me conhece sabe o meu estilo e sabe muito bem que não sou homem de me preocupar com o que a outra pessoa pensa e faz em termos de sexo."

O Dream Team

— Me diz uma coisa, você é assessor do Ayrton Senna ou do Alain Prost?

A pergunta contrariada foi feita por Armando Botelho, logo depois de largar em sua mesa os cinco volumosos *releases* sobre a equipe McLaren escritos pelo assessor de imprensa de Senna, Charles Marzanasco Filho, às vésperas do GP do Brasil. Refletia o clima de intensa rivalidade já instalado entre os pilotos da McLaren, antes mesmo do primeiro treino para a primeira corrida do campeonato de 1988. Armando, observado pelo pai de Ayrton na grande sala que os dois dividiam na sede da Ayrton Senna Promoções, em São Paulo, determinou:

— Faz o seguinte: acerta isso aí e amanhã você me traz de volta.

Charlinho, como ficara conhecido entre os jornalistas de automobilismo, conhecia Ayrton desde 1974, tempo em que freqüentava a jovem confraria de kartistas que se reunia na casa de Maurizio Sala, no bairro de Moema. Ex-piloto da categoria Turismo, tornara-se um respeitado jornalista especializado, com passagens pelas revistas *Auto Esporte* e *Quatro Rodas*. O brilho do trabalho da assessoria de imprensa do *Camel Trophy,* feito pela empresa que Charles fundara com outros três jornalistas, levara Armando a convidá-lo para trabalhar com Senna. Profissional, detalhista e disposto a fazer um trabalho melhor do que os concorrentes que cuidavam da Lotus-Honda de Nélson Piquet, Charles saiu do escritório perplexo com a bronca.

Eram cerca de cinco da tarde. No início do longo trajeto de Santana até o escritório de sua empresa, a "Quatro Assessoria", na Zona Sul, ele resolveu voltar. Foi direto para a grande sala da Ayrton Senna Promoções e desabafou:

— Armando, eu não concordo.

Ao olhar espantado de Armando se juntou o de Milton da Silva, que deixou sua mesa para sentar mais perto. Charles acelerou:

— Aqui está um trabalho jornalístico, feito para vocês por dois jornalistas. Tem três títulos do Prost, um do Ayrton e um texto geral. O Prost tem história no GP Brasil de Fórmula 1, já venceu quatro vezes. Faz parte da história do GP. Nós temos de mostrar isso. E tem mais: quanto mais nós elogiarmos o Prost agora, maior vai ser a vitória do Ayrton.

Milton reagiu na hora:

— Está certo. É isso mesmo. Armando, ele está certo. Temos de fazer isso. E mais: isso tira a responsabilidade do Ayrton, no caso de ele não vencer.

Armando acabou concordando:

— Deixa assim então.

Foi bom deixar o texto de Charlinho como estava. Senna foi desclassificado logo no início da corrida, e Prost cravou a quinta vitória em seu currículo de sucessos no GP do Brasil.

Ayrton fizera a *pole* em sua primeira corrida pela McLaren, mas a vantagem não aplacou sua grande tensão no *grid* de largada. Normalmente calmo e atento a detalhes, ele procurava encerrar rapidamente todos os diálogos, impaciente:

— OK, OK, OK!

Ironicamente, foi ele quem deu, pelo rádio, instantes antes da largada, a explicação para sua estréia desastrosa no Brasil:

— Bateria! Bateria!

O motor de Ayrton tinha apagado. Com a largada suspensa por causa do problema com a Mclaren de Ayrton, ele correu para o boxe e entrou no *cockpit* do carro reserva. Todos na equipe sabiam que o regulamento não permitia troca de carro depois do alinhamento no *grid*. E se entreolharam, sem saber o que fazer. Ron Dennis decidiu, pelo rádio:

— Deixa ele ir.

Senna levou os 60 mil torcedores brasileiros de Jacarepaguá à loucura. Depois de largar do boxe, fez 13 ultrapassagens em nove voltas. Quando já estava em sexto lugar, exibiram-lhe a placa preta de desclassificação. Prost venceu, inaugurando um ano que entrou para a história da Fórmula 1 pela hegemonia absoluta imposta pela McLaren-Honda às outras equipes.

Neil Trundle, o chefe dos mecânicos, testemunha muito próxima do drama de Senna diante da torcida brasileira, comentou depois com o mecânico Hiro Teramoto:

"Nada faria Senna ficar calmo, a não ser deixar ele voltar para a pista."

Trundle, Teramoto e os outros técnicos da Honda já tinham visto o suficiente naquele início de temporada.

O primeiro contato de Teramoto com Ayrton foi na fábrica da McLaren, em Woking, arredores de Londres. Hiro, então um jovem especialista em amortecedores da fábrica Swowa, levou um susto: não achava que Senna fosse tão jovem, tão baixo e tão obcecado. Em Paul Ricard, nos primeiros testes de pista da nova equipe, Ayrton parecia mais um menino, pela insistência aflita com que pedia a Ron Dennis para experimentar o único modelo disponível da McLaren MP4/4, o carro que ele e Prost usariam na temporada:

— Eu quero guiar esse carro, quero guiar esse carro...

Prost estava com o carro novo e Ayrton testava o motor Honda instalado num chassi MP4/3, do ano anterior. Alain ficou intrigado com os cochichos de Senna junto aos engenheiros da Honda e destes com Ron. Entendeu tudo quando o chefe da McLaren pediu que ele cedesse a MP4/4 para Ayrton. Quinze anos depois daquele primeiro teste, Prost disse que não gostou de ouvir aquele pedido de Ron. Não era mais como no tempo em que ele dividira a equipe com Niki Lauda e Stefan Johansson:

"A atmosfera já tinha mudado. E eu pensei: esse cara não apenas vai ser rápido. Vai ser duro lidar com ele. Descobri também a grande diferença: eu aceitaria a possibilidade de chegar atrás de Senna em treinos e corridas. Ele, não."

Ron Dennis concordou:

"Desde o começo eu sabia que ia ser difícil. Ayrton era exigente consigo mesmo e com a equipe. Assim como Prost. Mas foi uma experiência agradável."

O jornalista Alan Henry viu, de um lado, um Alain Prost "sociável, pacato, com muita malícia e um senso de humor que escondia profissionalismo e dedicação". De outro, um Senna "obsessivo, intenso, inflexível e totalmente absorvido com o desafio de fazer um carro de Fórmula 1 render o máximo absoluto".

Creighton Brown achava que os dois pilotos tinham doses equivalentes de talento. No mais, eram muitas diferenças:

"Alain tinha mais experiência, era do tipo que vencia na menor velocidade possível. Mas era a primeira vez que ele tinha do lado alguém forte e motivado. A diferença era a atitude. Ayrton era mais ambicioso, desesperado para vencer e dominar."

Esse desespero, disse Ron Dennis, talvez não aconteça jamais na Fórmula 1:

"Ayrton foi o primeiro a ter a preocupação de recolher todos os relatórios disponíveis sobre o desempenho do carro e se debruçar neles até tarde da noite. Era comum ele levar os relatórios com os dados da telemetria para casa e voltar no dia seguinte cheio de perguntas ou sugestões para os engenheiros. Era um obsessivo-compulsivo nesse aspecto."

Para o projetista Gordon Murray, "foi um privilégio ter trabalhado com dois pilotos imensamente capazes e inteligentes". Foi também difícil. Quinze anos depois, ele lembrou:

"Fui obrigado a adotar disciplina rígida no relacionamento com Senna e Prost, para garantir um bom fluxo de informações sobre os carros. E para evitar os acordos especiais que cada piloto fazia com seu respectivo engenheiro até na escolha de pneus."

Ao contrário de Prost, que usava desenhos e palavras para falar com os japoneses, Ayrton gostava de interpretar o motor com uma mímica de garganta da aceleração. Na lembrança de Teramoto, um episódio impressionante: Senna tentou demonstrar aos engenheiros da Honda uma alteração que acontecia no motor de seu carro entre 8.500 e 8.700 rotações. Nesses momentos, mais do que nunca, de acordo com Teramoto, "ele parecia um músico em busca do acorde perfeito".

Teramoto não era engenheiro. Fazia parte de um grupo diferente, os mecânicos, testemunhas anônimas, sem grandes títulos e salários. E foi essa comunidade que deu ao projetista Steve Nichols o bem-humorado apelido de "secretário". A razão: Steve, para os mecânicos, apenas apresentava a Senna os dados e as opções relativas de ajuste de suspensão, pressão dos pneus e aerodinâmica. Teramoto testemunhou:

"Era Ayrton quem decidia tudo."

E quando não decidia, Senna tinha um desejo implacável de entender, multiplicado pela presença ameaçadora de Prost na outra McLaren. Entender significava, às vezes, às dez da noite, convocar Teramoto para discutir as opções de amortecedores que ele teria para o dia seguinte. Paciente, Hiro espalhava todas as peças numa mesa e explicava detalhadamente o funcionamento de todo o conjunto.

Até as balaclavas — o gorro de tecido que cobre o rosto dos pilotos debaixo dos capacetes — tinham prescrições detalhadas. De acordo com o gerente Jo Ramirez, ao contrário das usadas pelos outros pilotos, as de Senna eram totalmente abertas, sem cobertura da boca, do nariz ou da testa. Senna também pedia um desenho diferente, para que a costura não ficasse em contato com o topo da cabeça. Podia pinicar. Ele as preferia passando de lado, acima das orelhas.

Com a multiplicação de vitórias na era McLaren, Ayrton passou a ter o costume de repetir os pares de luvas por três ou quatro provas. E quando as luvas começavam a rasgar ou sofrer esgarçamento por causa do esforço de pilotagem, muitas vezes era dona Neyde quem as costurava, para que elas resistissem a novos treinos e corridas. Era uma mistura de superstição com a busca de eficiência máxima no contato das mãos com o volante.

Senna também começou a repetir capacetes vitoriosos e, como os pilotos de caça, marcá-los discretamente. A atenção religiosa aos detalhes se estendia a tudo que pudesse minimizar os dois quilos e meio de peso dos macacões de nomex, tecido resistente ao fogo, e aumentar o conforto das sapatilhas de couro com sola de borracha antiderrapante.

Restava o corpo. E para cuidar dele, Ayrton encontrou um parceiro importantíssimo: o austríaco Joseph Leberer, que chegara à Fórmula 1 como substituto de Wily Dungl, nutricionista e massagista dos pilotos da McLaren. Senna e Leberer estrearam juntos na equipe, em Jacarepaguá. Logo na primeira corrida, teve de aliviar as dores causadas em Prost por uma batida que ele dera no treino de sexta-feira.

No domingo, por volta das oito da noite, exausto e ao mesmo tempo gratificado por tudo ter dado certo, ele recebeu um telefonema de Ayrton:

— O que você vai fazer?

— Nada. Você precisa de alguma coisa?

— Se você não for fazer nada, eu queria te convidar pra jantar com a gente.

Leberer pensou:

— Como esse sujeito, um astro no seu país, cercado de gente importante por todos os lados, me convida para jantar com ele num dia como hoje, com o empresário, a família, o amigo Galvão e outras pessoas íntimas?

Seriam grandes amigos.

O envolvimento avassalador com cada integrante da equipe McLaren, desde o primeiro treino, não tardou a criar para Ayrton, rapidamente, o tipo de ambiente que ele queria para trabalhar. Segundo Teramoto, assim que se livrava da imprensa e dos compromissos comerciais, Senna se transformava num menino, jovial, brincalhão e fominha:

"Ele virava um rato de oficina, tornava-se um de nós."

Com Prost, no entanto, não tinha brincadeira. Alain tentara uma vez, logo no início, mas o resultado fora desencorajador. Foi num treino em que Prost teria de dar 50 voltas e depois passar o carro para Ayrton. Só que, ao parar o carro no boxe, Prost não saiu do *cockpit*. Ayrton já de capacete, pronto para entrar. Os mecânicos puseram os pneus de classificação e Prost quieto, sem mover um músculo, acompanhando as reclamações de Ayrton pelo retrovisor:

"Quando eu percebi que Ayrton estava no limite, toquei o cinto e saí. Era uma brincadeira, mas ele não entendeu mesmo depois de eu ter explicado."

Senna num canto, Prost em outro, menos nos negócios.

A presença de Ayrton na McLaren foi um desafio muito especial para Julian Jakobi, o executivo inglês que cuidava dos contratos internacionais dele desde 1985, quando fora procurado por Senna e Armando Botelho, às vésperas do GP de Portugal. O tamanho do desafio: Julian também cuidava dos negócios e contratos de Alain Prost. Foi um exercício diário saber o que dizer para os dois clientes. No final, segundo Julian, tudo se resumiu a uma regra:

"Eu dizia para o Ayrton: Não me pergunte nada sobre o Prost que eu não vou dizer. E para Prost: Não me pergunte nada sobre o Ayrton que eu não vou dizer."

A única exceção aconteceu num dia em que Senna, curioso em relação a uma determinada cláusula dos contratos que ele e Prost tinham assinado com a McLaren, não resistiu e quis saber os números do francês. A resposta de Julian:

— Não vou dizer, mas não se preocupe. Você não está em situação de desvantagem em relação a ele.

A confiança foi tão grande, que, quatro anos depois, em 1992, Julian deixou a empresa em que trabalhava, a IMG, para fundar uma outra em parceria com Senna. Prost não ficou na IMG e terminou por contratar os serviços de Julian depois da morte de Ayrton. Quinze anos depois, Alain deu uma explicação para o fato de Senna ter contratado Julian:

"Profissionalismo e também vontade de me vencer. Ayrton me admirava tanto que queria me vencer."

A ironia daqueles primeiros dias da equipe, que muitos chamavam de *dream team*, era que um dos principais mentores não estava mais presente para saborear o seu aniquilante sucesso do time. Yoshitoshi Sakurai, o "novo Gengis Khan", o engenheiro que desmoralizara os fabricantes de motores europeus, estava fora, promovido por Nobuhiko Kawamoto, o pioneiro do programa de Fórmula 1 da Honda, já um poderoso executivo da companhia.

Senna e Ron Dennis, preocupados com o desfalque, chegaram a viajar ao Japão para tentar evitar a saída de Sakurai, em uma reunião com Kawamoto. Ayrton mandou até uma carta para o mítico Soichiro Honda, mas não adiantou. Sakurai tinha outros planos. Depois de quatro anos, ele achava que a fábrica tinha de mandar, para o *front* tecnológico mais sofisticado e competitivo do mundo, um time de engenheiros jovens e cheios de vontade de vencer. Ele achava que já não atendia satisfatoriamente às duas exigências.

Terminava, assim, uma espécie de ritual ao qual Sakurai se submetera ao longo de cerca de quatro anos: reunião de avaliação técnica um dia após cada corrida, na Inglaterra, avião para o Japão no mesmo dia e reunião com Soichiro Honda às terças, na sede da fábrica, no Japão. O fundador da Honda, exigente e apaixonado por motores, só dera a Sakurai o privilégio de um elogio quase dois anos depois do início do programa, quando as Williams de Piquet e Mansell conquistaram o título dos construtores de 1986.

O mesmo Soichiro Honda, abandonando a frieza histórica com que tratava qualquer piloto, por achar que os motores é que faziam diferença nas pistas, respondeu à carta em que Senna pedia a permanência de Sakurai:

"Mesmo com a saída de Sakurai, a Honda inteira vai estar ao seu lado. E se ainda assim você não ficar satisfeito, venha falar comigo."

Não seria necessário.

A Amiga Secreta

Carina Paula, uma jovem paulistana de olhos grandes e cabelos lisos e longos, acompanhou Senna no fim de semana do GP de Mônaco, a terceira prova da temporada de 1988. Ela ficou no apartamento de Ayrton e não foi aos boxes durante os treinos e a corrida, uma das mais decisivas da carreira dele.

Ayrton conheceu Carina dias antes de embarcar de São Paulo para Mônaco. Paulo Casseb estava com ela e um grupo de amigos num restaurante de panquecas no bairro dos Jardins e recebeu um telefonema de Senna. Aproveitou para dizer que Carina queria conhecê-lo e o convidou a ir ao restaurante, garantindo que o lugar estava vazio e que o grupo não seria importunado ou notado pela imprensa.

Quando chegou e foi apresentado a Carina, Ayrton ficou interessadíssimo. No banheiro do restaurante, ele e Paulo fizeram um plano:

— Meu amigo... O que que é aquilo? Quero conhecer ela direito.

— Estou pensando em levar ela para Mônaco.

Ayrton gostou da idéia:

— Leva, leva!

— Mas vai ficar na sua casa.

— Claro! Claro!

A idéia era os dois embarcarem para Mônaco em separado e se reecontrarem nas discretas poltronas da primeira classe do jumbo da Varig, para evitar, mais uma vez, o indesejável cruzamento de Ayrton — que ainda mantinha um comportado namoro com Adriane Yamin.

Mario Andrada e Silva, repórter da *Folha de S. Paulo*, futuro correspondente de Fórmula 1, não fazia parte do plano. Ele fora ao Aeroporto Internacional de Cumbica tentar mais uma das tradicionais entrevistas de embarque com Senna, às vésperas da terceira etapa do campeonato.

Cansado da espera por Senna, Mario saiu da sala onde haveria a entrevista, foi para a entrada do terminal e, inesperadamente, deu de cara com Senna, que chegava empurrando um carrinho de bagagem com duas malas Hugo Boss e uma bolsa de mulher sobre elas. Atrás dele, uma senhora, um rapaz e, depois Mario saberia, Carina Paula.

Senna foi fotografado no momento em que se despedia da senhora e do rapaz, mãe e irmão de Carina. Quando o fotógrafo tentou fazer uma nova abordagem à mãe e ao irmão dela, Mario foi procurado por Leonardo Senna:

— Esquece, esquece, por favor.

De repente, Mario viu Reginaldo Leme embarcando de braços dados com Carina. E Carina levava a bolsa de mulher que acompanhava a bagagem de Senna. Na saída do aeroporto, após o embarque de Senna, Mario e o fotógrafo da *Folha* abordaram novamente o rapaz e a senhora. A sogra eventual de Senna relutou, mas acabou matando a charada:

— É minha filha, chama-se Carina Paula e está embarcando com ele para Mônaco.

A manchete da *Folha* no dia seguinte implodiu completamente a operação de despiste no aeroporto: "Senna embarca com amiga secreta para Mônaco". Ayrton ficou contrariado com a reportagem, mas uma outra matéria de Mario Andrada e Silva, que foi publicada pela mesma *Folha* cinco dias depois, o deixou muito mais bravo. E o texto não teve qualquer referência a Carina Paula ou a qualquer outra pessoa que tenha desfrutado a intimidade do seu apartamento no bulevar Princesa Grace.

A manchete foi sobre o erro que ele cometeu com a McLaren, a cerca de 400 metros da portaria do prédio:

"Senna: Barbeiro de Mônaco."

Os Dois Túneis

Durante cinco voltas, Senna viveu uma experiência única dentro do *cockpit* naquele sábado, 14 de maio, treino oficial do GP de Mônaco de 1988. Não era a sensação de andar no limite, que ele mesmo já tinha descrito um dia como "um fragmento simultâneo de perfeição do carro e do piloto". Também não era a perda momentânea desse limite, que, também segundo Ayrton, provocava um súbito frio na barriga, forte o bastante para travar imediatamente a respiração.

Senna jamais soube explicar exatamente o que aconteceu naquelas voltas. Sabia apenas que tinha ultrapassado o limite e que, em vez de frios na barriga, pulmões travados, rodadas ou batidas, continuara na pista, acelerando, aumentando o ritmo e quebrando recordes. Uma viagem sensorial que descreveria em detalhes, anos depois, para a jornalista Mônica Bergamo:

"A cada nova volta, aumentava a diferença para os outros pilotos, até que cheguei a ficar dois segundos mais rápido. Uma eternidade. Eu estava me superando a cada volta, e simplesmente entrei em outra dimensão. Por causa da velocidade, as referências de espaço e de tempo se modificaram. Não via a pista, ela tinha virado um túnel. A distinção entre o homem e a máquina deixou de existir, me fundi com o carro, viramos a mesma coisa."

Creighton Brown, naquele dia, deixara o boxe apertado da McLaren para acompanhar, da menor distância possível, o esperado *show* de seu mais recente contratado. E se postou junto à cerca de proteção na entrada das curvas que contornam a grande piscina da Marina de Mônaco. Ficou assombrado com a velocidade e a trajetória de Ayrton naquele trecho:

"Ele passava a milímetros do *guard-rail*. Foi o momento mais espetacular que já vi no automobilismo."

Senna sentiu então uma espécie de tranco nos sentidos. E parou no boxe para não mais voltar à pista naquele dia:

"Tive um estalo, uma agulhada e acordei para a situação de extremo perigo em que estava. Meu corpo começou a tremer e fui para os boxes. Fiquei morrendo de medo. Eu conseguia controlar o carro, mas estava entrando no inconsciente. E por aí não conheço, não sei o que pode acontecer."

Para Isabel, a portuguesa que trabalhava no apartamento de Ayrton em Mônaco, o difícil foi explicar o que aconteceu na corrida do dia seguinte:

— Estava eu vendo o menino na televisão. De repente, não vi mais o menino. Toca a campainha, eu abro a porta e era o menino.

A 67ª volta da corrida acabara de ser concluída. Alain Prost receberia a bandeirada em poucos minutos, enquanto o "menino", destruído pela perda da liderança folgada da prova, num erro banal na curva de acesso ao túnel do circuito, não queria conversa nem com Ron Dennis.

Encerrada a transmissão, Galvão Bueno foi direto para o apartamento, preocupado com a decisão de Senna de não voltar ao boxe da McLaren, sem dar satisfações à equipe:

— Você tem que falar com os caras. Tem de dizer alguma coisa.

— Conta lá. Fala lá com os caras. Não vou lá não.

Reginaldo Leme, que também fora ao apartamento, acabou sendo porta-voz involuntário de uma versão do acidente, pneu furado, que seria rapidamente desmentida pela McLaren. Tecnicamente, Ron Dennis não precisava de explicações:

"Ayrton relaxou, perdeu a concentração e cometeu um erro."

Havia, é claro, o dedo de Prost. Alain, ainda em terceiro lugar, atrás da Ferrari de Berger, sabia que tinha poucas chances de alcançar Senna. Menos ainda de ultrapassá-lo naquelas ruas. Mas, ao se livrar de Berger, Prost decidiu emitir o que Christopher Hilton chamou de "ondas de choque", acelerando mais e trocando mensagens freqüentemente pelo rádio com Ron Dennis. No cronômetro, o ritmo de Prost aumentava a uma média de oito décimos de segundo por volta.

Alain queria deixar Ayrton nervoso com sua aproximação. E contava, quem sabe, com uma precipitação de Senna na hora de ultrapassar um retardatário. Senna, informado sobre a progressão de Prost, mordeu a isca: baixou o próprio tempo até quebrar o recorde da pista na volta 59, com 1m26s3. Logo depois, ao saber do novo ritmo de Ayrton, Prost interrompeu as "ondas de choque" e tirou o pé. Foi quando Ron Dennis pediu que Senna diminuísse o ritmo. Ayrton obedeceu, perdeu a concentração e bateu.

De acordo com Ron, Senna, ao retomar as conversas com a equipe, três horas depois da corrida, "assumiu 100% da responsabilidade":

"Ele infligiu um extremo sofrimento mental a si próprio. Depois, colocaria aquilo numa caixa e começaria a ganhar corridas."

O próprio Senna repetiu, no futuro, a grande lição daquele dia:

"Nunca permita que alguém ou alguma coisa perturbe seu ritmo."

A imprensa, que já andava chamando Senna de irresistível, imbatível e de "príncipe da velocidade", puxou uma segunda e reabriu espaço para críticas, incluindo as de Prost:

"Ayrton faz tempos excepcionais, mas corre risco demais. Isso já poderia ter acontecido nos treinos."

O jornal *Nice Matin*, o mais importante da Riviera, sapecou:

"Raros foram os campeões do mundo que não casaram talento com inteligência. O futuro será revelador dos progressos feitos pelo brasileiro, para ser o número 1 da Fórmula 1."

O Deus-nos-acuda

Ayrton aceitou com alegria, no início daquele ano de 1988, o convite de Tereza e Creighton Brown para ser padrinho de Alexandra, a filha recém-nascida do casal. A cerimônia, simples, aconteceu na igreja do Outeiro da Glória, no Rio. Ele aproveitara para rezar, sozinho, por alguns segundos. Para quem testemunhou, era um gesto sincero de religiosidade. Mas antes, ele também mostrara senso crítico:

— Comadre, sinto muito mas não vou fazer o curso de batismo. Sei muito bem o que a pessoa precisa saber e sentir para ser um padrinho. Você vai ter que comprar um padre, comadre.

Tereza não precisou comprar ninguém. Apenas convenceu um padre de Porto Alegre de que Ayrton seria um bom padrinho.

Para a maioria das pessoas que tiveram intimidade com Senna, houve exageros na forma como a imprensa retratou a religiosidade dele. Galvão Bueno, durante a longa e profunda amizade que tiveram, disse ter visto Ayrton lendo a Bíblia não mais do que duas vezes. Galvão também negou que fosse costume de Senna se dedicar à leitura de textos bíblicos antes de dormir.

Galvão encarou as manifestações de religiosidade de Ayrton como típicas de um integrante de uma família de formação católica, que se convertera parcialmente ao culto evangélico. Parcialmente, porque Milton da Silva e o irmão Leonardo nunca deixaram de ser católicos. E Galvão insistiu: mesmo convertidos por influência de Viviane, que conhecera a Associação Bíblica Universitária e se tornara evangélica, Ayrton e dona Neyde o fizeram "de forma suave, não radical".

Para Marcos Magalhães Pinto, outro amigo, Ayrton acreditava em Deus, fazia comentários sobre religião, mas não era um "bíblia" na intimidade. Marcos viu Senna se dedicar à leitura da Bíblia o mesmo número de vezes que Galvão: duas. Em oito anos de amizade.

Chris Dinnage, o mecânico que preparava os carros de Senna para as voltas de classificação nos tempos da Lotus, não se lembrou de ter visto Ayrton ler a Bíblia uma vez sequer, antes de entrar no carro, ao longo das centenas de treinos e das 48 corridas das temporadas de 1985, 1986 e 1987.

E durante o curto casamento, na lembrança de Lilian de Vasconcellos, Ayrton era "zero de religião".

A fase de intensidade religiosa aconteceu naqueles dias difíceis que se seguiram à batida na entrada do túnel de Mônaco. No auge da pressão psicológica, à beira de sucumbir diante da experiência, da competência e da risonha frieza de Alain Prost, vencedor de duas das três provas disputadas até aquele momento, Ayrton decidiu acatar dois conselhos dados por Viviane, a confidente que o acalmava muito nas horas de crise: fazer análise e se aprofundar na fé.

O ex-piloto Alex Dias Ribeiro, um sincero e consistente evangélico, que passou anos na Fórmula 1 sem abrir mão de suas convicções, foi procurado por uma pessoa que se identificou como enviada por Viviane Senna e que tinha a missão de pedir a Alex que conversasse com Ayrton. Senna e Alex já se conheciam da corrida de inauguração do kartódromo de Uberlândia, em 1978. Alex venceu a prova das celebridades, e Senna, então com 18 anos, ganhou a etapa do Campeonato Brasileiro.

— Alex, Viviane disse que Ayrton escolheu Cristo como salvador. E agora, o que fazemos?

Em poucos dias, Ayrton estava começando um trabalho que os evangélicos chamam de discipulado, e que aconteceria entre as temporadas de 1988 e 1989, em reuniões que se seguiam às suas idas ao *campus* da USP, para os exercícios com Nuno Cobra. Os encontros duravam de 40 minutos a uma hora e incluíam a participação de Alex e Nuno, também evangélico. O objetivo, segundo Alex, era "estudar a Bíblia e viver a vida de acordo com os ensinamentos de Cristo".

Naquele início de discipulado, Ayrton mostrou muito interesse e revelou que tinha o que Alex considerava fundamental: o que os evangélicos chamam de "temor do Senhor", que pode ser traduzido como uma mistura genuína e não induzida de fé e respeito por Deus. Foi nesta ocasião que Senna ganhou de Alex uma Bíblia, escrita em linguagem moderna, que podia ser lida "como se lê um jornal". Aquele exemplar estaria sempre entre os pertences que Ayrton carregava em sua pasta.

Logo na primeira reunião, de acordo com Alex, houve uma recomendação:

— Ayrton, primeiro de tudo, não conte pra ninguém. Isso é uma coisa muito pessoal e, se você revelar a sua opção religiosa, a pressão vai ser muito grande. Espera até você se sentir bem seguro.

Senna não seguiria o conselho.

A Virada

Quando a Fórmula 1 se instalou na ilha de Notre Dame para o GP do Canadá, em Montreal, para a quinta prova da temporada, ninguém mais tinha dúvida de que Senna e Prost disputavam um campeonato à parte. O que todos no *paddock* se perguntavam era como estavam os nervos de Ayrton com o placar de três a um para o francês. Depois da desclassificação no Brasil, da vitória em Ímola e da traumática batida na entrada do túnel de Mônaco, Ayrton não tivera condições de enfrentar Prost no GP do México, por causa de um defeito na válvula limitadora do turbocompressor. O defeito lhe impusera o castigo de não acelerar muito, sob pena de ficar pela pista sem combustível. Teve de se contentar com a segunda colocação.

No Canadá, Ayrton fez a *pole*, mas largou mal, porque lhe deram o lado sujo da pista, o interno, exatamente a situação que precederia um histórico e polêmico acidente com Prost em Sukuka, em 1990. Na 19ª volta, porém, na freada da curva do Grampo, ele fez a ultrapassagem para não mais perder a liderança. Garantiu a segunda vitória e celebrou um marco psicológico: a conquista de um território, o fim do risco de naufragar diante de Alain dentro da equipe.

Na corrida seguinte, em Detroit, juntaram-se o equilíbrio da McLaren, a potência e a confiabilidade do motor Honda e a capacidade superior de Ayrton de enfrentar o tráfego e descobrir traçados e espaços aparentemente inexistentes em circuitos de rua. A explicação para o segundo lugar de Prost, dada pelo jornalista Alan Henry no livro que escreveu sobre Senna, *Retrato de um Campeão*:

"Alain estava correndo há muito tempo para se interessar por aquele tipo de heroísmo."

No treino de classificação para o GP da França de 1988, porém, foi a vez de Prost dar o *show* de maturidade. Fez um acerto tão seguro e preciso que, após obter a *pole* provisória, dispensou as voltas e os pneus a que ainda tinha direito, trocou o macacão por uma calça *jeans* e foi para a mureta do boxe acompanhar as tentativas de Ayrton de superá-lo. Jo

Ramirez e Ron Dennis, espantados, quiseram saber a razão de Prost para encerrar o treino antes da hora. A resposta:

— Consegui um acerto perfeito. Não há como melhorar o tempo. Se Ayrton conseguir, parabéns para ele.

Ayrton não conseguiu. Prost venceu a corrida no dia seguinte, tirando o primeiro lugar de Senna em manobra espetacular, num esse de alta velocidade, aproveitando décimos de segundo em que Ayrton ficou encaixotado, atrás de um retardatário.

Aí choveu.

Senna tinha sido prejudicado por uma mudança infeliz no desenho das laterais da McLaren, problema que o mandou, junto com Prost, para a segunda fila do *grid* de largada do GP da Inglaterra, em Silverstone. Ainda assim, ele não tirou partido da pista molhada para vencer e também aplicou uma volta inteira de vantagem em Prost.

Aí choveu de novo, em Hockenheim, na Alemanha.

No dia 24 de julho, a McLaren de Senna sumiu no *spray* das retas da Floresta Negra, mas desta vez Prost se esforçou por um honroso segundo lugar, chegando até a cometer uma rara rodada ao tentar aumentar o ritmo. Com este resultado, o placar de vitórias ficou empatado: quatro a quatro.

Duas semanas depois, fazia muito sol em Hungaroring, na Hungria. Em mais uma disputa à parte, Prost, com um acerto que deixara o carro mais veloz, chegou a encostar em Senna para tentar ultrapassar. No final da reta dos boxes, o único ponto possível de ultrapassagem em Hungaroring, ele jogou por dentro. Como na memorável investida de Piquet contra Senna em 1986, no mesmo circuito, Alain ficou alguns instantes à frente de Ayrton, antes de escorregar para a parte externa e suja da pista, devolvendo a liderança. Mas ao contrário de Piquet, Prost não tentou de novo, pelo lado de fora da curva. Cruzou em segundo, tendo como paisagem o aerofólio da McLaren de Senna, décimos de segundo à sua frente.

Os dois foram iguais em pontuação para o GP da Bélgica, em Spa-Francorchamps. Na segunda posição do *grid*, a poucos minutos da largada, Alain apostou num acerto de última hora, modificando o ângulo dos aerofólios para diminuir a pressão aerodinâmica e, com isso, ganhar mais velocidade nas retas. A estratégia deu certo por menos de dois quilômetros.

Prost largou melhor e fez na frente de Ayrton a primeira curva, o grampo chamado La Source. Senna não deixou que ele aproveitasse a vantagem de andar mais na reta: mergulhou na veloz Eau Rouge, a curva mais difícil da Fórmula 1, praticamente encostando na McLaren do Alain, e ficou em condições de ultrapassá-lo já no final da reta Kemmel, na freada para a curva Les Combes. Prost não o alcançou mais e desceu do carro jogando a toalha:

"Ayrton vai ser o campeão do mundo. Ele merece. Guiou muito bem essa temporada. Totalmente merecido."

Alguns jornalistas especializados interpretaram a declaração como uma jogada psicológica de Alain para testar a capacidade dos ombros de Senna de suportar a condição de favorito. Mas pelo menos naquele momento, Alain parecia estar mesmo desistindo da luta. Tanto que, dias depois do GP da Bélgica, ao receber em sua casa, na França, o já ex-diretor esportivo da Honda Yoshitoshi Sakurai, Prost só falou da temporada de 1989.

Para Sakurai, Alain estava certo de que, com o fim dos motores turbo, previsto para 1989, venceria Senna. De acordo com Sakurai, Alain atribuía a eficiência de Ayrton com os motores turbo a uma técnica de aceleração que só Senna dominava, mantendo o motor sempre em alta rotação — o que era decisivo em qualquer carro equipado com turbocompressor.

Prost começou a pensar de novo no título de 1988, quando o suíço Jean-Louis Schlesser, substituto de Nigel Mansell na Williams-Judd por uma corrida, surgiu à frente da McLaren de Ayrton, o líder do GP da Itália, a duas voltas da bandeirada que lhe daria o primeiro título de campeão na Fórmula 1.

Schlesser, um piloto regular do Mundial de Marcas, possivelmente ainda se acostumando com o temperamento muito mais arisco de um carro de Fórmula 1, até tentou ajudar quando Ayrton surgiu no retrovisor, pronto para aplicar-lhe uma volta de vantagem.

Ayrton encontrou em Prost o teste definitivo para o seu perfeccionismo, sua dedicação e seu devastador desejo de vencer.

O primeiro duelo terminou com Senna em primeiro e Prost em segundo, depois de uma corrida dramática em Suzuka, 1988. Nos títulos seguintes de cada um, faltaria champanhe e sobraria amargura. Dos dois lados.

Na freada para a *chicane* onde terminava a veloz reta dos boxes de Monza, Schlesser encostou para a direita. Ayrton mergulhou por dentro e o suíço retomou o traçado para fazer a *chicane*. Senna, no entanto, ainda não tinha terminado de contorná-la.

O toque dos dois carros fez com que a McLaren desse um giro de 180 graus e parasse em sentido contrário, trepada na zebra, as rodas traseiras suspensas e girando inutilmente, sob delírio de milhares de italianos. Gerhard Berger e Michele Alboreto fizeram uma histórica dobradinha da Ferrari em Monza, na única corrida daquele ano que não foi vencida por uma McLaren-Honda. Senna reconheceu:

"Os erros fazem parte dos homens. Não somos máquinas. Infelizmente cometi um erro. Passei por aquelas *chicanes* sem problemas 49 vezes e, portanto, elas não devem levar a culpa."

A explicação não foi suficiente para acalmar Mario Andrada e Silva, o mesmo repórter que patrocinara a manchete do "Barbeiro de Mônaco" meses antes, na *Folha de S. Paulo*. Ao fazer uma crônica do GP da Itália, Mario sentenciou que Ayrton não seria campeão "nunca na vida". Daquela vez, o assessor de imprensa de Senna, Charles Marzanasco Filho, ligou para a redação da *Folha* para se queixar do comentário e dizer que Senna tinha todas as chances de ser campeão.

O argumento estava certo. O que não quer dizer que seria fácil para Senna.

O Jantar

Junto com a decepção do título adiado naquela rodada banal e com a irritação de se ver criticado em várias línguas com o adjetivo que mais odiava, "precipitado", Ayrton levou da Itália para seu apartamento de Mônaco uma suspeita que envenenou de forma irreversível seu relacionamento com Reginaldo Leme, um dos maiores amigos que fizera no automobilismo, e até alteraria, no futuro, a forma com que a TV Globo faria a cobertura da Fórmula 1. Por trás da suspeita, um episódio ocorrido longe de Senna, entre muitas taças de vinho, num restaurante próximo de Castel Sant'Angelo, em Milão, na véspera do GP da Itália.

À mesa, Celso Itiberê, Galvão Bueno, a mulher, Lúcia, Reginaldo Leme e Mário Pati Júnior, um amigo de Nélson Piquet que tinha boas relações com Bernie Ecclestone e que, por estar acompanhando a equipe da FOCA (Formula One Constructors Association), hospedara-se no mesmo hotel de Galvão e Reginaldo, o Tourist. Era para ser mais um dos muitos jantares agradáveis que reuniam brasileiros, não necessariamente amigos, que tinham em comum o privilégio profissional, político ou financeiro de freqüentar o *paddock* da Fórmula 1 mundo afora.

Não foi uma noite agradável. No momento em que o assunto da mesa passou a ser Ayrton e suas namoradas, a conversa começou a caminhar para a frágil divisa entre a brincadeira e a ironia venenosa. De acordo com Itiberê, que ao lembrar o episódio fez questão de enfatizar sua banalidade, "uma bobagem monumental", Reginaldo fez alguns dos comentários jocosos. Mas Reginaldo negou. Segundo ele, os comentários que posteriormente foram levados ao conhecimento de Senna saíram de Mário Pati Júnior. E os descreveu:

"O dono de todas as frases que chegaram aos ouvidos de Ayrton Senna chama-se Mário Keko Pati. Alguém na mesa falou de namoradas, e ele, Mário Keko Pati, disse: namoradas? Namoradas? Ele, Ayrton, com namoradas?"

O que ninguém discutiu, ao lembrar o episódio 15 anos depois, foi que se seguiu um grande bate-boca sobre a sexualidade de Senna. E mais uma vez o nome de Katerine, a então mulher de Piquet, voltou a ser argumento tanto de Lúcia, amiga e defensora passional de Ayrton, quanto de Mário Pati Júnior, àquela altura tão exaltado, que acabou sendo levado da mesa direto para um táxi por Reginaldo.

O amigo Braguinha não estava no jantar da Itália, mas vinha sendo testemunha de que Ayrton, uma pessoa já desconfiada por natureza, estava muito incomodado com a relação de Reginaldo e Piquet:

"O Ayrton achava que o Reginaldo era um leva-e-traz do Piquet."

Senna soube, é claro, do jantar da Itália. E chamou Itiberê ao *moto-home* da McLaren nos boxes de Estoril, às vésperas do GP de Portugal, para saber qual tinha sido o comportamento de Reginaldo naquela noite:

— Estou muito puto com isso.

Itiberê disse que tentou explicar as circunstâncias em que os comentários tinham sido feitos. Inútil. Senna estava inflexível:

— Eu quero saber, eu tenho de confirmar!

Itiberê contou que se recusou a confirmar o relato que Senna recebera. Ayrton, segundo Itiberê, insistiu:

— Parece que você não é meu amigo.

A rigor, Senna não precisava da confirmação de Itiberê. Já decidira que Reginaldo era do outro time. A ponto de, meses depois daquele jantar da Itália, Armando Botelho comentar com Reginaldo:

— Reginaldo, o que está acontecendo? O Ayrton está com raiva de você.

Reginaldo escreveu uma carta de 22 laudas para Ayrton, com cópia para Milton da Silva, dona Neyde, Armando e Galvão. A de Senna foi entregue pessoalmente, durante um vôo entre corridas.

A carta não alterou o clima.

Ainda em 1988, final de temporada, Ayrton campeão, quando o jumbo da Aerolineas Argentinas se preparava para pousar em Buenos Aires, depois de atravessar o Pacífico Sul, vindo da Austrália, Senna e Reginaldo tiveram uma conversa marcante. O ambiente já estava frio entre os dois, mas Reginaldo puxou a conversa:

— Puxa, você vê como é que é a vida: nós dois, há tantos anos nos preparando para este momento de glória, o título mundial, a gente está tão distante, uma coisa que não gostaríamos que acontecesse.

— É verdade. Eu lamento isso, mas você, nesses últimos anos, teve muito mais paciência com o Piquet do que comigo.

— Você está errado, mas tem razão. Está errado, porque não é uma questão de paciência, mas de obrigação jornalística minha com o público, de ter que falar com um cara que não gostava de falar com ninguém.

Realmente já esperei horas para falar com o cara, mas você eu jamais duvidaria que não iria me atender.

Não adiantou. A inimizade cresceu, realimentada pelos dois. Ayrton, com um boicote crescente que chegou não só a ameaçar a posição de Reginaldo como comentarista de Fórmula 1 da TV Globo, como também a trincar perigosamente sua longa amizade com Galvão Bueno. E Reginaldo, cuidadoso no vídeo, mas, na intimidade, cada vez mais simpático aos argumentos, críticas e piadas da confraria piquetista.

Para Galvão, era "conversa fiada" dizer que Reginaldo era mais amigo de Piquet do que de Senna. Quinze anos depois, Galvão deu a dimensão do significado do rompimento de Senna com seu velho companheiro de cabine de transmissão:

"Reginaldo nunca teve com Nélson Piquet metade do relacionamento que teve com Ayrton até a briga. Na verdade, Reginaldo foi naturalmente para o lado de Piquet, quando começou a ser silenciosamente ignorado pelo Ayrton."

Dobradinha à Francesa

"Senna precisa derrotar a si mesmo para se tornar campeão. É o que eu chamo de medo da felicidade. Quando a pessoa está muito próxima de alcançar o que mais quer, isso faz com que ela fique sujeita a erros. Inconscientemente, a pessoa passa a sabotar o seu próprio sucesso."

A revista *Grid*, lançada no Brasil na esteira do fenômeno Senna e preocupada com os erros de Ayrton, convocara o psiquiatra Flávio Gikovate para explicar, em uma entrevista, seu momento emocional. A segunda chance de ser campeão fora perdida em Estoril, no dia 25 de setembro. E o comportamento de Senna causara polêmica.

Para quem viu de longe a primeira largada da prova, Prost e Senna pareciam ter trocado capacetes. Alain não só largou na *pole*, mas não hesitou em empurrar Ayrton para a grama, ao garantir a liderança. Na segunda largada, provocada por uma batida múltipla no pelotão intermediário, Ayrton mostrou o que era capaz de fazer quando as circunstâncias lhe davam espaço para um revide: apertou Prost, só que contra o muro dos boxes, sem dar ao rival nem o direito de sair para o lado. Ainda assim, Alain conseguiu se manter na frente e vencer a corrida.

Ayrton, com o chassi desequilibrado e os pneus cheios de bolhas, terminou em sexto lugar e ainda foi obrigado a dar explicações sobre a manobra, para a direção da prova. Dois dos cinco diretores queriam desclassificá-lo.

Uma semana depois, em Jerez de La Frontera, mais um resultado negativo. Senna fez a *pole*, mas, durante a prova, sua McLaren-Honda esteve irreconhecível e Prost venceu mais uma. Durante boa parte da corrida, o computador de bordo de Senna informou um gasto de combustível maior do que o real. A Lemyr Martins, Senna desabafou:

"Não me conformo com essa história de gastar mais combustível que o Prost. Sempre guiei do mesmo modo. Não vou aceitar que meu estilo de pilotagem seja responsabilizado pela diferença de 12% no consumo."

Sérgio Rodrigues, um dos jornalistas que desconfiaram daquele resultado, flagrou Ayrton, já de roupa trocada, saindo para o aeroporto de Sevilha às lágrimas e dizendo apenas:

— Não posso falar, não posso falar. Um dia eu te falo.

Sérgio insistiu:

— Mas te sacanearam?

— Estou muito decepcionado com algumas pessoas, mas não posso falar.

Naquela noite, na sala VIP do aeroporto de Madri, esperando o vôo da Varig para o Brasil, Ayrton estava de péssimo humor. Chegou a gritar com Armando Botelho no *check-in* por causa de um problema com os documentos. Depois, isolou-se numa poltrona da sala, revirando, intrigado, páginas e páginas de dados da telemetria dos carros da McLaren.

Foi um mês inteiro em que boa parte da Fórmula 1, incluindo Senna, Prost, setores da imprensa especializada e até o presidente da FISA, Jean-Marie Balestre, se dedicou a suspeitar dos japoneses da Honda. Era uma desconfiança nunca manifestada contra técnicos e engenheiros da Ford, Porsche, Ferrari, BMW, Renault, Matra, Alfa, BRM, Cooper e outros fornecedores europeus de motores, em quase 50 anos de grandes prêmios.

Os motivos e beneficiários da suposta manipulação por parte da Honda eram vários, dependendo da torcida e da nacionalidade. O que não mudava era a crença de muitos de que os japoneses estavam manipulando os resultados para empurrar a decisão do campeonato para a corrida de Suzuka, circuito oficial da Honda.

Sérgio Rodrigues não teve dúvidas e centrou o texto que mandou para o *Jornal do Brasil* na suposição de que Ayrton fora deliberadamente prejudicado pela Honda. Para Sérgio, tudo se resumia a uma questão de interesse comercial: a temporada terminar em Estoril ou Jerez, para a Honda, seria um desastre. Compartilhavam da suspeita os concorrentes Milton Coelho da Graça, do *Globo*, Livio Oricchio, do *Estado de S. Paulo*, e Reginaldo Leme, da TV Globo. Celso Itiberê, colunista do *Globo*, discordava:

"Para a Honda não fazia diferença. O mercado japonês não era o mercado de briga dela. É uma visão um pouco pequena achar que a Honda queria levar a final para o Japão."

Kawai Zazuhito, repórter de Fórmula 1 da TV Fuji durante toda a era Senna, também não acreditava em manipulação:

"Tinha gente poderosa dentro da equipe que, tenho certeza, não aceitaria fazer isso."

Prost desconfiava dos japoneses não por causa da suposta guerra do mercado automobilístico. Alain continuaria acreditando, 15 anos depois, que era "favorecimento entre pessoas". E deu exemplos que, para ele, sustentavam a tese de que a Honda dava preferência a Senna. Disse que a fábrica, "às vezes", mandava para a McLaren motores marcados com a inscrição "engine for Ayrton":

"Nunca houve um motor com a inscrição 'engine for Alain'."

Prost também acusou os japoneses de terem simplesmente abandonado um ajuste de motor que ele desenvolvera, com ótimos resultados, em testes feitos no circuito de Paul Ricard. E não aceitava a explicação de que seus triunfos na pista francesa se deviam ao fato de ele estar mais motivado em solo pátrio:

"Os japoneses, quando queriam, me davam motores muito rápidos."

Para Prost, o fato de Senna ter conseguido mais intimidade com os engenheiros da Honda fez com que ele, Alain, fosse excluído das reuniões importantes:

"Fora das reuniões especiais com todo o pessoal da equipe, mantiveram-me afastado de todas as discussões privadas, das quais só Senna participava, junto com a direção técnica da equipe. Nessas ocasiões, eram discutidos problemas de regulagem do carro e nada me era transmitido."

Alain também considerava uma prova do reconhecimento dos japoneses de que Senna era favorecido o que ouviu na conversa que teve com o vice-presidente da Honda, Nobuhiko Kawamoto, naquele final de 1988, durante um jantar num restaurante perto de Genebra, com a presença do presidente da Honda da Suíça, Claude Sagge.

Kawamoto, segundo Prost, admitiu que "o pessoal da Honda gostava do Ayrton e queria que ele ganhasse". Houve também considerações sobre como o fato de Senna ser símbolo de uma nova geração influenciava o comportamento da equipe. A conseqüência deste jantar foi, na interpretação de Prost, "uma promessa de Kawamoto de que, em 1989, os dois pilotos teriam um tratamento igual".

Para Kawamoto, Prost não entendeu nada da conversa daquele jantar na Suíça. Ao lembrar o episódio, Kawamoto disse ter tentado explicar a Alain que os japoneses tinham desenvolvido um "relacionamento de dependência com Ayrton por causa de sua determinação, seu detalhismo, seu *approach* técnico":

"Senna se adaptou muito bem ao sistema de comunicação que introduzimos na Fórmula 1 naquela época. A comunicação era perfeita sobre como ele usava o nosso motor e como poderíamos melhorar. As conseqüências foram seus resultados na pista. A aproximação com Ayrton foi natural. Percebemos isso e aprofundamos essa relação afetiva."

Em contraposição, Kawamoto disse que Prost não tinha essa preocupação. Apenas reclamava do motor, sem estabelecer um diálogo sobre o seu desenvolvimento:

"Prost não queria resolver os problemas que surgiam. Naquela época, eu cheguei à conclusão de que era difícil uma comunicação com ele."

Kawamoto reconheceu que sempre considerou Senna e McLaren "a melhor combinação para a Honda", mas foi categórico quando comentou as suspeitas de manipulação naquele final de temporada em 1988:

"Não manipulamos. Os motores eram desenvolvidos e preparados sem que houvesse uma indicação sobre qual piloto iria utilizá-los."

Takeo Kiuchi, engenheiro da Honda, achou que as suspeitas de Prost passavam pela chamada "aceleração Senna", expressão criada na equipe para identificar a técnica única que Ayrton usava para acelerar nas curvas. Senna bombeava o pedal, a um ritmo médio de cinco impulsos por segundo, para não ter de frear forte, não perder o torque e conseguir uma série de minúsculas derrapagens controladas, no limite de uma rodada.

Aquele estilo de aceleração, segundo Kiuchi, determinou algumas mudanças nas especificações dos motores, para que eles tivessem respostas rápidas ao pé direito de Senna. Mas o trabalho era feito, de acordo com Kiuchi, em todos os motores, sem distinção. Para o engenheiro, também não era verdade que existiam motores com adesivos informando que eram especiais para Senna.

Creighton Brown, sócio da McLaren, era testemunha de que Senna tinha uma "certa vantagem" com os japoneses. Para ele, no entanto, a vantagem vinha de algo que Prost não tinha como exigir em contrato: o entusiasmo de todos com Ayrton. Creighton também negou a existência de motores especiais para Senna:

"Se você quer fazer algo de errado, você não escreve isso num adesivo e prega no motor."

Jo Ramirez viu de perto a crise desencadeada pelas críticas de Prost. Embora reconhecesse que a McLaren não tinha como evitar uma eventual manipulação, Jo lembrou que os motores, ao longo de toda a temporada de 1988, foram sorteados, na presença dos mecânicos-chefes responsáveis pelos carros de Senna e Prost. Às vésperas do GP de Suzuka, com a intensificação da polêmica sobre manipulação, o diretor-gerente da Honda Motor Sports, Yozo Yoshida, convidou os próprios pilotos para participar do sorteio.

Campeão

Perto das quatro horas da madrugada de um domingo, 30 de outubro de 1988, o telefone tocou na redação de esportes da TV Globo, no bairro do Jardim Botânico, Zona Sul do Rio. O editor Toninho Vaz, que acompanhara ao vivo o GP do Japão por ser o responsável pelas matérias que seriam exibidas logo mais à noite, atendeu. Do outro lado da linha, uma voz rouca trouxe de volta o eterno dilema dos jornalistas que trabalhavam para as Organizações Globo naquela época: seria mesmo o doutor Roberto Marinho ou apenas mais um trote?

Era Roberto Marinho, o dono da emissora, acordadíssimo e empolgado com a conquista de Ayrton Senna, o novo campeão mundial de Fórmula 1:

— Quero uma cobertura extensa sobre esse menino, pelo feito que ele conseguiu.

Doutor Roberto não precisava recomendar. Aquela corrida não deixou ninguém dormir — desde o primeiro instante, a largada: Ayrton, na *pole* ao lado de Prost, traído por uma combinação de seu nervosismo com um pedal de embreagem problemático, deixou o motor morrer. Duas vezes, ele lembrou depois:

"Vi tudo perdido naquele momento. O motor morreu e eu fiz pegar no tranco. Apagou de novo e voltou a pegar de novo, no tranco, graças a Deus."

Na conta de Deus, ou da sorte absoluta, deviam ser incluídos os centímetros que separaram aquela McLaren quase parada das rodas de alguns dos 14 carros que passaram acelerando por Senna na largada. Depois do susto, ele tinha o impossível pela frente: ultrapassar praticamente todos os pilotos participantes do Mundial de Fórmula 1 daquele ano, encostar em Prost, o primeiro colocado, e tomar-lhe a ponta.

Ao final da segunda volta, Senna já era sexto, ainda nove longos segundos atrás de Prost. Na 11ª, era o terceiro colocado. Alain, com um carro não exatamente perfeito nas mãos, virava o circuito no mesmo tempo de Senna, mantendo a distância.

Aí choveu.

Pouca coisa. Mais uma garoa. Fraca o bastante para ninguém ir aos boxes e calçar pneus de chuva. Molhada o suficiente para Senna ser alguns segundos por volta mais rápido e encostar em Prost na 20ª volta. Na volta 28, a ultrapassagem. No meio da reta de Suzuka, Ayrton saiu de trás da McLaren de Prost pela direita e se lançou. Alain ainda tentou estreitar o caminho, indo para o meio da pista, num arremedo do que fizera em Estoril, mas foi inútil.

A sete voltas do final, a chuva ficou mais forte, e Ayrton, agora líder, não hesitou em dispensar a ajuda da sócia de tantos êxitos na pista: começou a gesticular, apontando para o céu, pedindo a interrupção da prova. Não foi atendido, mas viveu naquelas voltas finais uma experiência sobre a qual não falou muito, naquele dia triunfal.

A mais completa descrição, ele deu em 1990, na reveladora entrevista à *Playboy*. A experiência aconteceu, quando, dentro do *cockpit*, ele começou a agradecer a Deus pela conquista do campeonato:

"Mesmo orando, eu estava superconcentrado, me preparando para uma curva longa, de 180 graus, quando vi a imagem de Jesus. Ele era tão grande, tão grande. Não estava no chão. Estava suspenso, com a roupa de sempre, a cor de sempre e uma luz em volta. Seu corpo inteirinho subia para o céu, alto, alto, alto, ocupando todo o espaço."

Nesse momento da entrevista, Senna se emocionou:

"Ao mesmo tempo em que tinha essa imagem incrível, eu guiava um carro de corrida. Guiava com precisão, com força, com tudo. É de enlouquecer, não é? É de enlouquecer!"

Uma das poucas pessoas com quem Senna comentou a visão, ainda em Suzuka, foi Milton Coelho da Graça. E foram poucas frases:

— Hoje eu vi Deus.

Aos 58 anos de idade, militante histórico do Partido Comunista Brasileiro nas redações da imprensa brasileira, preso e torturado três vezes pelo regime militar, ex-editor-chefe do *Globo*, ex-diretor das revistas *Placar* e *Realidade* e certamente ateu, Milton perguntou:

— Mas como foi isso?

— Eu nunca tive dúvida da existência de Deus, mas hoje eu vi.

— Mas como foi essa visão?

— Não quero mais falar. Só quero que você saiba.

Milton Coelho jamais duvidou da sinceridade de Senna naquele momento. Achou que Ayrton, por viver situações de limite muito intensas e por ter uma extraordinária capacidade de concentração, simplesmente era uma pessoa sujeita a ver o que queria.

Para Osamu Goto, o chefe da equipe Honda, Senna estava num estado psicológico de grande excitação:

"Depois da corrida, ele estava muito tenso. Nem conseguiu falar por algum tempo. Ficou apenas chorando dentro do carro. Levando em conta esta situação, eu acreditaria, se ele dissesse que viu Deus."

Alex Dias Ribeiro, o guia de Senna nos meses de grande intensidade religiosa que haviam precedido aquela corrida no Japão, considerou que o que Ayrton viveu era muito difícil de ser compreendido pelo que ele chamou de "geração de atrofiados espirituais". Para Alex, todo cristão verdadeiro acabava tendo experiência semelhante à que foi vivida por Ayrton. E revelou o comentário que ouviu de Ayrton sobre aquelas voltas finais de Suzuka:

"Deus se revelou para mim no nível em que eu podia entender."

Galvão Bueno acredita em Deus. E achou que Ayrton teve um momento de graça na vida dele:

"Aquilo foi um êxtase no meio da nuvem de *spray* levantada pelos carros na pista molhada, uma imagem que o espírito dele queria que fosse vista."

Galvão não questionou a fé religiosa de Senna, mas garantiu que o piloto, apesar das interpretações entusiasmadas que foram feitas em muitas reportagens futuras, jamais se imaginou grande ou importante o suficiente "para ficar conversando com Deus". E mais: depois daquela tarde em Suzuka, até morrer, Ayrton nunca mais voltou a fazer comentários sobre visões de Deus. Pelo menos, com Galvão.

Senna cruzou a linha de chegada urrando dentro do capacete. Batia na cabeça e gritava todos os palavrões que conhecia. Várias pessoas da McLaren entraram no circuito de rádio para falar com ele. E quem mereceu um agradecimento especial, durante a volta da vitória, foi seu engenheiro, o "secretário" Steve Nichols. Depois da festa no pódio e da entrevista à imprensa internacional, ele se encontrou, ainda muito emocionado, com os jornalistas brasileiros. Foi quando Reginaldo Leme fez a pergunta que todos os amigos abandonados por Senna ao longo daqueles anos queriam fazer, entre eles, o fotógrafo Keith Sutton, ali do lado:

— Você era tão fixado no seu objetivo que, no seu caminho em direção ao topo, muitas amizades foram sacrificadas, muitas pessoas afastadas. Agora você chegou lá. A tensão acabou. O que é que muda?

Senna não respondeu. Apenas chorou.

Antes de deixar o circuito, Senna ligou para Nuno Cobra. Tinha uma ótima notícia para o preparador físico que quase não o aceitara como cliente por achá-lo "meio raquítico":

— Eu não cansei!

Na sala de imprensa, ninguém mais falava sobre a polêmica da manipulação de resultados. Ironia do jornalista e aficionado Eduardo Correa:

"Se a Honda tinha planejado tudo, então eles eram os gênios do espetáculo."

Parte da comemoração de Senna naquela noite foi ficar brincando de ser piloto numa máquina de *videogame* do hotel do circuito de Suzuka, na companhia de Emanuele Pirro, Jo Ramirez e Galvão Bueno. Antes de ir para o quarto, ele pediu a Jo que providenciasse uma cópia em vídeo da corrida do título. Queria dar uma olhada antes de dormir.

Na manhã seguinte, ao chegar para o café da manhã, Galvão perguntou:

— Como é acordar campeão?
— Não sei. Ainda não dormi.

A Loura

Título: "A grande conquista de Senna é Adriane".

Subtítulo: "Para esta bonita paulistana de 19 anos, o campeão da Fórmula 1 é o Beco, seu namorado".

Depois de quatro anos, Adriane Yamin falou pela primeira vez sobre o namoro com Ayrton Senna. A ironia é que a entrevista, dada ao repórter Ari Borges, do *Estado de S. Paulo*, em novembro de 1988, foi publicada semanas antes do fim daquele relacionamento, mantido a distância das polêmicas e boatos sobre a vida sexual de Ayrton. Na entrevista, ela falava das vantagens de os dois não se encontrarem muito:

"Cada vez que nos vemos é uma espécie de recomeço. E o namoro, que já tem quatro anos, parece ter sempre menos, o que estimula a paixão e a saudade."

O fim do namoro não foi provocado por um caso devastador, surgido nas comemorações da conquista do título, do outro lado do mundo. Ayrton, em mais uma semana de férias no hotel Mediterrané, na praia de Nusa Dua, ilha de Bali, mantivera o recolhimento de outras temporadas. Não ficou na discoteca até de madrugada, trocou bebidas alcoólicas por longas corridas a pé com Joseph Leberer e Thierry Boutsen, e deixou Milton Coelho da Graça impressionado com o tipo de relaxamento a que se submeteu três vezes ao dia: caminhava até um pequeno lago artificial do hotel e ficava dando de-comer aos peixes.

A relação com Adriane Yamin azedou de vez em dezembro, quando ela acompanhou a família Senna na cerimônia de premiação do novo campeão pela FIA, em Paris. Os dois tiveram um desentendimento e praticamente não se falaram na volta ao Brasil, a bordo do jato de Ayrton. O namoro terminou em pleno Natal. A iniciativa foi de Senna e o desenlace foi frio. Adriane mandou de volta para ele todos os presentes que ganhara, incluindo um Rolex, modelo Presidente, todo de ouro, na caixa.

Senna queria conhecer outra brasileira:

— Bira, você conhece a Xuxa?

Com essa pergunta para o amigo Ubirajara Guimarães, feita naquele final de 1988, Senna abriu caminho para o namoro que o marcou para sempre. A resposta de Bira:

— Conheço mais o diretor dela na Globo, o Walter Lacet. Por quê?

— Eu queria conhecer ela.

Ubirajara já sabia que Xuxa também tinha interesse em conhecer Ayrton. Sua fonte era uma amiga comum, dele e da apresentadora: a cantora Simone. Bira então ligou para a secretária de Lacet, Cláudia Couto, que teve receio de dar o telefone de Xuxa antes de pedir autorização a Marlene Mattos, a poderosa assessora.

Marlene autorizou, mas também pediu os telefones de Senna. Queria convidá-lo para ir ao programa. Xuxa estava em Belo Horizonte, com agenda lotada, e não via possibilidade de encontrá-lo nos próximos dias. Não seria problema. Senna foi vê-la no próprio avião.

Dias depois, no jantar anual promovido em torno de Senna pelo Banco Nacional na Vila Riso, no Rio, o amigo Marcos Magalhães, herdeiro do banco, sentiu que Ayrton estava levando a sério o namoro. Ao conversarem pelo telefone, Marcos dissera que convidaria para o jantar uma amiga que ele queria apresentar a Ayrton. A reação:

— Não chama não que eu já estou organizado.

— Quem é?

— Não posso falar.

Curioso, Marcos passou a citar nomes de uma série de "aviões" femininos da época. Senna fez mistério. A confirmação de que era realmente algo especial Marcos teve quando viu a expectativa de Senna, durante o jantar do Banco Nacional, com a chegada de seu próprio avião, despachado para buscar Xuxa em outro compromisso fora do Rio. Ela chegou e, a partir daquele dia, Marcos perceberia mudanças em Ayrton que ele não hesitou em atribuir à musa das crianças brasileiras: cabelos mais compridos, horários nada ortodoxos de dormir, para entrar no ritmo das gravações de Xuxa, e uma postura menos "travada" nas horas de folga.

Senna também estava diferente quando chegou à casa de Galvão Bueno, num condomínio da Barra da Tijuca, na segunda-feira que se seguiu ao primeiro fim de semana que passara com Xuxa. Parecia, na lembrança de Galvão, um colegial apaixonado, respiração irregular, buscando palavras para explicar o estado de encantamento em que se encontrava. Como tinham combinado, os dois jogaram tênis na quadra do condomínio. Depois do tênis, surpresa:

— Vamos caminhar um pouco na praia?

Galvão reagiu, intrigado com a disposição de Senna de enfrentar o possível assédio dos fãs, ainda empolgados com a conquista do campeonato no Japão. E foram. Ayrton queria conversar. E conversaram sobre a "mulher incrível" que ele conhecera. Depois da caminhada quase anônima, almoçaram na varanda do apartamento de Galvão. À tarde, ainda inquieto e excitado com a perspectiva de voltar a encontrar Xuxa naquela noite, para a gravação da entrevista que acabou sendo o marco midiático do início do namoro, Ayrton chamou Galvão para dar uma volta no Opala que estava usando.

— Estou com uma coisa esquisita no peito.

Galvão testemunhou, meio assustado, o método especial adotado por Ayrton para aplacar aquela "coisa esquisita no peito": assim que vislumbrou uma reta vazia na estrada que liga a Barra da Tijuca às praias mais distantes em direção a Angra dos Reis, Ayrton deu um colossal cavalo-de-pau no Opala e iniciou uma série de manobras que levaram o motor, a suspensão e o chassi do carro a limites jamais previstos pelo fabricante. Depois de vários cavalos-de-pau e de muita borracha de pneu queimada no asfalto, ele estacionou o Opala e relaxou:

— Agora estou legal...

Dias depois, quando o amigo Braguinha viu o semblante arrebatado de Ayrton, ao ser beijado várias vezes pela nova namorada no palco do programa *Xou da Xuxa*, da TV Globo, ele se virou para a mulher, Luiza, e cantou a pedra:

— Ele ficou doido por ela.

Muita gente não acreditaria.

7º Capítulo

O Fim da Perfeição

O carro parecia normal, instantes antes de entrar na Tamburello, uma curva que os pilotos costumavam chamar de "reta torta" pelo fato de a vencerem facilmente, eles diziam, com uma leve correção do volante para a esquerda, sem tirar o pé do acelerador por um segundo sequer. Mas o carro seguiu reto como uma bala pela área de escape e explodiu no muro de concreto, desfazendo-se em pedaços até parar.

Era a terceira volta do GP de San Marino, em Ímola, no dia 23 de abril de 1989. E ninguém acreditou que Gerhard Berger pudesse sobreviver, quando o que restou de sua Ferrari desapareceu no grande incêndio que se seguiu à batida. O fogo queimou por 16 segundos, para o estarrecimento de milhões de espectadores, até ser apagado heroicamente pelos voluntários que formam a brigada de bombeiros do circuito. Berger, imóvel, foi retirado dos destroços e estendido no chão como se estivesse morto. Em 35 dias, estaria de volta ao *cockpit*, disputando o GP do México.

As notícias sobre Berger já eram muito boas quando os pilotos alinharam para a segunda largada. E mesmo que não fossem, como aconteceria naquele mesmo circuito, cinco anos depois, a Fórmula 1, um esporte por natureza não muito afeito a pausas para reflexão, tinha de continuar. Em alguns minutos, Prost passou pela mesma Tamburello liderando a corrida, à frente de Senna. Duas curvas depois, na freada da Tosa, a equipe perfeita idealizada por Ron Dennis e Yoshitoshi Sakurai começou a acabar.

Ayrton fizera a *pole* e liderara a corrida até a interrupção causada pelo acidente de Berger. Já estava em vigor, naquele dia, um pacto interno dos pilotos da McLaren, proposto por Ayrton e aceito por Alain: na primeira volta, um não ultrapassaria o outro. A idéia era evitar a repetição do acidente que acontecera no GP do Brasil daquele ano, quando Senna, Berger e Patrese se tocaram na disputa da primeira curva da primeira volta.

No segundo teste de durabilidade do pacto, Senna o quebrou. Escandalosamente, para quem sabia do acordo. Ultrapassou Alain na curva Tosa, tomando-lhe a liderança da corrida para não mais perder. Na primeira reunião interna com Ron Dennis e Senna, no *motohome* da McLaren, Prost, segundo colocado na prova, deu um tapa na mesa e protestou:

"Se eu quisesse, você nunca teria me ultrapassado. Só passou porque pensei que, agora, estava lidando com uma pessoa de palavra. Você continua o mesmo do ano passado."

A saída dos carros na volta de aquecimento para a segunda largada do GP de San Marino de 1989. No primeiro plano da foto, o carro de Senna é o da direita; o de Prost está à esquerda. Instantes depois, Ayrton quebraria o pacto interno da McLaren e ultrapassaria Prost.

Acuado, Senna usava argumentos normais de corrida que não levavam em conta o pacto. Creighton Brown, que observava o terremoto a distância, começou a se dar conta de que a McLaren-Honda tinha tido muita sorte de atravessar o ano anterior, 1988, sem uma crise interna como aquela. E diante da animosidade de Prost, teve uma certeza:

"Daquele momento em diante, a relação acabou."

As tentativas de fazer da crise uma espécie de explosão controlada restrita ao boxe da Mclaren foram inúteis desde o primeiro momento. Frank Williams, ainda se recuperando do incêndio que enfrentara em sua equipe por dois anos, com a briga entre Nigel Mansell e Nélson Piquet, sintetizou o problema com uma frase para Creighton Brown:

— O que você poderia esperar? Bota dois touros no pasto e não quer que eles briguem?

Ron Dennis não queria. Dias depois de Ímola, irritado com a troca pública de acusações entre Prost e Senna, escolheu um intervalo dos testes privados que a McLaren fazia no circuito de Pembrey, na Inglaterra, para reunir os dois pilotos em uma sala e repreendê-los de uma forma tão contundente, que Ayrton foi às lágrimas. Catorze anos depois, Ron reconheceu que foi "extremamente duro" ao reagir contra a deterioração do ambiente na equipe:

"Eu fiz os dois entenderem claramente que, sim, eles eram tremendos pilotos, sim, eles eram as estrelas da equipe, sim, eu respeitava a capacidade deles, mas, no final das contas, eles eram empregados muito bem pagos e tinham de cumprir suas responsabilidades com a equipe."

Alain e Ayrton, de acordo com Ron Dennis, foram obrigados a pedir desculpas um ao outro:

"Eles apertaram as mãos. Não havia uma sinceridade completa naquele gesto, mas consegui o que eu queria."

Aquela trégua foi temporária. Em poucos dias, o próprio Ron concluiria que teria de escolher entre seus dois pilotos.

A Outra Suspeita

"Xuxa neles, Ayrton!"

O trocadilho com o verbo chuchar estava escrito num dos cartazes exibidos pela torcida brasileira, na arquibancada de Jacarepaguá, no final da manhã de 26 de março, dia do GP do Brasil de 1989. Cerca de 300 metros depois da largada, Ayrton se meteu entre a Ferrari de Gerhard Berger e a Williams-Renault de Riccardo Patrese. A manobra deixou Senna e Berger fora da prova e Patrese com o bico danificado. Era a sexta vez consecutiva em que Ayrton largava mas não conseguia vencer em casa. No passado, a frustração fora motivo para suas conhecidas e temidas explosões de irritação. Mas daquela vez foi diferente. E o motivo, muitos amigos dele na época confirmaram, era Xuxa.

No dia seguinte à corrida, Xuxa comemorou 26 anos de idade ao lado dele, em casa. Em uma rápida entrevista aos repórteres que o seguiram até a mansão da namorada, num condomínio de luxo da Barra da Tijuca, Ayrton proibiu fotos, mas assumiu, com surpreendente facilidade, a culpa pelo acidente na largada em Jacarepaguá.

Ele lera os jornais e não gostara muito do que vira escrito sobre a sua curtíssima corrida. Um dos textos, do fiel crítico Renato Maurício Prado, agora colunista de *O Globo*, tinha como título uma pergunta:

"Quando é que Ayrton Senna vai crescer?"

Senna não quis dar o troco. Não estava para briga.

Desde o fim de semana em que conhecera Xuxa, Ayrton andava fazendo o impossível para se encontrar com ela, o que incluía dezenas de viagens de Angra dos Reis ou de São Paulo para o aeroporto de Jacarepaguá, o heliporto mais próximo da mansão na Barra da Tijuca. E quando não era possível se encontrarem, os dois passavam horas ao telefone. Na lembrança de Pedro Queiroz Pereira, o PQP, responsável pelos pagamentos de Senna em Portugal, apenas uma conta das ligações da casa de Braguinha, em Sintra, para o Brasil, na época, chegou aos dois mil dólares.

O amigo Paulo Casseb contou que Ayrton tentou até manter sigilo sobre suas idas constantes ao Rio, mas logo ficou difícil esconder. A gozação, no início recebida com bom humor por Senna, era cantar a música "Ilariê, Ilariê" e perguntar se Xuxa estava "cuidando bem do baixinho". Para Alfredo Popesco, amigo confidente e referência desde a juventude, no que se referia a sexo, o namoro foi um marco na vida de Ayrton. Para Marcos Magalhães Pinto, Senna revelou satisfação com um inesperado anonimato:

— Eu saio para a praia e é uma maravilha. O pessoal só fica olhando para ela. Ela é mais conhecida do que eu.

Muito bem-informada sobre a vida do ex-marido, por causa da sólida amizade entre a mãe, dona Grizelda, e dona Neyde, Lilian de Vasconcellos confirmou, 14 anos depois:

"Da Xuxa ele gostou mesmo."

O namoro tinha uma característica que os desconfiados não deixaram de notar: Senna e Xuxa não eram vistos em restaurantes, cinemas, casas de espetáculos, eventos públicos e festas obrigatórias da elite do eixo Rio-São Paulo. Praticamente de férias quando vinha ao Brasil, Ayrton costumava passar horas nos bastidores da TV Globo, acompanhando a namorada. O cantor Raimundo Fagner, amigo daqueles tempos, foi um dos que fizeram companhia a Ayrton no teatro Fênix, no bairro do Jardim Botânico, enquanto Xuxa trabalhava.

Em uma das poucas aparições públicas naquele final de verão, Ayrton levou Xuxa ao kartódromo do Rio para uma corrida beneficente da qual também participaram Piquet, Gugelmin e Moreno. E ficou até um pouco preocupado quando ela pilotou um dos *karts*, mesmo na comportada velocidade de 60 por hora. A maioria dos encontros era no Rio, mas os dois estiveram juntos algumas vezes num apartamento de Ayrton em São Paulo, no 12º andar de um moderno prédio residencial na rua Paraguai, nos Jardins.

O assessor de imprensa Charles Marzanasco Filho testemunhou: muitas vezes, Senna chegava da Europa e seguia direto para o Rio só para se encontrar com Xuxa. Outro indício da intensidade do namoro, para Charles, foi a mudança radical da pauta de uma reunião de trabalho que Ayrton teve no Brasil, naquele início de 1989:

"De dez assuntos tratados numa conversa com Armando Botelho, em uma de suas raras idas ao escritório, Ayrton falou de Xuxa em oito."

Reginaldo Leme, com a amizade estremecida, mas convidado para o aniversário de Senna, dias antes da corrida em Jacarepaguá, foi testemunha do carinho trocado pelos dois namorados durante toda a festa. A jornalista Vera Cannux, amiga de infância, ouviu do próprio Senna:

"Uma grande coisa que me aconteceu foi ter conhecido a Xuxa. Ela me acrescentou muito."

Até nos boxes da Fórmula 1, onde Senna era visto como um piloto obcecado pela profissão e que mantinha sua vida amorosa fora do *paddock*, o namoro repercutiu. Joseph Leberer não teve dúvida de que ele estava mesmo apaixonado. Hiro Teramoto percebeu uma mudança considerável naquele piloto que, como os mecânicos, era um "rato de oficina". Ainda assim, para Jo Ramirez, o *paddock* jamais foi o melhor cenário para o romance:

"Ayrton ficava preocupado com o tratamento e a atenção que Xuxa recebia da equipe."

Jo também disse que ficou chocado quando conheceu pessoalmente a jovem apresentadora que parecia tão simpática na televisão:

"Ela se mostrou uma pessoa completamente diferente do que passava na televisão. Era fechadíssima. Quando vi aquilo, pensei: isso não vai durar."

Jo Ramirez não conhecia Walderez Zanetti, a cabeleireira de Ayrton. Mas ela sentia o mesmo que ele, por outros motivos:

"Parecia ser uma coisa não muito tranqüila. Com a Xuxa, a impressão que dava é que nada era da maneira que o Ayrton queria. Acho que algo não deixava aquele romance ir para a frente."

Walderez tinha a impressão de que o problema era a interferência de Marlene Mattos, a poderosa empresária de Xuxa, inflexível como a agenda da apresentadora. E Ayrton, que também tinha pouquíssimo tempo livre no Brasil entre os grandes prêmios, chegou várias vezes ao salão irritado:

"Ayrton estava sempre pra briga. Uma vez, já no final do namoro, ele disse: Não dá, Walderez!"

A médica Linamara Battistella também sentiu a irritação de Ayrton com o poder de Marlene num telefonema dele, preocupado com Xuxa:

— Linamara, você pode ver a Xuxa?

— O que foi?

— Ela tomou corticóide lá em Nova York.

— Não é assim tão grave, Ayrton. Mas eu posso ver, sim, sem problemas.

— Eu vou ligar para a Marlene. Ela é jogo duro, mas é quem decide. Você iria ao Rio?

— Vou, embora não seja tão grave e haja grandes profissionais lá.

Linamara acabou não indo. A sugestão de Senna, segundo ela, não foi aceita por Marlene.

A antipatia de Senna por Marlene Mattos, lembrou Marcos Magalhães Pinto, começou quando ele soube que fora ela uma das pessoas responsáveis pelo vazamento das informações sobre o namoro para a imprensa. O efeito da revelação, no que dizia respeito a Senna, foi péssimo: para os céticos, o caso tinha ingredientes de uma operação de *marketing* para desmentir sua suposta homossexualidade, levantada meses antes por Nélson Piquet.

O clima entre Ayrton e a empresária de Xuxa azedou de vez, de acordo com Marcos Magalhães Pinto, no Aeroporto Internacional do Rio, às vésperas do embarque do casal para Mônaco. Eles já estavam a caminho da sala *vip*, com as malas, quando Marlene chegou e disse que Xuxa não acompanharia Senna. Seguiu-se uma discussão que incluiu uma nervosa disputa de posse das malas. Primeiro, Marlene:

— Ela não vai de jeito nenhum.

Ayrton puxou Xuxa e encerrou a conversa:

— Vai sim! Ela vai comigo e você faz o que quiser!

E foi.

Ayrton nunca comprou publicamente uma briga com Marlene. O máximo que se permitiu foi lamentar a falta de autonomia da namorada, na entrevista a Mônica Bergamo:

"Ela não controlava a própria imagem como eu controlo a minha. E existiu, no início, a tendência de usar nosso namoro para fazer notícia. Fui contra. Cheguei a me indispor com certas pessoas."

"Com jornalistas?"

"Não. Foi num nível bem mais comprometedor. Com pessoas que cuidavam da imagem dela."

"Você estaria falando de Marlene Mattos, a empresária da Xuxa?"

"Não vou citar nomes. Mas quando a coisa começou a escapar para a imprensa, me incomodou. Eu sabia que aquilo só daria mais lenha para quem dizia que tudo era promoção. Não era. Eu garanto. Foi uma fase muito especial da minha vida."

Além das teorias conspiratórias sobre uma relação fabricada, o namoro de Senna e Xuxa gerou outras dores de cabeça para quem cuidava da imagem deles: Marlene Mattos teve de dar uma entrevista para desmentir, no dia 18 de maio de 1989, a informação de que a apresentadora estava grávida de Senna:

"Xuxa não está grávida, mesmo porque ela só terá um filho depois de se casar. Gostaria de saber a origem danosa deste boato."

O comentário sobre a suposta gravidez de Xuxa fora feito pela então deputada carioca Sandra Cavalcanti, no programa de entrevistas do jornalista Ferreira Netto. O próprio Ferreira Netto reproduziu o comentário em sua coluna no jornal paulista *Folha da Tarde*.

A natureza da relação entre Ayrton e Xuxa repercutiu ao longo da temporada de 1989. A presença de Xuxa nos boxes de Mônaco, um privilégio que Ayrton só deu quatro anos depois a Adriane Galisteu, provocou o único incidente que o jornalista Mair Pena Neto teve com Senna nas três temporadas em que cobriu a Fórmula 1. Mair escreveu uma reportagem crítica na qual se referia a Xuxa como "suposta namorada" e deixava clara uma segunda leitura do texto.

No primeiro encontro que teve com Mair depois da publicação, durante o GP do México, Ayrton mostrou que não tinha gostado. Após uma entrevista rotineira para os jornalistas brasileiros no *motohome* da McLaren, pediu que o assessor Wagner Gonzales o deixasse a sós com Mair:

— Não gostei do que você escreveu. Você não tem que ficar falando da minha vida pessoal.

— Eu concordo. Eu não fui atrás. Foi você que trouxe sua vida pessoal para a pista.

— Eu gostaria que você não escrevesse mais sobre a minha vida pessoal.

— Não vou falar, a não ser que volte a trazer sua vida pessoal para a pista.

A conversa terminou fria, mas não comprometeu a relação entre os dois. Catorze anos depois, Mair explicou o sentimento que o levou a chamar Xuxa de "suposta namorada":

"Nunca consegui imaginar Ayrton apaixonado por alguém. Seria como ter dois amores de forma muito intensa. Por tudo isso, soaram falsas algumas coisas que podem ter sido verdadeiras."

Milton Coelho da Graça, em seu segundo ano de correspondência na Fórmula 1 pelo jornal *O Globo*, jamais acreditou que o namoro com Xuxa fosse uma "armação", pelo menos no que dizia respeito a Ayrton Senna:

"Eu não tenho a menor dúvida de que Senna estava completamente apaixonado por Xuxa, nos momentos em que eu os vi juntos na temporada de 89."

Leda Ebert, mulher de Milton Coelho, presente em todas as corridas que o marido cobriu, tem certeza de que Ayrton estava "apaixonadíssimo" por Xuxa. Celso Itiberê ironizou a suspeita de "armação":

"Se fizeram isso, deu muito certo. Ayrton estava muito bem, muito tranqüilo e satisfeito."

Nélson Piquet, na época, não se pronunciou publicamente, mas, quatro anos depois, em entrevista à revista *Veja*, edição de 7 de abril de 1993, não deixou de alfinetar o namoro do rival:

"Uma forçação de barra."

Charles Marzanasco Filho ria muito quando alguém, jornalistas incluídos, tentava saber dele se era verdade que o namoro de Ayrton com Xuxa era uma operação montada pela assessoria de Senna. Segundo Charles, havia ordens expressas de nunca se referir a ela. Na única vez em que Charles a citou num *release* de imprensa, transcrevendo uma resposta de Ayrton durante uma entrevista coletiva, recebeu uma educada bronca de Milton da Silva:

— Mas Sr. Milton, o Ayrton falou dela para os jornalistas.

— Sei, mas não fale sobre ela.

Charles disse que Milton queria manter a privacidade do filho. Outras pessoas ligadas a Senna, na época, afirmaram que o pai também era contra o namoro.

Ainda naquele verão de 1989, em entrevista à edição de 22 de fevereiro da revista *Exame VIP*, Ayrton arriscou uma interpretação para a desconfiança em relação ao seu namoro:

"Os que dizem que nosso amor é uma armação publicitária só desejam o prazer de crucificar um ídolo que eles mesmos, um dia, construíram."

Nessa época, Ayrton não hesitava em se referir ao namoro com Xuxa como "nosso amor". E explicava, na mesma entrevista:

"Ao contrário de outros pilotos, eu gosto de amar as mulheres e não de ficar mostrando para os outros. Sou careta e não abro. Essa é uma questão de estilo."

Tempos de um Ayrton de coração aberto. A parte dolorosa da história aconteceu depois, longe da mídia. Ele não dividiu o sofrimento que teve com o longo e desgastante fim do namoro. Nem com os que sabiam que o romance era verdadeiro. Muito menos com os que apostavam num arranjo marqueteiro.

Os Dentes do Tubarão

Das férias na espreguiçadeira da mansão de Xuxa na Barra da Tijuca para a continuação da temporada de 1989, no *cockpit* da McLaren-Honda MP4/5, no GP de Mônaco, foi como o despencar de um penhasco. Prost esperou a véspera da mais tradicional das corridas para servir, gelado, o troco pela quebra do pacto na freada da curva Tosa, em Ímola:

rompeu o acordo de sigilo que fizera com Ron Dennis e Senna, dando entrevistas em que revelou, em detalhes, apenas a cota de Ayrton na histórica descompostura que Ron havia passado nos dois, na sala do autódromo de Pembrey. O destaque dado por Prost ao fato de Senna ter chorado depois do pito era o que mais doía em Ayrton:

"Fiquei maluco, louco de raiva com tudo que ele falou e queria dar porrada. Mas tinha que controlar minhas emoções, racionalizar tudo. E para isso tive uma motivação e um apoio muito especial, pois ela estava lá."

A referência a Xuxa, na entrevista dada ao *Jornal do Brasil*, era sinal de uma inédita concessão. Os boxes, aqueles metros quadrados barulhentos, impregnados de perfume de altíssima octanagem, jamais haviam testemunhado semelhante chamego. O próprio Senna notara:

"Foi a primeira vez que ela me acompanhou em uma corrida e pude verificar a importância que a pessoa amada pode ter em uma situação adversa, num país diferente. Mais do que nunca, eu queria vencer, por mim e por ela."

Ayrton venceu, largando mais uma vez na *pole position* e deixando para trás Prost e sua notória dificuldade de enfrentar o tráfego nas ruas de Mônaco.

Nigel Roebuck, o mais brilhante crítico de Senna na imprensa inglesa, revelou, nas páginas da *Autosport,* um detalhe que não foi bem percebido na transmissão de tevê daquele GP de Mônaco: Ayrton, provavelmente em resposta às entrevistas dadas por Prost antes da corrida, passou as primeiras voltas zombando de Alain, à frente dele.

A partir da segunda metade da corrida, no entanto, Senna começou a pagar um preço alto pelo presente que queria dar a Xuxa: perdeu a segunda marcha e, a duas voltas da final, também ficou sem a primeira. Prost vinha em segundo e, para não deixar que ele percebesse os problemas de câmbio, Senna acelerou muito nos trechos de alta velocidade e, nas curvas de baixa, não podia contar com as marchas para reduzir a velocidade do carro. Segurou o carro com o freio. O esforço físico fez com que, mais uma vez, ele saísse do carro capengando, com distensão muscular no quadríceps e no glúteo.

Depois da cerimônia de premiação, ao acompanhar Ayrton e Xuxa na travessia dos boxes para o hotel Palais de Sports, a bordo de um pequeno barco, a amiga Tereza Brown testemunhou um momento especialmente emocionante para o compadre. Ainda mobilizado e de alma lavada como brasileiro, por mais uma vitória no paraíso da elite européia, Ayrton pegou a bandeira do Brasil que levava e a deixou afundar lentamente, como se quisesse deixar ali um marco da conquista. O gesto, de acordo com Tereza, deixou os três muito emocionados.

"São peixes comemorando o fato de o tubarão ter perdido um dente."

Assim Nigel Roebuck se referiu, em *Autosport*, ao entusiasmo precoce dos que começaram a apostar no naufrágio de Prost diante de Senna, já naquele meio de temporada. Ninguém discutia, mais uma vez, que um dos dois seria campeão, não importavam os estragos causados pela guerra interna na McLaren.

O carro, projetado por Neil Oatley para a temporada de 1989, não dava para Senna e Prost a mesma vantagem que eles haviam tido no campeonato de 1988: a Ferrari 640 de Nigel Mansell e Gerhard Berger que dava indícios de ser um conjunto melhor. Mas o motor aspirado que a Honda preparou para substituir os gloriosos turbos, agora banidos pelo regulamento, era um foguete eficiente que continuava desequilibrando o jogo a favor de Senna e Prost.

Somando-se ao motor o talento dos dois, o passeio da McLaren ainda continuou por algum tempo. Assim foi no México, onde Senna fez sua quarta *pole* consecutiva e liderou a prova da primeira à última volta. E assim também foi em Phoenix, a corrida seguinte, onde Prost venceu depois de Ayrton abandonar na 44ª volta com o motor quebrado.

Nos treinos oficiais para o GP do Canadá, em Montreal, um episódio exemplar do estado de nervos que tomou conta da equipe: por engano, Steve Nichols trocou os códigos dos amortecedores escolhidos para as voltas de classificação de Senna. O resultado, na pista, foi a *pole position* de Prost. Hiro Teramoto, sem saber do equívoco cometido por Nichols, perguntou a Ayrton:

— Por que você mudou o amortecedor?

— Como assim?

— Os amortecedores foram trocados...

Ayrton se enfureceu, pegou Teramoto pelo colarinho e explodiu:

— Por que você não me disse que tinha mudado? Eu tenho de saber de qualquer coisa que fazem no meu carro!

Teramoto ficou em pânico com a explosão de Senna. O chefe dos mecânicos, Neil Trundle, interveio a tempo, levando Ayrton para o *motohome* da McLaren. Lá, Steve Nichols assumiu a responsabilidade pela troca acidental dos amortecedores. Cerca de uma hora depois, Senna deixou o *motohome* e pediu desculpas a todos os mecânicos e técnicos da equipe. Um a um.

Aí choveu.

E Ayrton disputou, naquele 18 de junho de 1989, antes de abandonar na 66ª volta, a corrida que considerou a mais assustadora de sua carreira. A prova, vencida surpreendentemente pela dupla de pilotos da Williams-Renault, Thierry Boutsen e Riccardo Patrese, nessa ordem, foi marcada por mais uma exibição antológica de Senna, desta vez ensinando como manter um carro de Fórmula 1 na pista molhada com pneus de pista seca, e ainda assim continuar abrindo vantagem do resto dos pilotos.

Dentro do *cockpit*, foi outra jornada de sacrifício físico para Ayrton. Com a alavanca de câmbio escapando nos trechos de baixa velocidade, ele tinha de segurá-la ao passar pelas *chicanes*. A descrição que ele fez da corrida a Lemyr Martins ajuda a entender por que pilotos não gostam, nem de brincadeira, de serem confundidos com motoristas:

"A visão era quase nula em boa parte do circuito. No final da reta, só se via o ponto de freada quando baixava o *spray* do carro que estava na frente. A viseira do capacete não tinha posição certa: se a gente levantava, os olhos se enchiam d'água. Se abaixava, a água escorria pela viseira e embaçava tudo. Os carros não paravam na pista: se a gente freava antes, as rodas bloqueavam. Era preciso voltar a acelerar. Aí a curva ficava estreitinha e os muros bem mais perto. Não sei como não dei uma estampada. Foi a corrida do pânico. Se fosse possível instalar uma câmera em cada carro para filmar as reações dos pilotos, muita gente ia se espantar com a transfiguração dos rostos. Eu, pelo menos, apareceria com os olhos esbugalhados."

E isso durante quase duas horas.

Adieu

Prost não se arriscou a exigir que a McLaren escolhesse entre ele e Ayrton. Sabia que era hora de ir embora. Estava claro nos olhos dos japoneses da Honda, na satisfação cifrada dos patrocinadores com o fenômeno Senna, na excitação do público com o estilo espetacular do novo herói da Fórmula 1 e no semblante antártico que Ron Dennis passou a lhe exibir depois das entrevistas que dera, revelando detalhes da reunião de Pembrey. Catorze anos depois da oficialização daquele divórcio, Alain e Ron não discordaram, no que se referia às razões do rompimento. Ron explicou:

"Um dos pilotos tinha de ir embora. E eu fiz a escolha."

As recordações tornavam-se diferentes quando o assunto era a conversa que Ron e Alain tiveram no início de julho para tratar da separação. A questão, no caso, era saber quem deixou quem primeiro. Prost reproduziu o que disse:

"Ron, não gosto do ambiente e do modo como sou tratado aqui. Nem fiz contato com outra equipe. O que sei é que não quero ficar. Prefiro o risco de não ter equipe o ano que vem do que continuar."

Em sua lembrança, Ron Dennis não contestou o relato de Prost. Apenas revelou que, naquela reunião e nos dias seguintes, quando o rompimento se tornou público, Alain estava sendo poupado de uma notícia desagradável:

"Antes de Prost tomar a decisão de deixar a equipe, nós tínhamos contratado Gerhard Berger. Demos a Alain a dignidade de anunciar que ele estava deixando a equipe, mas, na realidade, tínhamos contratado Gerhard duas semanas antes."

Os dias seguintes mostraram que Prost não apenas fez uso pleno da dignidade que lhe haviam concedido. Saiu atirando:

"Os dois últimos anos foram só de incerteza. Eu ia acabar maluco. Por que tanta angústia se minha vida é excelente e sou um vencedor? Não! Basta! Agora, deixo isso tudo para o meu rival."

Nélson Piquet, àquela altura disputando posições intermediárias, às voltas com a decadência da Lotus, mantinha a velha metralhadora engatilhada. E ironizou o desabafo de Alain:

"Pra mim ele está correndo do pau."

Prost batia pesado na equipe Honda, chegando a intercalar jocosamente cada frase de uma de suas entrevistas com um "no" interrogativo. Senna, ao contrário, aproveitava a crise para lubrificar, também em público, sua afinidade com os japoneses. A descrição da rotina de um dos engenheiros da equipe, feita por Ayrton a Celso Itiberê no final de maio daquele ano, podia até ser autobiográfica:

"Meu engenheiro principal está casado há pouco mais de dois anos. No fim da temporada passada, despediu-se de mim, disse que havia sido um ano de sacrifícios porque a mulher, em Tóquio, reclamava constantemente sua presença e ele só pôde ir vê-la duas vezes em nove meses. E este ano, quando cheguei à sede da Honda, na Inglaterra, ele foi o primeiro a me receber. Sorridente e preocupado. O sorriso se devia ao nosso motor, que ele dizia ser sensacional. A preocupação era o fato de que, nos próximos oito meses, só poderia ir uma vez ao Japão. Nenhum outro profissional, europeu ou americano, aceitaria esse sacrifício."

Senna também não deixou sem resposta as acusações de Prost de que era favorecido pelos japoneses:

"Mesmo sem ler, tenho idéia do que ele disse porque conheço a peça. Vejo o Alain como uma criança que chora o tempo inteiro. Quando se tem um carro igual, o que vale é o acelerador. O Prost esquece que a McLaren e a Honda deram a ele sete vitórias e um número de pontos maior do que o meu em 88."

Depois do fim amargo do *dream team* da Fórmula 1, o compadre Creighton Brown não concordou totalmente com Ayrton:

"A gente esperava que os pilotos se comportassem como os outros que passaram pela equipe, mas não foi assim. Quando você está num *cock-*

pit, você faz coisas que não faria na vida normal. E a deterioração dentro da equipe foi culpa principalmente da competitividade de Ayrton."

Às alfinetadas em público se seguiu a divisão, também pública, do espólio de defeitos e virtudes da mais perfeita dupla de pilotos jamais reunida em uma equipe de automobilismo. E a disputa maior se deu em torno do balanço sobre qual dos dois pilotos, afinal, era melhor no acerto dos carros: Senna ou Prost? O projetista Gordon Murray, passados 14 anos, mesmo respeitando muito Alain Prost, não teve dúvida:

"Senna era melhor que Prost no acerto do carro e na estratégia de corrida, chegando a blefar para Prost em várias ocasiões."

Steve Nichols, tão próximo como Gordon Murray das decisões de pista da dupla de pilotos da McLaren, disse o contrário. Para ele, Prost tinha uma capacidade melhor de explorar o potencial do carro.

Jo Ramirez, embora atuasse na área de logística da equipe, longe dos carros, confirmou que, em pelo menos uma ocasião, Senna, confuso e incapaz de melhorar seus tempos de volta, simplesmente pediu que os mecânicos repetissem em sua McLaren o acerto escolhido por Alain.

Osamu Goto, o chefe dos engenheiros da Honda em 1989, confirmou: nos testes que antecederam o GP do Brasil daquele ano, Ayrton ficou realmente confuso ao tentar acertar o novo carro da McLaren, e o acerto de Prost foi mesmo copiado. Mas Goto também disse que houve uma razão para Senna estar perdido: os engenheiros tinham dado a ele informações dos testes com o carro no túnel de vento da fábrica da McLaren, na Inglaterra. Daí a confusão com os resultados que estavam sendo obtidos ao ar livre, no circuito de Jacarepaguá.

Quase 15 anos depois, Goto considerou que era perda de tempo discutir qual dos dois pilotos era melhor no acerto do carro:

"O problema é que você nunca sabe quão perfeito pode ser um carro."

Muitos simplesmente achavam impossível comparar Senna a Prost por entenderem que os dois representavam duas modalidades da perfeição. Celso Itiberê concordou:

"Senna preferia o carro mais duro, de resposta mais rápida, afeito à sua maneira agressiva de dirigir, à possibilidade de pegar uma ou outra zebra pelo caminho. Já Prost, mais polido, dirigia sem permitir que o carro escorregasse um milímetro e pedia ajustes ligeiramente mais suaves."

Hiro Teramoto acrescentou um toque comportamental à diferença entre os perfeitos:

"Alain era mais burocrático, hierárquico, gostava de planejamento. Ayrton era imprevisível, não respeitava hierarquias na equipe e era mais criativo."

Michael Kranefuss, diretor esportivo da Ford por 25 anos, tempo que lhe permitiu um convívio estreito com Jim Clark e Graham Hill, se aproximou muito da opinião de Ron Dennis sobre o caráter inigualável do envolvimento de Senna com um carro de corrida. Kranefuss, cujo último cliente, antes da aposentadoria, foi Michael Schumacher, nunca veria alguém como Ayrton:

"O conhecimento técnico, a memória fotográfica, a capacidade de concentração em cada volta que dava num carro de corridas, não importando as circunstâncias, sua determinação de vencer, sua intensidade e sua convicção, tudo isso somado o deixava um degrau acima dos outros."

Feito o inventário do divórcio no *dream team*, havia um campeonato a ser concluído. E aconteceu o inesperado: Prost, o preterido, começou a ganhar uma corrida atrás da outra. Em Paul Ricard, no dia 9 de julho, fez sua segunda *pole* do ano em casa e venceu, enquanto Senna abandonava a corrida com problemas de transmissão. Em Silverstone, Ayrton tentou resistir à investida da Ferrari de Nigel Mansell e acabou rodando, para delírio dos milhares de ingleses que lotavam as arquibancadas.

Na véspera, nem a conquista da 35ª *pole* impediu Ayrton de se exasperar com o resultado desfavorável de um sorteio interno da McLaren. Foi a primeira vez em que Ayrton e Ron Dennis não se trancaram num *motohome* para ter uma discussão. Tiveram-na em pleno boxe, na frente de mecânicos e engenheiros.

A equipe passara todo o fim de semana tentando solucionar um problema nos tanques de óleo dos carros. Depois de muito trabalho, Ron tinha apenas dois tanques em condições de funcionamento, um perfeito, outro nem tanto. No sorteio de moedinha, Ayrton ficou com o tanque ruim e não se conformou. O quarto abandono consecutivo de Senna e as vitórias de Prost deram a Alain a liderança disparada do campeonato.

O tubarão, como previu Nigel Roebuck, ainda tinha muitos dentes.

ÓRFÃO

Armando Botelho sabia que ia morrer em poucos dias quando recebeu, no quarto do hospital Sírio e Libanês, em São Paulo, a visita de Oscar Pedroso Horta Filho, o vice-presidente do Banco Nacional, com quem sacramentara, cinco anos antes, em dois pedaços de papel manuscritos, no fio do bigode, o mais longo e famoso dos contratos publicitários da carreira de Ayrton Senna. Na conversa, Armando revelou a preocupação de não deixar qualquer problema para trás, depois que fosse liquidado pelo câncer de fígado que o consumia rapidamente:

— Minha família está bem, eu não quero deixar problemas e por isso vou abrir mão do meu contrato com o Ayrton. Tudo que eu fiz foi porque gostei do Beco como meu filho.

O contrato dava a Armando e a seus descendentes, a mulher, dona Malu, e os três filhos, direito a um percentual de todos os ganhos de Senna na Fórmula 1.

Armando foi enterrado no cemitério do Morumbi, em São Paulo, dia 30 de julho, um domingo, praticamente na mesma hora em que Ayrton recebia a bandeirada pela vitória no GP da Alemanha, em Hockenheim. Uma sólida rede de proteção fora montada por parentes, amigos e jornalistas para manter Senna longe da escalada final da doença, às vésperas da corrida, decisiva na disputa do título mundial.

A notícia da morte, ocorrida por volta das oito da noite de sábado, chegou primeiro aos radialistas brasileiros que estavam em Hockenheim e foi passada a Viviane apenas no momento em que Ayrton, depois do pódio, dava uma entrevista à tevê francesa no *motohome* da McLaren. No exato momento em que Senna partia para a briga com dois alemães embriagados que falavam alto e tumultuavam a entrevista, Viviane estava ligando para o Brasil para confirmar a morte com a família Botelho.

Antes que uma briga começasse, várias pessoas intervieram. Quando Senna se preparava para continuar a conversa com os repórteres, Mansour Ojeh o puxou pelo braço. Já dentro do *motohome* da McLaren, na presença de Mansour e Viviane, Senna, desconfiado e tenso com o clima de apreensão, cobrou de Paulo Casseb, que também estava por perto:

— Vai falando, vai falando, desembucha!

— Becão, o Armando faleceu...

A reação foi tão forte, que ele não sabia o que fazer. Acabou ajoelhando no chão do *motohome* para um choro desesperado, abraçado a Viviane. A pedido dos dois irmãos, Mansour e Paulo saíram. Nos momentos seguintes, Ayrton chegou a querer partir imediatamente para o Brasil, mas desistiu quando soube que Armando já tinha sido sepultado.

Mair Pena Neto, um dos correspondentes brasileiros que acompanharam aquele domingo dramático, jamais viu Senna em situação tão frágil:

"Talvez tenha sido a única vez em que vi a couraça desmoronar."

Para Milton Coelho da Graça, a morte de Armando foi o momento mais claro da diferença entre o Senna do mundo das corridas e o homem ainda muito dependente das ligações afetivas construídas em família, apesar de seus 29 anos de idade:

"A figura paterna de Armando era fortíssima. Senna tinha uma confiança pessoal absoluta nele."

Não foi coincidência, portanto, o fato de Senna pedir a Jo Ramirez, dias depois da morte de Armando, que passasse a reservar apartamentos para Galvão Bueno nos mesmos hotéis onde fosse se hospedar com Ron Dennis, Mansour Ojeh, Creighton Brown e o resto do comando da McLaren. Galvão sentiu aumentar, de uma hora para outra, a importância de estar perto de Ayrton na maratona da Fórmula 1. Contou ainda que Braguinha também foi chamado para tentar preencher o vazio deixado por Armando Botelho:

"Mais do que qualquer piloto, Ayrton vivia o estresse de não se dar o direito de errar, tinha gastrite e sofria com a sucessão de viagens de avião e quartos de hotel. Ele precisava de bons companheiros de viagem para ficar conversando besteiras, falando sacanagem e também dando muita bronca quando ele cometia a falta de educação de ficar analisando impressos de telemetria, em plena refeição. Eu e o Braga fazíamos esse papel."

Galvão esclareceu, 14 anos depois, que ele, com as diárias da TV Globo, e Braguinha, ex-sócio do maior banco privado brasileiro, faziam questão de pagar suas próprias despesas de hospedagem.

Aviso Prévio

Alain Prost realizou o sonho dos inimigos de Ron Dennis com um insulto espetacular, no mesmo fim de semana em que anunciou a transferência da McLaren para a Ferrari: no pódio do autódromo de Monza, dia 11 de setembro, diante de milhares de torcedores italianos e de milhões de telespectadores, ao receber as homenagens pela vitória no GP da Itália, jogou o troféu do primeiro lugar para os *tifosi*. Ron Dennis, também no pódio, não deixou que a indignação corresse pelas veias que, no irônico comentário de Paulo Casseb, só pareciam ter mercúrio líquido: pegou o troféu que recebera pelo triunfo da equipe e o colocou aos pés de Prost. A vitória tornou ainda mais emocionante a disputa do título. Prost, com 71 pontos, e Senna, com 51, faltando quatro provas para o final.

Passada a ousadia do pódio, Alain continuou atirando durante a entrevista na sala de imprensa, agora com novas insinuações de que a Honda favorecia Senna. Ayrton abandonara a corrida na liderança, a nove voltas do final, quando seu motor quebrara, jogando óleo sobre a roda traseira esquerda e provocando uma rodada da McLaren na entrada da curva Parabólica. Para Prost, no entanto, a suspeita continuava:

"Ganhei por causa do azar de Ayrton. Com o motor que eu tinha hoje, eu não poderia me aproximar dele."

Longe dos repórteres, quando o engenheiro Takeo Kiuchi estendeu a mão para um cumprimento pela vitória, Alain recusou:

— Vocês estão dando motor melhor para o Senna.

Kiuchi ficou desapontado, mas entendeu a reação de Alain. Muitas vezes, Kiuchi reconheceu, os técnicos da Honda não conseguiam esconder o entusiasmo de trabalhar com Senna e, por isso, alguns exageros de torcida aconteciam. Mas para Kiuchi jamais foi um caso de "mocinho e bandido", mas uma questão de afinidade com um piloto e distância de outro. Nas palavras de Kiuchi, duas eras se cruzavam:

"Alain queria vencer as corridas. Senna, além de vencer, estava profundamente envolvido com o projeto dos japoneses. Prost era o carburador, Senna a injeção eletrônica. Na verdade, a diferença do *feedback* que Senna dava aos engenheiros da Honda era brutal. Ele era um computador a mais. Olhava para a frente, do ponto de vista tecnológico, enquanto Prost ficava nos recursos tradicionais. A verdade é que Alain percebeu quem era Ayrton e começou a reclamar."

Yoshitoshi Sakurai, mesmo no Japão, distante do *front* daquela guerra aberta de Alain contra a equipe Honda, tinha certeza de que Prost dera um tiro no pé ao exigir, no início da temporada, motores iguais para ele e Senna:

"Prost gostava de trabalhar com motores mais elásticos, com uma curva de potência mais suave. Senna preferia um regime alto de rotações, mais truculento e arisco. Obviamente, a Honda optou pelos motores que Ayrton desenvolvia intensamente com os nossos engenheiros."

Nas horas seguintes àquela provocação de Prost no pódio de Monza, Ron Dennis cogitou até a demissão sumária de Alain. A idéia foi abandonada depois de uma avaliação interna de que a atitude poderia tornar-se uma catástrofe de relações públicas. A opção: uma nota conjunta que só foi distribuída à imprensa na corrida seguinte, em Portugal. No texto, Alain se disse "profundamente arrependido". Honda e McLaren renovaram o compromisso de fornecer o mesmo equipamento para os dois pilotos. Em seguida, como registrou Nigel Roebuck, "todo mundo continuaria sem se falar".

A qualidade do ar que se respirava na equipe McLaren-Honda naqueles dias podia ser medida com um comentário famoso de Steve Nichols:

"No início, estávamos preocupados com a possibilidade de termos uma situação do tipo Piquet *versus* Mansell. Por um tempo houve harmonia, mas no final de 89, nossos piores temores aconteceram. A situação entre Prost e Senna fez Mansell e Piquet parecerem uma dupla de meninos brigões no jardim de infância."

Para Senna, começava a se desenhar mais um final dramático de campeonato, com o agravante de o adversário na disputa estar no carro ao lado, no mesmo boxe. E desta vez, Senna e Prost só estavam se falando através dos respectivos engenheiros. Duas corridas antes da Itália, em Hungaroring, Senna hesitara por um décimo de segundo atrás da Onyx retardatária de Stefan Johannson e dera chance para Nigel Mansell aplicar-lhe um drible histórico, tomando a liderança para não mais perder. Em Spa, a corrida seguinte, Ayrton fora absoluto, abrindo uma vantagem de um minuto em relação a Prost, o segundo colocado, e se recolocando no caminho para o bicampeonato. Até o abandono na curva Parabólica, em Monza.

Em Portugal, foi pior.

Uma polêmica oftalmológica, no caso de Nigel Mansell, e um teste de audição, no de Senna, marcaram o bate-boca sobre o acidente entre os dois em Estoril, no dia 24 de setembro. Algumas voltas antes do acidente, Mansell foi desclassificado por engatar uma ré em pleno boxe, tentando consertar uma desastrada parada para troca de pneus. A bandeira preta, determinando a volta imediata de Mansell aos boxes, foi exibida três vezes na reta dos boxes. Mas Nigel jurou, no dia e em sua autobiografia, que jamais a viu:

"Eu estava embutido na traseira da McLaren de Ayrton, a 200 por hora. Não dá pra ver bandeira preta nessas condições."

No boxe da McLaren, também houve um mutirão para que Ayrton ouvisse as mensagens de rádio. Queriam, desesperadamente, dizer a ele que era inútil e desnecessário resistir às tentativas de ultrapassagem de Mansell. Hiro Teramoto disse ter ouvido as tentativas de Steve Nichols, durante a 48ª volta:

— Ayrton, Nigel foi desclassificado!

— O quê?

— Nigel foi desclassificado!

— O quê?

Tarde demais. Na freada do final da reta dos boxes, a mais de 250 por hora, prevaleceu a determinação genética que ambos, Nigel e Ayrton, tinham de andar na frente. Sempre. Mansell mergulhou por dentro e Senna começou a fazer a curva normalmente. Os carros se tocaram e saíram rodando para a caixa de brita, um para cada lado.

Mesmo depois de deixar o autódromo, Ayrton estava inconformado com a atitude de Nigel. Na mansão de Sintra, ele não parou de ver e rever, no vídeo, a cena em que fora tirado da pista, até os amigos conseguirem arrastá-lo para um restaurante, onde a indignação, enfim, parecia estar sob controle.

Engano. Na hora de voltar para casa, ao volante do Porsche que usara para ir ao restaurante, Ayrton mostrou a Tereza Brown e Joseph Leberer, caronas acidentais, como ia tentar esquecer aquele desastroso GP de Portugal. Acelerou, de forma alucinada, no trajeto entre o restaurante e a mansão de Braguinha. Em pelo menos um momento, Tereza sentiu o carro, um Porsche, sustentado por apenas duas rodas. Apavorada, brincou:

— Cuidado que compadre e comadre podem morrer...

— Põe na mão de Deus, comadre.

Leberer também deixou a compostura austríaca de lado, ensaiando uma censura bem-humorada:

— O que você está fazendo? O que é isso?

Sem tirar o pé, Ayrton respondeu:

— Isso não é nada comparado à pista.

Depois de uma derrapagem espetacular, já no pátio da mansão de Braguinha, Ayrton desceu do carro, conferiu a temperatura dos pneus, deu um sorriso maroto e só então deixou claro que aquela montanha-russa na noite de Estoril, horas depois do GP de Portugal, ainda era um reflexo da batida que levara por trás de Mansell:

— Agora eu me sinto melhor.

Uma semana depois, em Jerez de La Frontera, Senna não precisou de novos pegas alucinados e aterrorizantes para os amigos caronas: conquistou a 40ª *pole* da carreira e venceu o GP da Espanha de forma absoluta, com Berger em segundo e Prost em terceiro.

Uma soneca antes do pesadelo de Suzuka.

Peito Aberto

"Ayrton existe e Deus o encontrou."

O autor da inversão irônica da frase que os evangélicos usavam para anunciar uma conversão foi, não era difícil imaginar, Alain Prost. Mas o grande rival não foi o único a se espantar com a entrevista dada por Senna às vésperas do GP de Portugal, assumindo publicamente a fé evangélica. De uma hora para outra, o piloto cerebral, preciso e de vocabulário sofisticado dera lugar a um pregador arrebatado, com o jargão dos crentes na ponta da língua:

"No início, tive muito receio de revelar esta crença, mas agora não sinto mais constrangimento em falar sobre Deus. E, se tenho essa fortuna, meu dever é passar a mensagem de Deus a outras pessoas."

A entrevista não surpreendeu apenas os jornalistas brasileiros. Como previra Alex Dias Ribeiro, um dos guias da iniciação evangélica de Ayrton desde o traumático GP de Mônaco de 1988, a maioria das pessoas não entendeu. Um repórter italiano que participara da entrevista resumiu o sentimento de boa parte dos jornalistas:

"Ayrton enlouqueceu."

Uma frase, em especial, da entrevista serviu de inspiração para os críticos de Senna fazerem projeções a respeito de seu comportamento na pista. A íntegra:

"Desde os quatro anos de idade, estou exposto ao risco. Sofri muitos acidentes. Competi de *kart* e de carro, capotei, passei por cima dos outros, outros passaram por cima de mim, bati em parede e nunca quebrei uma perna, uma costela. O máximo que me aconteceu até hoje foi trincar um dedo. Isso é uma bênção de Deus."

Nigel Roebuck reproduziu, na retrospectiva da *Autosport* daquele ano, um comentário sobre a frase de Senna. O autor foi "um piloto" que, para muitos no *paddock*, era, mais uma vez, Alain Prost:

"Eu acho que Senna acredita mesmo que, por causa da fé que tem em Deus, não vai se machucar. Isso é uma coisa que um piloto de Fórmula 1 não deveria levar a sério, pelo menos perto de mim."

Em outro trecho de seu balanço do ano, Roebuck se referiu a uma suspeita que passou a ter, depois das revelações evangélicas de Estoril: a de que Ayrton tinha, na religião, a paz que não encontrava na profissão, não importava quantas corridas ele vencesse. Notório simpatizante de Prost no duelo interno da McLaren, Roebuck tinha uma inegável precisão para apontar os desafios pessoais de Senna:

"Odeio ver alguém tão bom em alguma coisa tirar tão pouco prazer da vitória como Senna. Ele está para a Fórmula 1 como o John McEnroe está para o tênis."

Para Roebuck, Ayrton era um "gênio imperfeito" cujo brilho poderia até diminuir no dia em que "aprendesse" a aliviar o pé no acelerador:

"Senna é seu maior inimigo. Ele tem um talento que desafia qualquer definição. Esse mesmo talento o compromete. Essa é sua tragédia."

Kawai Kazuhito, correspondente de Fórmula 1 da Fuji TV durante toda a carreira de Senna, também enxergava uma sólida tristeza na personalidade de Ayrton, a ponto de compará-lo a um *enka*, a música triste de sua terra, uma espécie de fado japonês.

Ayrton ficou assustado e intimidado com a repercussão da entrevista de Estoril. Mais uma vez, Alex Dias Ribeiro o aconselhou a não tentar dividir aqueles sentimentos com o tipo de gente que o rodeava na Fórmula 1:

"Sugeri a Ayrton não falar mais no assunto. Afinal, era uma experiência transcendental, algo muito forte e concreto. É claro que ele não estava louco."

Alex sabia com quem Senna estava lidando. A Fórmula 1 jamais fora nem seria o melhor dos terrenos para a semente da fé. Ele próprio, sempre pregando o Evangelho enquanto participava das corridas como piloto do carro dos médicos, fora motivo de uma bem-humorada provocação de Bernie Ecclestone. Ao saber que Alex estava tentando converter o professor Sid Watkins em um ano, Bernie disse:

"Um ano não será suficiente. É melhor darmos a ele dez anos e eu aposto que ao final Alex estará fumando charutos, bebendo uísque e você, Sid, permanecerá do mesmo jeito."

Nas recordações de Jo Ramirez, pelo menos uma vez Viviane Senna levou para o boxe da McLaren as convicções religiosas que incentivava no irmão. Jo disse que ela aspergiu água benta sobre o carro de Ayrton. Por coincidência, a suspensão da McLaren quebrou naquela corrida, o que, de acordo com Jo, foi motivo de brincadeiras dos mecânicos. Longe de Ayrton.

O auge da religiosidade de Senna foi retratado no *Ayrton Senna: sua Vitória, seu Legado*, que Karim Sturm escreveu sobre ele. Ficou clara sua entrega incondicional, naquela época, ao conforto espiritual e filosófico da fé religiosa:

"Tudo tem uma razão e só Deus conhece a harmonia do universo. Seus desejos, suas razões, sua motivação, tudo aquilo que só ele entende. Por isso meu maior desejo é entendê-lo um pouco melhor."

Pelo menos por algum tempo, a aproximação da religião teve efeitos visíveis e imediatos. Um tempo em que Ayrton ganhou muita confiança e sentiu uma certa libertação do que Alex chamou de "ansiedade interior". Mas foi o mesmo Alex que, reconhecendo o esforço sincero de

Ayrton para seguir a Bíblia, admitiu, 14 anos depois, que era muito difícil compatibilizar os ensinamentos com certas atitudes que Ayrton tomava na pista. Senna, de acordo com Alex, odiava Alain Prost. E não havia nada que Alex pudesse fazer:

"Durante uma de nossas conversas naquela época, eu disse: Ayrton, temos que amar nossos inimigos. Mas ele não gostava muito disso."

Leigos e Apaixonados

Tatsuya Hiraishi, um técnico em administração que vivia e trabalhava em Tóquio, não entendia nada de Fórmula 1. Nem pela televisão ele acompanhava. Conhecia tão pouco os pilotos que, na primeira vez em que esteve pessoalmente com Senna, num evento da McLaren realizado no hotel Sheraton da capital do Japão, naquele final de 1989, começou a fotografar Alain Prost, achando que ele era Ayrton. Tatsuya estava ali praticamente obrigado, não querendo decepcionar o chefe que o convidara. O chefe, por sua vez, fora convidado por um empresário que conhecia Senna. Nasceu desse encontro o fã-clube Ayrton Senna no Japão.

O chefe de Tatsuya, dono de uma franquia de *kart in-door* para adultos, estava negociando licenciamentos com Fabio Machado, o primo de Senna que cuidava de seus negócios. A idéia de fundar um fã-clube oficial, segundo Tatsuya, foi do próprio Ayrton. Era uma forma de ele saber quem estava usando seu nome no Japão. Senna ficou surpreso com o fato de Tatsuya saber tão pouco sobre o esporte. Mesmo assim, apoiou seu nome:

"Pode fundar o clube que eu darei todo o apoio."

À promessa, feita pessoalmente por Ayrton no GP da Austrália daquele ano, em nova conversa pessoal com Tatsuya, seguiu-se a fundação do fã-clube meses depois, já em 1989, no próprio escritório daquele administrador de empresas que não entendia nada de Fórmula 1. A entidade chegou a ter 2.500 associados, crescendo sem parar até 1993.

Por uma anuidade de 80 dólares, cada associado recebia um cartão dourado, com a carta de apoio de Senna gravada no verso. Uma revista mensal de 16 páginas divulgava as atividades do clube, que tinha até uma cobertura exclusiva de todos os grandes prêmios, feita por um jornalista *freelance*.

No Brasil, o fã-clube oficial ganhou o nome de Torcida Ayrton Senna, TAS, e nasceu pelas mãos do advogado paulistano Adilson Almeida, com o apoio do pai de Ayrton. Adilson tinha em comum com o colega japonês Hiraishi, pelo menos no início das atividades, o fato de não ser o maior dos aficionados em Fórmula 1. Terceiro dos quatro filhos de um porteiro aposentado do Banco Central, solteiro, torcedor do São Paulo Futebol Clube, Adilson tinha 23 anos quando conheceu Ayrton, em 1985.

Vizinho da casa número 96 da rua Doutor Edson de Melo, onde funcionava a Ayrton Senna Promoções, ele costumava acompanhar as sessões de autógrafos do futuro ídolo na porta do escritório. Aos poucos, o interesse pela carreira de Ayrton e pelas corridas de Fórmula 1 cresceu. Depois de uma conversa com Milton da Silva, ele fundou a TAS no dia 15 de maio de 1988. A sede funcionou alguns meses em Brasília, antes de ser transferida para a própria casa de Adilson.

Com as crescentes reclamações dos vizinhos por causa do tumulto provocado pelos associados, cada vez que eles se reuniam na casa de Adilson para acompanhar as corridas, a TAS foi transferida para a ampla casa da rua Doutor Edson de Melo, assim que a família Senna instalou seus negócios no edifício Vari, o moderno prédio empresarial construído por Ayrton no coração do bairro de Santana.

Antes mesmo de abrigar a TAS, no entanto, o escritório de Santana já era o centro da idolatria em torno de Senna no Brasil. Em 1988, uma reportagem do *Jornal do Brasil* registrava uma média de 20 cartas de fãs por dia. Quem as recebia e as classificava, em quatro categorias principais, eram as secretárias Janete e Ana Flora. Havia o grupo dos fãs que simplesmente queriam desejar "saúde, felicidade e amor". E também aqueles que pediam sempre alguma lembrança personalizada, uma foto ou um pôster autografado por Ayrton.

Um terceiro grupo de remetentes tratava o escritório de Senna como se ali funcionasse o gabinete de um deputado clientelista, pedindo ajuda material, que poderia ser uma casa, um carro, um casaco de peles, uma oportunidade de trabalhar com Senna ou, simplesmente, dinheiro, de preferência em espécie. E havia um quarto grupo, o das fãs mais ousadas, que declaravam amor, propunham encontros amorosos e pediam fotos de Ayrton em trajes sumários. No texto de algumas daquelas cartas, as mulheres percebiam, a distância, o que os mais íntimos sentiam dentro e fora dos boxes da Fórmula 1. Uma delas dizia:

"Senna é um maior abandonado, um homem charmoso e bonito, porém tímido e carente de afeição e amor."

As fãs italianas eram as mais ousadas e chegavam a propor encontros, anexando às cartas desenhos sensuais e sugestivos. A maioria dizia ir às nuvens quando ouvia Senna falando em italiano.

Uma das preciosidades do acervo de cartas da Ayrton Senna Promoções, na época, era a de um menino inglês. Ele desejava ardentemente que Ayrton vencesse o compatriota Nigel Mansell, mas fazia uma ressalva:

"Acabe com ele, mas deixe que eu mesmo me encarrego de comer o fígado."

Com apetite semelhante ao do jovem inimigo de Mansell, os fãs do piloto Senna, predominantemente homens, também mandavam cartas. Os destinatários, no caso, eram jornais, colunistas e correspondentes de Fórmula 1. Celso Itiberê, já um veterano àquela época, recebia às vezes 100 cartas por semana, principalmente quando criticava. Algumas das cartas eram o que ele chamava de "hidrófobas":

"O torcedor de Senna era um fanático. Agia com o coração. Mandavam cartas me chamando de idiota. Um sujeito me escrevia sistematicamente toda vez que o Senna vencia e dizia: 'Eu espero que você agora tenha aprendido. Você está diante do maior piloto de todos os tempos.' Eles eram equivalentes a flamenguistas e corintianos fanáticos."

E havia os torcedores que não entendiam ou não gostavam de Fórmula 1 e, pelo menos aparentemente, não sentiam qualquer impulso romântico ou libidinoso, platônico ou não, por Ayrton. O que os fascinava e os unia era o efeito fenomenal das vitórias de Senna no estado de espírito do Brasil daqueles tempos.

O jornalista Roberto Benevides, ao comentar a conquista do primeiro título mundial de Senna em sua coluna de 1º de novembro de 1988, no jornal *O Estado de S. Paulo*, fora um dos primeiros a perceber que Ayrton saíra velozmente da pista para o chamado imaginário coletivo dos brasileiros, àquela altura mergulhados nas crises do governo José Sarney:

"A vitória de virada é mais que um feito esportivo. É um toque nos 140 milhões de brasileiros entregues ao desânimo plantado pela crueldade da ditadura e pela incompetência da velhíssima Nova República."

A Pátria já tinha entrado no *cockpit*. E, por isso, sofreria no Japão.

TAPETÃO

— Não deixe ele voltar! Não deixe ele voltar!

A ordem da direção de prova do GP do Japão soara alta e clara, em japonês, no *headphone* de Hiro Teramoto, o único dos integrantes da rede de rádio da McLaren que falava o idioma e estava na área do *pit-stop*. À frente de Teramoto, a McLaren de Senna rugia como um animal preso, enquanto os mecânicos trocavam apressadamente o bico avariado do carro. A voz em japonês insistia:

— Não deixe ele voltar! Traduza isso para o seu pessoal!

Momentos antes, na 46ª volta, uma batida quase cômica entre as duas McLaren, na *chicane* de acesso à reta principal, tinha posto fim a uma disputa até então feroz e perfeita. Alain, que não precisava daquela corrida, saltara rapidamente do carro, sem o menor interesse de saber se ainda poderia continuar na prova. Ayrton, com a obrigação de vencer para manter as chances de ser campeão, fora empurrado pelos fiscais, cortara parte do traçado da *chicane* para voltar à pista e dera uma volta inteira com o bico do carro se desfazendo, até parar no boxe.

Teramoto acompanhara a heróica volta de Ayrton. E gritou no rádio, em japonês:

— Não posso fazer isso! Não posso fazer isso!

E não fez. Segundos depois, Senna voltava à pista para a dramática arrancada que o levou a ultrapassar Alessandro Nannini, da Benetton, e vencer a prova na pista. Todos os mecânicos da equipe McLaren torciam muito. Só Teramoto sabia que não valia mais nada. Ayrton já estava sendo desclassificado ao entrar no boxe para aquele *pit-stop*. E Prost foi tricampeão.

Suzuka, 1989. No carro 2, Prost fecha Senna na chicane. *Alain foi esperar, no boxe, o título de tricampeão; Ayrton, no carro 1, voltaria à corrida e se recuperaria de forma heróica, mas seria desclassificado.*

Ainda se discutiam, em 2003, não só a desclassificação de Senna por cortar a *chicane*, como também quem mais influiu na decisão dos comissários. Jean-Marie Balestre, o então presidente da FISA, e, para alguns, artífice da punição que jogou a taça de campeão no colo de Prost, até deu uma entrevista, em novembro de 1996, admitindo que dera mesmo "uma ajuda" ao compatriota na conquista do título. Mas havia quem duvidasse que ele tivesse tanto poder sobre a direção da prova.

O próprio Prost, segundo o engenheiro Takeo Kiuchi, foi até a torre de controle do autódromo de Suzuka, enquanto Ayrton tentava vencer a corrida na pista. Kiuchi ressalvou, porém, que jamais soube o que Alain conversou com os comissários. O então diretor técnico da Honda, Nobuhiko Kawamoto, também disse ter sido informado por funcionários de confiança sobre uma conversa de Prost com Balestre, antes da oficialização da desclassificação de Senna.

Bernie Ecclestone, 14 anos depois, deu sua opinião pessoal:

"Acho que foi errado, mas é como no futebol: às vezes o juiz está certo, às vezes ele está errado. Neste caso, independentemente do que estava certo ou errado, foi uma decisão dos comissários."

Max Mosley, sucessor de Balestre na presidência da FISA, localizou naquela tarde politicamente conturbada o impulso decisivo que o levou a se candidatar ao cargo:

"Eu não concordei com o que aconteceu na época e não concordo hoje. Mas agora sou menos crítico a meu antecessor do que eu era na época. Sei o quão difícil é o trabalho de presidente da entidade."

Alain Prost, em março de 2003, continuava contrariado com os que ainda tentavam associá-lo às decisões tomadas por Balestre contra Senna:

"Isso é ridículo. Eu estive com Ron Dennis o tempo todo depois da corrida de Suzuka e não tive qualquer contato com Balestre."

Alain garantiu, sim, ter ido ao *motohome* onde estava Senna, para estender a mão e cumprimentá-lo, apesar da desclassificação, dizendo:

— Sinto muito por essa merda toda.

Ayrton não respondeu. O gesto levou Prost a chamá-lo, no dia seguinte, de "vírus maligno" e de "homem sem honra", em entrevista aos correspondentes dos jornais *Corriere Della Sera*, *Corriere Dello Sport* e *Gazzetta Dello Sport*:

"Queria terminar o ano de uma forma civilizada. Ele virou a cara. Então que vá se..."

Os jornais italianos não especificaram o palavrão.

Na lembrança de Prost, Ron Dennis parecia "furioso com a decisão da direção da prova", quando os dois se encontraram e Alain disse:

—Você continua esquecendo que ainda sou um piloto de sua equipe.

Naquelas horas críticas depois da corrida, o executivo Julian Jakobi viveu uma situação curiosa: seus dois clientes, Senna e Prost, ligaram quase ao mesmo tempo, como que preparando Julian para uma longa batalha jurídica. Ayrton, com o apoio de Ron Dennis, queria briga com Balestre. E Prost estava preocupado com uma possível ameaça ao título que acabara de conquistar. Julian não se envolveu na questão. Com nenhum dos dois clientes.

O jornalista Joe Saward, da *Autosport*, resumiu à perfeição aquele GP do Japão:

"O que quer que tenha acontecido, não foi esporte e resultou num mar de recriminações e veneno. Ninguém saiu dessa situação cheirando a rosas. Todos tiveram sua reputação afetada."

Uma vítima inocente do terremoto político daquele domingo foi a memória de uma corrida antológica. Até aquela *chicane*, que era, como todas as *chicanes*, um insulto à beleza das corridas de automóvel. Prost tomara duas decisões que surpreenderiam Senna: primeiro, deixara claro que, daquela vez, não abriria a porta para Ayrton ultrapassar. Correria os riscos que fossem necessários. E, sabendo do investimento de tempo de Ayrton no acerto do carro para conquistar a *pole*, investiria na preparação de seu carro para a corrida.

Deu certo. No *warm-up* de domingo, Alain já foi oito décimos de segundo mais rápido que Senna. Dada a largada, ele tomou a ponta e, depois de uma primeira volta perfeita, impôs o enredo do espetáculo. Por mais de 30 voltas, eles lutaram por décimos, Senna para descontar, Prost para ampliar a vantagem, que variava entre um e dois segundos. Até a *chicane*, único ponto possível para dois carros tão iguais se ultrapassarem, desde que os dois aceitassem essa alternativa. Naquele dia, Prost não aceitou. E foi certamente com satisfação que Nigel Roebuck, aquele que confiava nos dentes restantes do tubarão, registrou na retrospectiva do ano da *Autosport*:

"Não se pode esperar um gesto de caridade de quem está disputando o campeonato do mundo. Muito menos de quem não gosta do que está ultrapassando. Senna recebeu precisamente o que daria."

A manchete do jornal *O Estado de S. Paulo,* "O bravo Senna espera por justiça", foi uma síntese do comportamento médio dos correspondentes e da imprensa brasileira, em relação ao desfecho do campeonato. O colunista Renato Maurício Prado, ouvido por um jornal francês, considerou "natural" a desclassificação de Senna, pelo fato de ele ter cortado a *chicane*. Entrevistado pelos repórteres brasileiros, Nélson Piquet assoprou e depois mordeu:

"A desclassificação não foi correta. Foi injusta. Outros motivos poderiam ter sido alegados, como o fato de o carro voltar a funcionar, depois de empurrado pelos comissários de pista."

Na noite da corrida em que perdeu o título de 1989, Ayrton não deixou de cumprir um costume que tinha após cada corrida no Japão e que não trocava por qualquer badalação, entre as muitas que lhe ofereciam: jantar no final do dia com o ex-rival do *kart* Maurizio Sala, que fazia carreira no automobilismo japonês. Mais uma vez, os dois ocuparam uma mesa do Korean Barbecue, um dos restaurantes do complexo de lazer construído em torno do autódromo de Suzuka.

Por cerca de uma hora, Senna se manteve frio. A raiva era tão grande, que o único assunto do jantar acabou sendo a vida de Maurizio no Japão. Sala não tocou no incidente da *chicane* porque receava que Ayrton pudesse não gostar. Ao se calar, Maurizio não sabia que provavelmente estava salvando uma longa amizade. Ele achava que Ayrton tinha sido precipitado na tentativa de ultrapassar Prost.

Precipitado. Exatamente o adjetivo que Senna não gostava de ouvir. Muito menos no dia em que perdia um título mundial para o seu maior rival.

No final daquele 22 de outubro de 1989, Hiro Teramoto tomou fôlego e contou ao chefe dos mecânicos da McLaren, Neil Trundle, a decisão consciente, solitária e unilateral que tomara de não traduzir para o inglês a ordem do comissário japonês para que Senna fosse impedido de voltar à pista, depois da troca do bico destruído na batida com Prost. Em vez de repreensão, ouviu um consolo:

— Você fez o que tinha de fazer. Ninguém conseguiria segurar o Ayrton naquele momento.

A Balançada

A temporada terminou para Senna de forma melancólica e perigosa: um vôo cego da McLaren no aguaceiro de Adelaide, até bater na traseira da Brabham de Martin Brundle quando os dois atravessavam a reta principal, a cerca de 230 por hora. O maior susto da carreira, ele disse. Quinze dias depois, Ayrton ligou de São Paulo para Londres e comunicou a Ron Dennis a decisão de parar de correr:

— O sistema é corrupto e é impossível que as coisas funcionem de uma forma justa.

Nos treinos para o GP da Austrália, Senna ainda dava sinais de que pretendia lutar contra a decisão dos comissários de Suzuka: considerava a desclassificação uma "grande manipulação", insistia na convicção de que não cometera qualquer irregularidade na pista e prometia usar todos os recursos para reverter a situação.

A situação agora era diferente. Ayrton transmitia uma decepção tão grande que Ron Dennis resolveu agir, primeiro por telefone, tentando fazer com que ele pensasse mais e racionalizasse o que estava acontecendo. Depois, Ron achou melhor embarcar num avião e atravessar o Atlântico para ajudar Senna a descobrir uma saída que não passasse pelo abandono da carreira:

"Nós racionalizamos e chegamos à conclusão de que isto seria uma vitória dos adversários dele. Ele jamais aceitaria o que a FIA fez. E nós dividimos a frustração."

Ron Dennis achou que, nesses dias, cumpriu um papel semelhante ao de Armando Botelho e de Braguinha. Quem também participou do esforço de dissuadir Ayrton da aposentadoria precoce foi Nobuhiko Kawamoto. Perto do Natal, preocupado com a falta de sinais claros de

Ayrton sobre se continuaria ou não a correr, Kawamoto ligou de Tóquio para Senna.

Dona Neyde atendeu o telefone. Era início da manhã no Brasil. A conversa foi longa o suficiente para esquentar as orelhas. Ayrton, com a voz de quem acabara de acordar, parecia "desapontadíssimo". Mas Kawamoto insistiu:

— Ayrton, você já é um campeão. É claro que a decisão em Suzuka não foi justa. Mas pense nos seus fãs. Todo mundo está esperando que você continue a correr. Você tem um compromisso. Se você decidir assim, nós daremos o melhor de nós para você vencer. A gente se entende profundamente.

Não houve uma resposta imediata, mas Kawamoto terminou a ligação com a certeza de que tinha dado o recado que queria para Senna. Eles tinham muito mais do que uma relação de negócios. Era uma amizade baseada na franqueza e na confiança mútua, de acordo com Kawamoto. Yoshitoshi Sakurai foi outro interlocutor de Ayrton no auge do desencanto com a Fórmula 1. O tom e os argumentos foram semelhantes aos de Kawamoto:

— Seu compromisso, Ayrton, é com seus fãs.

A raiva de Senna ficou ainda maior antes que ele voltasse a entrar num *cockpit*. Tudo o que ele dissera sobre os dirigentes e decisões da FISA estava sendo anotado. E não era em seu benefício.

Mais um golpe de Balestre estava a caminho.

Papai Noel

Faltavam poucos dias para o Natal de 1989. Ayrton, no auge da decepção com a Fórmula 1, já estava no Brasil, preparando-se para esquecer as pistas por mais um verão. Num encontro com Braguinha, revelou:

— Vou a Nova York para ver a Xuxa.

— Ela sabe que você vai?

— Não, vou fazer uma surpresa pra ela.

Braguinha perguntara, porque sabia que o namoro não andava bem. Para ele, Ayrton não era mais o jovem arrebatado que se deixara beijar várias vezes pela musa brasileira em frente às câmeras da TV Globo. Não era também o Ayrton alegre e iluminado que carregara Xuxa para o GP de Mônaco daquele ano. E que dissera a Milton Coelho da Graça, pouco antes do GP da Alemanha, no final de julho, que estava até emagrecendo, tão grande era a saudade da namorada.

O entusiasmo do verão europeu, aos poucos, dera lugar ao silencioso sofrimento da primavera brasileira. O namoro entrara em crise, causada pela pouca disponibilidade de Xuxa. Nuno Cobra, que costumava passar vários dias em Angra dos Reis coordenando a preparação física de Ayrton, chegara a acompanhá-lo em algumas viagens de helicóptero para o Rio, só para encontros com Xuxa. Em algumas dessas viagens, de acordo com Nuno, a empresária Marlene Mattos "praticamente escondia Xuxa de Ayrton": "Ele ia para lá entusiasmado e voltava sorumbático por causa da Marlene."

Quando Senna estava fora do Brasil, a situação não era diferente. Na lembrança de Maria Assunção, a governanta da casa de Sintra, "Xuxa ligava muito". E Senna, segundo ela, geralmente ficava triste ao final das conversas pelo telefone:

"Sempre que ele falava com a Xuxa dava a impressão de que não estava bem."

Dona Neyde também ficou preocupada com a decisão de Ayrton de procurar Xuxa em Nova York. A mãe de Senna, como Braguinha, sabia que o namoro estava estremecido. E chegou a aconselhar:

— Meu filho, não vai. Pense bem no que você está fazendo...

A resposta de Ayrton:

— Mãe, é mais forte do que eu.

Senna comprara havia pouco tempo um novo avião, um jato executivo BA HS-125-800. Voou nele sozinho para Nova York, apenas com os dois pilotos, e foi direto para o apartamento de Xuxa na cidade. Mas encontrou lá apenas o segurança da apresentadora, Magno, com a rigorosa determinação de não revelar o endereço em que ela estava.

Ayrton insistiu muito até conseguir saber. Xuxa estava em uma casa em Hampton Bays, reduto da elite nova-iorquina, formado por pequenas vilas à beira-mar. Ele seguiu para lá e, antes de bater à porta, de acordo com o relato que fez a Braguinha, se vestiu de Papai Noel. Ao toque da campainha, a surpresa foi dele. Ayrton relatou depois aos amigos, à família e a pelo menos uma de suas futuras namoradas, que Xuxa não quis que ele entrasse:

— O que você está fazendo aqui? Eu não te chamei. Por favor, vai embora. Você não vai entrar aqui.

Ayrton não insistiu. Voltou para o Brasil, decepcionado. Marcos Magalhães Pinto foi um dos amigos que acompanharam seu sofrimento:

— Ele ficou perturbado. Não estava feliz. Andava triste e chateado. Nunca tinha vivido aquele tipo de sentimento. Foi o namoro que mais o marcou, sem a menor dúvida.

Foi um longo e arrastado fim de caso, com um detalhe que as futuras namoradas de Ayrton conheceriam, de um modo ou de outro: Xuxa jamais deixou de procurar Senna. E ele, algumas vezes, também a procuraria, não importando com quem estivesse.

Gerhard Berger, que se tornou cada vez mais amigo de Ayrton a partir de 1990, exatamente o período que se seguiu ao rompimento, também sentiu, nas conversas que tiveram, o impacto de Xuxa na vida de Senna:

— Ela era seu sonho, mas parece não se ter portado como ele esperava. Daí que havia mais crises em sua vida sentimental do que se podia supor.

Tereza Brown, comadre e eventual confidente de Ayrton, também acompanhou o fim do namoro e teve duas certezas: a de que os dois realmente gostaram um do outro e a de que também eram "duas estrelas exigindo atenção".

A primeira manifestação pública sobre o fim do namoro só aconteceu meses depois, no dia 15 de maio de 1990, em Santiago do Chile, onde Xuxa recebeu um prêmio pela venda de 100 mil cópias de um de seus discos:

"Por causa do meu excesso de trabalho, meus *shows* e meu lançamento internacional como cantora não me sobra tempo para dedicar a uma só pessoa. Além disso, essa pessoa teria que me amar verdadeiramente para que me interessasse por ela."

Ron Dennis, com a fama gélida que construiu na Fórmula 1 e a distância finlandesa que adicionou ao seu temperamento inglês, pouquíssimas vezes deu à imprensa o privilégio de comentários sobre o que testemunhou da vida pessoal e afetiva de Ayrton Senna, nos seis anos em que trabalharam juntos. Mas em 5 de abril de 2003, nos boxes de Interlagos, Ron abriu uma exceção e, depois de uma longa pausa, relatou o que, ao longo de seis anos de convivência intensa na McLaren, aprendeu sobre a vida afetiva de Ayrton:

"Em circunstâncias normais, eu não faria comentários sobre as namoradas, mas tanta coisa falsa foi dita que eu me sinto instado a comentar. A verdade é a seguinte: Ayrton era completamente comprometido com a Fórmula 1. Era a coisa mais importante em sua vida e ele fez muitos, muitos sacrifícios para ser o melhor, num nível ao qual jamais alguém chegou. Ele estabeleceu padrões para os campeões do futuro. E o que mais fez ele sofrer foi sua vida particular."

Ron fez questão de ressaltar que Senna tinha um "apoio tremendo" da família e que sua paixão pelo Brasil era "inacreditável". Mas acrescentou:

"Confiança era muito importante e ele não colocou essa exigência de lado quando se tratava das namoradas. Mas ele era, de certo modo, gentil demais, atencioso demais, aberto demais. E virtualmente todas as relações amorosas dele que eu testemunhei e que tiveram algum valor para ele sempre terminaram de forma dolorosa para ele. Eu ficava triste por Ayrton, porque não acho que ele tenha encontrado a felicidade verdadeira nesses relacionamentos."

8º Capítulo

Perdas, Trocos e Ganhos

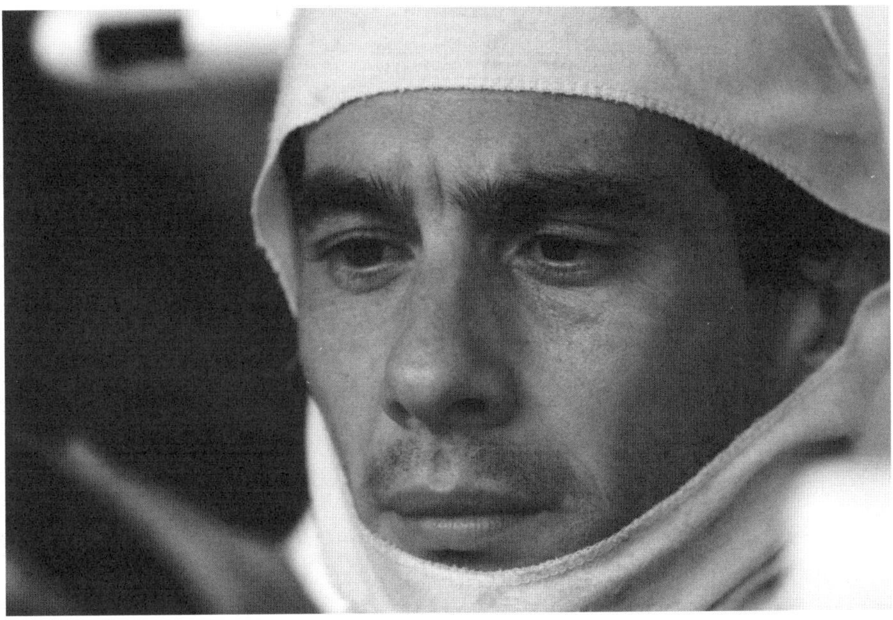

Quem gostava de Ayrton Senna estava muito preocupado com o futuro dele no dia 15 de fevereiro de 1990, às vésperas da nova temporada da Fórmula 1. Faltavam algumas horas para vencer o prazo dado por Jean-Marie Balestre para que ele se retratasse, publicamente, por ter acusado a FISA de manipulação a favor de Alain Prost, no GP do Japão, corrida que decidiu o campeonato de 1989. O ultimato de Balestre era o derradeiro capítulo de uma polêmica travada através dos jornais durante meses. Agora Ayrton não tinha mais alternativa: ou se retratava ou não teria renovada sua licença para disputar o campeonato.

Senna não admitia a hipótese de se desculpar. E uma rede de negociação foi montada, envolvendo os amigos, no Brasil, o presidente da Honda, Nobuhiko Kawamoto, no Japão, e Ron Dennis, na Inglaterra. A pedido de Nuno Cobra, um dos que mais se preocupavam com a sofrida intransigência de Senna, Alex Dias Ribeiro, o conselheiro das reuniões de iniciação evangélica, ligou para Ayrton em São Paulo:

— Ayrton, acho que você deve se retratar.

— Por quê?

— Deus te deu um dom e você não pode jogar fora esse dom de Deus.

— Vou correr na Indy.

— Mas se você correr na Indy, estará dando um passo para trás.

Nesse momento da conversa, Senna, indignado, começou a xingar Balestre. Alex interrompeu:

— Você pode escrever uma carta na qual você se retrata em relação à autoridade, não em relação ao que disse e fez.

— E onde fica a minha dignidade, hein? Onde fica?

— Onde ficou a dignidade de Cristo quando o pregaram na cruz?

— Mas não sou Cristo, porra!

Alex apelou então para uma pausada leitura dos versículos 6 e 7 do capítulo 5 da Primeira Carta de São Pedro:

— Humilhai-vos, pois, debaixo da poderosa mão de Deus, para que Ele vos exalte no tempo oportuno. Confiai-lhe todas as vossas preocupações, porque Ele tem cuidado de vós.

Para Alex, Senna não pareceu sensibilizado.

O que muita gente não sabia é que havia um dedo brasileiro a favor de Balestre, na disputa com Senna, no Conselho Mundial da FISA: Carlo Gancia, filho do então presidente da Confederação Brasileira de Automobilismo (CBA), Piero Gancia.

Piero tentara, em vários e longos telefonemas, convencer Ayrton de que o melhor era não brigar com Balestre. Desligava o telefone certo de que o tinha convencido, mas bastava uma conversa de Senna com o pai e, como Piero disse à filha, a jornalista Bárbara Gancia, "tudo voltava à estaca zero". Mesmo frustrado, Piero estava decidido a não prejudicar Senna na reunião de Paris.

Só que ele não pôde ir à reunião por causa de compromissos profissionais e pediu que o filho Carlo, seu suplente, o representasse na votação. Segundo Bárbara, o irmão agiu "como um justiceiro" na reunião, sem levar em conta a orientação do pai de se abster de votar contra Ayrton, um filiado da CBA. Piero, de acordo com ela, ficou magoado com o filho. Houve até uma pequena crise familiar no clã dos Gancia, superada por inteiro posteriormente, segundo Bárbara.

Arnon Affonso de Mello, filho do então presidente eleito Fernando Collor, tinha 13 anos naquele início de 1990. E acompanhava o pai em seu giro europeu, depois de ele vencer Luís Inácio Lula da Silva no segundo turno das eleições. Arnon corria de *kart*, na mesma equipe por onde passaram Senna e Christian Fittipaldi, filho de Wilsinho, sobrinho de Emerson e futuro piloto de Fórmula 1. Mobilizado pela situação de Ayrton, ele pediu ao pai para aproveitar o encontro que ia ter com o primeiro-ministro francês, Michel Rocard, e interceder em favor de Senna. Collor, de acordo com Arnon, não quis transformar o assunto em questão de Estado, mas autorizou o filho a tocar no assunto. E Arnon tocou:

"Eu fiquei com um pouco de medo. Era um pivete."

À saída do encontro, Arnon deu uma entrevista, confirmando o apelo a Michel Rocard e mostrando-se esperançoso de que tudo acabaria bem:

"Acho que o Senna vai ser esperto e não vai querer mais falar no assunto, pois tem tudo para ser campeão novamente."

Ayrton ligou para agradecer. Além disso, mandou para Arnon e o irmão Joaquim Pedro um quadro autografado e dois capacetes. Balestre, procurado pelos jornalistas franceses, negou que tivesse sido procurado por qualquer autoridade francesa. E desdenhou da intervenção do filho do novo presidente brasileiro com uma provocação política:

"Vamos ver se ele defende com tanto empenho os favelados como andou defendendo pilotos bilionários da Fórmula 1."

Àquela altura, a McLaren já tinha resolvido metade do problema: pagara a multa de 100 mil dólares que lhe fora imposta, depois de recorrer ao Tribunal Internacional de Apelações da Federação Internacional de Automobilismo, a FIA, e garantira pelo menos a matrícula de seus dois carros no campeonato de 1990: um pilotado por Gerhard Berger e um "para outro piloto ainda a ser definido". Não citar, naquele momento, o nome de Senna, já suspenso pelo Conselho Mundial da Federação Internacional do Esporte Automobilístico, a FISA de Balestre, era a saída para garantir a inscrição da equipe.

Balestre falava muito, mas já não tinha tanto poder. Nem a imprensa francesa se sentia confortável com seus surtos de arrogância. O jornal *Liberation* chegara a compará-lo ao personagem mau-caráter "JR", de *Dallas*, a série de tevê de sucesso na época. O respeitado *L'Equipe,* embora concordando com a suspensão e a multa impostas a Senna, reclamava:

"O que Balestre está a ponto de fazer ultrapassa a imaginação. O dirigente gosta de pedidos de desculpas. Públicos, naturalmente. Mais um pouco e será necessário desculpar-se por existir."

Na imprensa italiana, a paciência com Balestre era bem menor. Chamavam-no de "ditador", "psicopata" e de "conducator", título oficial de Nicolae Ceausescu, o tirano romeno deposto e fuzilado durante a derrocada das ditaduras socialistas da Europa Oriental. Bruce Jones, então um dos editores da *Autosport*, explicou:

"Por cerca de dez anos, nós sempre vimos Jean-Marie Balestre como uma piada. A gente ria muito com ele."

Balestre também tinha contra si praticamente todos os donos de equipe da Fórmula 1 e um grande número de confederações. Recebera uma volumosa correspondência de protesto na sede da FISA, na praça da Concórdia, no centro de Paris. Um dos seus predecessores na FIA, Claude Borillot, chegou a entregar ao embaixador brasileiro na França, João Hermes, um volumoso dossiê com supostas provas do passado colaboracionista de Balestre durante a ocupação nazista da França. Borillot acusava Balestre de dominar a cena automobilística graças a "subornos e favores", que distribuía "entre os automóveis-clubes de todo o mundo". E concluía:

"Assim como o governo alemão protestou junto ao governo francês por ter Balestre, um ex-SS, na presidência da FISA, o governo brasileiro poderia fazer o mesmo."

Alain Prost era uma das poucas personalidades que se colocavam publicamente ao lado dele, sempre dizendo que Senna não tinha o direito de questionar a conquista de seu tricampeonato.

Os termos da carta exigida por Balestre foram definidos por Ron Dennis, depois de uma noite em claro e oito horas exaustivas de negociação, palavra por palavra, com Senna e o próprio Balestre. Participação especial: Nobuhiko Kawamoto. Antes do texto final, duas alternativas radicais chegaram a ser mencionadas: a retirada da McLaren da Fórmula 1 e a opção de a equipe tentar disputar o campeonato na base de liminares judiciais. Prevaleceu o texto abaixo:

"Caro presidente, durante a reunião do Conselho Mundial da FISA, que aconteceu no dia 7 de dezembro de 1989, ouvi declarações e depoimentos de várias pessoas que, devo concluir, constituem prova de que nenhum grupó de pressão ou o presidente da FISA influenciou as decisões relativas aos resultados do Campeonato Mundial de Fórmula 1 de 1989. Peço a superlicença para o Mundial de 1990. Saudações, Ayrton Senna."

Na manhã de 16 de fevereiro, Ayrton explicou aos repórteres brasileiros:

"Chegamos a um denominador comum. Ele reconheceu minha integridade como homem e campeão mundial e eu enviei um fax de uma carta datilografada e assinada reconhecendo que Balestre não tomou parte na decisão referente ao campeonato de 1989."

Do outro lado do Atlântico, Balestre comemorou:

"Foi uma grande vitória para o automobilismo. Ayrton Senna é um grande piloto, tem talento, mas existe uma diferença de filosofia entre ele e a FISA. Não permitiremos que ganhe assumindo todos os riscos e a qualquer preço."

O episódio não alterou o estilo de Senna na pista. Nem impediu que ele conquistasse o título da temporada que estava começando.

Cinzas de Phoenix

Qualquer piloto de Fórmula 1 concorda: falta de motivação não é uma expressão muito apropriada para definir estados de espírito em uma profissão que se pratica vestido de astronauta, amarrado dentro de um habitáculo de *kevlar*, envolto por dezenas de litros de gasolina, sentindo na nuca a vibração de um motor de 800 cavalos e freando a 250 por hora para, se Deus quiser, fazer uma curva com os maxilares travados, à espera de alguns segundos de alívio na próxima reta. Pilotos desmotivados existem. Mas continuam correndo muito.

Era o caso de Ayrton Senna, nos treinos para a primeira corrida da temporada de 1990, em Phoenix, dia 11 de março. A ressaca psicológica provocada pela decepção em Suzuka no ano anterior, o ultimato espalhafatoso que Balestre lhe impusera e o sacrifício pessoal da carta de retratação tinham afetado Ayrton. Na tomada oficial de tempos, obteve uma surpreendente quinta posição no *grid*, enquanto o novo companheiro de equipe, Gerhard Berger, conquistava a *pole position*. Foi a primeira vez em que Senna não largou na primeira fila em 24 corridas consecutivas.

Senna estava diferente. O desânimo dos testes no inverno europeu que, ele imaginava, ia desaparecer na primeira corrida de verdade, continuava. No domingo de manhã, ele revelou depois, a preocupação era ainda maior:

"O carro foi muito bem no *warm-up*, mas eu é que não estava bem. Normalmente, em dias de corrida, tenho de me esforçar para manter a calma e, nesse dia, ocorreu o contrário. Estava calmo demais para o meu normal e tive até de me beliscar para acordar e entrar no clima da corrida."

Ayrton voltou a se reconhecer como Senna já no meio da prova, quando ocupava a segunda posição. Berger tinha ficado pelo caminho, ultrapassado por ele, e quem liderava era o surpreendente Jean Alesi, com um novo e eficiente Tyrrel-Ford. Ainda, se é que se pode dizer, desmotivado, Ayrton seguiu o comportamento padrão: embutiu durante três voltas na traseira de Alesi e deu o bote na entrada de uma *chicane* quadrada, formada pelo cruzamento de duas ruas da cidade. Alesi deu a Senna o lado interno da primeira perna da curva, mas, espanto mundial, contra-atacou por dentro na segunda, emparelhando com a McLaren e voltando à primeira posição.

O inesperado drible acordou Senna. Duas voltas depois, com a motivação de volta à flor da pele e a mesma fúria dos tempos em que decolava de curvas da Fórmula 3 ao disputar posições com Martin Brundle, ele ultrapassou Alesi no mesmo lugar, agora evitando que o francês desse o troco na segunda perna da curva e ainda dando um *tchau* provocador, antes de sumir na liderança e receber a bandeirada da vitória.

Naquele dia, Berger, o novo companheiro de equipe, embora visivelmente prejudicado pelo desconforto de um *cockpit* pequeno demais para ele, queria entender o que tinha acontecido nos momentos em que foi pressionado por Senna até rodar e ceder para ele a segunda posição. Nas páginas da telemetria, descobriu que Ayrton aplicara nele uma "pressão mortal":

"Nem mesmo Ayrton poderia suportar aquele ritmo por muito tempo. Era o seu instinto meio de matador, meio suicida. Pela primeira vez, eu me senti pessoalmente derrotado. Senna passava a ter, para mim, o valor que já tinha no mundo do esporte. E isso tornou as coisas ainda mais difíceis para mim."

E era apenas a primeira corrida de Berger na McLaren.

O antigo companheiro de equipe de Senna, Alain Prost, agora prestando serviços juntamente com Nigel Mansell para a Ferrari, deu entrevistas em Phoenix propondo conversas com Ayrton e Ron Dennis, em nome de uma temporada que, ele tinha certeza, seria "fantástica" e disputada dentro de "um ambiente o mais esportivo possível". Jo Ramirez, encantado com aquele gesto de desarmamento, quis saber o que Senna achava da proposta. Não devia ter perguntado:

— Foda-se ele!

Na entrevista de renovação do contrato com o Banco Nacional, Ayrton disse aos jornalistas que recusou a mão estendida de Alain por acreditar que o gesto foi muito mais promocional do que sincero:

"O que aconteceu no ano passado foi muito forte. Foi muito desleal. Deixei claro para ele, já no ano passado, que era uma porta fechada."

De Erundina a Collor

— Senhor Gancia, o Grande Prêmio do Brasil está cancelado.

Antes de enfrentar a ira de Balestre com o comportamento de Senna em Suzuka, em 1989, o Brasil já tinha problemas com o presidente da FISA. A decisão de cancelar o GP do Brasil de 1990, comunicada na reunião do Conselho Mundial da entidade antes da polêmica corrida no Japão, deixara o presidente da CBA perplexo:

— Mas qual a razão, senhor presidente?

— O autódromo de Jacarepaguá está inteiramente fora das normas de segurança.

Piero Gancia não tinha muitos argumentos a contrapor. Nos testes de pneus daquele ano na pista carioca, o francês Phillipe Streiff sofrera um gravíssimo acidente que o deixara tetraplégico. A conclusão dos comissários da FIA, a partir do acidente, era a de que a pista não era segura e a estrutura de atendimento médico não era satisfatória. Havia mesmo um risco real de o Brasil ficar sem a corrida indefinidamente, já que cinco países candidatos estavam na fila para ocupar a vaga.

Gancia já perdera a esperança de contar com o apoio do então governador do Rio, Moreira Franco, e do prefeito da cidade, Saturnino Braga, para recuperar o circuito de Jacarepaguá a tempo. E decidira, mais por desencargo de consciência, ligar para a então prefeita de São Paulo, a petista Luiza Erundina:

— Prefeita, estamos perdendo a Fórmula 1.

A resposta foi surpreendente:

— Segura de qualquer maneira.

— Prefeita, só quero avisar que há muita coisa para fazer em Interlagos.

— Segura que nós vamos fazer o que for preciso.

Piero e Luiza tiveram menos de quatro meses para praticamente reconstruir o autódromo, reduzindo para pouco mais da metade o traçado original, agora inaceitável, de oito quilômetros. No dia 12 de dezembro daquele ano, Bernie Ecclestone pousou em São Paulo para ver como estava a obra. De helicóptero, foi levado direto do aeroporto de Cumbica para a Prefeitura de São Paulo e de lá, na companhia de Erundina e Piero Gancia, para Interlagos.

Quando eles pousaram no autódromo, um outro helicóptero, o de Ayrton Senna, também estava chegando. Era o *script* previamente combinado com Gancia. No meio da vistoria, feita de carro, Ayrton vetou a curva de alta velocidade que já estava sendo construída no final da reta dos boxes:

— Tem de ter uma freada forte e duas curvas bem fechadas para permitir ultrapassagens.

Tentaram atendê-lo. No dia 22 de fevereiro de 1990, o novo traçado foi aprovado pelos comissários da FISA. Mas a nova curva, que foi batizada de "Esse do Senna", não ficara exatamente do jeito que Ayrton imaginara. Na presença do correspondente Livio Oricchio, do *Estado de S. Paulo*, Ayrton disse:

"Não é nada disso. Eu queria um esse de alta velocidade em que você viesse no final da reta dos boxes, em sexta marcha, fizesse o esse em quarta marcha, alguma coisa parecida com o que tem no México, usando o declive. Não era chegar aqui e parar."

Alain Prost, no primeiro contato com Interlagos, aproveitou um elogio para criticar o atraso nas obras e as ondulações na pista:

"O circuito é seguro e maravilhoso. Só falta ficar pronto."

Quem brilhou politicamente na inauguração, coincidente com o cinqüentenário do autódromo de Interlagos, foi Fernando Collor, o novo presidente, o candidato que derrotara Lula, então companheiro de Erundina.

Os brasileiros ainda estavam tontos com o surpreendente confisco monetário do novo governo, o Plano Collor, quando a Fórmula 1 se instalou em Interlagos, no dia 19 de março. Todos os depósitos bancários estavam retidos no Banco Central, para serem devolvidos em conta-gotas, em 18 meses. A fulminante desvalorização do dólar, decretada pela ministra Zélia Cardoso de Melo, elevara a diária dos hotéis de São Paulo para o equivalente a 700 dólares.

De Paris, Jean-Marie Balestre, previsível, resmungava contra a insegurança política e econômica do Brasil, ameaçando cancelar a corrida. No comunicado da FISA em que, enfim, acabou homologando a pista, ele fez questão de alertar contra "a degradação rápida da situação econômica do Brasil e das condições de segurança para a realização da prova, assim como os problemas atmosféricos causados pela chuva". Ao correspondente do *Estado de S. Paulo* em Paris, Reali Júnior, Balestre quis demonstrar que os serviços de fax, telefone e telex não estavam funcionando regularmente. Não deu certo. Falou com o secretário-geral da FISA, Yvon Leon, em São Paulo, na primeira tentativa. E ainda foi informado de que tudo corria bem em Interlagos.

Bernie Ecclestone, cuja empresa era responsável pela realização da corrida, não fazia qualquer ameaça. Tinha sido recebido pelo presidente no palácio do Planalto e estava tranqüilo. Senna, um entusiasmado eleitor de Collor, também era só tranqüilidade. Convidara o presidente para a corrida e dava entrevistas, elogiando o novo plano econômico. Pedia paciência aos que não podiam movimentar as contas bancárias:

"O plano é sensacional. De imediato, afetou todo mundo, mas os resultados virão rápido. Eu e minha família também fomos atingidos, mas quem tem um pouco mais deve se sacrificar, pois todos ganharão. Tenho certeza de que vai dar certo."

Além de dar entrevistas de apoio ao Plano Collor, Ayrton foi a estrela de uma jogada surpreendente para o mercado publicitário brasileiro, naquele momento praticamente paralisado, à espera da acomodação da economia ao Plano Collor: um comercial de 30 segundos, criado pela MPM e gravado secretamente nos estúdios da produtora carioca Tycoon. Senna encerrou o anúncio de forma otimista, sugerindo, com um trocadilho, que o espectador corresse para o seu banco.

Senna e Ecclestone eram exceção no *paddock*. Chefes de equipes, mecânicos e jornalistas estrangeiros se queixavam muito da queda do valor de seus dólares. Um editorial de *O Globo,* publicado no dia 24 de março, deu a devida proporção à choradeira internacional:

"O prejuízo é relativo, já que suas despesas de hotel lhes custarão os mesmos dólares em que foram antes fixadas. São vítimas apenas de um dos sinais de saneamento da economia nacional. Seriam beneficiados por uma situação caótica e não poderiam esperar que, por isso, se adiasse o Plano Collor para depois da corrida. Enfim, como diriam os brasileiros que jamais puderam sair pelo mundo com seus cruzados ou cruzeiros, azar o deles."

Fernando Collor não teve o prazer pessoal e os ganhos políticos de entregar o troféu de primeiro lugar no GP do Brasil a seu ilustre eleitor. Na verdade, teve de ouvir a *Marseillese,* por Alain Prost, e o Hino Nacional italiano, pela Ferrari que o grande inimigo de Senna levou à vitória. Treze anos depois, Collor disse que, antes de premiar Alain, por quem sentia uma grande antipatia, impôs uma condição aos responsáveis pela cerimônia: queria entregar, também, o troféu do terceiro lugar a Ayrton. Foi atendido e pôde não apenas cumprimentar Senna, mas também perceber a profunda irritação dele com o desfecho da corrida.

Enquanto Prost, comemorando a 40ª vitória na Fórmula 1, Berger, o segundo colocado, e Senna davam entrevistas na sala de imprensa, Satoru Nakajima, cercado no *paddock* por jornalistas, sentia o peso pelo acidente em que se envolvera quando Ayrton, liderando a prova com 11 segundos de vantagem sobre Prost, se aproximara para colocar uma volta de vantagem sobre sua Tyrrel, na aproximação da curva do Bico do Pato:

"Digam-lhe que peço desculpas, que não foi intencional. Quando eu saí do caminho para o Ayrton passar, o carro pegou sujeira na pista e ficou desgovernado, voltando sozinho para dentro da curva, exatamente no momento em que ele estava me passando."

A parada no boxe para a troca do bico da McLaren tirara mais uma vez a chance de Senna vencer o GP do Brasil. A sétima tentativa. Ayrton chegou a dar algumas entrevistas culpando Satoru pelo acidente, mas fez questão de inocentá-lo quando os dois se encontraram no boxe. Senna nem deixou Nakajima se explicar:

— Tudo bem, tudo bem. Nenhum problema.

Ayrton estava furioso, sim, mas não com Nakajima. Já começava a ouvir o adjetivo que mais odiava ver relacionado pelos jornalistas à sua atuação: precipitado. Ainda naquele domingo, fez um desabafo revelador a Nuno Cobra. Era uma desesperada justificativa da manobra que fizera na curva do Bico do Pato:

— Dá vontade de dar porrada, Nuno. Você sabe por que que eu faço? Sabe por quê? É porque faço esse trabalho de condicionamento. Eles não sabem que eu enxergo mais, que eu penso melhor, que eu tenho uma visão muito mais ampla da pista. O Nakajima olhou no retrovisor e achou que podia abrir, mas no momento seguinte eu estava do lado dele. Eu estava apenas ultrapassando, sem fazer a tal administração da ultrapassagem que o Prost faz!

Nuno ouviu então tudo o que esperava ouvir de seu famoso discípulo:

— Eu tenho um coração diferente e uma circulação diferente, porra! Você tem que falar essas coisas, Nuno! Eu enxergo diferente! Os caras falam que eu tirei uma casquinha, que passei numa pequena brecha. Mas quando eu vou ultrapassar, eu olho e cabe uma jamanta! E os caras falam que eu sou precipitado! Precipitado é o caralho!"

A Turma do TTT

Cada vez que Ayrton Senna voltava da Europa e ia para Angra dos Reis, os amigos mais chegados testemunhavam um processo que Alfredo Popesco, um deles, chamava de "desintoxicação". Às vezes, eram necessários dois dias para ele sair do que Alfredo acreditava ser um transe, uma mistura de tristeza e tensão que o deixava horas olhando para o nada ou correndo no terminal da Petrobras situado próximo ao condomínio.

Alfredo disse que bastava ser amigo de Senna para perceber que ele estava sendo "escravo da Fórmula 1". Em um desses tristes retornos, já na época da McLaren, um dos amigos — Alfredo não se lembrou se foi Júnior, Christiano Foux ou ele mesmo — não agüentou:

— Olha como você está, meu! Por que você não pára logo de correr?

Ayrton ouviu, fez um daqueles grandes silêncios de reflexão que os mecânicos e jornalistas da Fórmula 1 conheciam muito bem, e respondeu, resignado:

— É o que eu sei fazer melhor. Não dá pra parar.

Angustiado com a resposta, Alfredo deu um palpite desesperado:

— Então não ganha corrida, porra! Vai para uma equipe menor e fica andando lá atrás, sem esquentar a cabeça.

Ayrton tirou o olhar do nada e o fixou em Alfredo com uma expressão cujo significado ele conhecia muito bem. Era mais ou menos como se Senna dissesse:

— Você está falando merda.

O estado psicológico de Ayrton, naquelas escapadas para o Brasil no meio das temporadas, dava dó em Alfredo, Júnior e Christiano, os amigos de infância que iam mais freqüentemente com ele para Angra. Nos finais de temporadas, era ainda pior: Senna, de volta da Austrália, chegava ao Brasil exausto e com o fuso horário completamente desregulado, já incapaz de sentir se era dia ou noite. Fórmula 1, segundo Júnior, era conversa que eles sequer iniciavam.

Os assuntos prediletos eram novidades do mercado de *jet-skis*, modelos sofisticados de relógio, avanços tecnológicos na área de consumo, histórias picantes do apartamento de Senna em Mônaco, novos modelos de carros esportivos, aeromodelismo e lugares espetaculares que ele conhecia para férias que quase nunca podia tirar.

Alfredo não tinha dúvidas de que a casa de Ayrton, no Brasil, nos tempos da Fórmula 1, passara a ser Angra dos Reis. Mesma opinião tinha a cabeleireira Walderez, para quem Senna, em Angra, "dormia melhor e se recuperava mais rapidamente das diferenças de fuso horário". Na lembrança de Alfredo, Ayrton ficava meio "peixe fora d'água" em São Paulo. Já naquela casa do Condomínio Portogalo, sua disposição era a de "um guia turístico em excursão".

Júnior, o encarregado de preparar os equipamentos, comidas e bebidas, definia a intensidade com que Ayrton se entregava a Angra como "dias de

TTT", "tudo o tempo todo". Senna era o primeiro a acordar e a enfileirar, para a turma ainda sonolenta, as atividades do dia. Quando não estava com namorada, as atividades incluíam, além de muito esporte e velocidade na água, a abordagem mais ou menos explícita às moças que ele encontrava nos eventos promocionais e às quais fazia convites quase sempre irrecusáveis para um fim de semana na praia. Nas palavras de Júnior:

"O Ayrton não perdia viagem. Sempre convidava as meninas que encontrava nos eventos."

Senna relaxava, mas não deixava de ser perfeccionista em Angra. Fazia questão de que tudo na casa, dos talheres da copa ao motor do *jet-ski*, estivesse sempre limpo e guardado no local certo. A regra, de acordo com Alfredo, era:

— Aproveite o que quiser, mas deixe tudo exatamente da maneira como encontrou.

Quem não seguia não voltava a ser convidado. Quem se comportava tinha pela frente o desafio de acompanhar o ritmo do anfitrião, às vezes jogando tênis com ele até quatro horas da madrugada. O dificílimo convívio de Senna com a derrota também permanecia intacto, mesmo longe da Fórmula 1, em banais jogos de praia. Em mais de uma ocasião, ao perder, ele não conteve o desejo de melar o jogo. Alfredo se recorda de um dia de desempenho ruim em que Senna simplesmente recolheu o equipamento e foi para dentro da casa, "puto":

— Eu sou o dono. Acabou.

Nas noites de Angra e redondezas, em festas em que os amigos Alfredo, Júnior e Christiano não entravam, Ayrton não ficava. Esta era a senha para entender como ele circulava naquele reduto da elite do Rio e de São Paulo. E Ayrton exercia o critério sem estardalhaço, discretamente, às vezes se permitindo uma ironia ou uma pequena molecagem com o anfitrião mal-educado com seus amigos.

A lealdade àquela turma dos tempos de Santana e do Tremembé levou Senna a uma atitude dura com um empresário paulista que convidara para passar uma noite na casa de Angra. O convidado, cujo nome Alfredo não revelou nem dez anos depois, chegou num final da tarde num iate de 32 pés de comprimento. Assim que o marinheiro jogou as cordas, ele começou a tratar Alfredo e Matheus, o administrador da casa, como se fossem seus serviçais:

— Pega a mala, leva pra dentro e chama o Ayrton pra mim!

Matheus, conhecendo os hábitos do patrão, tentou argumentar:

— Mas ele está dormindo.

— Acorda ele, vai!

Matheus, mais uma vez, disse que não podia atender ao pedido. E o convidado acabou ficando bravo:

— Acorda que eu estou mandando!

Alfredo, nesse momento, resolveu ir até o quarto de Senna. Acordou o amigo e fez um relato do que acontecera na frente da casa, acrescentando, reconheceu, "um veneninho" que não explicou qual foi. Ayrton ficou mais acordado do que nunca. Foi até o barco, cumprimentou o empresário e chamou:

— Alfredão, vem cá. Esse aqui é o Alfredo, um grande amigo de infância.

Logo em seguida, apresentou Matheus como o administrador da casa de Angra. O empresário entendeu o recado e, quando começou a se desculpar, foi interrompido pela despedida de Senna:

— Me desculpe, a gente combinou, mas eu vou ter que dormir.

Ao caminhar de volta em direção à casa, Ayrton ainda cochichou para Alfredo:

— Não leve as malas dele de volta.

O ex-convidado teve de pedir a ajuda do marinheiro para embarcar de volta as malas e ir embora.

Por um dia de férias no Brasil, com ou sem namorada, Ayrton era capaz de montar caríssimas e complexas operações logísticas intercontinentais. O velho amigo Tchê quase não acreditou quando, no verão de 1986, início de noite em sua oficina de *kart* de São Paulo, o telefone tocou:

— Galego?

Pelo tratamento do outro lado da linha, Tchê logo identificou:

— Ayrton? Onde você está?

— Londres.

A voz de Senna, de acordo com Tchê, 17 anos depois, transmitia uma certa aflição. E antes que ele pudesse fazer as perguntas, Ayrton começou a falar de forma obsessiva sobre os problemas no motor de um dos *jet-skis* que ele tinha em São Paulo. Na época, poucas oficinas aceitavam fazer regulagens ou consertar aquele tipo de máquina. Ayrton sabia que Tchê daria conta do serviço — a troca das palhetas do motor — e perguntou, insistentemente, se ele poderia consertar o *jet-ski*. A resposta foi a esperada:

— Claro! Quando você quer que eu conserte?

— Pra amanhã, dá?

— Amanhã? Dá.

Tchê ainda estava confuso com os prazos, quando Ayrton combinou:

— Então é o seguinte: amanhã, cedinho, o Júnior vai estar aí na porta da oficina com o *jet*. Você conserta ele até o final da manhã?

— Conserto sim.

Tchê desligou o telefone sem entender aquela pressa toda, a 11 mil quilômetros de distância. No dia seguinte, quando Júnior encostou à frente da oficina com o *jet-ski* no reboque, Tchê entendeu. Ayrton tinha interrompido uma semana de férias no Guarujá para uma viagem de pouco mais de 24 horas à Inglaterra, para um compromisso obrigatório em Londres. E queria aproveitar a passagem por São Paulo, na volta, para levar o *jet-ski* consertado para a fazenda do pai da namorada Adriane Yamin, em São Carlos, no interior de São Paulo.

Para perder, em Londres, o menor número de horas possível, Ayrton fez uma gincana na ida. Júnior o levou de carro para o aeroporto de Ubatuba, onde ele embarcou num pequeno avião que o levou até o Aeroporto Internacional de Cumbica. Enquanto Ayrton voava para Londres, Júnior aproveitou para preparar outros equipamentos que ele queria prontos para São Carlos: os aeromodelos.

Preparar significava comprar óleo de rícino, carregar as baterias dos aviões e checar o funcionamento dos aparelhos de ignição. Tudo cronometrado, para que Ayrton tivesse tudo à mão, e funcionando perfeitamente, em São Carlos. Uma operação que Senna chamava de "antifuro".

Ressalvadas as diferenças de clima, cultura e temperamento, Celso Itiberê via nessa fortíssima ligação de Senna com o clã familiar e afetivo de Santana uma formidável semelhança com Jim Clark:

"Sempre que podia, Clark fugia para as propriedades que sua família possuía na Escócia e lá passava os dias a apascentar ovelhas. Comia pão e azeitonas e pensava na vida. Não tinha amigos entre os corredores e não permitia, de forma alguma, que alguém ameaçasse os limites de sua privacidade. Era considerado um esquisitão, pessoa de difícil trato. Mas não se importava. E costumava dizer que nos autódromos havia um só lugar em que se sentia realmente à vontade: dentro do carro, na pista."

Em Angra, em vez de ovelhas, pão e azeitonas, havia sol, aeromodelos, modelos e *jet-skis*.

Tristes Luxos

The Berkeley, um discretíssimo hotel de sete andares situado a poucos metros do Hyde Park, se tornou a residência de Ayrton na Inglaterra depois de 1988, quando ele passou a se dividir entre o apartamento de Mônaco e a quinta de Sintra, em Portugal. Apesar da vocação discreta do hotel, era impossível não perceber, na portaria e nos carros de luxo estacionados, que se tratava de um endereço exclusivo e caríssimo, ainda que a atmosfera fosse mais aconchegante do que imperial.

Entre os freqüentadores do hotel, Peter Ustinov, Barbra Streisand, Dustin Hoffman e Deborah Kerr, que tinha o curioso costume de passar suas próprias roupas, encontrando sempre à sua espera, na suíte, uma prosaica tábua de passar. As diárias partiam de 300 dólares, podendo chegar a mais de 1.400. No bar, podia-se tomar o conhaque Hennessy por 190 dólares.

O que mais combinava com o estilo de Ayrton era o espetacular spa do sétimo andar, com piscina aquecida, teto removível e uma sala de aparelhos de ginástica que oferecia ao hóspede o conforto de manter a forma apreciando a paisagem do Hyde Park ou, se fosse o caso, assistindo à televisão, uma por aparelho.

A política de relações públicas do hotel era e continuou sendo, em 2003, exatamente o oposto de alguns concorrentes da área nobre do centro de Londres: não se costumava informar quem eram os hóspedes famosos. Muito menos o que eles faziam lá dentro. Outra característica que Ayrton apreciava muito.

Desse endereço de ricos ilustres Senna costumava partir para programas surpreendentemente modestos. Em mais de uma ocasião, foi a Wimbledon se encontrar com a ex-empregada Juracy em casa e conversar com o marido dela, Filix, aproveitando para matar a saudade da canja de galinha.

Programas como a canja de Juracy, em uma casa simples do sul de Londres, Senna dificilmente trocava por badalações como a que um grupo de brasileiros ricos e famosos promovia religiosamente no circuito de Mônaco, em um terraço que aparecia mais na transmissão da corrida do que os carros da equipe Minardi. Era a festa anual da família Monteiro de Carvalho no hotel de Paris, em que brasileiros como Abílio Diniz, Zózimo Barroso do Amaral, Ricardo Amaral e Braguinha trocavam brindes de champanhe com estrangeiros como o filho do xá da Pérsia, Anthony Quinn e Ben Gazzara. Braguinha, porém, revelou:

"Sempre convidavam o Ayrton, mas ele não dava bola."

Quando não havia mais nenhuma alternativa a não ser ficar na Europa, Senna gostava de programas como o que encomendou durante os testes de inverno daquele ano de 1990, em Ímola, a Anna Luisa Tosoni, mulher do proprietário do hotel Castelo — a pequena jóia de privacidade em que ele se hospedava, nas encostas de Castel San Pietro Terme, uma bela e calma cidadezinha turística situada entre Ímola e Bolonha.

O pedido de Anna para que Senna tivesse um tratamento especial na tratoria Romagnola, no centro da cidade, mudou a vida de Paolo, 35 anos, filho do proprietário, Michelangelo Liverani. O restaurante, um monumento à simplicidade, com 17 mesas, paredes lisas, decoração despojada e nenhuma pretensão de brilho no *ranking* gastronômico da Emilia Romana, também jamais foi o mesmo. Paolo fazia o atendimento. A avó, Lucia, então com 88 anos, ficava na cozinha.

Naquela primeira vez, Senna chegou acompanhado de Christine Ferracciu e pediu o prato que não mudou nas outras 11 vezes em que voltou ao Romagnola: presunto do tipo Parma, massa ao molho de tomate, salada mista e água mineral sem gás fresca.

A freqüência de Senna e seus convidados, entre eles Emerson Fittipaldi e o técnico de vôlei Bebeto de Freitas, criou uma espécie de ritual, que consistia na reserva de uma sala privada e o compromisso da família Liverani de que Senna não seria abordado por fãs ou curiosos enquanto estivesse lá. Ayrton nunca mais deixou de freqüentar o refúgio do Romagnola. Ali lhe serviram o último jantar.

Um observador discreto e compulsório da vida de Senna na Europa foi o inglês Owen O'Mahony. Ayrton o conheceu depois de se aborrecer com os pilotos brasileiros aos quais entregara o novo jato executivo que comprara. Na viagem a Nova York, no final de 1989, desacostumados com a intensidade do tráfego aéreo na região, os dois pilotos foram responsabilizados, num relatório das autoridades aeronáuticas americanas, por duas infrações: uma falha nos procedimentos de manutenção em terra e uma mudança não autorizada de altitude. Contrariado e, como sempre, perfeccionista, Ayrton entrou em contato com os fabricantes. A Owen, os amigos da British Aerospace relataram assim o pedido do cliente:

— Quero um piloto britânico que saiba voar na Europa.

Owen foi o indicado. Então com 51 anos, ex-piloto de caça da Royal Air Force, ex-instrutor de pilotos militares e agora comandante de jatos executivos, Owen já prestara serviços ao primeiro-ministro britânico Harold Wilson e a um banqueiro austríaco. O resto da clientela era predominantemente formado por gângsteres e estelionatários de todas as nacionalidades e hemisférios. Um deles fora o filho do marechal Zukhov, o militar soviético que comandou a tomada de Berlim, em 1945, no final da Segunda Guerra Mundial. Um cliente que não dispensava seguranças armados com fuzis AK-44, nem mesmo voando a seis mil metros de altitude.

Owen voou para o Brasil e, a partir do final de dezembro de 1989, assumiu o comando do jato de Senna por um mês, a título de experiência. O relacionamento se limitou, naquele período, a duas frases por vôo:

— Olá, como vai?

No desembarque, a outra:

— Obrigado, até logo.

Cerca de um mês depois, após levar Ayrton, Viviane, dona Neyde, Leonardo e Fabio Machado a Stuttgart, na Alemanha, Owen foi convidado para um jantar no hotel em que os Sennas estavam hospedados. Era o convite de Ayrton:

— Você quer trabalhar comigo?

— Gostaria, mas temos um problema. Sei o que você quer me pagar. É pouco.

— Fazemos o seguinte: você voa pra mim mais três meses pelo meu preço. Se eu gostar, a partir do quarto mês eu te pago o seu preço.

Três meses depois, em Ímola, Senna deu o sinal de que Owen tinha passado no teste:

— Ligue para o Fabio. Ele tem boas notícias para você.

Era o contrato. Nos valores pedidos por Owen.

Senna e, depois, a família jamais trocariam de piloto até Owen decidir se aposentar, em 2003.

Fim do Passeio

As cores eram as mesmas. A disposição dos patrocinadores principais na carenagem, também. Ron Dennis e os japoneses da Honda continuavam, cada lado da parceria, querendo ser mais perfeito do que o outro. Gerhard Berger não tinha o nível de Prost, mas era veloz e, o principal, pouco inclinado a provocar encrenca. E Senna, refeito da mágoa política, também estava lá, como sempre, pronto para levar mecânicos e engenheiros da equipe McLaren-Honda do céu ao inferno por causa de décimos de segundo.

O problema: a vantagem que o motor Honda dava à McLaren, uma compensação para as deficiências da McLaren MP4/5, um carro bem menos perfeito que a gloriosa MP4/4 de 1988, ainda existia, mas tinha diminuído ainda mais no início da temporada de 1990. O carro sofria de falta de aderência. À medida que a temporada avançasse, a vantagem representada pelo motor Honda deixaria de existir, diante da eficiência da Ferrari de Alain Prost e Nigel Mansell, da sólida evolução da Williams-Renault de Riccardo Patrese e Thierry Boutsen e da promessa da Benetton-Ford de Nélson Piquet e Alessando Nannini.

Ayrton perdera a chance de respirar um pouco com a supremacia do início do campeonato, quando uma roda quebrada lhe tirara uma vitória que parecia certa, em Ímola. Era um problema estrutural da roda, mas Jo Ramirez disse que Ayrton, de tão inconformado, chegou a acusar um dos mecânicos da McLaren de estar beneficiando Prost, que já nem trabalhava mais na casa.

No GP de Mônaco, que Ayrton costumava vencer mesmo sem ter um carro de ponta nas mãos, o filme foi o de sempre: *pole*, volta mais rápida e vitória, apesar de problemas no motor.

Em Montreal, no dia 10 de junho, ele fez a 30ª *pole* da carreira e venceu em uma pista que ficara muito tempo na desconfortável e perigosa fronteira entre os conceitos de seco e molhado. Piquet foi o segundo colocado, voltando ao pódio, mais uma vez ao lado do grande inimigo, depois de dois anos desastrosos na Lotus. A *Autosprint*, na arrebatada cobertura da corrida, registrou que Senna já era, naquela fase da carreira, a soma das qualidades de pilotos como Fangio, Clark e Lauda. O título da reportagem:

"Todos se curvam diante do Imperador Senna."

Desde que os pneus não furassem. No GP do México, dia 24 de junho, Ayrton até percebeu a tempo uma ligeira perda de pressão em um dos pneus. Ele queria parar para trocá-los, mas Ron Dennis, baseado na telemetria, insistiu para que ele permanecesse na pista. E o desequilíbrio se agravou até levar a McLaren para o acostamento, com o pneu em tiras.

No resultado daquela corrida, o sinal dos novos tempos para Senna: as Ferrari de Prost e Mansell em primeiro e segundo, nesta ordem, à frente da McLaren de Berger, a *pole position*. O duelo de várias voltas entre Mansell e Berger pelo segundo lugar foi um retrato do nivelamento técnico entre Ferrari e McLaren naquela altura do campeonato. Tão iguais eles estavam que Mansell só conseguiu o segundo lugar depois de uma ultrapassagem impossível, por fora, na perigosa e saltitante curva Peraltada, a mais de 260 quilômetros por hora. Para quem assistiu, Berger incluído, foram dois ou três segundos de mágico terror.

A perda da hegemonia da McLaren se acentuou no dia 8 de julho, no GP da França, em Paul Ricard, quando uma lerdeza inédita dos mecânicos da equipe durante os *pit-stops* deixou Senna e Berger sem condições de impedir que Prost, uma vez mais, conquistasse outra vitória em casa, a 100ª da Ferrari na Fórmula 1. Em Silverstone, uma semana depois, nem a tradicional *pole position* Ayrton conseguiu. Mais uma vitória de Prost, facilitada quando o câmbio automático da Ferrari de Mansell, sempre às voltas com os problemas mecânicos provocados pelo seu estilo agressivo, começou a trocar marchas por conta própria.

Mesmo em Hockenheim, nona prova da temporada, quando conseguiu voltar à liderança do campeonato, Ayrton teve outro sinal de que a concorrência estava cada vez mais forte. Levou mais de 20 voltas para conseguir ultrapassar Alessandro Nannini e sua Benetton, descendente longínqua de sua pré-histórica Toleman, agora empurrada por um poderoso motor Ford.

A volta ao pódio, interrompendo a série de vitórias de Prost, transformou o humor de Senna, a ponto de ele não se importar com a vaia de torcedores alemães de Prost. Brincou com Berger e Nannini, terceiro e segundo colocados, puxando seus bonés para cumprimentá-los.

Chegou, surpresa maior, a descer até a grade de proteção para dividir com a torcida um banho de champanhe. Depois, sempre perseguido por fãs e jornalistas, saiu correndo até o estacionamento do autódromo.

Acompanhado do pai, de Viviane e da sobrinha Bianca, embarcou em seu jato e foi direto para Nice. De lá todos seguiram de helicóptero para o apartamento de Mônaco. Na lembrança de Owen, aquele domingo foi um dia especialmente feliz para a família Senna na Europa.

Em Hungaroring, a volta às trincheiras. Junto com os seis pontos do segundo lugar, Ayrton recebeu uma série de críticas por seu comportamento na pista, ao tirar Nannini da corrida tentando uma ultrapassagem impossível. Thierry Boutsen venceu a prova, deixando o eterno campeonato particular entre Senna e Prost longe de uma definição.

Igualmente indefinida, naquele momento, estava até a permanência de Senna na McLaren.

Tentação Vermelha

— Um dia, se ele me encher o saco, mostro isso pra todo mundo.

Ayrton só mostrava para os amigos de confiança como Galvão Bueno. Era uma foto de Ron Dennis, muito jovem, com as mãos sujas de graxa, aprendiz de mecânico na equipe Cooper. A ameaça era uma brincadeira. Mas o saco poderia, sim, se encher, caso Ron Dennis não oferecesse a ele o equipamento, a estrutura e os dólares que queria.

Ron Dennis não tinha fotos na manga, mas jamais se permitiu ser um joguete impotente nas mãos de Senna, mesmo sabendo que ele era o mais cobiçado piloto da Fórmula 1 daqueles tempos. Nigel Roebuck contou, em *Autosport,* que Ayrton chegou a dizer, no início das conversas para a renovação com a McLaren, no meio da temporada, que só aceitaria ficar se soubesse primeiro quem seria o projetista. A resposta de Ron Dennis foi a confirmação de Neil Oatley, o responsável pelo carro problemático de 1990, no cargo de projetista-chefe para a temporada de 1991. Na interpretação de Roebuck, foi como se Ron dissesse:

"Quem manda aqui sou eu."

Era impossível saber o que era jogo de corpo e o que era conversa séria naquela corrida de rumores paralela ao campeonato. Ayrton chegou a ter um almoço com o comando da Williams na semana do GP da Alemanha. Depois, outra conversa, esta longa, com Frank, após o GP da Hungria, quando recebeu até a minuta de um contrato com um ano de duração.

Ayrton também assuntou seu futuro com a Ferrari. No GP do México, em junho, recebeu um convite do poderoso presidente do Grupo Fiat, Gianni Agnelli, para visitar a fábrica da Ferrari em Maranello. Mas, dias depois, a Ferrari já tinha feito a opção por Prost. Cesare Fiorio, chefe da equipe em 1990 e certamente um dos interlocutores de Senna nas conversas, revelou, um ano mais tarde, já demitido, que Prost foi o responsável pelo fracasso das negociações da equipe com Senna, renovando logo seu contrato com a equipe para 1991:

"Paguei o preço por querer Senna na equipe Ferrari. Ele me disse para chamá-lo quando o carro estivesse competitivo. Vi que a Ferrari estava no ponto, era a melhor da F1. Prost soube da minha intenção, ficou bravo e buscou apoio no presidente da Ferrari, Piero Fusaro. Fiquei numa posição delicada, mas ninguém podia criticar meu trabalho. O fato é que tínhamos o melhor carro, mas não tínhamos piloto."

Ainda naquele mês de junho, o mesmo Gianni Agnelli desconversou quando o então presidente brasileiro Fernando Collor quis saber o desfecho das conversas da Ferrari com Senna. Collor estava acompanhando a Copa do Mundo na Itália e fez uma visita à fábrica da Ferrari em Maranello, chegando a guiar um modelo esportivo da fábrica com tanta animação que rodara na pista. De acordo com Collor, 13 anos depois, Senna foi um dos assuntos do almoço privado que lhe foi oferecido por Agnelli, pelo presidente da Ferrari, Luca de Montezemolo e outros diretores da fábrica:

"Gianni Agnelli respondeu dizendo que a marca Ferrari pesa tanto sobre os ombros de um piloto que às vezes chega a esmagá-los, estragando carreiras."

Agnelli se referia à conhecida tradição da equipe de se desfazer de forma humilhante dos pilotos que contratava. Na lista de vítimas do que um jornalista italiano já chamou de "coices do cavalinho empinado", havia nomes como Michele Alboreto e Ivan Capelli. O próprio Alain Prost seria demitido de forma humilhante no ano seguinte. Collor disse que ligou imediatamente para Senna para saber o que realmente tinha acontecido. E Ayrton, segundo Collor, deu uma resposta genérica, sem fazer referências a Prost, dizendo que a Ferrari não aceitara as "bases" propostas por ele.

As conversas com a Ferrari deixaram, como legado para a negociação de Senna com Ron Dennis, o que foi o grande nó da renovação: Ayrton queria renovar apenas por um ano. E Ron Dennis queria dois. Anunciaram um acordo em 28 de agosto, dia do GP da Bélgica, em Spa. Senna seria da McLaren por mais um ano, com opção para renovar, no fim deste prazo, até 1992. Os números mais confiáveis, na época, indicavam que Ayrton ganharia 12 milhões de dólares pelo ano de 1991.

Senna celebrou o contrato com mais uma *pole* e mais uma vitória em Spa-Francorchamps. Em Monza, outra *pole* e o prazer especial de vencer o GP da Itália, deixando em segundo, além de Prost, a Ferrari que desistira de contratá-lo por causa do rival. Em Estoril, duas semanas depois, mais problemas para a Ferrari: Mansell deu uma surpreendente fechada no companheiro de equipe e venceu a prova.

Àquela altura, mesmo com Senna na disputa do título, a McLaren não tinha mais a superioridade do início do campeonato. Preocupado, Ayrton já tinha até ligado para o Japão para uma conversa com Yoshitoshi Sakurai, ex-chefe da Honda e conselheiro. Senna temia as conseqüências de um certo isolamento dos engenheiros japoneses em relação aos outros fornecedores da McLaren, entre eles a Goodyear e a Shell. Sakurai, que fizera esse intercâmbio nos tempos de parceria da Honda com as equipes Williams e Lotus, de 1984 a 1987, foi direto na resposta:

— Quem tem de fazer isso é você.

"Um casamento sem sexo. E em crise."

Assim Galvão Bueno definiu, 13 anos depois, a crise que resultou no estremecimento de sua amizade de duas décadas com o colega Reginaldo Leme e nos simultâneos mal-entendidos que tiveram, como conseqüência, um sério rompimento entre Senna e Reginaldo. A relação entre Galvão e Reginaldo, cada vez mais afetada pela inimizade sem volta entre Senna e Piquet, chegou a um momento crítico no fim de semana do GP da Espanha de 1990, em Jerez. Um dos motivos foi a recusa de Ayrton em dar uma entrevista para Reginaldo encomendada pelo programa *Globo Repórter*. Galvão acabou fazendo a entrevista.

Nem Reginaldo nem Galvão revelaram o que disseram um para o outro naquele momento. O fato é que, na manhã de sábado, Galvão garantiu ao amigo Braguinha e a outros brasileiros que o rodeavam no *paddock* que jamais voltaria a dividir uma cabine de transmissão com Reginaldo. Na memória de Galvão, Ayrton, ao saber do rompimento do amigo com Reginaldo, prometeu:

— Ah é? Então também não falo mais com ele.

O rompimento das duas estrelas da transmissão da Fórmula 1 no Brasil chegou à direção da TV Globo. Galvão chegou a pedir abertamente a substituição de Reginaldo. A crise foi administrada pelo diretor de Esportes Ciro José e acompanhada por José Bonifácio de Oliveira Sobrinho, o Boni, vice-presidente de Operações da emissora. Reginaldo abandonou sua conhecida habilidade política e passou a criticar de forma cada vez mais aberta a dupla Senna e Galvão.

Quando muitos na redação da emissora já apostavam que Reginaldo não resistiria, surgiu uma proposta que demonstrou o poder que Ciro José, amigo de Reginaldo e dono de ótimas ligações com Bernie Ecclestone, tinha nas questões do esporte na emissora. A solução foi manter Reginaldo nos comentários e assuntos da Fórmula 1 que não exigissem um contato direto dele com Senna. Outros repórteres da equipe de esportes da Globo se alternariam no acompanhamento de Ayrton.

Ensaio para Ímola

— Ele está morto.

Frio e burocrático, o cinegrafista da BBC posicionado no final da reta dos boxes do circuito de Jerez de La Frontera parecia se referir a um animal atropelado no meio da estrada, ao apontar para o *viewfinder* de sua câmera. A pequena tela não mostrava a pista vazia e silenciosa à sua frente, mas outro ponto do autódromo. Era a imagem da transmissão do primeiro treino oficial para o Grande Prêmio da Espanha, interrompido a sete minutos do final. Uma sexta-feira, 28 de setembro de 1990.

Segundos antes, algo se quebrara na suspensão dianteira da Lotus-Lamborghini do inglês Martin Donnely. Ele passara reto na curva de alta velocidade que ficava atrás dos boxes. O carro explodiu em centenas de pedaços no *guard-rail*, a cerca de 250 quilômetros por hora. O *cockpit* se desintegrou e o corpo de Donnely voou cerca de 30 metros, antes de cair no meio da pista. O cinegrafista Luís Demétrio Furquim, o Baiano, que captava imagens para um *Globo Repórter* sobre os 50 anos da Fórmula 1, estava a poucos metros do colega inglês e se aproximou para ver a imagem no monitor.

Martin Donnely parecia um animal atropelado no meio da estrada. Ninguém se aproximava. O corpo, vestido com o macacão amarelo dos cigarros Camel, estava inerte e curvado como um feto. A cabeça, ainda escondida pelo capacete laranja, parecia estar na posição correta, mas o desenho das duas pernas não combinava com a posição do resto do corpo. A cena lembrava aquelas fotos de atropelados e suicidas que a maioria dos editores de jornais não tem coragem de publicar.

O correspondente Livio Oricchio, o piloto Roberto Moreno e Host Hügger, ex-empresário de Gerhard Berger, estavam a 30 metros do local: curva Ferrari, feita em quarta marcha por alguns pilotos e em quinta por outros, poucos. Pálido, Moreno não quis ver mais nada. Afastou-se repetindo:

— Não tem como sobreviver, não tem como sobreviver.

Nélson Piquet tinha atravessado sua Benetton na pista, para que Donnely não fosse atropelado. Com a bandeira vermelha, os carros começaram a passar devagar e os comissários de pista, jornalistas e pilotos puderam se aproximar. Um médico espanhol se colocou ao lado de Donnely, mas não tocou nele, aguardando o professor Sid Watkins. Host Hügger tomou coragem e abriu a viseira de Donnely.

Martin respirava, mas seu rosto estava azulado. Derek Warwick, companheiro de equipe de Donnely, chegou no momento em que Sid Watkins descobria que tinha segundos para salvar a vida dele. E viu Watkins socar o peito de Martin como se ele fosse um animal. Senna acompanhava aquele resgate dramático com os olhos cheios d'água. Nas palavras de Livio Oricchio, Ayrton estava "destruído".

As equipes que tinham carros inteiros continuavam trabalhando normalmente, como se aquela mancha amarela ainda cercada pelos médicos e comissários de pista, no asfalto da curva Ferrari, fosse mesmo um animal atropelado. O som dos motores, gritando em carros suspensos por cavaletes, dentro das garagens, ecoava na pista silenciosa e nas arquibancadas normalmente vazias de Jerez, uma região em que o público preferia corridas de moto.

— Ele está vivo.

A notícia de que Donnely ainda respirava, mas em estado gravíssimo, chegou aos boxes cerca de dez minutos depois do acidente. A reação de pilotos, mecânicos, chefes de equipe e comissários do autódromo foi imperceptível. Só uma pessoa chamou a atenção, a partir do momento em que Donnely chegou ao Centro Médico. Testa franzida, olhar determinado, Senna abriu espaço na multidão que se formara na porta. Queria entrar, mas foi contido por um policial espanhol. E insistiu:

— Eu quero ver como ele está.

— Sinto muito, não é permitido.

Senna reagiu com aparente resignação. Deu meia-volta, ignorou o assédio de fãs e jornalistas, passou por uma roleta de acesso restrito e entrou por um corredor. Ao atingir uma distância segura do policial, parou, mirou o alto do muro e saltou. De primeira. Estava dentro do Centro Médico. Em segundos, chegou ao centro cirúrgico, e passou a acompanhar, por trás dos ombros de Sid Watkins, junto com Derek Warwick, tudo o que estava sendo feito para salvar a vida de Donnely.

Ayrton, que conhecia Donnely dos tempos das fórmulas Ford e 3 em Snetterton, colocou cuidadosamente o braço em torno da cabeça de Martin, como se quisesse protegê-lo. Em coma profundo, Donnely tinha traumatismo craniano, fraturas múltiplas nas pernas, traumatismo torácico e sobrevivera a uma parada cardíaca cujas conseqüências eram imprevisíveis naquele momento.

Sid Watkins não estranhou a insistência de Ayrton em acompanhar tudo. Sabia que não se tratava apenas de um gesto de solidariedade de um piloto para outro. Era também Ayrton no limite do equilíbrio psicológico, testando, quem sabe, sua resistência e sua força diante do medo de morrer. E querendo sempre aprender o que fazer em horas traumáticas como aquela. Como fizera semanas antes, em Spa, segurando corretamente a cabeça do piloto Erik Comas, até a chegada dos médicos ao local em que ele batera violentamente, destruindo sua Lola. Para Nuno Cobra, era como se, diante de Donnely quase à morte, Ayrton estivesse se perguntando: o que aconteceu e o que fazer para não acontecer comigo?

Por um instante, Senna puxou Warwick para um canto do centro cirúrgico e pediu:

— Não corra com esse carro. Seu carro não é seguro.

Ayrton foi o primeiro de muitos no *paddock* que pressionaram Warwick a não participar do GP da Espanha, até que fosse resolvido o problema estrutural que provocara a assustadora capotagem de sua Lotus na primeira volta do GP da Itália duas semanas antes, e que, muito provavelmente, fora a causa do acidente de Donnely.

Depois de deixar o centro médico, Ayrton se trancou por algum tempo no *motohome* da McLaren, tentando, como disse tempos depois aos jornalistas Karim Sturm e David Tremayne, organizar os pensamentos e assimilar aquele momento terrível.

O helicóptero com Martin Donnely já tinha deixado o autódromo, quando a luz verde da saída dos boxes se acendeu, liberando a pista para os sete minutos finais de treino. O primeiro da fila para voltar à pista era Ayrton. Atrás dele, Prost, *pole* provisório, em sua Ferrari. Sete minutos depois, a cronometragem registrou que o melhor tempo era de Senna, o único dos participantes daquele fim de treino que vira de perto, na mesa do centro cirúrgico, o que uma batida frontal no *guard-rail* fizera com Martin Donnely naquela mesma pista, duas horas antes. Era o início da conquista da 50ª *pole* de sua carreira.

Duas horas depois do fim daquele treino, vestindo *jeans*, camisa social dobrada na manga e tênis branco, Ayrton estava de novo na pista, desta vez passeando ao volante de um Passat preto alugado e sendo filmado pelo cinegrafista Baiano, do *Globo Repórter*. O compromisso com a equipe do programa incluía uma entrevista a ser gravada com Galvão Bueno, que já o esperava junto ao *guard-rail*, numa reta do circuito não muito distante do local onde a Lotus de Donnely se espatifara.

Senna estava discretamente satisfeito com o tempo obtido no treino, quando parou o carro e caminhou até a posição da entrevista. O que aconteceu a partir do instante em que Baiano ligou a câmera surpreendeu a todos em volta. Como sempre, Ayrton pensou muito antes de responder às perguntas encomendadas a Galvão Bueno pelo diretor do *Globo Repórter*. Mas daquela vez, além do cuidado e da reflexão, havia muita intimidade no ar.

Senna parecia fazer um balanço de sua vida, sem se importar com a gravação. Falava como se não houvesse um campeonato a ser conquistado, a ameaça de Prost, as ironias de Piquet ou a perseguição política de Jean-Marie Balestre. Na última resposta, sobre os riscos da Fórmula 1, mais assustadores do que nunca naquela tarde, uma frase que ele não completou:

— Às vezes fico pensando se, depois de tantas conquistas, tantas vitórias e alegrias, será que não está na hora de parar?

Ninguém em volta teve coragem de sugerir uma resposta. Senna então se afastou e Galvão se encarregou de responder, deixando explícita para os colegas a autoridade de amigo íntimo:

— Pára nada! Eu já disse ao Ayrton: Beco, você vai morrer na pista, estampado num *guard-rail*.

O diretor do *Globo Repórter* quis saber o que Senna respondera depois daquele comentário sombrio. E Galvão revelou a reação do amigo fazendo a mímica do sorriso tristonho e resignado que ele conhecia muito bem. A resignação de quem sabia que sua entrega àquele esporte era simplesmente incontrolável.

Estava quase escuro quando a equipe do *Globo Repórter* deixou o circuito de Jerez. No caminho, o carro passou pela curva Ferrari. Uma lâmina nova de *guard-rail*, de cerca de dez metros de comprimento, já estava no lugar da que fora destruída pela Lotus no treino de classificação. No domingo, Ayrton largou na frente, mas não terminou a corrida, traído por um superaquecimento do motor. Prost venceu, empurrando, mais uma vez, a definição do título para o GP do Japão.

Derek Warwick, discretamente pressionado por um diretor da Lotus, em pânico com a iminente falência da equipe, acabou aceitando o risco de correr com aquele carro perigoso, depois que os mecânicos passaram a noite reforçando o chassi com placas de titânio. Durante a corrida, na curva Ferrari, onde normalmente a maioria dos pilotos costumava dar uma pequena aliviada no acelerador, Derek se viu não dando nenhuma. Estava andando de pé embaixo. A imagem do rosto azulado do companheiro de equipe já ficara para trás.

Martin Donnely só despertou do coma no Natal de 1990, três meses depois do acidente, num hotel de Londres. Nunca mais pilotou um carro de Fórmula 1, mas não reclamou, sempre lembrando o destino muito pior que aguardava Senna. Dez anos depois, Donnely não se reconheceu ou lembrou de qualquer sensação quando mostraram para ele fotos ou imagens do acidente em Jerez.

Nem fez questão.

VERA

O chamado "anexo" de Senna na quinta de Braguinha em Sintra esteve quase sempre longe de ser uma extensão da comportadíssima residência dos Sennas no bairro de Santana, em São Paulo. Em julho de 2003, o jardineiro Fernando Leite revelou, sob protestos carinhosos da mulher Maria, que Ayrton dificilmente ia para a cama sozinho quando estava em

Portugal. Fernando contou mais. Um dia, ao acordar bem cedo, flagrou o momento em que duas mulheres deixavam o quarto de Senna.

O próprio anfitrião Braguinha, tomando o cuidado de não especificar datas, revelou que Ayrton teve um caso com uma atriz brasileira, que se casou posteriormente e que tinha o instigante costume de aguardá-lo nua em pêlo no quarto dele. Sem saber se Senna estava se sentindo à vontade com aquelas incertas, Braguinha chegou a consultá-lo:

— Quer que eu pare com isso?

— Não, deixa como está.

Houve também, em Portugal, às vésperas da mais controvertida corrida da carreira de Ayrton, o GP do Japão de 1990, um caso em que ele, já com 30 anos completos, pareceu voltar aos tempos de paquera, a bordo da Mercedes do pai, queimando gasolina nas ruas badaladas dos Jardins, em São Paulo. O motivo foi Vera Peres, uma morena portuguesa de olhos verdes que já recusara um convite para sair à noite com ele em 1986, quando, aos 22 anos, fizera parte da equipe de comissários de pista responsável pela segurança e organização dos grandes prêmios de Portugal e Espanha.

Dias depois do Grande Prêmio da Espanha de 1990, quando as equipes foram treinar em Estoril, Vera chamou a amiga Filipa e levou o irmão Filipe, fanático por corridas, para ver os carros na pista. Novo encontro com Senna e novo convite para sair à noite, desta vez para um jantar na casa da família Melo Breyner. Vera recusou de novo, mas deixou seu número de telefone com Ayrton. Filipa intercedeu:

— Que mal ele pode fazer, Vera? Você está no seu país e vai a um jantar com outras pessoas!

Horas depois, Ayrton ligou, renovando o convite e dizendo que não conhecia ninguém na festa. Vera aceitou com uma ressalva: a amiga Filipa iria junto. E assim começou o namoro que Vera nunca mais esqueceu: ela sem dizer uma palavra, evitando, hesitante, as cuidadosas e discretas tentativas de Ayrton de ficar abraçado a ela à mesa dos Melos Breyners, com a amiga Filipa sempre por perto.

Do jantar, os três seguiram para a boate Alcântara Mar, um clube tão exclusivo de Lisboa, que nem mesmo um cartão do American Express em nome de Ayrton Senna da Silva garantiu a entrada do trio. Decididos, Senna, Vera e Filipa seguiram para a boate Platô, no centro de Cascais, onde Ayrton dançou freneticamente, até ficar molhado de suor. Filipa sempre por perto.

Na saída da boate, decidido a prolongar a noite, Senna levou as duas para um *trailer* à beira-mar, onde assistiram ao amanhecer do dia comendo cachorro-quente com batata frita. Vera começou então a preparar a retirada:

— Ayrton, tenho de ir à missa com a minha avó.

— E eu tenho de viajar para o Japão. Vamos ver uns vídeos lá em casa?

Vera aceitou, mas levou mais uma vez a amiga. Na mansão de Sintra, possivelmente pensando em resolver o "problema Filipa", Ayrton chegou a acordar o irmão Leonardo, que, depois dos cumprimentos, acabou voltando a dormir. A esta altura, Filipa também desmontou em outra cama. Senna, no entanto, ainda teve energia para exibir dois vídeos, um de Phil Collins e outro de Barbra Streisand.

Vera assistiu aos dois, mais uma vez driblando os dedos e mãos de Senna, até ceder, enfim, o primeiro beijo. Na hora de levar Vera e Filipa para casa, Ayrton usou um velho expediente: primeiro a amiga, depois a namorada. A noitada valeu um telegrama que chegou às mãos dele no circuito de Suzuka, no Japão, dias depois:

— Beijo. Vera. Portugal.

Ao lembrar o envolvimento com Senna, 13 anos depois, Vera disse que detestava a idéia de ser conhecida ou tratada como a namorada portuguesa de Ayrton Senna, mas, a partir de dezembro de 1990, passou a se considerar e a agir como tal, zelando para que nada se tornasse público ou viesse a atrair a curiosidade da imprensa.

Foi nesse período que os dois, quase incógnitos, fizeram programas típicos de um jovem casal de namorados portugueses, permitindo-se até uma ida ao badalado centro comercial de Amoreiras, em Lisboa, para assistir ao filme *Dormindo com o inimigo*, abandonado no meio da sessão, quando perceberam se tratar da pesadíssima história de um marido violento que maltratava muito a mulher.

O namoro também teve programas como assistir ao amanhecer na praia do Guincho, perto de Sintra, no calor de cobertores, dentro do Honda de Ayrton, ao som de Phil Collins. E descobrir, na quarta-feira que antecedia ao GP da Alemanha, que o carro ficara atolado na areia. Tempos tão bons para Vera que ela chegou mesmo a acreditar que seria "a" namorada. Ajudou muito, segundo ela, o fato de Senna não ser "um crápula mulherengo completo":

"Eu dizia: adoro o Beco que você tem dentro de você. O Ayrton atrapalha tudo."

Em julho de 1991, ela começou a perceber que ia sofrer muito, aguardando chegadas surpreendentes e afetuosas de Ayrton. Em uma conversa a caminho da casa, abriu mão do posto de namorada portuguesa. Contrariado, Senna reagiu com a arma que tinha, maltratando os pneus e o motor do Honda ao retornar a Sintra. Os dois voltaram a se encontrar no *paddock* de Estoril, durante do GP de Portugal, em setembro daquele ano. Àquela altura, porém, Senna já estava com Cristine Ferracciu.

Ainda assim, mandou para Vera, de dentro do capacete, uma inesquecível piscada de olhos.

O Troco

— Se ele sair na minha frente, na primeira curva a gente sai junto.

Uma semana antes da largada para o GP do Japão de 1990, Ayrton Senna já estava dizendo ao amigo Pedro Queiroz Pereira, durante os treinos da McLaren no autódromo de Estoril, que não deixaria Prost ficar na sua frente "de jeito nenhum". Pedro, ao fazer a revelação, 13 anos depois, lembrou que ficou preocupado:

— Ayrton, não faça isso. Esses caras estão acabando e você tem dez anos pela frente.

A resposta:

— Não adianta. Se eu puder pegar o cara, eu pego.

Uma semana depois, na manhã de 21 de outubro, no autódromo de Suzuka, já sabendo que a direção da prova lhe negara, como *pole position*, o direito de largar do lado mais limpo e emborrachado da pista, o esquerdo, Ayrton teve mais um motivo para não tirar o pé no final da reta. E disse a Joseph Leberer:

— Eles querem me foder de novo.

A luta pelo título, que seria de Senna se Prost não terminasse a prova, durou metros, na mais controvertida manobra de pista da Fórmula 1 moderna. Prost, segundo colocado no *grid*, largou na frente pelo lado de fora, o mais emborrachado, e Senna, em segundo, prejudicado pela sujeira do lado interno da pista, simplesmente não freou para a primeira curva.

O acidente foi bem diferente do provocado por Prost no ano anterior para garantir seu tricampeonato, um enrosco na entrada da *chicane*, quase tão lento e inofensivo como uma batida de duas madames na saída do estacionamento do supermercado. O troco de Ayrton foi dado em quinta marcha, a cerca de 250 quilômetros por hora. Era como se dois aviões ficassem sem pista ou freio no final de um pouso duplo de emergência.

A caixa de brita, a generosa área de escape existente na curva, a sorte e, para quem acredita, a graça do Divino Espírito Santo garantiram que os danos fossem apenas materiais e, para alguns, morais. Prost ficou evidentemente furioso. Treze anos depois, ele disse:

"Minha vontade ao sair do *cockpit* era de pegar o capacete e acertar na cabeça dele. Mas consegui me controlar. Tenho certeza absoluta de que, se fizesse aquela curva depois da largada, seria o vencedor. E Ayrton também desconfiava dessa superioridade."

Na volta aos boxes, capacete na mão, pisando duro, olhos brilhando de raiva, quase a ponto de chorar, Prost acusou:

"Ele sabia que estava tudo perdido e jogou o carro contra o meu. Assim é melhor todos sairmos da Fórmula 1 e entregar os carros para camicases. Ayrton mostrou ao mundo sua verdadeira face. Não estou disposto a enfrentar irresponsáveis como Senna na pista."

À espera de Prost, o diretor da Ferrari, Cesare Fiorio, ainda sob o impacto da atitude de Senna, não se conteve:

— Ele é maluco! Ele é maluco!

Na volta de Ayrton para o boxe, o repórter da TV Fuji, Kawai Kazuhito, foi o primeiro a fazer a abordagem:

— Não é desse jeito que você queria conquistar o título, não?

Vinte intermináveis segundos se seguiram, ao vivo, Senna pensando no que iria responder. E a resposta:

— Eu avisei sobre a posição de largada.

Era detalhe. Em outra entrevista, mais tarde, Senna revelou o que estava por trás do seu gesto:

"Este título eu dedico a todos aqueles que lutaram contra mim no ano passado e me machucaram muito. Este ano, está aí a demonstração para eles de quem é o campeão."

Para o amigo Galvão Bueno, deu um sorriso maroto e comentou, irônico:

— Errei o pedal. Em vez de pisar no freio, pisei no acelerador.

Depois da ironia, ainda com Galvão, Senna comentou o que considerava uma tática "pouco inteligente" de Prost:

— Ele tinha tanto mais carro que eu que poderia ter deixado eu passar na primeira curva e ganhava a corrida depois.

Não foram só os íntimos de Ayrton que ficaram sabendo que ele não tinha freado. O jornalista italiano Giorgio Piola, que nunca escondeu sua admiração por Prost e críticas a Senna, confirmou, graças a uma fonte sua que tinha acesso à telemetria da McLaren, que Ayrton continuou mesmo acelerando:

"Ayrton nunca tirou o pé naquela curva. Estava na telemetria. E ele na entrevista coletiva falando de Deus e tudo mais. Minha impressão negativa aumentou."

Martin Brundle, o rival dos tempos da Fórmula 3, identificou no gesto "o lado de Ayrton que não era bom":

"Algumas coisas que ele fez são inaceitáveis."

Celso Itiberê, um insuspeito admirador de Ayrton, ao lembrar aquele desfecho em Suzuka, disse que Ayrton "fazia coisas que Deus duvida" e avaliou que se os carros de Senna e Prost ficassem na pista depois da batida, a Fórmula 1 veria "um dos maiores acidentes de sua história". Para Itiberê, Ayrton, em momentos como aquele, "esquecia a educação, a ética e a esportividade":

"Aquilo foi o equivalente a você fraudar, botar uma ficha no 28 depois que a bolinha cair. Foi uma falta de ética. Você quase não consegue acreditar que Ayrton Senna fez. Mas ele não só fez como assumiu que fez, um ano depois."

Creighton Brown também ficou desapontado:

"Isso era uma coisa negativa de sua personalidade. Mas isso era o Ayrton. De um lado, um homem carinhoso e suave. De outro, um piloto capaz de fazer coisas que outros jamais fizeram."

Prost e Senna voltam ao boxe, depois do acidente no GP de Suzuka, 1990. Furioso, Prost, segurando o capacete, acusou Ayrton de ser irresponsável na pista.

As críticas que mais mexeram com os brios de Ayrton foram as de um ex-piloto que à época costumava ser parâmetro para sua própria ascensão entre os grandes da Fórmula 1. Jackie Stewart, o tricampeão que se tornou símbolo de uma nova postura em relação à segurança do automobilismo, cansou de contar os amigos que perdeu na pista, nos anos 60. Assustou-se no dia em que o filho Paul, já se acostumando com o número de amiguinhos da escola que ficavam órfãos de pais pilotos de competição, perguntou quando ele, Jackie, ia morrer. E decidiu fazer algo a respeito a partir do GP da Bélgica de 1966, depois de ficar quase meia hora ferido e sem atendimento, dentro de sua BRM encharcada de gasolina, em uma vala do circuito de Spa-Francorchamps.

Stewart, líder da luta por maior segurança na Fórmula 1, criticou a manobra de Senna com a mesma dureza das críticas que fizera em 1988, quando, depois da fechada de Ayrton em Prost na largada do GP de Portugal, dissera que, apesar do talento e da dedicação, Senna não tinha sentido ético nem humanidade. Ayrton respondeu através de Jo Ramirez, um amigo comum:

— Diga ao seu amigo Jackie Stewart que piloto gente boa não ganha campeonatos ou títulos. Você tem de ser agressivo.

Ao recordar o episódio, 13 anos depois, Max Mosley disse que Ayrton nunca se perdoaria se Prost se ferisse gravemente no acidente, "não importa quais fossem as justificativas para aquela atitude".

Um contingente não desprezível de personalidades da Fórmula 1, no entanto, teve posturas e opiniões mais compreensivas em relação ao gesto de Senna. Nobuhiko Kawamoto, mesmo ressalvando que a atitude de Ayrton foi "uma decisão de cunho pessoal" que não envolveu participação da equipe Honda, não o condenou:

"A nós, só restou ficar admirado e dizer: Uau!"

Bernie Ecclestone, que desenvolveu uma crescente antipatia por Alain Prost à medida que os anos passaram, disse não acreditar que Ayrton quisesse deliberadamente se machucar ou machucar alguém:

"É muito difícil de imaginar o que ia pela cabeça dele. Ele era muito sensível e eu não acho que ele colocaria sua vida em risco. Ele estava lutando pelo título e não ia facilitar a vida de Prost."

Derek Warwick, 13 anos depois, considerou que Prost poderia ter previsto a ação de Senna e reagido. Opinião muito semelhante à manifestada na época pelo ex-campeão e comentarista James Hunt. Gerhard Berger também se surpreendeu com o fato de Prost ir para o lado de dentro da curva e criar a oportunidade para Ayrton bater:

Senna e Berger concentrados antes do Grand Prix da Hungria, 1990. O substituto de Prost não demorou a perceber que não venceria Ayrton e se tornou seu grande amigo, desafiando o estilo fechado de Senna com molecagens antológicas.

"Prost e Senna se odiavam profunda e honestamente. Ayrton encenou a vingança com sangue frio, maestria e consciência. A ação foi elegante o bastante para não ser óbvia, e naquele momento eu fiquei impressionado com o fato de Prost se permitir aquela situação."

Berger, àquela altura já um amigo e confidente de Senna, não reproduziu nenhum diálogo específico em que Ayrton tenha antecipado para ele a manobra de tirar Prost da pista, mas sua análise do acidente demonstrou não apenas a premeditação, mas também uma curiosa preocupação com segurança, por mais absurda que ela possa parecer:

"Se tinha que bater, melhor que fosse ali logo, onde o perigo era menor, e de preferência logo no começo, porque aí normalmente a velocidade não é tão grande. Apesar disso, tratava-se de um risco calculado: Prost estava na frente e tomaria o lado de dentro. Senna devia apenas ficar na sua trajetória. Ambos foram parar na areia. Nada dramático, mas Prost não poderia mais ser campeão do mundo."

Foi naquele dramático GP do Japão que o novo esquema de cobertura da TV Globo voltou a entrar em crise. Galvão Bueno narrava a corrida da sede da TV Globo no bairro do Jardim Botânico, no Rio, no sistema *off-tube*, acompanhando, através de um monitor, dentro de um estúdio, as imagens geradas do Japão. No fone de ouvido, ele tinha as vozes do coordenador da transmissão, Marco Mora, e de Reginaldo Leme, que estava em Suzuka, ao vivo.

Piquet venceu, seguido por Roberto Moreno, ambos com Benetton-Ford. Antes da execução do Hino Nacional e da entrega dos troféus no pódio, Reginaldo elogiou Piquet e criticou Senna pela controvertida manobra em que garantira o título, tirando Prost da pista na primeira volta daquela corrida. Foi o bastante para Galvão, na chamada para o intervalo comercial, deixar o estúdio e sair esbravejando pelo corredor:

— Eu não volto para fazer o pódio!

Marco Mora teve pouco mais de dois minutos, o tempo dos comerciais, para convencer Galvão a voltar ao estúdio:

— Volta lá, Galvão. Volta lá. Vocês têm que se entender. Vocês estão confundindo as coisas.

Galvão acabou aceitando o conselho. Voltou ao estúdio, narrou a cerimônia do pódio, Moreno aos prantos abraçado a Piquet, e encerrou a transmissão de forma profissional, sem deixar que os espectadores percebessem a grande crise entre dois amigos que tinham tomado caminhos diferentes por causa de Ayrton Senna.

A divisão de cobertura continuou no ano seguinte e resultou na contratação, a partir de 1992, de um repórter fixo para acompanhar Senna: Roberto Cabrini. Treze anos depois, inteiramente reconciliado com o velho companheiro de transmissão, padrinho de casamento no segundo matrimônio de Galvão e ainda dividindo as cabines de transmissão com ele, Reginaldo disse que o apoio de Ciro José e do diretor Roberto Buzzoni foram fundamentais, diante da pressão exercida por Senna contra ele:

"Houve algo de muito positivo na Globo nesse episódio: o Senna sentiu que eu continuei lá."

Galvão Bueno, ao fazer um retrospecto daqueles dias difíceis, concluiu que Ciro José estava certo ao manter Reginaldo na cobertura. Acatar a exigência de tirar Reginaldo da cobertura, disse Galvão, seria o equivalente a ceder a uma suposta exigência de Cid Moreira de que Sérgio Chapelin, seu então companheiro de bancada no *Jornal Nacional*, fosse substituído. Galvão atribuiu parte do agravamento da crise ao temperamento tímido e "travado" de Reginaldo, mas reconheceu que, juntamente com Ayrton, pintou "um monstro muito maior do que a realidade":

"Foi uma grande infantilidade de todo mundo. Foi ruim pra todo mundo. E demorou porque o Ayrton era tinhoso."

Em Adelaide, última corrida do ano, Ayrton, já bicampeão, mais uma vez *pole*, bateu de frente no muro a 20 voltas do final, vítima de um bloqueio duplo: primeiro, o câmbio, depois os freios. Abriu o caminho para mais uma vitória de Nélson Piquet e sua Benetton, conquistada depois de um pega histórico com Nigel Mansell e sua Ferrari.

No livro *Racers apart* [Pilotos à Parte], David Tremayne contou que, na noite daquele domingo em Suzuka, durante a celebração da conquista do bicampeonato com a equipe e os amigos, Senna ergueu um copo de vodca e fez um brinde com duplo significado:

"Prost!"

Tremayne considerou o desfecho do campeonato "um final trágico para um ano em que Senna parecia estar fazendo tanto progresso no relacionamento com os outros".

Nigel Roebuck, sempre agudo na análise do comportamento de Ayrton, considerou o incidente "provavelmente o acontecimento mais repreensível na história da Fórmula 1". Mas também deu, no capítulo dedicado à Ayrton em seu livro *Chasing the title*, publicado depois da tragédia de Ímola, uma explicação para o fato de Senna não ter tirado o pé do acelerador:

"Tenho quase certeza de que Ayrton não acreditava ter feito nada de errado. Aliás, ele não acreditava ser capaz de fazer algo errado."

A Rampa

Justiça social não era uma expressão que Senna usasse por iniciativa própria, mas, para a médica e confidente Linamara Battistella, ele não dizia a palavra, mas tinha o senso de justiça. Gostava muito de citar o modelo de organização da sociedade na Inglaterra e a existência de medicina gratuita para todos. Era uma preocupação difusa, que não chegava à discussão de políticas de governo ou administração pública.

Para Linamara Battistella, Ayrton aceitou o convite do então presidente Fernando Collor para subir a rampa do palácio do Planalto por acreditar que o presidente era "uma esperança nova" para o Brasil. Mesmo assim, parecia estar refletindo muito sobre a idéia quando tocou no assunto com ela:

— Você acha, com essas denúncias, que eu devo ir?

— Não sou uma grande avaliadora política, mas ele é uma esperança, um político novo.

— É, eu estou indo.

— Olha, e acho que você deve ir. Até porque você é tão brasileiro, você vai emprestar um crédito a ele neste momento.

No dia 21 de dezembro, Ayrton, já bicampeão, eleito desportista do ano na América Latina e terceiro colocado na pesquisa entre editores esportivos europeus, atrás apenas dos tenistas Stefan Edberg e Lothar Matheus, Senna deu sua contribuição ao evento de *marketing* político que marcou o início espetaculoso do governo Collor: a descida da rampa do palácio do Planalto, ao lado do presidente e de outros convidados, sob a escolta de gala dos soldados do Batalhão de Guarda Presidencial, diante de centenas de fãs e militantes políticos.

Treze anos depois, ao reconstituir o encontro reservado que tiveram no gabinete, antes de ir para a rampa, Collor lembrou de Ayrton como "uma pessoa muito densa, muito reflexiva, pautada, que só falava o necessário e que se emocionava com muita facilidade". O ex-presidente também se identificou com Senna:

"Nossos temperamentos se pareciam. Éramos contidos."

Os acompanhantes de Senna na descida da rampa foram o então deputado Paulo Octávio e Pedro Collor, o irmão que romperia com o presidente e faria as denúncias de corrupção e de tráfico de influência, levando Fernando a renunciar para evitar um *impeachment* iminente. Um mês antes, no dia 23 de novembro, Nélson Piquet também havia descido a rampa com Collor, juntamente com outros três ídolos do esporte brasileiro: Adhemar Ferreira da Silva, João Carlos de Oliveira, o João do Pulo, e Nilton Santos.

No dia seguinte à descida da rampa, Ayrton deixou claro para Linamara Battistella que tivera "uma ótima impressão" de Collor e da família, "todos muito simpáticos e amáveis". O assunto não foi política. Ayrton, na verdade, assumiu no encontro o compromisso de pedir a Linamara que fizesse uma avaliação física de Arnon Affonso, o filho de Collor que queria ser piloto. No dia da consulta, acabou acontecendo uma tragédia: um dos seguranças de Collor que estavam com Arnon morreu baleado ao tentar impedir um assalto que acontecia a poucos metros do consultório.

Com o processo de *impeachment* e a posterior renúncia de Collor, Ayrton se fechou muito para a política. Pelo menos na frente de Linamara, nunca mais tocou no assunto.

Cristine, de Novo

Depois do fim doloroso com Xuxa, Ayrton reencontrou Cristine Ferracciu, que chegou a morar com ele na Europa. Aqui, os dois com Jacques, o filho do piloto Thiery Boutsen, em Mônaco.

Cristine Ferracciu reapareceu na vida de Senna no final de 1989, depois de se separar. Um primo dela tinha uma casa em Angra, muito próxima à casa de Ayrton, no condomínio Portogalo. Senna sempre passava por lá e perguntava por ela. O reencontro se deu no mar. Ayrton, segundo Cristine, estava num barco cheio de mulheres. Ela, na lancha do primo, com a família. E ele disse:

— Quero falar com você.

Mais tarde, pelo telefone interno do condomínio, Senna mandou chamá-la. E quando soube que ela estava se separando, comemorou como se tivesse vencido uma aposta. Ou uma corrida. Ao lembrar o episódio, Cristine disse que resistiu às novas investidas até dois meses depois daquele reencontro, quando, em novo fim de semana em Angra, Ayrton a chamou para um jantar em que os convidados eram Bernie Ecclestone e a mulher, Slavica.

Treze anos depois, Cristine considerou esse jantar, em 1990, o marco de uma relação que durou perto de dois anos e que foi praticamente desconhecida pelos brasileiros, sobretudo nos dois primeiros meses, quando ela teve de mentir para o pai. O almirante Ferracciu não aceitava nem em sonho a hipótese de a filha se expor como namorada de Ayrton Senna. Naquele período inicial, o namoro se manteve através de novas e complicadas operações aéreas entre os heliportos do condomínio e o da Lagoa Rodrigo de Freitas, na Zona Sul do Rio.

Treze anos depois, Cristine lembrou outro sentimento marcante daquele reencontro:

"Ayrton estava muito assustado com o que tinha acontecido entre ele e Xuxa."

Ela jamais agüentou um fim de semana inteiro nos boxes ou no *paddock* da Fórmula 1 ao lado do namorado. Mas foi uma das mulheres que tiveram mais intimidade com Ayrton e sua família, chegando até a participar da escolha e da decoração da casa que ele comprou no Algarve, em Portugal. Em vários períodos, principalmente durante o ano de 1991, tiveram vida de casados nos endereços de Ayrton em Mônaco e em Portugal.

O fato de Cristine ser neta de italianos e de ter morado três anos em Mantova, onde fizera um curso de moda, foi tema de dezenas de reportagens da imprensa italiana. Uma delas tinha o título: "Xuxa freada na curva pela beleza de Cristine".

Cristine se orgulhou ao citar um comentário de Senna que, para ela, foi uma espécie de síntese do que aconteceu entre os dois depois do namoro dele com Xuxa Meneghel. Em entrevista a Roberto Cabrini, no Japão, em 1991, Senna disse:

"Cristine é o equilíbrio que eu precisava, a alegria que eu não tinha de viver."

9º Capítulo

Tempo de Glória

— Você parece maluco: acaba de ganhar o bicampeonato, vai pra cama com tudo que é mulher e tem tudo o que quer. Que cara amarrada é essa?

A provocação de Braguinha, num dia de sol do verão de 1991, em Angra dos Reis, era um pouco mais atrevida, mas tinha o mesmo objetivo das reclamações que os amigos de infância faziam quando Senna voltava da Europa com a alma engessada por causa da Fórmula 1. Ayrton, no entanto, aproveitou a pergunta do amigo para tentar realizar um antigo projeto:

— Pra ficar alegre mesmo, eu precisava comprar sua casa.

— Comprar a casa pra quê? A casa já é sua. Para que você quer comprar?

Ayrton insistiu, pediu um preço e o negócio acabou sendo fechado naquele mesmo dia.

Encomendada em 1979 por Braguinha ao arquiteto Luís Paulo Conde, que seria eleito prefeito do Rio de Janeiro 17 anos depois, a casa de Angra não era imponente, mas o conforto se via de longe. Quatro quartos na parte superior, duas salas, uma de estar e outra de jantar em pisos diferentes e, mais abaixo, uma piscina coberta por um teto de vidro que dava para a varanda, também envidraçada, e para o mar.

Do lado de fora, na parte superior, havia mais uma piscina, com churrasqueira e uma quadra de tênis. No piso inferior que dava para o mar, uma garagem, onde Senna guardava a lancha *Joana* e dois *jet-skis*, e um gramado. Na descrição do arquiteto e mestre em iluminação arquitetônica José Luiz Galvão, "uma casa mimetizada na vegetação, uma sala que funciona para praia e piscina, um lugar que tem privacidade, de onde não se vê ninguém".

O primeiro encontro de Senna, agora proprietário, com José Luiz Galvão foi decisivo. Chamado pelo filho de Luís Paulo Conde, Marcelo, para dar uma consultoria de projetos de iluminação para a casa, ele ouviu de Senna:

— Nós gostamos de luz, de muita luz.

Ayrton queria melhorar a iluminação interna e externa, mas estava contrariado com o preço que uma empresa especializada cobrou pelo serviço na quadra de tênis. O equivalente a oito mil dólares. José Luiz sentiu que podia ajudar e perguntou:

— O seu problema é só ver, enxergar?

— É.

— Então você instala mais um projetor de 500 watts, que custa o equivalente a 70 dólares.

José Luiz ganhou o cliente, que posteriormente lhe encomendou projetos para o escritório de São Paulo e para a fazenda de Tatuí, a pedido de dona Neyde. E ouviu de Senna:

— Você sabe que eu tenho dinheiro. O que eu tenho horror é sentir as pessoas querendo se aproveitar disso.

Semanas depois, quando foi instalar o sistema de iluminação para a sala de som e tevê da casa, José Luiz ficou impressionado com o ouvido de Senna. Sistema instalado e ligado para demonstração, ele esperava apenas explicar como funcionava o controle de luminosidade. Mas Ayrton percebeu um zunido. José Luiz pensou em silêncio:

— Esse cara, que vive sentado com um foguete nas costas, vai escutar o quê?

Ligava e desligava e José Luiz não conseguia perceber nada. Depois de muita concentração e de um pedido de silêncio de Ayrton às pessoas que estavam na sala, ele acabou notando o zunido. Era provocado pelo *dimmer* das lâmpadas. Ayrton explicou logo depois, vitorioso:

— Meu amigo, eu ganhei muita corrida por causa do meu ouvido, viu?

Na mesma temporada de ajuste da casa de Angra ao novo dono, José Luiz também conheceu o temperamento sistemático e detalhista do novo cliente. Ayrton ficara contrariado ao perceber que o sistema geral de iluminação da casa de Angra era "burro". Os interruptores controlavam grupos de lâmpadas. Queria controlar lâmpada por lâmpada da casa. E assim foi feito.

O condomínio Portogalo tinha acesso restrito, mas nem assim Ayrton deixou de se surpreender, algumas vezes, com fãs endinheirados que se sentiram íntimos a ponto de ancorar seus barcos no píer, desembarcar e entrar na casa. E se fosse hora de café ou refeição, como lembrou Nelson Loureiro, piloto do helicóptero de Senna, alguns desses fãs chegavam a se servir de comida e bebida sem ao menos serem convidados. Ayrton muitas vezes se espantou, perguntando ao primeiro amigo ou convidado oficial que encontrava:

— Quem é? Quem é?

Na maioria das vezes, de acordo com Nelson, ninguém tinha condições de dar a resposta. Nuno Cobra também lembrou de "algumas fãs apaixonadas e meio malucas" que invadiram a casa. E, apesar da folga de certos visitantes, Senna, na maioria das vezes, segundo Nelson, tinha a paciência de um padre para se livrar deles.

Quem não conseguia ancorar, gritava. Acontecia quando passavam saveiros de aluguel lotados de fãs que se comportavam como se estivessem na arquibancada de Interlagos:

— Senna! Senna! Senna!

Os vizinhos, principalmente os das casas situadas à esquerda do canal que cortava o condomínio, chegaram a reclamar do tumulto. O próprio Ayrton foi motivo de queixas, por causa de seu costume de sair de *jet-ski* ou de lancha, para esquiar, já com a noite caindo. Para completar, helicópteros, de amigos e também de bisbilhoteiros, viviam sobrevoando a casa.

Os jornalistas costumavam fazer plantão por perto da casa, embarcados em lanchas alugadas ou abrigados em terra firme por vizinhos de Senna. O resultado do esforço jornalístico era mais do que discutível. O correspondente Mair Pena Neto não concordava com os plantões, mas era voto vencido diante da ansiedade das redações por flagrantes e entrevistas do maior ídolo brasileiro desde Pelé. Para Mair, se acontecesse aquele tipo de assédio no Brasil do ano 2000, Ayrton poderia ter processado muita gente:

"Era um absurdo, principalmente se você pensar que Senna avisava que não ia dar nenhuma entrevista. Aqueles plantões não tinham qualquer informação útil. Que utilidade tinha dizer que ele estava andando de *jet-ski*?"

O fato jornalístico mais grave de que se teve notícia com Senna, em Angra, aconteceu fora do horário tradicional dos plantões da imprensa no condomínio: o acidente de *jet-ski* que quase o tirou do GP do México daquele ano.

A Volta do Preguiçoso

Tão tradicionais como as férias de verão de Ayrton em Angra eram os resmungos por sua ausência, ouvidos durante o inverno inglês nos corredores da sede da McLaren, em Woking, e transcritos em tom de contida indignação em algumas reportagens e colunas especializadas da Inglaterra. Naquele início de 1991, junto com a ironia da comparação entre as temperaturas de Angra e Woking, houve também, nas entrelinhas da imprensa, muita solidariedade com o esforço de Gerhard Berger para testar a McLaren sozinho, enquanto Senna se esbaldava.

Nigel Roebuck, na *Autosport*, sempre vigilante, bem-informado e com a lâmina da ironia afiada, condenou Senna pelas críticas que ele fez ao novo motor Honda V12, considerado por ele pior do que o V10 usado no ano anterior:

"Se ele foi indiferente o suficiente para deixar os três meses de testes por conta de simples mortais da McLaren, também não tinha direito de reclamar."

A partir do GP de Phoenix, nos Estados Unidos, Senna provocou na equipe, como sempre, o efeito de um vento tropical, derretendo o gelo dos queixosos com um serviço completo: mais uma *pole* e uma vitória, deixando em segundo a Ferrari de Alain Prost, "campeã" dos testes de inverno. O furor da volta ao trabalho, que incluiu uma média de seis horas diárias de reunião com os engenheiros da McLaren e da Honda, levou Gerhard Berger, o operário-padrão do inverno, a dizer a Celso Itiberê:

— Esse seu amigo é maluco. Ele vai ficar no boxe até de madrugada. Eu vou para o hotel onde tem uma garota me esperando.

Na véspera da corrida de Phoenix, Prost, que também trabalhara duro no inverno, fez um comentário sobre a equipe Ferrari, revelado posteriormente pelo mesmo Roebuck, e que foi o prenúncio da pior temporada de sua carreira:

"Olha pra eles. Acham que seremos campeões. Amanhã, eu garanto, Ayrton vai ser um segundo mais rápido que a gente. E o mundo vai desabar, você vai ver."

Alain acertou na mosca. Só não imaginava que o mundo ia cair exatamente em cima dele.

Um Sonho, uma Marcha

Não se sabe se aquele momento de descanso teve algum efeito na heróica vitória de Ayrton em Interlagos, seu primeiro triunfo no GP do Brasil depois de oito participações. Mas o que Senna fez, fora de Interlagos, no fim de semana em que completou 31 anos, mesmo os mais íntimos teriam dificuldade de imaginar: passou horas pescando no lago da fazenda da família em Tatuí, no interior de São Paulo, a 140 quilômetros do circuito, na companhia do *Prof.* Sid Watkins, como os pilotos se referiam ao seu anjo da guarda nos autódromos. No intervalo entre as tilápias e lambaris, os dois iam de helicóptero para o autódromo, Watkins para garantir que todos ficassem inteiros, e Ayrton, para o desafio de vencer as Ferrari de Prost e Alesi e as Williams-Renault de Mansell e Patrese, na luta pela *pole position*.

A presença de Watkins no reduto mais protegido da intimidade dos Senna não era gratuita. Os dois eram realmente amigos. Em seu livro *Beyond the limit* [Além do Limite], Sid diz que existiam duas pessoas no mundo, à exceção dos parentes, que ligariam para ele apenas para dizer "olá", sem pedir coisa alguma: Senna e Jackie Stewart, dois homens que tinham em comum, escreveu Sid, "a precisão de pensamento e ação, a dedicação sublime ao esporte, a inacreditável habilidade de pilotar, a ambição e a falta de medo dentro de um carro de F1".

No domingo, a imagem da Williams de Nigel Mansell sumindo na nuvem de fumaça provocada por ele mesmo no "Esse do Senna", ao acelerar desesperadamente na tentativa de voltar à corrida depois de uma rodada, com a arquibancada de Interlagos comemorando uma espécie de gol, foi o prenúncio de que Senna venceria finalmente seu primeiro GP do Brasil. *Pole* e líder da prova, Ayrton, naquele momento, só teria de administrar a distância do segundo colocado, Patrese, com a outra Williams.

Senna precisou de muito mais. A partir da 65ª volta, a terceira e a quarta marchas da McLaren não engataram. Mais algumas voltas e a quinta marcha também não entrou. Avisado pelo boxe da Williams, Patrese começou a apertar o acelerador e diminuir a diferença. Para manter a McLaren na frente, Senna, sem o recurso de frear o carro com as reduções de marcha e, principalmente, sem o torque das marchas mais curtas para retomar a velocidade nas saídas de curva no chamado "miolo" de Interlagos, compensou tudo com um enorme sacrifício físico.

Toda a pressão que o ângulo das curvas provocava no sistema de direção ia direto para os seus braços. De uma hora para a outra, o volante moderno e sofisticado da McLaren se tornou quase tão pesado como o de um carro de passeio que perdesse subitamente o conforto da direção hidráulica. O insuspeito elogio de Nigel Roebuck, na retrospectiva jornalística daquele ano na *Autosport*, dispensou explicações sobre a façanha de Senna, ao terminar a corrida à frente de Patrese:

"Manter o carro na pista naquelas circunstâncias, sem cometer qualquer erro, confirmou a majestade absoluta do talento de Senna."

O que se seguiu à bandeirada da vitória naquela tarde abafada de domingo, em Interlagos, arrebatou definitivamente os brasileiros. Ayrton não conseguiu levar a McLaren até o boxe, depois de diminuir a marcha para pegar uma bandeira do Brasil que um fiscal de pista lhe ofereceu. O motor, preso na sexta marcha, não voltou a funcionar. E ele enfim se entregou à exaustão, ali mesmo na pista, quase desmaiando no *cockpit*, cercado por dezenas de fiscais e torcedores emocionados.

O amigo Sid Watkins, levado ao local no *pace car* dirigido por Wilsinho Fittipaldi, viu o parceiro de pescaria em Tatuí inteiramente transformado pelo desgaste físico. Aquelas voltas finais de intensa contração dos músculos da nuca, do pescoço e do ombro, somadas à tensão emocional provocada pela ameaça de Patrese, haviam acumulado no organismo de Senna uma quantidade de ácido lático cuja dor poucas pessoas suportariam.

Levado para o boxe da McLaren no *pace car* dirigido por Wilsinho, Ayrton saiu com dificuldade do banco traseiro esquerdo do carro, o braço esquerdo apoiado na mão direita, exausto, suado e ainda com muita dor. Cercado por Ron Dennis e Sid Watkins, ele olhou em volta e, ao descobrir o pai no meio da pequena multidão barulhenta, gritou:

"Vem cá, pai! Vem cá!"

Milton da Silva deu sinais de que queria deixar o filho entregue aos torcedores. Ao perceber, Ayrton se encheu de energia e, para espanto de Ron Dennis e seu minúsculo domínio do idioma português, gritou, exigente, misturando uma certa raiva à dor física:

"Vem cá!!! Vem cá!!!"

O pai então abriu caminho entre as pessoas e, sorriso tímido, ficou ao lado de Senna, sem saber o que fazer. No mesmo instante, Ayrton desarmou. E sua voz já era terna e pedinte quando ele finalmente fez o que queria: encaixou a cabeça no ombro direito do pai e pediu:

"Só encosta. Me dá um beijo."

Milton, inteiramente tomado pela surpresa no meio do tumulto, pareceu não entender o que o filho queria. Mas abriu um sorriso que durou alguns segundos. O tempo em que Ayrton ficou encostado em seu ombro, antes de ser puxado por alguém e levado para o pódio.

Interlagos, 1991. Depois de conquistar sua primeira vitória no Brasil de forma dramática, Ayrton mal teve forças para se manter de pé no pódio, entre o segundo colocado Riccardo Patrese, à esquerda, e Gerhard Berger, o terceiro.

O Último a Desmaiar

Quando todos puderam respirar novamente, depois das emoções de Interlagos, uma antiga questão, ilustrada pela imagem de Senna trêmulo no pódio, quase sem forças para erguer o troféu da vitória, foi reaberta: Ayrton era fraco e despreparado fisicamente ou um atleta perfeito que se impunha sacrifícios sobre-humanos? Ou, como perguntou o jornalista Juca Kfouri:

"Como é que alguém que termina a prova daquela maneira, quase desmaiado, pode estar sendo bem preparado fisicamente?"

O próprio Senna já dera uma pista, em entrevista ao jornal *O Estado de S. Paulo*, meses antes:

"Tem momentos em que eu estou andando no limite e preciso de um pouco mais para superar o adversário. É quando vem a compensação. Forço o passo, mesmo sabendo que logo depois vou sofrer uma queda forte de ritmo. Mas o outro já está superado e vai cair ainda mais."

Em outras palavras, Senna se preparava para desmaiar por último. Ou, como disse Nuno Cobra, o responsável por seu condicionamento físico, 13 anos depois daquela corrida histórica:

"O Ayrton tinha condição física de ficar cansado. Essa era a diferença. O cara que não tem condição física alivia o pé no acelerador e termina a corrida inteirão."

Para conseguir desmaiar por último, como naquele GP do Brasil, Ayrton costumava até gritar consigo mesmo dentro do *cockpit*. Garantia a concentração se chamando pelo nome, segurando o volante com mais força ou se mandando prestar mais atenção ao que estava fazendo. Senna gostava de dizer que, se uma corrida era duríssima para ele, seria sempre "duríssima e meia" para os outros pilotos. Dizia também, sem medo de parecer arrogante, que ninguém, na Fórmula 1 de seu tempo, fazia o trabalho de condicionamento que ele fazia. Os que mais se aproximavam, na opinião dele, eram os amigos Gerhard Berger e Thierry Boutsen.

Nuno Cobra jamais teve um cliente tão dedicado. Apenas na semana que antecedeu àquele GP do Brasil, Senna, segundo ele, correu 44 quilômetros em cinco dias. Nuno também foi testemunha de um salto impressionante que Ayrton dera em sua capacidade de bombeamento de sangue, no espaço de apenas quatro meses: de quatro para seis litros por segundo:

"O bom bombeamento do sangue ajuda a manter as células oxigenadas. Quando isto não ocorre, quando o organismo trabalha com falta de oxigênio, a primeira conseqüência é que os comandos do cérebro demoram frações de segundo a mais para chegar aos músculos. Para quem corre a 300 por hora, isto representa alguns metros a mais e uma possibilidade maior de acidentes."

Ao lado da preparação de Nuno, Ayrton seguia religiosamente a dieta de Joseph Leberer. E alguns de seus itens não eram encontrados nem nos melhores supermercados do Brasil ou da Europa. Eram cereais cultivados na Áustria, frutas de estação rigorosamente selecionadas e outros produtos que Joseph se encarregava de comprar pessoalmente. Leberer não tinha de fazer grandes argumentações sobre este ou aquele alimento. Ayrton, obediente, simplesmente se alimentava do jeito que Leberer queria.

Quando tinha de ficar mais tempo na Europa, Senna acabava emagrecendo. Por isso, sempre que podia, tirava uma semana ou dez dias para ficar trabalhando o corpo com Nuno no Brasil. Em 15 dias, recuperava até três quilos e meio de massa muscular, chegando a 68, 69 quilos, apesar de correr quilômetros e fazer muito exercício pesado nas barras. De acordo com Nuno, Ayrton gostava de bater com a mão nos músculos do braço e ficava feliz com sua solidez:

"Estou sentindo firmeza."

Quem mandou chamarem Senna de franzino?

A Marca

— Tênis, não. Tênis suja.

Com esse argumento, surpreendente para quem mantinha dezenas de pares de tênis meticulosamente limpos e guardados em cada uma das casas que tinha na Europa e no Brasil, Ayrton tirou o produto da lista dos que poderiam ser comercializados com a marca Senna. Ele participava de uma reunião com o publicitário Petrônio Corrêa Filho, diretor da MPM Propaganda, e outros profissionais de *marketing* e propaganda encarregados de preparar a ofensiva de mercado da Ayrton Senna Licensing e Participações, empresa criada por ele para explorar, de forma profissional e abrangente, o uso comercial de seu sobrenome.

Só em patentes, a empresa, que era controlada pela Ayrton Senna Promoções e tinha como sócias minoritárias a MPM e a SEG Empreendimentos, gastou 600 mil dólares em 21 países, garantindo direitos de uso da marca Senna em 12 categorias e mais de 150 classes de produtos.

A família de Ayrton não sabia, mas até a estratégia de *marketing* para seus negócios levava em conta o risco e, eventualmente, a morte. Nove anos depois, o publicitário Petrônio Corrêa Filho, participante ativo da estratégia da Ayrton Senna Licensing e Participações, revelou:

"Tomamos muito cuidado para que a família não soubesse, mas fizemos alguns cenários para situações de risco que a atividade de Ayrton envolvia. Houve documentos que foram discutidos, guardados e mantidos fora do alcance deles, por motivos óbvios."

Os documentos, de acordo com Petrônio, se referiam a projeções sobre o que aconteceria com a marca Senna, no caso do desaparecimento de Ayrton.

Além de vetar tênis, que podiam sujar, Ayrton decidiu que não associaria seu nome a qualquer bebida alcoólica. Mesmo os refrigerantes teriam de ter algum valor nutritivo. Roupa de baixo, segundo Petrônio, nem pensar. Outra exigência: a de que os compromissos com patrocinadores e autorizados a usar a marca não prejudicassem sua programação de testes nas pistas.

Senna não tinha grandes dramas de consciência com o fato de ser o mais famoso anunciante, ainda que mudo e não usuário, dos cigarros Marlboro. Sabia, pragmático, que o patrocínio pago pela Philip Morris à McLaren era grande demais para ser recusado em nome do antitabagismo. John Hogan, o executivo responsável pela verba publicitária da Philip Morris na Fórmula 1, mais de uma década depois do auge do fenômeno Senna, fez um balanço surpreendente do desempenho de Ayrton como estrela da Marlboro:

"Ele não tinha jeito. Era um desastre do ponto de vista dos patrocinadores. Não fazia o que eles queriam. Simplesmente não aparecia nas festas e jantares. E eu tinha de ficar sempre lembrando a eles que tínhamos o pior piloto em termos de patrocínio, mas o melhor piloto da Fórmula 1. Ainda assim, era um ótimo negócio para nós."

Cigarros, paciência, Ayrton tinha de anunciar. Mas alterar o modo de se vestir, jamais. Segundo Petrônio, na fase de montagem da equipe de profissionais para a nova empresa, um dos candidatos, publicitário nascido na elite paulistana, perfil bem diferente do da família Senna, estava prestes a ser contratado, quando fez um comentário aparentemente banal:

— Não gosto dessas camisas que o Ayrton usa.

O candidato, de acordo com Petrônio, achava que tinha por missão enquadrar Senna nos padrões das grifes da moda sediadas no Jardim Paulista. Mas não se tratava de um banho de loja. O conceito era outro, e o candidato, cujo nome Petrônio não revela, foi dispensado no último minuto. As camisas sociais que o incomodavam, mal sabia ele, faziam parte de uma espécie de uniforme que Senna usava quando estava fora do *cockpit*. Completavam o figurino praticamente imutável de Ayrton as calças *jeans*, os tais tênis perfeitamente brancos e, se fosse o caso, casacos do tipo acolchoados, daqueles que fazem qualquer freguês parecer bem mais forte e musculoso.

A marca Senna, inspirada no "esse" do final da reta dos boxes de Interlagos, foi desenvolvida para produtos de impacto, inovadores e necessariamente identificados com a imagem de Ayrton como jovem, competitivo, sério, obstinado, dedicado, vitorioso, esportista e internacional. Entre os *designers* convidados para desenvolver os produtos, estavam o italiano Giorgetto Giurgiaro, responsável pelas linhas inovadoras do Fiat Uno e da câmera fotográfica Nikon F4, e o alemão Alex Neumeister, *designer* do projeto dos trens-bala japoneses. A equipe passou semanas trabalhando nos projetos e a palavra final era sempre de Senna.

A expectativa da nova empresa de Ayrton era colocar a marca, em três anos, ou seja, no início de 1994, entre as 15 mais prestigiadas do planeta. Em dez anos, o *business plan* da ASLP previa que ela tiraria a Pierre Cardin do topo e já estaria espalhada por produtos de qualidade ligados à velocidade e à tecnologia, como acessórios esportivos, carros, brinquedos controlados por rádio, jogos eletrônicos e equipamentos sofisticados para automóveis. Outras vertentes seriam produtos de uso pessoal, como relógios, óculos, artigos de viagem, carteiras, loções, cremes para barbear, água-de-colônia, xampu, sabonetes, alimentos dietéticos, bebidas energéticas e roupas esportivas masculinas.

Senna estava pessoal e entusiasticamente envolvido com o negócio do *licensing*, naquele início de 1991. O amigo Marcos Magalhães Pinto testemunhou, na época, um comentário revelador. Ayrton parecia estar feliz com a descoberta do que faria depois de deixar as pistas:

— Eu gosto de fazer negócio. Descobri que eu gosto disso.

Nobuhiko Kawamoto também sentiu aquele despertar de Senna para os negócios em forma de proposta:

"Ele estava falando sobre sua vida futura. E disse: Se vocês concordarem, eu quero ser o concessionário da Honda no Brasil. E como ele adorava *jet-ski*, desafiou: Por que vocês não fazem *jet-ski*?"

A Honda só montaria carros no Brasil a partir de 1996, quando o mesmo Kawamoto estivesse ocupando o cargo de principal executivo da companhia. Mas negócios não faltaram nos primeiros tempos da ASLP. Logo depois da vitória de Senna no GP do Brasil, Petrônio passou dez dias marcantes no Japão, participando de cerca de 30 reuniões em diferentes empresas interessadas em fabricar e comercializar produtos com a marca Senna. Entre elas, a Shell do Japão e até a Mitsubishi, concorrente da Honda, montadora profundamente identificada com o fenômeno Senna.

Em cada reunião de que participava no Japão, estudando propostas de concessão de licença do uso da marca, Petrônio ficava impressionado com o fascínio que Ayrton despertava em funcionários e também entre os diretores e executivos. Ele levou para as reuniões, como brinde, algumas dezenas de pequenas réplicas do capacete de Ayrton em forma de broche e se supreendeu com o fascínio que aqueles pequenos agrados despertavam nos interlocutores.

O que deu muito certo desde o início, mais exatamente um lucro aproximado de 30 milhões de dólares à Sega Enterprises, o gigante japonês de jogos eletrônicos, foi o *videogame Ayrton Senna's Super Mônaco GP*, que simulava um *show* de pilotagem de Ayrton na pista que o consagrou. O jogo, o primeiro *videogame* com um personagem brasileiro, foi desenvolvido em um ano e meio por técnicos japoneses e tinha a voz do próprio Senna incentivando ou elogiando o usuário. Um ano e meio depois do lançamento do produto, o *Jornal do Brasil* tentou saber da ASLP qual era o valor dos *royalties* recebidos pelo uso da marca Senna. O número fornecido foi o do faturamento da própria empresa de *licensing* em um ano e meio de existência: oito milhões de dólares.

Nem sempre os contratos de uso da imagem de Senna foram feitos no estilo Wall Street. No GP do Japão daquele ano, um acordo informal de *merchandising* com o guaraná Antarctica, com a participação de Roberto Cabrini, então repórter franco-atirador do SBT, foi cumprido por Ayrton de forma inteiramente improvisada. Cabrini, ainda lutando heroicamente contra os altos custos das viagens e as limitações impostas pela exclusividade que a TV Globo tinha na Fórmula 1, não tinha nada: câmera, microfone ou equipe. No final, para que o contrato fosse cumprido, Fabio Machado segurou o pau de luz e Ubirajara Guimarães ajudou a carregar o equipamento de tevê alugado às pressas. Ayrton fez sua parte: em todas as entrevistas, estava com uma lata de guaraná Antarctica nas mãos.

No mercado brasileiro, o grande beneficiado da marca Senna, naquele início de 1991, continuou sendo o Banco Nacional. Nuham Szprinc, vice-presidente de *marketing* do banco, não reclamava nem um pouco de pagar o que o mercado, na época, estimava ser um milhão de dólares para manter o boné na cabeça de Ayrton. Apenas no GP do Brasil, ele ficou exatos 24 minutos no ar, ao vivo, na TV Globo, usando o boné do Nacional o tempo todo. Szprinc apenas comemorava:

"Não há nada que pague uma publicidade como esta."

Peter Vader, um dos nomes mais importantes do *marketing* esportivo brasileiro na época, disse que era difícil saber qual a parcela que pôde ser atribuída a Senna na formação da imagem institucional da Shell Brasil. O que ele sabe, com certeza, é que foi muito mais vantajoso para a companhia investir em Ayrton do que nas cotas de patrocínio da transmissão da Fórmula 1 pela TV Globo, como fez a concorrente Esso durante muitos anos.

Dez anos depois do último contrato da Shell com Senna, Peter garantiu que, na resposta à pergunta sobre qual era a empresa petrolífera identificada com a Fórmula 1, as pesquisas de mercado indicavam um resultado "massacrante" a favor da Shell:

"O Ayrton era carismático. As pessoas sentiam uma espécie de carinho por ele. Era muito bom estar associado a ele."

A preocupação de evitar toda e qualquer exploração comercial não autorizada de sua imagem levou Senna a registrar o desenho do capacete que lhe deu fama. Para isso, telefonou para Sid Mosca, o *designer* responsável, para discutir os critérios. Doze anos depois, ao lembrar a conversa com Senna, Sid disse que fez apenas uma exigência:

— Eu pintei e o desenho é seu. Registre apenas que fui eu quem pintou a sua cara.

Senna registrou internacionalmente a propriedade do desenho do capacete. Após a morte de Ayrton, a Bell, fabricante dele, devidamente autorizada pela ASLP, começou a vender réplicas do capacete em grandes quantidades. Sid calculou que chegou perto de mil o número de unidades. Ficou chateado, mas em silêncio. Só dois anos e meio depois, revelou sua mágoa, quando Milton da Silva lhe encomendou a pintura de um helicóptero:

"A gente não tinha nem estrutura emocional para conversar sobre o Ayrton, mas eu disse: Sr. Milton, estão pintando capacetes do Ayrton por aí e eu que criei não faço. Estou magoado."

Depois da queixa, Sid passou a produzir e vender réplicas, doando uma parte do que ganhava para o Instituto Ayrton Senna. Em outras palavras, passou a pagar *royalties*. A partir do acordo, ele começou a vender, por cerca de 300 dólares a unidade, cinco modelos, todos pintados e com os adesivos envernizados: réplicas de 1985, 1987, 1988, 1991 e 1993. Só não produziu cópias do capacete usado no ano trágico de 1994:

"Esse a gente não faz."

— Por algumas voltas dei um adeusinho para o seu amigo.

O comentário irônico que Senna fez ao amigo Jo Ramirez, logo após receber o troféu pela vitória no GP de Ímola de 1991, o terceiro da temporada, tinha dois objetivos: registrar o ciúme que ainda sentia da amizade de Jo com Alain Prost e saborear o mais desconcertante momento da carreira do grande rival — sua saída de pista na curva Rivazza, na volta de apresentação da corrida, e, para desespero dos *tifosi*, a parada definitiva da Ferrari na grama encharcada pela chuva.

Doze anos depois do fiasco, Prost garantiu que não viu a provocação de Senna de dentro do *cockpit*, nas voltas em que ficou encostado no *guard-rail*, perto da Ferrari atolada, perplexo e constrangido, assistindo ao início da corrida. Alain nem acreditava que tal tipo de provocação combinasse com o estilo de Ayrton. Esse, porém, foi o menor de seus problemas. Ele não venceria nenhuma corrida naquela temporada. E a humilhação definitiva, a demissão sumária antes do final do campeonato, ainda estava a caminho.

Salvo apreciar a desmoralização de Prost, Senna não teve muito o que comemorar em Ímola. As Williams de Mansell e Patrese, àquela altura, já eram superiores a todos os outros carros, e as vitórias, todos sabiam no *paddock*, eram uma questão de tempo. O espetáculo que Senna deu em Mônaco, no dia 12 de maio, conquistando a *pole* e a 30ª vitória da carreira, mesmo com o grande sofrimento físico provocado por um defeito no cinto de segurança, foi uma cortina de fumaça.

Nigel Mansell encarregou-se de adiar o início oficial da supremacia da Williams na última volta do GP do Canadá, a metros da vitória, ao deixar o motor morrer quando enfrentava problemas com o câmbio semiautomático de seu carro. Em sua autobiografia, Nigel não admitiu ter cometido um erro, considerando-o uma versão "idiota" de jornalistas ressentidos com ele. Jornalistas ingleses. Nélson Piquet, com sua Benetton, como sempre pronto para capitalizar os erros do velho rival da Williams, herdou a liderança e venceu pela última vez na Fórmula 1. Senna estava em terceiro lugar até abandonar na 25ª volta, com uma pane elétrica.

Dias depois de Montreal, em nova escapada para o Brasil, mais exatamente para Angra dos Reis, Ayrton deu início a uma preocupante fase de acidentes, dentro e fora da pista. O primeiro aconteceu no dia 9 de junho, um domingo, uma semana antes do GP do México. Nelson Loureiro, ao lembrar o episódio 12 anos depois, disse que o patrão estava particularmente feliz naquele dia e, não pela primeira vez, resolveu se divertir com o *jet-ski* quando já estava praticamente escuro. O amigo Christiano Foux acompanhou Senna, pilotando o outro *jet-ski* da casa.

Durante uma manobra, Ayrton perdeu o controle, caiu e foi atropelado acidentalmente pelo *jet-ski* de Christiano, que ia logo atrás. No momento em que foi atingido, na parte posterior da cabeça, Senna estava sem o colete salva-vidas, uma situação que poderia se tornar bem mais séria, se ele desmaiasse na água.

Ele levou dez pontos na cabeça e se submeteu a uma tomografia que não apontou problemas mais sérios. Nos dias que se seguiram ao acidente, Walderez Zanetti foi chamada à casa da família Senna, em São Paulo. Ayrton queria um corte de cabelo que escondesse os pontos que levara na cabeça. Mas Waderez não teve como ajudar:

— Impossível, Ayrton. O jeito é você usar seu boné o tempo todo.

O acidente valeu a Senna um afago do então presidente Collor, que enviou "sinceros votos de pronta recuperação pelo lamentável acidente", desejando ver Ayrton de volta às pistas, "como sempre vitorioso, no mais curto prazo". À dor física, porém, se juntou uma dor de cabeça profissional: Ron Dennis não ficou nada satisfeito ao saber das circunstâncias em que Ayrton se machucara. Outra conseqüência do acidente foi uma dor intensa na hora de colocar o capacete, na primeira vez em que teve de treinar com a McLaren.

E mal colocou o capacete, ele sofreu outro acidente, este muito mais grave, na perigosa curva Peraltada, no circuito de Hermanos Rodriguez, durante o primeiro treino para o GP do México. Após uma balançada a mais de 200 quilômetros por hora, no meio da curva, a McLaren saiu derrapando, rodou e capotou, depois do choque de lado com a barreira de pneus. Por alguns segundos, até que o capacete amarelo surgisse no pequeno espaço que sobrara entre o carro e a caixa de brita, uma grande tensão tomou conta do autódromo.

Senna saiu da pista, segundo Jo Ramirez, porque teimou em fazer um acerto diferente do que era recomendado pela equipe. Ele insistiu em manter o carro com a suspensão mais rígida, o que, na pista ondulada do circuito mexicano, tornou o carro muito difícil de dirigir. A trepidação na Peraltada foi tão intensa que, ao soltar a mão direita do volante para trocar de marcha, Ayrton perdeu o controle do carro. Para a corrida, ele aceitou a proposta inicial dos engenheiros da equipe de amaciar a suspensão do carro.

Aquele acidente confirmava, de forma assustadora, uma espécie de previsão que Senna fazia com freqüência, aos amigos e jornalistas mais próximos, desde 1985. Ele dizia que, se algo de grave acontecesse com ele nas pistas, muito provavelmente aconteceria durante treinos. A explicação:

"É quando você está buscando o limite. O seu e o do carro."

No domingo, dia 16 de junho, mesmo com a suspensão amaciada, foi impossível evitar mais um capítulo da extensa história de sacrifícios físicos de Senna dentro de um carro de corrida: a mesma trepidação que o levara a capotar na Peraltada acabou reabrindo a ferida do acidente de *jet-ski*. Ainda assim, ele terminou a prova em terceiro, atrás das agora inalcançáveis Williams de Patrese e Mansell, primeiro e segundo colocados.

De volta do México, Ayrton se encontrou em Angra com o arquiteto José Luiz Galvão, que tinha para ele um recado da filha Juliana:

— Pai, fala pra ele não correr nas curvas.

Ayrton deu uma grande gargalhada, mas um susto maior estava a caminho.

Semanas depois, no dia 19 de julho, durante um treino em Hockenheim, ele sofreu um grande acidente, a mais de 300 por hora, que praticamente não teve testemunhas, nem foi registrado pelas câmeras. Senna foi o primeiro dos pilotos a testar uma modificação na *chicane* de alta velocidade que antecedia à entrada do trecho de curvas de baixa velocidade, conhecido como "estádio". Voltou ao boxe dizendo que a nova *chi-*

cane era "esquisita". Saiu de novo para a pista e não voltou. Celso Itiberê acompanhava o treino pelo jornal *O Globo* e pensou no pior, quando chegou ao local do acidente:

"A cena era assustadora. A McLaren estava virada, enfiada no *guard-rail*. Aí pensei: morreu!"

O próprio Senna, ileso, explicou o acidente, dizendo que o carro decolou ao tocar na tal "*chicane* esquisita" e voou por algumas dezenas de metros virado para baixo, antes de parar no *guard-rail*. Tempos depois, ele fez o seguinte relato à jornalista Karim Sturm:

"Estive pelo menos a cinco metros de altura do chão, na altura de uma árvore. E registrei também como o meu capacete bateu no asfalto várias vezes. Sei exatamente tudo o que senti e pensei. Para mim era certo que não ia escapar daquela. Esperei o tempo todo pelo último golpe."

Tempos Apimentados

Dinamite líquida. Assim Ron Dennis descreveu, 12 anos depois, o pote de pimenta mexicana que apostou engolir durante um jantar com Ayrton, Leonardo Senna, Gerhard Berger e outros integrantes da McLaren, num restaurante típico da Cidade do México, em junho de 1991. Era, como sempre, uma aposta entre os dois. Adoravam disputar tudo, da coragem de engolir fogo a contratos de milhões de dólares. Até uma diferença de cerca de 500 mil dólares entre Ayrton e Ron, surgida na primeira renovação do contrato de Senna com a equipe, fora decidida, a favor de Ron, em uma disputa de cara ou coroa.

No caso da pimenta, Ron lembrou que, embora valendo cinco mil dólares, a aposta fazia parte de um discreto mutirão dos amigos da McLaren para descontrair Senna:

"Eu gostava de brincar porque Ayrton era muito tenso e precisava rir um pouco. Gerhard e eu passávamos um bom tempo tentando fazê-lo rir. E essas brincadeiras foram ficando cada vez maiores e mais arriscadas. Éramos muito competitivos em tudo o que fazíamos."

Leonardo Senna já tinha avisado que a pimenta era fortíssima. Ayrton ficou com lágrimas nos olhos, quando cumpriu sua parte na aposta. Para levar os cinco mil dólares, Ron teve de engolir praticamente o pote inteiro. Ele jamais deixou Ayrton saber, e também não valeria a pena dizer, como foi o dia seguinte àquele incêndio nas entranhas. E guardou para sempre o envelope com o cheque com o qual Senna pagou a aposta.

Engolir potes de pimenta talvez fosse uma alternativa a ser considerada por Ron Dennis naquela temporada de 1991, quando Senna começou a reagir internamente, exigindo que algo fosse feito para que ele tivesse condições de enfrentar as Williams de Mansell e Patrese. Creighton Brown, sempre por perto na hora das crises, foi testemunha de momentos de grande decepção, frustração e raiva de Ron com Senna nessa época, apesar do "incrível respeito" que um tinha pelo outro:

"Ron merece um crédito enorme pelo fato de ele ter sido capaz de lidar com Ayrton. Acho que nenhum outro dono de equipe ou diretor poderia fazer o que ele fez. Ron gastou uma energia extraordinária nesse processo."

Ao comentar o difícil verão da McLaren em 1991, Joe Saward, da *Autosport*, avaliou que Ron Dennis discordou surpreendentemente dos que achavam que Senna era um "fator de motivação da equipe":

"É uma situação de pressão em que às vezes Ayrton peca pela falta de sofisticação. A gente nunca pára de aprender na vida e Ayrton não é exceção. Ele está ficando mais polido, mas nem sempre sua postura é construtiva. Esta é uma área em que ele tem um certo grau de inexperiência."

Ron referia-se a episódios como o do dia em que, de tão indignado com os tempos de um treino, ao receber uma pilha de dados impressos de telemetria, Ayrton simplesmente jogou a papelada num canto do boxe. Chocado, o jovem técnico da Honda comentou com os colegas e a história acabou chegando a Takeo Kiuchi, o engenheiro da Honda que trabalhava diretamente com Senna no desenvolvimento dos motores. Kiuchi lembrou, 12 anos depois, que, indignado, na frente de toda a equipe, deu uma bronca memorável em Ayrton:

— Mas o que é isso? Como você menospreza dados importantes como os que o técnico te passou? Com atitudes como essa, a gente não pode colaborar com você. Se continuar desse jeito, você pode até deixar de receber os nossos motores.

Senna, contou Kiuchi, começou a chorar na hora. E pediu desculpas a todos os técnicos da Honda, um a um. Os engenheiros se sentiram defendidos e o episódio não teve conseqüências importantes para o seu relacionamento com a Honda. Ainda mais porque, no dia seguinte, Senna e Berger fizeram questão de chamar todos para uma reunião na qual reconheceram os problemas e reafirmaram o desejo de continuar trabalhando juntos, com os técnicos da Honda, no desenvolvimento dos motores. Uma atitude que, lembrou Kiuchi, Ron Dennis transformou em rotina na administração da McLaren.

Kiuchi também ficou contrariado com outra atitude de Senna naqueles tempos difíceis: as queixas em relação ao motor através da imprensa. E protestou:

— Por que você não fala comigo em vez de ficar reclamando na mídia?

— Eu sei que vocês estão dando o melhor, mas como o motor é feito no Japão, eu queria dar um recado para o pessoal de lá.

— Não faça isso! É muito ruim para a imagem da empresa!

Do outro lado do mundo, na sede da Honda, Nobuhiko Kawamoto, já presidente da companhia, não se sentiu tão cobrado. Passados 12 anos, ele deu razão a Senna:

"Ayrton tinha razão de reclamar. Ele expôs fatos que não poderiam ser contestados."

Em outubro daquele ano, em entrevista para a *Folha de S. Paulo*, Ayrton deixou claro que estava afinado com Kawamoto, pelo menos no que dizia respeito às pressões públicas por um equipamento melhor. Comemorou o desenvolvimento de um novo combustível da Shell e um novo motor da Honda como resultado das entrevistas que dera:

"Foi preciso muita pressão minha e do Gerhard sobre a Honda e a Shell, e sobre a equipe também, para que acreditassem, realmente acreditassem. Porque os engenheiros dos circuitos acreditam em nós, mas o pessoal das fábricas..."

Da parte de Senna, não havia o que cobrar. Ele permanecia, apesar da luta ingrata contra a Williams, com o que Ron Dennis achava que ele tinha de mais inspirador: a dedicação total, a mesma com a qual Takeo Kiuchi não cansava de se surpreender.

Num dos testes em Silverstone, Ayrton parou inesperadamente no boxe e avisou Kiuchi sobre um problema que nem a telemetria registrava. Exatamente como fizera com Yoshitoshi Sakurai quatro anos antes, nos tempos da Lotus-Honda:

— O virabrequim vai quebrar. É melhor vocês verem o que está acontecendo antes que ele quebre e esconda o problema.

Era uma alteração mínima na rotação do motor de 800 cavalos. Muito difícil de ser percebida por um piloto na pista. Assombrado, ele fez o que Senna sugeria. Dois meses depois, Berger teve uma quebra de motor durante outro teste. O problema era o mesmo, mas nem Gerhard, nem os técnicos da Honda tinham conseguido antecipá-lo. Kiuchi ainda perguntou:

— Gerhard, o que aconteceu?

— Não sei, o motor estava perfeito.

A dedicação de Senna não foi suficiente. E o clima na equipe continuou muito tenso nas corridas da chamada fase européia do campeonato. Em 7 de julho, em Magny-Cours, a nova sede do GP da França, ele terminou em terceiro, longe das Williams de Mansell e Patrese e com o computador de bordo sinalizando risco de pane seca. Em Silverstone, uma semana depois, perdeu o segundo lugar na última volta, parando por falta de combustível. A imagem da superioridade da Williams foi a carona que Mansell lhe deu na volta de comemoração da vitória.

Quase às lágrimas ao retornar ao boxe, Ayrton já não se via em condições de lutar pelo título. A equipe o advertira, na 55ª volta: tinha de economizar combustível para poder chegar ao final. Ele não deixou claro se simplesmente resolveu ignorar o computador, que já havia falhado na França, acelerando à vontade, ou se foi traído por ele novamente.

Duas semanas depois, em Hockenheim, uma nova e irresistível dobradinha da Williams, com Mansell à frente. Senna sentiu o prazer de superar Prost na luta pelo segundo lugar, em mais uma disputa memorável com o rival, no entanto novamente não terminou a prova. Sem gasolina mais uma vez. Na última volta. Sinal de que a McLaren e a Honda estavam no limite de suas possibilidades.

Em Hungaroring, dia 11 de agosto, Ayrton voltou a respirar e a sonhar com o tricampeonato. Àquela altura com 46 pontos, ele ainda tinha seis de vantagem sobre Mansell, apesar das vitórias seguidas do rival. Na pista, conquistou a *pole* e aproveitou com maestria o fato de o circuito praticamente não ter pontos de ultrapassagem para vencer a corrida, resistindo de tal forma às investidas das Williams, que Mansell e Patrese terminaram a corrida virtualmente sem freios.

Senna dedicou a vitória a Soichiro Honda, que falecera dias antes. Mas o futuro da aliança com os japoneses era, no mínimo, incerto.

Erro ou Lealdade?

Na manhã de 25 de agosto, domingo, horas antes da largada para o GP da Bélgica de 1991, em Spa-Francorchamps, Senna tinha nas mãos dois contratos preparados por Julian Jakobi e prontos para serem assinados. Um era o de renovação com a McLaren por mais um ano. O outro sacramentava sua transferência para a Williams. Para Jakobi, Ayrton temia que a Honda já estivesse em uma curva descendente de desempenho e estava praticamente decidido a assinar com Frank Williams. O argumento que fez Senna pender para a McLaren mais uma vez foi, de acordo com Julian, um telefonema do Japão no qual Nobuhiko Kawamoto teria pedido para que ele ficasse. Ayrton tomou então uma decisão que Jakobi considerou "emocional":

"Ele ficou na McLaren e cometeu o maior erro de sua carreira. A conta é simples: na Williams, Ayrton ganharia em 92 o título que Mansell conquistou praticamente sem adversários. E em 93, ele venceria, também com facilidade, o título que Prost conquistou. Seriam cinco títulos mundiais."

Ron Dennis, 12 anos depois, não fez essa conta. E deu outra versão para os bastidores da renovação com Senna:

"Para ser honesto, eu não me senti ameaçado em nenhum momento nessa situação. Eu tinha um entendimento muito claro com Ayrton e ele de fato permaneceu na McLaren. Julian Jakobi diz que foi um erro porque não foi a decisão que ele queria que Ayrton tomasse. Aliás, isso só aumentou sua animosidade."

Para Ron, Jakobi foi extremamente negativo para o relacionamento entre Ayrton e a McLaren:

"Ele nunca estava satisfeito na negociação. Ficava o tempo todo querendo convencer Ayrton de que ele, Julian, era um negociador melhor que eu. Então ficava sempre pressionando ao máximo. Em toda renovação de contrato, eu acabava tendo de dizer ao Ayrton que Julian estava sendo completamente injusto. Ayrton normalmente concordava comigo e mudava decisões do Jakobi, o que fazia ele ficar ainda mais duro e determinado em cada detalhe, tornando tudo muito tenso."

A "animosidade" chegou a um ponto em que Ron disse a Senna que não negociaria mais com Jakobi. O que, na opinião de Ron, deixou Jakobi ainda mais determinado a influenciar Ayrton. Para se contrapor à influência que o empresário tinha sobre Ayrton, Ron contava com "alguns aliados", entre eles Kawamoto, Sid Watkins e Milton da Silva:

"Eu sempre senti que o pai de Ayrton entendeu o lado humano da equipe McLaren e nos apoiou, juntamente com dona Neyde."

Kawamoto, 12 anos depois daquela manhã decisiva em Spa, disse que não teve o papel que Jakobi atribuiu a ele:

"Não pedimos a Ayrton para ficar com a Honda. Nós apenas pagávamos a McLaren para que a equipe pagasse os pilotos. Nunca negociamos diretamente com Senna. Na verdade, não tínhamos dúvidas sobre se ele ia sair ou não."

Senna, cerca de um mês antes, em Hockenheim, não dera aos jornalistas tanta certeza sobre os laços com a McLaren-Honda:

"Não fiz opção com ninguém e tenho compromissos só comigo mesmo."

Não se sabe em que medida o resultado daquele GP da Bélgica pesou na decisão de Senna de rasgar a minuta de contrato com a Williams e renovar com a McLaren-Honda. O fato é que ele venceu a corrida, tirando vantagem das quebras da Ferrari de Jean Alesi e da Williams de Nigel Mansell.

Ayrton renovou por mais um ano, por um salário que esteve, segundo a média das especulações da época, na casa dos 20 milhões de dólares, o maior já pago até então a um piloto de Fórmula 1. Levando-se em conta a quilometragem prevista para a temporada de 1992, o *Jornal do Brasil* fez outra conta: Senna receberia 4.142 dólares por quilômetro corrido.

Jo Ramirez, perto de Senna, mas certamente longe da mesa de negociação, garantiu que era menos dinheiro. Bernie Ecclestone, 12 anos depois, não estranhou as cifras do contrato:

"Ele era o melhor e todo mundo o queria na equipe."

Imediatamente depois de Ayrton definir os termos finais da renovação do contrato com a McLaren, já às vésperas do GP da Itália, Berger aprontou sua mais famosa molecagem com ele.

Gerhard fazia o impossível para compensar o que chamava de "falta de talento" de Senna para sorrir. Estavam todos hospedados no hotel Villa D'Este, no lago Cuomo, onde um helicóptero estava preparado para levar Ayrton, Berger e Ron para o autódromo de Monza. Na lembrança de Gerhard, Senna e Ron haviam passado horas acertando os termos do contrato. Na caminhada até o helicóptero, ele decidiu aprontar com a caríssima pasta executiva que Ayrton comprara:

"Ele era muito orgulhoso de sua pasta, e todos nós sabíamos que ela havia custado oito mil dólares, e que havia um comercial da maleta nos Estados Unidos que mostrava um elefante sobre ela."

O próprio Senna pilotou o helicóptero. Além dele, estavam a bordo Ron Dennis, sua mulher, Lisa, e Berger. Na aproximação para o pouso em Monza, Gerhard simplesmente abriu a porta e jogou a pasta de Senna para fora. Concentrado na pilotagem, Ayrton nem percebeu, enquanto Ron e Lisa, embora completamente surpresos, não moviam um músculo. A altura, de acordo com Berger, era de aproximadamente 150 metros:

"Fechei novamente a porta e pude ver a maleta cair e bater no chão sem levantar poeira. O encarregado da sinalização no heliponto pensou logo que o helicóptero havia perdido alguma coisa, e correu para o local onde a maleta caíra."

Já em terra, Senna procurou a pasta e, mais uma vitória de Berger, sorriu, ao perceber que era uma molecagem dele. Ron e Lisa, segundo Berger, "se fingiam de mortos", enquanto Ayrton procurava a pasta por todos os cantos do helicóptero. Quando o sinalizador do heliponto se aproximou com a pasta na mão, Ayrton passou a olhar alternadamente para Berger, para o céu e para a pasta, sem conseguir entender o que acontecera. Mais alguns sorrisos, novas vitórias de Gerhard.

A pasta, como no teste do elefante, resistiu ao tombo. Apenas as canetas explodiram com o impacto, borrando de tinta a papelada de Senna. Ele tentou vinganças equivalentes, mas, no campo das molecagens e do sorriso fácil, jamais foi páreo para o amigo Berger.

O Alemão

O primeiro encontro de Senna com o piloto que foi seu último rival aconteceu num jantar, também naquele fim de semana de contratos assinados e pastas voadoras. Michael Schumacher já chamara a atenção de todos dentro e fora da pista em sua estréia, na corrida anterior. Dentro, por estrear na Fórmula 1 com um brilhante sétimo lugar, pilotando uma Jordan. Fora, por fazer duas vítimas brasileiras: Roberto Moreno, que foi tirado sem a menor cerimônia da Benetton por Flavio Briatore para dar lugar a Michael já em Monza, e Nélson Piquet, que começou a deixar de ser interessante para a mesma Benetton, à medida que o alemão dava a todos uma idéia do tamanho do lugar que conquistaria para si, na história da Fórmula 1.

No jantar da sexta-feira que antecedeu o GP da Itália, muitos já sabiam, em detalhes, como tinha sido a rasteira dada em Roberto Moreno. Para evitar uma guerra de liminares entre Eddie Jordan e Flavio Briatore,

Bernie Ecclestone, sempre ele, se reuniu num hotel com Moreno e lhe ofereceu 500 mil dólares para que ele aceitasse rescindir seu contrato com a Benetton e fosse para o lugar de Schumacher na Jordan.

Depois de desafiar e vencer os campeões Rosberg, Piquet, Prost e Mansell, todos mais velhos, Ayrton encontrou o primeiro e único desafiante de seu reinado na Fórmula 1: Michael Schumacher.

Ayrton estava acompanhado de Cristine no jantar. Doze anos depois, ela lembrou que a aproximação de Schumacher foi quase uma reverência:

— Ayrton, um dia eu quero ser igual a você.

Senna, na lembrança de Cristine, devolveu o gesto de reverência e recomendou:

— Treina bastante. Vale a pena.

Cristine afirmou que, quando Schumacher se afastou, Ayrton, "mais desconfiado do que nunca", demonstrou ceticismo em relação à sinceridade dele.

No domingo, Senna manteve as esperanças de chegar ao título, terminando a prova em segundo lugar, atrás da Williams de Mansell. Schumacher, estreando no carro que era de Moreno, chegou em quinto. Ainda teria de esperar um pouco mais para desafiar Senna, mas seguiria seu conselho à risca.

Schumacher treinaria bastante. E valeria a pena.

Vida de Casado

— Se você falar com ela eu furo seus olhos!

A advertência foi feita por Cristine Ferracciu num jantar da confraria da Fórmula 1, em 1991, de forma discreta, disfarçada por um sorriso social, quando uma modelo, um ex-caso de Ayrton, se aproximou da mesa. Senna, obediente, enrolou o espaguete no prato sem levantar os olhos. A modelo era, nas palavras de Cristine, "uma dessas moças meigas e simpáticas" que um conhecido fotógrafo italiano "arrumava e oferecia aos pilotos".

Ana Berger, a portuguesa àquela altura já casada com Gerhard Berger, a quem chamava de Zito, tornara-se uma grande amiga de Cristine e também vigiava, quando a modelo se aproximava dos dois pilotos da McLaren. Em uma dessas ocasiões, chegou a ameaçar:

— Vou dar uma bolacha na cara dela!

Cristine procurou acalmar a amiga, dizendo que a moça queria era Senna, a quem Ana apelidara de "Perninhas de Sabiá". A amiga portuguesa discordou:

— Pois não estás a ver que, para implicar com o Perninhas de Sabiá, ela está lá a olhar o Zito? Vou dar na cara dela!

Não houve briga, mas as duas amigas estavam sempre em alerta também nos boxes. No *grid* de largada, Cristine apenas ficava por perto, quieta, sabendo que Ayrton, naqueles momentos, jamais começava uma conversa. Quando soava a sirene para a volta de aquecimento, preocupado, ele sempre fazia um gesto para que ela voltasse para o *paddock*. A reação de Cristine era sempre a mesma: um beijo no ar e um pedido:

— Volta!

Assim, acompanhando Ayrton nas corridas da Europa e continuando com ele nos endereços de Mônaco, Londres e Portugal, Cristine tentou manter, naquele ano de 1991, o que chamou de "vida de casada". Ela e Senna formaram, nessa época, um sexteto inseparável com Berger, Ana, Thierry e Patricia Boutsen. Gerhard guardou ótimas lembranças desse tempo e dos dias "deliciosos e infindáveis" que o grupo passou no iate *Pia*:

"Cristine era divertida e muito falante. Com ela, fechou-se de novo o ciclo na vida de Ayrton."

A governanta Maria Assunção e o marido confirmaram: Cristine foi a namorada de Ayrton que mais vezes esteve com ele na mansão de Sintra, em Portugal. Para Maria, Senna ficava mais calmo quando estava com Cristine:

"Ela dava estabilidade para ele."

Cristine se tornou tão íntima, que começou a escolher e comprar as roupas e objetos pessoais que Senna gostava de usar. Segundo ela, no único dia em que praticamente obrigou Senna a acompanhá-la nas compras, a privacidade acabou. Os dois estavam hospedados no The Berkeley e tinham caminhado até a tradicional Harrod's para comprar sapatos e cintos. Acabaram cercados por dezenas de japoneses que desceram de um ônibus gritando:

— Senna *san*! Senna *san*!!

Ela também conviveu com algumas manias do namorado. Uma delas tinha origem na obsessão dele por escuridão absoluta na hora de dormir. Ayrton chegava ao ponto de pedir aos comissários de bordo para desligar até as discretas luzes de sinalização da primeira classe dos aviões em que viajava.

Na lembrança de Cristine, ele também tinha pesadelos. Daqueles de acordar gritando, suado e assustado. Durante um deles, já quando os dois estavam na casa que Ayrton comprou no Algarve, em Portugal, ela chegou a ligar para São Paulo no meio da noite, pedindo ajuda a dona Neyde:

"Dona Neyde pediu que eu abrisse a Bíblia em uma determinada passagem e nós duas lemos juntas, eu em Portugal, ela no Brasil. Aí ela leu um pouco com ele, conversou e aos poucos ele foi se acalmando até conseguir dormir novamente."

Doze anos depois, Cristine lembrou que Ayrton, embora ainda "assustado" com a maneira pela qual seu namoro com Xuxa havia terminado, atendia quando a ex-namorada ligava. O amigo Marcos Magalhães confirmou que, depois de ficar "curado" da relação com Xuxa, Ayrton viveu uma situação inversa ao desgaste que sofrera: Xuxa passou a procurá-lo.

Cristine afirmou que ela e Ayrton foram acordados algumas vezes, no Brasil e na Europa, por ligações da ex-namorada. Em uma dessas ocasiões, no hotel Villa D'Este, em Milão, às vésperas do GP da Itália de 1991, Cristine disse que Senna, ao perceber que era Xuxa quem estava do outro lado da linha, fez um pedido inesperado, ao passar o telefone a Cristine:

— Atende e diz pra ela que eu estou casado.

Cristine atendeu ao pedido. E teve uma conversa difícil com Xuxa.

Para Cristine, a "vida de casada" com Senna acelerou a decisão dele de trocar Mônaco por Portugal. Para ela, um dos motivos era um clube noturno próximo ao apartamento de Ayrton, no bulevar Princesa Grace. Era um lugar animado e barulhento a ponto de obrigar o casal a usar, na cama, os protetores de ouvido tão comuns nos boxes da Fórmula 1:

"A gente dormia com o George Benson cantando dentro de casa."

Cristine tratava a família de Ayrton como se fosse a dela. E disse que chegou até a sentir uma certa tensão com Milton da Silva por causa de seu envolvimento com questões importantes da vida de Senna, entre elas, a compra da casa em Portugal e o contrato com a McLaren:

A brincadeira de Ayrton: entre Cristine e Ron Dennis, ele mostra os bolsos vazios, garantindo não ter dinheiro para pagar a comissão da namorada.

O sorriso de Cristine e Braguinha, depois do almoço em Sintra, Portugal, 1991.

"O Beco me poupava muito dos problemas do Miltão em relação a mim. Ele não me azucrinava com esse assunto. Ele sabia que eu me sentia supermal, que eu já tinha comprado uma grande briga com o meu pai para poder namorar ele. Mas eu sei que houve uma briga séria dele com o pai, que não se conformou com o fato de Ayrton ter comprado a casa sem pedir sua opinião ou sem que ele a avaliasse. Ayrton me poupava e brincava dizendo: 'Em março, eu te dou um Uno.' E eu brincava dizendo que não precisava dar nada, que eu comprava."

Cristine disse que seu envolvimento na montagem da casa de Senna em Portugal incluiu a contratação de uma arquiteta e uma série de compras em Londres. Outro episódio que, na lembrança de Cristine, deixou o pai de Senna "irritado" foi sua presença e seus palpites nas reuniões em que Ayrton discutiu com Ron Dennis a renovação do contrato com a McLaren, em 1991.

O contrato, de acordo com ela, foi assinado na casa de Braguinha, em Sintra, na presença de Ron Dennis, Julian Jakobi e de advogados de Londres. Daquele momento, ela guardou uma foto em que Senna mostrava os bolsos vazios pelo avesso, dizendo não ter dinheiro para pagar a comissão que ela exigiu, de brincadeira, pelos palpites que dera.

Senna comprou a casa do Algarve sem ver. Mandou Julian Jakobi e sua assistente, Fiona Spence, acertarem o negócio com o proprietário inglês, no escritório de Londres.

A idéia era, como sempre, economizar. E, para isso, o nome Ayrton Senna não apareceria, em hipótese alguma, nas negociações. Milton da Silva, Braguinha, Galvão Bueno e Ayrton calculavam que o sigilo evitaria que o valor do imóvel fosse triplicado. Até o fechamento do preço, para todos os efeitos, quem estava comprando a casa era um certo Antonio Carlos de Almeida Braga.

No dia em que Senna foi finalmente conhecer a casa, levou com ele, no helicóptero, Braguinha, Galvão e Márcio Rebello, marido de Lúcia, filha de Braguinha, e Milton, seu pai. Pousaram numa praia próxima. Na viagem de carro até ela, o futuro ex-proprietário perguntou a Senna:

— Você trabalha com aviação? É piloto?

— Sou piloto. Piloto de Fórmula 1.

— Piloto de Fórmula 1? Então você conhece Nigel Mansell!

No banco traseiro, Galvão e Braguinha explodiram numa gargalhada que impediu Ayrton de responder. Galvão provocou, falando em português:

— Ele não conhece você. Você é um merda mesmo...

Ayrton e o pai acabaram aderindo à gargalhada de forma mais discreta. O inglês, parecendo não entender nada, perguntou o que estava acontecendo e continuou não vendo muita graça na história. Mais tarde, os quatro brasileiros começaram a se perguntar se não teria sido melhor comprar a casa no nome de Ayrton.

E se o inglês já soubesse que Braguinha era um dos homens mais ricos do Brasil?

O Tri e o Trato

Nigel Mansell, com toda a superioridade de sua Williams-Renault, começou a perder o título de 1991 em Estoril, no dia 22 de setembro, quando, estabanado durante um *pit-stop*, acelerou para voltar à pista antes que a roda traseira direita fosse fixada. Senna começou a consolidar a conquista do tricampeonato na mesma corrida, garantindo o segundo lugar, atrás da Williams de Patrese.

Uma semana depois, Senna e Mansell protagonizaram mais um momento inesquecível da Fórmula 1 dos anos 90: passaram alguns segundos quase tocando rodas, a 290 quilômetros por hora, na aproximação da freada do fim da longa reta do circuito de Barcelona, no GP da Espanha. Senna perdeu a posição e depois rodou na pista, quase levando Mansell com ele. Terminou em quinto lugar, responsabilizando uma escolha errada de pneus pelo fraco desempenho.

Às vésperas do GP do Japão, Mansell voltou a derrapar, antes mesmo de entrar no *cockpit* para a decisão do Mundial: resolveu provocar Ayrton e perguntar aos jornalistas brasileiros, entre eles Livio Oricchio, do jornal *O Estado de S. Paulo*, se Xuxa, a quem definiu como "a namorada de uma hora de Senna", estava sumida por ter sido seqüestrada. Tomou de volta um xingamento público de Ayrton, durante o *briefing* dos pilotos com a direção da prova, na manhã de domingo.

Na corrida, Mansell entregou o título a Ayrton logo nas primeiras voltas, ao passar direto na freada do final da reta, quando tentava ultrapassar Senna, então segundo colocado. Em sua controvertida autobiografia, Nigel deu uma versão surpreendente para o desfecho da corrida em Suzuka. Suas palavras:

"Quando Ayrton tirou o pé no meio daquela curva veloz, tirando-me da trajetória e me mandando para a caixa de brita, tudo realmente acabou. Eu tive sorte de escapar do acidente sem me ferir."

Não se teve notícia de qualquer jornalista, dirigente, mecânico, chefe de equipe, fotógrafo ou comissário de pista que endossasse a versão de Mansell para o erro que cometeu, sozinho, ao tentar se aproximar de Senna. Foi do brilhante xará Nigel Roebuck a explicação para aquele tipo de atitude de Mansell:

"Por anos a fio, ele carregou um complexo, a crença de que o mundo inteiro o subestimava. O problema foi sempre o fato de que qualquer opinião, mesmo simpática, nunca era tão boa quanto a que ele tinha de si mesmo. A aderência de Mansell à humildade é tênue."

Com o tricampeonato matematicamente garantido no abandono de Mansell e livre para acelerar à vontade, Senna partiu para uma furiosa perseguição a Berger. Ultrapassou o companheiro de equipe, mas Ron Dennis o lembrou, pelo rádio, do compromisso de deixar Berger vencer a corrida, se essa possibilidade se apresentasse. Na última curva, ele praticamente parou o carro para deixar Gerhard assumir a ponta, metros antes da linha de chegada.

Ninguém ficou satisfeito com aquele desfecho, a começar por Senna, já na entrevista que deu após a cerimônia do pódio:

— Doeu bastante. Posso garantir que doeu mesmo.

Berger, ao lado, confirmou o mal-estar:

— É mesmo. Eu estava achando que ia doer tanto para ele que nem tinha certeza de que ele ia reduzir.

A dificuldade de ceder a vitória era tão grande, que Ayrton confessou depois ter flertado, primeiro, com a idéia de propor o cancelamento do trato em plena corrida. A segunda opção que lhe passou pela cabeça foi a de seguir em frente e dizer depois que não estava entendendo direito quando Ron Dennis entrasse no circuito de rádio para lembrar que havia um compromisso a ser cumprido. Mas a ordem de Ron entrou clara e limpa dentro do capacete, na forma de uma única frase:

— Lembre-se do que a gente conversou.

Doze anos depois, Ron disse que aquela drástica redução de velocidade, a metros da bandeirada, não foi a maneira mais generosa de Senna cumprir o trato e reconhecer a contribuição que Gerhard dera para sua conquista, "em momentos em que poderia disputar não o campeonato, mas uma vitória". Takeo Kiuchi também sentiu um grande constrangimento:

"Ele quis dizer que era o melhor, mas o Berger, pelo trabalho dele na equipe, não merecia aquilo."

O amigo Pedro Queiroz Pereira, ex-piloto, também censurou-o:

— Você não podia ter feito aquilo, Ayrton. Foi humilhante. Se fosse comigo, eu ficaria muito puto.

E Berger ficou. Considerou o gesto de Senna desnecessário em uma corrida em que, depois de ter uma perda de potência causada pela quebra do sistema de descarga do motor, estava resignado e satisfeito com o segundo lugar. Para Berger, tudo seria diferente se os dois chegassem juntos, em primeiro e segundo lugar, "um grande vencedor e uma segunda colocação altamente respeitável". Em vez disso, Ayrton reduziu a velocidade tão abruptamente, que Berger nem teve tempo de raciocinar:

"Foi um gesto estúpido. Ele mostrou a todo o mundo que era o dono da casa. Eu fiquei irritado, mas nossa amizade não sofreu com isso no final das contas."

Com Berger, Senna pôde acertar os ponteiros. Mas a entrevista dada por ele, no Japão, após a conquista do tricampeonato, por pouco não abriu uma nova crise com Balestre e os homens da FISA. Senna ainda não aceitava as circunstâncias em que perdera para Prost o título de 1989. Nigel Roebuck, como sempre sensível à maneira única com que Ayrton encarava a profissão, escreveu, na *Autosport*, que "Senna era tudo, menos um cara feliz, saboreando um trabalho brilhante". E acrescentou:

"Ao contrário, durante a coletiva de imprensa, ele voltou ao passado, para feridas que aparentemente não estavam curadas. Estava sem humor, sem graça. Era cruel, agressivo e, de forma desconcertante, messiânico. Em menos de uma hora, ele encheu de veneno uma temporada magnífica de Fórmula 1. Quanto mais eu penso naquela tarde do Japão, mais eu fico triste por Ayrton Senna. E pelo esporte que ele domina."

Max Mosley acabara de ser eleito para suceder Jean-Marie Balestre na presidência da FISA, a entidade máxima do esporte automobilístico, com o apoio de algumas confederações, dos donos de equipe, dos japoneses da Honda e de Bernie Ecclestone. Restava a Balestre a presidência da FIA, a Federação Internacional de Automobilismo, entidade mais institucional, mais ligada aos clubes automobilísticos, com menos poder executivo sobre a Fórmula 1. Ainda assim, Mosley ficou preocupado com possíveis pressões de Balestre por novas represálias.

Incentivado por Ron Dennis, que sugeriu a Ayrton, sem sucesso, um pedido de desculpas preventivo pelas críticas de Suzuka, Mosley convocou Senna para uma conversa em seu quarto, no hotel de Tóquio em que todos da Fórmula 1 se hospedaram, no dia seguinte ao GP do Japão.

Senna fora um entusiasmado cabo eleitoral de Mosley junto aos conselheiros da Confederação Brasileira de Automobilismo com direito a voto na eleição da FISA. E Max, querendo evitar uma crise logo no início de sua gestão, explicou que, se Balestre fizesse uma queixa oficial, a situação de Ayrton ficaria muito difícil. Doze anos depois, Mosley lembrou que a reação de Senna o deixou impressionado:

"Quando terminei, Senna ficou ali sentado, olhando para mim e explicou que tinha começado a andar de *kart* aos seis anos, que corrida de carros era sua vida e que, do seu ponto de vista, o que acontecera em 1989 era completamente errado e injusto. Disse que, na entrevista, tinha apenas explicado seus sentimentos e que não ia pedir desculpas por algo que acreditava ser verdadeiro e necessário de ser dito."

Mosley não teve dúvidas de que Senna estava sendo completamente sincero:

"Ele estava com os olhos cheios d'água e estava claro que aquele sentimento era forte nele. Quando ele terminou, eu disse que o entendia perfeitamente, mas que havia duas maneiras de lidar com o problema: de forma amadora e de forma profissional. Um amador simplesmente diz o que sente. Um profissional, no entanto, nunca diria algo contrário ao interesse de sua equipe. E ele, como um dos melhores profissionais, não deveria colocar sua equipe numa posição de risco, expondo-se a penalidades que poderiam prejudicar seus interesses."

Ayrton, segundo Mosley, pensou por alguns instantes e reagiu:

— Você está certo.

Bomba

Duas semanas depois da conversa no quarto do hotel de Tóquio, Max Mosley ficou de queixo caído com a entrevista de Ayrton, às vésperas do GP da Austrália, em Adelaide. Foi o mais contundente, devastador, magoado e agressivo desabafo público jamais feito por um campeão de Fórmula 1. As primeiras frases, aparentemente fortes, soaram diplomáticas no final:

"Em 89, fui roubado feio pelo sistema e isso eu jamais esquecerei. Em 91, nós conseguimos um campeonato limpo, sem políticos. Foi um campeonato técnico e esportivo. Espero que isto seja um exemplo, não só para mim mesmo, mas para todos que competem na Fórmula 1 agora e no futuro também."

Advertido por um repórter de que poderia ser novamente punido pelo que estava dizendo, Ayrton foi em frente:

"Que se fodam as regras que dizem que não se pode dar opinião, que não se pode falar o que se está pensando, que não se tem autorização para dizer que alguém cometeu um engano, que alguém fez alguma coisa errada. Merda! Estamos num mundo moderno e somos pilotos profissionais."

Ao lado de Senna, na mesa da entrevista, Ron Dennis, perplexo, alternava um balançar impotente de cabeça com o cobrir incessante do rosto com as mãos, retratos de um enorme constrangimento. E Senna continuou, considerando o título perdido em 1989 e as punições que se seguiram uma situação "imperdoável":

"Eu ainda luto para aceitar aquilo quando penso a respeito. A briga dentro da equipe com Prost, as dificuldades com a FISA, com Balestre. Todos sabem o que aconteceu. Não houve justiça e o que aconteceu naquele inverno foi uma merda, uma merda mesmo."

E chegou o momento em que Senna, por conta própria, disse que o que aconteceu em Suzuka, em 1990, na batida com Prost logo depois da largada, foi a forma que ele encontrou de provar que o que fizeram em 1989 tinha sido uma "má decisão":

"Balestre deu ordem para não mudar a posição da *pole*. Aí eu disse: ok, a gente tenta trabalhar, tenta trabalhar limpo e fazer o trabalho direito e acaba se fodendo por causa de pessoas estúpidas. E eu disse pra mim mesmo: tudo bem, amanhã eu vou mostrar toda a verdade. Se na largada, por eu estar do lado errado, o Prost pular na frente e conseguir me tirar a posição, na primeira curva eu vou pra briga. E é melhor que ele não vire, porque não vai conseguir. E a coisa simplesmente aconteceu."

Ron Dennis não sabia mais o que fazer com as mãos e a cabeça quando o repórter Mark Fogarty, do jornal *USA Today*, quis saber as razões de Senna para provocar deliberadamente o acidente. Ayrton ainda queria falar muito:

"Por quê? Por que eu causei o acidente? Porque se você se fode cada vez que tenta fazer seu trabalho de modo limpo e correto, se o sistema te fode, se outras pessoas tentam se aproveitar disso, o que se deve fazer?

Ficar atrás e dizer obrigado, sim, obrigado? Não! Temos de lutar pelo que achamos que é certo."

Os repórteres se entreolhavam incrédulos, alguns já sem saber qual seria a manchete principal entre tantas que estavam sendo despejadas por Senna naquela sala. Um deles ligou outra tomada, pedindo que Ayrton falasse do pedido de desculpas que fizera a Balestre no início de 1990. Senna acabou fazendo uma revelação que deixou Ron Dennis quase em estado de choque:

"Eu nunca pedi desculpas àquele cara, se vocês querem saber a verdade. Mudaram o *press release*. Mudaram o nosso acordo. Eles queriam um acordo. Eu não queria. Fui pressionado pelo Ron Dennis e pela Honda. Depois que eu aceitei um acordo em certas condições, eles mudaram os termos que eu tinha assinado o papel e mandado por fax. Eu nunca pude dizer essas coisas porque poderia perder a licença. Isso é uma merda, pura merda. E dói muito."

Os dias seguintes de Senna foram dedicados à cuidadosa retirada dos escombros causados pela bomba. Uma tarefa que Nélson Piquet, ao desembarcar em Brasília, no dia 22 de outubro, definiu assim:

"Ele descascou o pepino. Agora vai ter que comer."

Alain Prost, demitido pela Ferrari e fisicamente distante de Adelaide, também se limitou a uma frase, ao comentar a confissão de Ayrton sobre a batida em 1990:

"Eu sabia. Eu estava numa boa posição para perceber."

Pressionado por Ron Dennis, que considerava o desabafo como "uma atitude pouco esperta", Ayrton divulgou uma nota em que reconheceu ter exagerado na dose dos comentários:

"Sinto que o linguajar utilizado na entrevista não foi o melhor."

No comentário sobre a decisão de bater propositalmente na Ferrari de Prost em 1990, ele tirou um pouco do sal:

"Disse que havia pensado que, caso nós dois decidíssemos tomar o mesmo trecho da pista, eu não sairia do caminho. Todos os pilotos fazem isso ocasionalmente."

O que mais se temia, ou se esperava, dependendo de que lado da polêmica as pessoas se colocavam, não aconteceu. Jean-Marie Balestre, que naturalmente reagiu à entrevista de Adelaide com novas ameaças de punir Senna, não tinha mais poder político para torná-las realidade. E Ayrton cuidara para ter um outro tipo de relacionamento com Max Mosley, o novo presidente da FISA.

Nem mesmo a promessa de não entregar o troféu ao campeão mundial Balestre cumpriu: no dia 8 de dezembro, em cerimônia realizada no Automóvel Clube Francês para 175 convidados especiais, Ayrton, acompanhado de Cristine, foi premiado e muito aplaudido. Balestre foi cordial e não fez referência às brigas do passado.

Àquela altura, o grande inimigo de Senna fora das pistas caminhava velozmente para o esquecimento. A própria imprensa francesa, apesar da rivalidade de Senna com Prost, saudou a conquista de Ayrton, em alguns casos elogiando-o pela coragem de dizer o que dissera sobre Balestre. Centenas de cartas chegaram ao jornal *L'Equipe* aplaudindo o tricampeão, cada vez mais comparado ao mítico Jim Clark.

A temporada terminou num aguaceiro tão intenso, que o GP da Austrália foi interrompido na 14ª volta, depois de uma série de acidentes. Senna foi o vencedor e, no caso, com uma vantagem: *pole* e líder da prova, foi o único a enxergar a pista com um mínimo de certeza do que tinha pela frente. O resto dos pilotos correu no interminável túnel de *spray* que se formou atrás dele.

A Última do Piquet

Os cínicos diriam que Senna não tinha do que se queixar naquele fim de temporada. Tricampeão, ele soltou o verbo à vontade sem ser punido, bateu o adversário e favorito Nigel Mansell na pista, assistiu de cadeira à demissão humilhante do rival Alain Prost da Ferrari e passou a não ter de cruzar mais, na pista ou nos boxes, com o inimigo Nélson Piquet, aposentado precocemente pelo fenômeno Michael Schumacher, a estrela eleita da Benetton.

Ao comentar a declaração de Flávio Briatore de que Piquet, Prost e Patrese eram "burocratas do volante", Ayrton não teve preocupação de assoprar. Só mordeu:

"Há profissionais ruins em todas as áreas, mas cada um tem aquilo que merece. E na Fórmula 1, de certa forma, prevalece a lei do cão: quem puder mais chora menos."

Piquet não podia mais. E o encerramento do GP de Adelaide na 14ª volta, por causa da chuva torrencial, o surpreendera de tal maneira, que ele não queria sair do *cockpit*. No livro *The Mechanic's Tale* [Histórias de Mecânico], Steve Matchett conta que, naquele dia, Giorgio Ascanelli, futuro engenheiro de Senna na McLaren, então responsável pela Benetton de Piquet, ficou parado em frente ao carro, explicando a Nélson que a corrida tinha acabado. Piquet então olhou para Ascanelli de uma maneira diferente, como quem percebera a importância daquele momento. Sua carreira também tinha acabado de uma hora para outra.

Nélson acenou para Ascanelli, pedindo que ele deixasse os mecânicos ligarem o motor para que ele desse uma volta no circuito. Pela última vez. Uma saideira, nas palavras de Matchett, "lenta o suficiente para um adeus ao mundo da Fórmula 1". O circuito de Adelaide, ainda tomado pela chuva, estava oficialmente fechado. Ascanelli chegou até a considerar o pedido de Piquet por alguns instantes, mas logo balançou a cabeça negativamente. Permitir a entrada da Benetton na pista fechada seria algo muito grave. Piquet, no entanto, insistiu:

"Vamos lá, Giorgio, só mais uma vez!"

Ninguém, além de Ascanelli, testemunhou o momento exato em que terminou a carreira do outro brasileiro tricampeão da Fórmula 1:

"Não, Nélson, a pista está fechada. Não podemos deixar e você sabe disso. Não há nada que possamos fazer. As bandeiras vermelhas estão lá. Vamos pra casa, Nélson."

"Quem quiser superar Senna terá de inventar uma maneira completamente nova de correr."

O elogio do tricampeão Niki Lauda era apenas uma das homenagens que a Fórmula 1 e a imprensa mundial rendiam a Senna naquele final de 1991. De Buenos Aires, o pentacampeão Fangio dizia estar certo de que Ayrton o ultrapassaria em número de títulos, por ser um jovem que tinha "a alma nas corridas". No Brasil, no entanto, o problema era convencer o pai de Senna de que era hora de uma grande festa:

— Sr. Milton, o cara é tricampeão do mundo. Precisamos fazer aquela chegada para ele!

Com este argumento, o publicitário Petrônio Corrêa Filho começou a convencer Milton da Silva a mudar de idéia e autorizar uma festa de recepção que teve até escolta de jatos da Força Aérea Brasileira. Ao ser consultado, ainda na Austrália, sobre a idéia, Ayrton concordou, com uma ressalva:

— Caminhão de bombeiro, não! Só se eu morrer.

A solução foi uma BMW 730 com teto solar, emprestada para a festa. Senna chegou a São Paulo no próprio avião, pilotado por Owen, que fora buscá-lo em Buenos Aires, escala entre Austrália e Brasil. Dois caças F5-E da FAB escoltaram o jato de Senna no espaço aéreo brasileiro, e um dos pilotos leu, pelo rádio, mais uma mensagem do presidente Collor, carregada de patriotismo e orgulho cívico.

Depois de ser recebido na pista pela mãe e pela prefeita Luiza Erundina, Ayrton entrou na BMW e liderou uma caravana que passou pela sede paulista do Banco Nacional antes da celebração montada no Museu da Imagem e do Som. Ali, foi às lágrimas com as imagens e referências feitas à sua infância no bairro de Santana.

Para quem se incomodou com a festa, vendo nela uma tentativa de se repetir o ufanismo mistificador de outros tempos, Fernando Gabeira, ex-guerrilheiro e ex-participante do boicote da esquerda brasileira à campanha da seleção na Copa do México, em 1970, durante a ditadura militar, escreveu, num artigo publicado pela *Folha de S. Paulo* no dia 8 de novembro, que Senna estava "lavando a alma de milhares de torcedores" e recuperando "um pouco o ânimo perdido, na sucessão de crises econômicas e baixarias políticas":

"Volta aos anos 70? Embora a cerimônia para saudar o herói que volta tenha semelhanças formais com a chegada da seleção brasileira, o quadro agora é diferente. Em 1970, um governo militar tentava se legitimar através da identificação com os grandes craques do futebol. O governo de agora foi o que mais teve votos na história do Brasil e, além do mais, conhece, pela sua familiaridade com o *marketing*, como seria difícil explorar demais uma vitória nas pistas de corrida."

Doze anos depois da conquista de Ayrton, Carlos Augusto Montenegro, diretor-presidente do Ibope, comparou a audiência das corridas de Fórmula 1 na época de Senna, de 35 a 40 pontos, dependendo do momento do campeonato, à do mais importante noticiário da tevê brasileira, o *Jornal Nacional*, no ano 2000. E lembrou que as transmissões ficaram de tal modo integradas à cultura brasileira, que "o domingo só começava depois da corrida":

"O fenômeno fica ainda mais claro quando se analisa a audiência das corridas de Senna pelo *share*, ou seja, pela porcentagem entre os aparelhos ligados: 70 a 80%. Uma audiência comparável à Copa do Mundo, com uma diferença que acentua ainda mais a importância de Ayrton: na Copa, os jogos eram concentrados e aconteciam de quatro em quatro anos. No caso da Fórmula 1 dos tempos de Ayrton, o fenômeno era o fato de milhões de pessoas terem o costume de ligar a tevê de manhã, no domingo, de três em três semanas."

Montenegro jamais confundiu Ayrton Senna com Fórmula 1, no que diz respeito aos brasileiros:

"O que deu ibope foi Ayrton Senna, sua postura. Ele estava acima da Fórmula 1."

Uma pesquisa realizada com leitores do jornal *O Globo*, um mês depois da conquista do tricampeonato de Ayrton, mostrou que 39,46%

deles consideravam Senna o maior ídolo do esporte brasileiro. O segundo lugar da pesquisa era da jogadora de basquete Hortência, com apenas 7,36%, seguida da colega Paula, com 3,01%, dos jogadores de futebol Júnior, com 2,68%, e Bebeto, com 2,34%, e de Nélson Piquet, com 1,67%. Curiosamente, de acordo com a mesma pesquisa, a Fórmula 1, como esporte, ficava apenas em quarto lugar na preferência do público, com 7,02%, atrás do futebol, com 46,49%, do vôlei, com 20,07%, e do basquete, com 11,37%.

Senna era uma exceção espetacular. Pouco se sabia, na sua época, sobre pilotos competentes como Mário Ferris, Egon Hertzfeld, Thales Polis, Belmiro Júnior, Ayron Cornelsen, Luiz Antonio Teleco Veiga e outros pilotos anônimos que tinham voltado da Europa sem conseguir fazer carreira nas pistas. Contratos mal negociados e equipes mal escolhidas costumavam dizimar sonhos e dólares rapidamente. Djalma Fogaça, um dos que foram e voltaram sem conquistas, resumia:

"Se você contar os pilotos que foram lá fora e não se deram bem, enche um jumbo."

Eles eram quase quatro mil, regularmente inscritos como pilotos de competição na Confederação Brasileira de Automobilismo, naquele ano do tri de Senna. Um deles foi o campeão inglês de Fórmula 3, correndo pela West Surrey Racing, a mesma equipe pela qual Ayrton conquistara o mesmo título, oito anos antes. E também chegaria à Fórmula 1.

Era Rubens Barrichello.

Festa na Roça

— Eu gosto mesmo é de *kart*.

Mario Sergio de Carvalho, o velho rival de Interlagos, um dos convidados da festa de inauguração do kartódromo da fazenda dos Senna em Tatuí, no dia 1º de dezembro, ficou surpreso com o comentário de Ayrton. Os dois não se falavam desde o Mundial de *Kart* de

1981, em Parma, na Itália. Mário estava acompanhado da mulher Kátia e dos filhos Leandro, de dez anos, Rennê, de oito, e Nicolle, de dois. Ayrton, com Cristine Ferracciu e os cerca de 900 convidados que tiveram o privilégio de apreciar duas provas de *kart*, um churrasco feito com 650 quilos de carne do prestigiado restaurante Esplanada Grill, de São Paulo, muitos brindes e um *show* da dupla sertaneja Chitãozinho e Xororó.

A pista, com 970 metros e dez curvas, já existia havia um ano. A festa era a grande novidade naquela fazenda impenetrável. Os seguranças contratados e as pessoas ligadas à família Senna tiveram até dificuldade para garantir que apenas os convidados entrassem na fazenda. Tinha gente tentando entrar até dentro de porta-malas.

A primeira prova de *kart* foi vencida pelo sobrinho Bruno Senna Lalli, filho de Viviane, então com oito anos. Na preparação da corrida entre os pilotos profissionais e veteranos convidados, Senna fez uma modificação que atribuiu ironicamente a um aprendizado com Jean-Marie Balestre: passou os mais lentos nos treinos para as primeiras posições do *grid*. E brincou:

"Aqui é democracia. Quem não quiser, cai fora!"

Ayrton não pretendia disputar a prova, mas, pressionado por Mario Sergio e outros participantes, aceitou largar em último, atrás de pilotos como Maneco Cambacau, Renato Russo, Tony Kanaan, Mario Sergio e Maurício Gugelmin. Terminou em terceiro, depois de várias rodadas e batidas, atrás de Kanaan e do velho rival Mário Sérgio.

Chitãozinho e Xororó não sabiam que Senna era um grande fã deles. Só ao serem convidados para dar o *show* na fazenda se deram conta da importância que tinham para Ayrton, fã de carregar discos da dupla em toda viagem que fazia. No final daquele dia, Ayrton fez questão de agradecer ao *show* indo assistir a mais um, desta vez no Olympia, na época, uma das melhores casas de espetáculos de São Paulo. No palco, os dois cantores devolveram a gentileza, informando ao público que Senna estava na platéia.

Ayrton foi aplaudido de pé durante cerca de dez minutos.

"Um namorado normal, de carne e osso, como outro qualquer."

Assim Cristine Ferracciu, um pouco incomodada com o assédio das fãs de Senna e descrita pelo repórter do jornal *O Estado de S. Paulo* como "simpática, mas arredia", definiu Ayrton para os jornalistas credenciados para cobrir a festa na fazenda em Tatuí.

A imprensa brasileira estava descobrindo Cristine tarde demais.

O namoro acabou dias depois da festa em que ela chegou a ser descrita pelo repórter do *Estado de S. Paulo* como "o centro das atenções". A "vida de casada" começou a terminar, quando a mãe de Cristine descobriu que tinha câncer. Muito ligada à família, Cristine decidiu mudar o plano inicial de ajudar a montar e decorar a casa nova do Algarve, juntamente com dona Neyde e Viviane, e voltar para perto da mãe. Ayrton insistiu para que ela não voltasse para o Rio. Cristine explicou que não podia ficar longe da mãe naquele momento. Doze anos depois, ela lembrou que se surpreendeu com o comportamento de Ayrton:

"Ele ficou puto, de mau humor, sem falar comigo. Foi a gota d'água."

De volta ao Brasil, Ayrton foi direto para a casa de Angra e lá ficou por uma semana. Cristine tentou falar com ele várias vezes, pelo telefone, sem sucesso. Até que, surpreendentemente, foi convidada, como homenageada principal, para uma festa organizada pela diretoria do Banco Nacional, no Rio. O próprio Ayrton ligou para insistir no convite. Doze anos depois, na lembrança de Cristine, o diálogo foi o seguinte:

— Cris, tem uma festa do banco...

— Sucesso para você. Eu não vou. Estou aqui com a minha mãe.

— Como está a sua mãe?

— Você está preocupado com a minha mãe? Você não ligou para perguntar, não quis saber como ela passou, não mandou uma flor. Você está ligando pra quê?

— Eu estou com saudade. Passei essa semana trancado no quarto, pensando na vida.

— Me desculpe, mas eu não tenho mais nada para falar. Sua postura foi muito feia.

— Pelo amor de Deus, eu queria que você fosse comigo na festa do banco.

— Pra mostrar lá que sou bonitinha, poliglota e educada, falo cinco idiomas e me visto muito bem? Não! Chama quem você quiser.

Seguiu-se, na memória de Cristine, um longo pedido de desculpas que a fez mudar de idéia e ir à festa com Senna. No jantar do Banco Nacional, ela disse que Ayrton parecia estar vivendo um grande conflito e que chegou a chorar. Mas, na volta para Angra, ele se isolou novamente. Foi quando ela resolveu romper definitivamente:

"Eu era casada, em primeiro lugar, com a vida, e, depois, com quem estivesse comigo. Era cidadã do mundo, adorava viajar e não queria a clausura imposta pelo temperamento de Ayrton."

Dias depois da festa, ela recolheu alguns troféus de Ayrton que guardava em sua casa no Rio, pôs todos num carro e pegou a estrada para Angra. Na chegada à casa do condomínio Portogalo, não quis entrar. Apenas explicou:

— Vim conversar com você.

Ayrton ficou surpreso. Os dois acabaram sentando na escada externa de acesso à casa. Ele estava de óculos escuros. O primeiro desabafo, na memória de Cristine, foi o seguinte:

— Vim para dizer várias coisas: primeiro, te amo, te admiro, sou apaixonada por você. E está sendo a decisão mais difícil que tomei na minha vida até hoje, mas eu não quero mais ficar do seu lado. Alguém, para estar do meu lado, tem de entender que eu sou filha, que eu sou irmã, da mesma forma que você é piloto, filho, tio, sobrinho e irmão. E eu não tive um apoio sequer de você. Minha mãe com câncer e você incapaz de fazer sequer uma ligação para perguntar como estavam as coisas. Uma pessoa assim não está do meu lado. Você é egoísta.

Ayrton apenas ouvia, o olhar escondido pelos óculos escuros. E ela continuou, agora falando dos planos dele de se casar e morar em Angra. Os filhos, quando crescessem, ela lembrou, ele queria que fossem estudar de helicóptero. Ela achava a idéia uma loucura. E continuou:

— Eu poderia ter engravidado, mas eu quero uma família de verdade. Quero um pai presente nesta família. Quero uma vida estruturada. Não quero ser cigana. Meu sonho não é botar macacão de Fórmula Indy e ficar lá de chapéu no meio daquela cafonalha. Meu sonho é ter você como você é. Tenho o maior orgulho de você ser tricampeão, mas chega. Você só tem duas opções na vida: ou vai arrumar uma mulher graneira ou alguém muito ruim que precise de sua fama e do seu dinheiro. Como não sou nem uma, nem outra, estou te dando adeus.

Ayrton, disse Cristine, continuou apenas ouvindo, indecifrável sob os óculos escuros. E ela desabafando:

— A gente vai continuar com essa história muito mal-resolvida nas nossas vidas. Eu termino com você te amando.

A resposta de Ayrton, contou Cristine, finalmente foi dada. E acompanhada de algumas lágrimas. O último diálogo:

— Eu nasci assim, eu cresci assim, você me conheceu assim e eu vou morrer assim. Eu não vou mudar nem por você nem por ninguém.

— Ótimo. Que Deus te ilumine e te faça encontrar alguém que te faça feliz. Definitivamente, não sou eu.

Na estrada, de volta para o Rio, Cristine tinha certeza de que estava deixando para trás "dois Ayrtons":

"Um era o Ayrton Senna da Silva, o piloto determinado, bonito, aquela coisa fofa que todo mundo queria botar no colo, que sabia o que queria, que corria atrás, que conquistava, completamente destemido. E tinha o Ayrton deprimido, sofrido, infeliz e carente."

A desconfiança, disse Cristine, era tanta, que Ayrton chegava a impor restrições a amigas de infância dela por achar, equivocadamente, que elas estavam se aproximando de Cristine por causa dele:

"Esse lado desconfiado fez com que Ayrton jamais convidasse meus pais para ir à sua casa. Nem para a famosa festa de inauguração do kartódromo na fazenda em Tatuí. Zero de consideração. Aquilo pra mim era a morte."

Doze anos depois daquela despedida, Cristine Ferracciu, aos 37 anos, casada com um executivo do mercado financeiro, disse que não admitia que falassem mal de Ayrton perto dela. E lamentou que ele tenha sofrido tanto com o lado de sua personalidade que poucos, como ela, conheceram:

"De certo modo, o Ayrton não gostava de ninguém."

10º Capítulo

O Ano do Descontrole

A *socialite* colocou-se exatamente à frente de Ayrton, o mais ilustre convidado do camarote da Brahma, o metro quadrado de boca-livre e badalação mais desejado por personalidades, bicões, jornalistas e modelos do eixo Rio-São Paulo durante o carnaval carioca de 1992. José Vítor Oliva, dono do Banco de Eventos, empresa responsável pela montagem do camarote, estava próximo o suficiente para testemunhar e se surpreender. Quando Senna estava mais perto da *socialite*, durante a apresentação de uma das escolas de samba, ela levantou os longos cabelos e deixou à mostra o que estava escrito na nuca:

— Quero dar para você.

Ao lembrar aquela noite 11 anos depois, Oliva disse que Ayrton e a *socialite* saíram do camarote juntos, por volta das seis e meia da manhã, direto para Angra dos Reis, destino e desfecho regular das noitadas de Senna no Brasil.

Especialmente naquele verão de 1992, Senna se expôs como nunca. Foi citado com uma freqüência inédita nas colunas sociais do Rio e de São Paulo e visto com mulheres diferentes na boate Gallery e na casa de espetáculos Palace, ambas em São Paulo. Era um tempo de emoções rápidas e inofensivas que ele celebrou em uma conversa com Joseph Leberer, em Heidelberg, na Alemanha, durante um teste da McLaren em Hockenheim:

— Joseph, não é maravilhosa essa vida que a gente leva?

Leberer aproveitou o clima de intimidade para sentir a que distância Ayrton estava da idéia de casar e ter filhos:

— Você não tem medo de que isto acabe um dia?

— Não. Eu tenho uma família fantástica.

— Para mim, quando uma mulher diz que me ama, eu acredito 100%. Para vocês, pilotos, isso deve ser difícil, não?

— É, realmente é muito difícil encontrar uma esposa de verdade.

Livre, leve, mas não exatamente solto.

Naquele mesmo verão, aconteceu o que o piloto Nelson Loureiro, 11 anos depois, chamou de "segunda fase" do caso de Senna com Xuxa. Ninguém soube na imprensa, mas Loureiro disse que chegou até a levar o patrão ao sítio da apresentadora, no interior do estado do Rio, e que, logo depois de pousar, quando já ia retirando as malas de Ayrton do helicóptero, recebeu uma preocupada advertência:

— O que é isso? Deixe a mala aí. Não sei se vou ser convidado.

Minutos depois, Senna voltou, dizendo que as malas podiam, sim, ser levadas para dentro da casa. E ficou lá por cinco dias.

Com Cristine Ferracciu não houve uma "segunda fase", mas um encontro acidental durante o qual ela disse que Ayrton se mostrou atrevido e, ao mesmo tempo, inconformado com o fato de ela já estar com outro namorado.

Cristine estava na casa do primo, em Angra, e encontrara Senna ao sair sozinha para uma volta de *jet-ski*. Na lembrança dela, 11 anos depois, ele queria conversar e, para isso, arrancou a chave do *jet-ski* dela e o rebocou até o píer de sua casa no condomínio Portogalo. Preocupada, Cristine queria ir embora:

— Devolve a chave, o pessoal vai ficar preocupado.

Ayrton continuou negando a chave. E provocou:

— Quem é esse ilustre desconhecido que você está namorando?

O encontro, disse Cristine, ficou sério e doloroso a ponto de os dois chorarem, montados cada um no seu *jet-ski*, flutuando junto ao píer. Ele queria marcar um encontro. Ela queria ir embora:

— Deixa eu ir embora, você vai me causar um problema enorme.

— Quero que se danem!

A conversa já durava cerca de 40 minutos, quando o primo de Cristine, em outro *jet-ski*, aproximou-se e, sem olhar para Senna, disse para ela:

— Você não acha que já ficou parada demais aqui? Tem gente querendo sair de barco atrás de você. Acho melhor você voltar. Você não é mais criança. Tem gente lá te esperando, todo mundo preocupado, achando que você morreu afogada.

Ela prometeu ao primo que voltaria logo. Quando ele se afastou, Ayrton, de acordo com Cristine, devolveu a chave do *jet-ski* com raiva e disse:

— Seu primo é um babaca. E você ainda vai se arrepender do que está fazendo. É um grande erro a gente não estar junto.

Cristine foi embora sem responder.

Estivesse Ayrton sozinho, acompanhado de uma namorada instantânea com inscrições na nuca ou tentando se entender com antigas companheiras, o que não mudava e só crescia era a ligação cada vez mais pessoal e exclusiva que ele tinha com a casa de Angra. Para Linamara Battistella, foi lá que ele começou a construir uma vida afetiva própria e uma certa independência emocional em relação à família. Para Linamara, Angra era um espaço ao qual Senna se referia como "só dele":

"O Ayrton costumava dizer: em Angra, ninguém vai. Lá é o meu lugar."

Até o tratamento fisioterápico que teve de fazer após o acidente no México, naquele início de 1992, ele transferiu para Angra. Quem cuidou dele, durante dez dias, sob orientação de Linamara, foi a fisioterapeuta Rosane, filha de Nuno Cobra. Na lembrança de Rosane, pelo fato de estar em Angra, Senna reclamava muito do controle e acabava driblando as recomendações dela para que não jogasse frescobol e não andasse de lancha.

Angra era um território diferente, ainda que muito freqüentado pelos pais, irmãos e pelos sobrinhos Bruno e Bianca, que Senna tanto adorava. A diferença, em relação a São Paulo e Tatuí, era que ele gostava muito da casa, com ou sem a presença da família. Para o arquiteto José Luiz Galvão, o ambiente de Angra o transformava:

"Ele ficava na varanda por longos períodos, sozinho, contemplando o mar em silêncio. A casa devia dar muita paz a ele."

Kinda, uma cadela *schnauzer* que Ayrton levou para Angra, era a companheira em muitos desses momentos. Gostava tanto de brincar, que tinha duas reações diferentes quando Senna deixava a mansão e caminhava em direção ao helicóptero. Se ele estivesse carregando a pasta executiva, Kinda sentava no píer da casa e ficava apenas acompanhando a decolagem, comportada. Se Ayrton não estivesse com a pasta, ela corria direto para dentro do helicóptero. A ausência da pasta era sinal de que a viagem era a passeio. E, nesse caso, ela sempre podia ir com ele.

Bernie Ecclestone era um dos que tinham o privilégio de um convite para se hospedar naquela casa. E, apesar da idade, chegou a participar de aventuras radicais:

"Ayrton me botou uma daquelas bóias de borracha e fez loucuras me rebocando no *jet-ski*."

E pelo menos uma nova amizade Ayrton fez ali mesmo, em Angra: Oscar Jager, empresário do setor de importação de automóveis e fã apaixonado de Senna desde o *show* da Toleman em Mônaco, em 1984. Ele sonhava um dia encontrar Ayrton, jamais "cometer a audácia" de se tornar amigo dele. E usou o dinheiro que tinha não para se impor inconvenientemente, como tantos ricos que gostavam de encostar naquela casa, mas para se aproximar, lenta e respeitosamente, do grande ídolo de sua vida.

A aproximação começou na ressaca daquele carnaval de 1992. Num passeio de lancha em Angra, um amigo mostrou a Oscar a casa de Senna. Ele não demorou muito para tomar uma decisão e comunicá-la à mulher:

— Rachel, vamos comprar uma casa aqui. Noventa e nove por cento por causa do Ayrton Senna, 1% por causa da vista.

Algumas semanas depois, a casa, de cerca de mil metros quadrados, precisando de reforma, estava escolhida. O critério, mais uma vez, foi a proximidade de Senna: 300 metros. O primeiro encontro, segundo Oscar, só aconteceu no ano seguinte, mais exatamente, dia 17 de abril de 1993, às duas e meia da tarde, perto de um local chamado Saco do Céu, uma semana depois do *show* histórico de Senna no GP da Europa, em Donnington Park.

Ayrton, na lancha *Joana*, ancorada, em companhia de Adriane Galisteu, Leonardo, Christiano e Júnior. Oscar, em outra lancha, usando um boné do Banco Nacional. Um detalhe que, ele acredita, pode ter sido a razão da decisão de Senna de cumprimentá-lo:

— Tudo bem?

Emocionado, Oscar estendeu a mão e disse:

— Esperei dez anos por este momento.

Senna amarrou uma lancha à outra e iniciou uma conversa de mais de uma hora. Sobre Fórmula 1.

Haveria muitas outras conversas, não com Oscar, mas com KK, o apelido que ele ganhou ao começar a freqüentar a intimidade da casa de Angra.

Para Linamara Battistella, Senna jamais seria capaz de romper com os pais e os irmãos. Gostava muito deles. Precisava muito deles. E em muitos assuntos e decisões, só confiava neles. Mas, às vezes, se queixava do que Linamara chamou de "pressão". A frase de Ayrton, em uma dessas ocasiões, resumia seu dilema afetivo:

— É muita gente em função de mim.

No início de abril daquele ano, Linamara sentiu de perto a preocupação que Ayrton despertava na família. Ele foi ao consultório acompanhado do tio de Goiânia, Benedito, e Linamara teve de explicar ao tio tudo o que estava prescrevendo para Senna:

"Eu fiz com prazer, mas o Ayrton ficou preocupado. Ligou depois, pedindo desculpas pela maneira com que as pessoas próximas ficavam vigiando ele. Ele era extremamente vigiado."

Surra Eletrônica

Foi em Kyalami, especialmente durante o GP da África do Sul, no dia 1º de março, primeira prova da temporada de 1992, que Senna e toda a Fórmula 1 descobriram, na prática, que as Williams se tinham tornado outra categoria. No cronômetro, a diferença ficava em torno de dois segundos por volta. Ou dois infinitos minutos, ao final de uma corrida de 60 voltas.

Tecnicamente, depois que as Williams-Renault de Mansell e Patrese cruzassem a linha de chegada, seria possível para a televisão exibir todos os comerciais dos patrocinadores da transmissão ou uma daquelas lutas fulminantes de Mike Tyson, antes de voltar ao vivo para mostrar os outros carros inscritos no Mundial de Fórmula 1 de 1992 cumprirem a mesma distância.

As Williams estavam equipadas com controle de tração, câmbio semi-automático e, principalmente, um sistema de suspensão ativa de tal modo desenvolvido que permitia ajustes automáticos e instantâneos ao piso. Em outras palavras, a suspensão ativa acabava com o velho dilema dos pilotos, que tinham sempre de escolher entre duas alternativas: um carro relativamente lento, mas bom de curva, ou veloz como uma bala, mas difícil de guiar nos trechos sinuosos.

A suspensão ativa, uma evolução do sistema pioneiro que Ayrton usara na Lotus em 1987, permitia as duas opções, simultaneamente. O câmbio semi-automático aumentava a precisão da troca de marchas e, conseqüentemente, a eficiência da aceleração. E o controle de tração, em que pese o ruído estranhíssimo que provocava, corrigia as barbeiragens do piloto no acelerador, não permitindo que as rodas motrizes patinassem.

As imagens das câmeras de bordo instaladas na McLaren e na Williams, em Kyalami, deram a milhões de espectadores a dimensão da diferença de desempenho: a Williams de Mansell parecia passear num tapete negro, e Nigel nem precisava tirar as mãos do volante para trocar as marchas. A McLaren trepidava e pulava como um velho carrinho de montanha-russa, Ayrton tendo de brigar com o volante e ainda trocar de marcha. Na entrevista coletiva ao final da corrida, Mansell ainda achou pouco:

"Não acredito que a gente tenha uma grande vantagem."

Senna, terceiro colocado na corrida, sentado ao lado, estendeu as mãos para cumprimentá-lo, perplexo com as palavras do rival. Os jornalistas presentes, acostumados com os absurdos do ego de Mansell, bocejaram.

Vinte dias depois, ao tentar se aproximar do tempo de volta das Williams, na véspera de completar 32 anos, Senna sofreu um novo acidente no circuito de Hermanos Rodriguez, desta vez batendo de frente no *guard-rail* durante os treinos para o GP do México, segunda prova da temporada. A impressão que todos tiveram, acompanhando as imagens da televisão, era de que ele tinha quebrado as pernas.

Ayrton batia na cabeça, desesperado. Ao retirarem o capacete, seu rosto era uma mistura de dor e pânico. Com uma tala por trás da nuca e uma máscara de oxigênio, ele foi retirado cuidadosamente do *cockpit*. Muitos imaginaram, àquela altura, que ele não conseguiria disputar a corrida, no domingo. Joseph Leberer, conhecendo o cliente que tinha, duvidou apenas que ele conseguisse treinar no sábado. E pensou:

— Com certeza amanhã ele não pilota.

Senna pilotou no sábado. E o conseguiu depois de entrar pela noite com um tratamento intensivo a cargo do próprio Leberer. Mesmo suspeitando ter sofrido uma fratura no pé, Ayrton chegou a levantar, no meio da madrugada, só para que Joseph pudesse aplicar-lhe uma nova sessão de massagens. No início da manhã, outra aplicação e mais um pouco de sono. Por volta das dez da manhã, antes de entrar de novo no *cockpit*, Senna comemorou:

— Tudo melhorou. Me senti descansado como se tivesse dormido 24 horas.

Joseph, mesmo sendo também responsável pela surpreendente recuperação, reagiu:

— Não pode ser.

Para Leberer, muitos na Fórmula 1 daquele tempo não acreditavam que o trabalho dele desse resultados concretos na pista. A façanha física de Senna naquele dia era a prova que faltava. Mas Joseph acrescentou:

"A determinação e a vontade de Ayrton eram tão grandes que qualquer coisa que eu fizesse faria diferença com ele. Com o Ayrton, tudo funcionava."

Tudo funcionou, no caso, para que Senna participasse de uma corrida na qual tinha chances remotíssimas de vencer. E, como se esperava, as Williams venceram, com uma nova dobradinha de Mansell e Patrese. Ayrton abandonou na 11ª volta, com a transmissão quebrada. Seu pé direito ainda doía por causa do acidente de sexta-feira. Mas ninguém tocou nele até São Paulo.

Uma intensa dor de ouvido ainda obrigou Ayrton a fazer uma escala com seu jato em Miami, antes que Linamara Battistella examinasse seu pé e diagnosticasse, em vez da fratura que ele temia, apenas uma entorse.

O alarme soou na McLaren.

A devastadora demonstração de força da Williams na África do Sul e no México levou a equipe de Senna a desembarcar no autódromo de Interlagos todas as suas armas: seis carros para ele e Berger. Ayrton não queria fazer feio em casa. Três dos carros, os novos MP4/7, estavam sendo preparados para entrar na pista na prova seguinte, em Barcelona. Mas Ron Dennis mudou os planos e levou para São Paulo, junto com eles, exatas 81 pessoas.

Os MP4/7 tinham câmbio inteiramente automático, controle de tração semelhante ao da Williams e acelerador do tipo *fly-by-wire*, que substituía, com sinais eletrônicos, o tradicional cabo metálico.

Não adiantou nada: em Interlagos, ninguém conseguiu impedir mais uma vitória de Mansell e Patrese. Senna abandonou, com problemas de motor. Ele e Berger passaram a formar, com Schumacher e Brundle, da Benetton, e Jean Alesi e Ivan Capelli, da Ferrari, o que a imprensa começou a chamar de "Divisão B" da Fórmula 1.

A própria pilotagem de Ayrton, registrou a *Autosport*, foi afetada. Martin Brundle e Michael Schumacher, os dois pilotos da Benetton, enfrentaram um Senna que, para Martin, parecia de volta aos tempos da Fórmula 3, fechando a porta à direita e à esquerda. Schumacher, contrariado com a atitude de Senna na pista de Interlagos, atacou:

"Não esperava esse tipo de comportamento de um tricampeão mundial. Ele estava antecipando a freada para poder abrir mais nas retas."

Internamente, na McLaren, a conta da diferença de desempenho em relação à Williams foi, mais uma vez, como todos os anos, silenciosamente mandada para Ayrton e sua determinação de ficar longe das pistas e dos testes durante o verão brasileiro. O resto da responsabilidade, de acordo com a *Autosport*, foi de Ron Dennis e sua tradição de só aprontar os carros às vésperas do início da temporada. Era como se Ron contasse sempre com Senna para fazer a diferença, depois dos dias de sol e descanso em Angra.

No dia 3 de maio, nem a pista molhada no circuito de Montmeló, em Barcelona, fez a diferença a favor de Senna. Jean Alesi, pulando com sua Ferrari da oitava para a terceira colocação na primeira curva, foi o "rei da chuva" do dia e pressionou Ayrton a ponto de fazê-lo rodar e abandonar a corrida. Schumacher chegou em segundo com a Benetton. A vitória, ainda que chovesse canivete, foi mesmo da Williams de Mansell.

O pior ano de Senna na Fórmula 1 tinha começado. E muitas decepções ainda estavam para acontecer.

SENNA *SAN*

Os fãs japoneses, ao contrário dos exigentes brasileiros, não davam a mínima para aquele começo difícil de campeonato. Assim como o presidente do fã-clube Ayrton Senna do Japão, Tatsuya Hiraishi, muitos não entendiam de Fórmula 1. Também era esmagadora, de acordo com o próprio Hiraishi, a proporção de sócios do sexo feminino cujo interesse pelo novo sistema *fly-by-wire* era mínimo ou inexistente. Eram mulheres entre 25 e 40 anos, com poder aquisitivo suficiente para pagar ingressos que, na sua versão mais barata, custavam cerca de 150 dólares.

Para Hiraishi, Senna era um fenômeno por ser bonito, por ter uma grande identidade com o que ele chamou de "espírito japonês", mistura de dedicação e seriedade, e por ser muito atencioso com os fãs. Amar Senna era ir ao aeroporto para levar e trazer o ídolo, comprar, se desse, um carro idêntico ao Honda NSX de 80 mil dólares que ele tinha, escrever cartas para ele, fazer desenhos inspirados no herói, comportar-se como *paparazzi* e fotografar tudo o que ele tocasse ou usasse, fosse um banco de madeira do autódromo de Suzuka ou uma suíte do hotel Sheraton, em Tóquio. Amar Senna era, sobretudo, ter a disposição de pagar até 3.500 dólares por uma credencial VIP, com validade para três dias, no *paddock* da Fórmula 1.

Adilson Almeida, presidente da Torcida Ayrton Senna, nunca teve tratamento igual: Senna se reuniu cinco vezes exclusivamente com o fã-clube presidido por Hiraishi, em salas emprestadas e decoradas com fotos e a bandeira do Brasil. A última dessas reuniões aconteceu no circuito de Aida, semanas antes da tragédia de Ímola. Nesse dia, constrangido por deixar os fãs esperando cerca de cinco horas, Senna pediu até desculpas e deu autógrafos para cerca de 100 pessoas, entre sócios do fã-clube e penetras. Hiraishi também organizou uma ida de 20 fãs ao GP de Mônaco de 1992, no qual Ayrton os recebeu com muita paciência, chegando a levá-los ao *motohome* da McLaren para uma conversa mais tranqüila.

Sempre que podia, Ayrton tentava retribuir a adoração dos fãs japoneses. E a medida de sua atenção foi a forma como ele recebeu, em São Paulo, naquela temporada de 1992, Nobu Kasai e Hirofumi Natsumo, os executivos da Fuji TV responsáveis pela produção da cobertura de Fórmula 1 para o Japão.

Era a semana do GP do Brasil. Um helicóptero pousou no hotel de São Paulo onde Natsumo e Kasai estavam hospedados, pilotado pelo próprio Ayrton, para levá-los ao seu escritório no bairro de Santana. A pauta da reunião era a participação de Ayrton num especial que seria exibido às vésperas do GP de Mônaco daquele ano. E Senna, o mesmo garoto-propaganda que costumava levar John Hogan, da Philip Morris, à loucura, se comportou de forma totalmente diferente com os executivos da Fuji TV:

— O que vocês querem que eu faça?

Nas palavras de Natsumo:

"Ayrton sabia que a Honda estava por trás daquele especial e, por isso, queria se adequar a tudo que os japoneses quisessem ver ou ouvir."

Pauta definida, Senna acertou a participação em cinco programas para a Fuji TV por 15 milhões de ienes, o equivalente, na época, a 125 mil dólares. Feito o negócio, teve início um privilégio que poucos tiveram: o helicóptero seguiu para a fazenda de Tatuí, onde os dois executivos foram convidados a trocar seus ternos por camisetas e bermudas cedidas por Ayrton. Meio apertados no figurino de Senna, Natsumo e Kasai foram pescar com ele no lago da fazenda.

O peixe foi assado e servido no jantar. Ayrton, no que Natsumo considerou, 11 anos depois, "um gesto supremo de cortesia", tirou todos os espinhos dos pedaços servidos aos dois convidados. Para Natsumo, o dia foi "inesquecível", a não ser por uma ressalva, feita com resignado bom humor:

"Só o peixe era muito ruim."

Uma vingança involuntária, diriam os íntimos de Senna. Ele nunca fora um apreciador das sessões de peixe cru que teve de saborear, sorridente, com os amigos do Japão.

A Mensagem

Nos boxes de Interlagos, no adeus de Piquet à Fórmula 1, o humorista Bussunda, durante uma incursão no *paddock*, fez a Nélson uma pergunta provocativa sobre o que ele faria com seu Fundo 157, um benefício para aposentados. Piquet não quis responder, empurrando o microfone. Ele tinha desistido da Fórmula 1, mas anunciara, em fevereiro, que ia participar das 500 Milhas de Indianápolis daquele ano. Senna, instado freqüentemente pelos jornalistas a comentar a decisão de Nélson, manteve um determinado silêncio.

Semanas depois da provocação de Bussunda em São Paulo, no dia 7 de maio, a aventura de Piquet nas 500 Milhas terminou nos treinos, quando sua Lola-Buick se espatifou na curva 4 do lendário circuito americano. Alguns disseram que a causa foi uma aliviada indevida no acelerador, quando Nélson percebeu a luz amarela de alerta para outra situação de risco na pista. Outros atribuíram o acidente a um erro comum dos novatos nos circuitos ovais: a instintiva tentativa de corrigir uma derrapagem de traseira, providencial nas curvas da Fórmula 1, arriscadíssima na veloz Indianápolis.

Para Piquet, era o início de uma dolorosa recuperação que tocou os brasileiros, provocando gestos e manifestações de solidariedade mesmo entre aqueles que não perdoavam Nélson por suas atitudes contra Senna. O sofrimento de Nélson, que ele revelaria posteriormente ao repórter José Emílio Aguiar, do jornal *O Estado de S. Paulo*, incluiu passar quase o dia inteiro dormindo sob efeito de drogas, para suportar a dor provocada pelas múltiplas fraturas e cirurgias que sofrera. Foram três meses tomando injeção de codeína na coluna, seguidos de drama e mais dor, depois, para se livrar da dependência que a droga, prima da morfina, causou.

Senna já tinha dito, mais de uma vez, a Linamara Battistella, que jamais perdoaria Piquet pelas insinuações de que ele não gostava de mulher. Em uma ocasião, disse para ela:

— Eu sou capaz de esquecer e justificar muita coisa, mas nunca mais vou esquecer isso. Ele não tinha o direito de usar um golpe baixo daquele para me atingir.

Exatamente por ser testemunha da mágoa, Linamara se surpreendeu no primeiro contato que teve com Ayrton, depois do acidente de Piquet em Indianápolis. Senna, na definição dela, estava "preocupadíssimo":

— Linamara, esse pessoal que está tratando do Piquet nos Estados Unidos é bom?

Ainda surpresa, ela respondeu:

— São altamente especializados.

— E ele vai ficar com seqüelas?

— Não dá pra saber, Ayrton. As notícias são muito incompletas, mas o tipo de tratamento que ele está tendo sugere que haverá seqüelas.

— Nossa! Coitado, ele não merecia isso.

Linamara custou a acreditar no que tinha ouvido. E perguntou:

— Ayrton, você disse que nunca ia justificar o que o Piquet fez com você...

— É, mas não tem nada a ver uma coisa com a outra.

Joseph Leberer foi outro dos íntimos de Ayrton que disse tê-lo visto afetado pelo acidente de Piquet:

"Ele estava tocado e chateado, ao ouvir a notícia sobre o acidente de Piquet. Eu vi a reação de Ayrton. Foi honesta. E ele sentiu mesmo."

Em matéria publicada na edição do dia 17 de maio, *O Estado de S. Paulo* registrou a mensagem que Ayrton gravou para Piquet através da rede ESPN:

"Nélson, eu sei que o momento é difícil, mas tenha confiança que no final tudo estará bem."

O título da reportagem era: "Gravação para Piquet pode quebrar o gelo".

Não quebrou. No final daquele ano, num jantar com Ayrton no restaurante Fasano, em São Paulo, Emerson Fittipaldi puxou conversa sobre a inimizade de Senna e Piquet. E até se ofereceu para fazer uma aproximação de Nélson, sob o argumento de que aquela situação não era boa para ninguém:

— Ayrton, vocês dois são campeões mundiais. Deixa disso, vai. Eu ligo para o Nélson. Falo bem com ele. Vamos parar com essa história. Isso é muito chato para nós.

Ayrton encerrou o assunto. Ele também tinha suas seqüelas:

— Não dá. O que ele fez, eu não aceito.

E Tome Williams

Ao final do GP de Ímola, quinta prova da temporada de 1992, outra vitória da dupla Mansell e Patrese, Ayrton começou a pagar o preço pelo terceiro lugar: dois ombros paralisados por uma crise de câibras e um choque térmico que o deixou imóvel, dentro do *cockpit*, sem forças para sair, como nos tempos da Toleman. Sem condições de participar da cerimônia do pódio, ele foi carregado para o *motohome* da McLaren, para uma sessão de massagens que durou quase duas horas. Depois, explicou que não teve como relaxar nem nas retas de Ímola:

"As câibras não são culpa do esforço, mas da tensão de andar num carro que pode se descontrolar definitivamente a qualquer momento."

Duas semanas depois, o amigo Marcos Magalhães Pinto, hospedado no apartamento de Ayrton em Mônaco, descobriu, por vias tortas, como ele estava se preparando para não perder o controle do carro na batalha contra as Williams, agora nas ruas do principado. Era 31 de maio, dia do Grande Prêmio, e os dois tomavam café da manhã, servidos pela portuguesa Isabel.

Senna estava sério e silencioso. Marcos achou que era por causa de uma brincadeira que começara dois dias antes, quando, a pedido de Ayrton, tinha acompanhado uma namorada dele num jantar. Fora o suficiente para que Braguinha e Galvão Bueno fizessem carinhosas provocações, ainda que Marcos não tivesse nem olhado direito para a moça. Desconfiado de que algo estava atravessado naquele café da manhã, Marcos não agüentou:

— Vem cá, você está chateado comigo?

Ayrton pareceu acordar, de tão surpreso com a pergunta:

— Não, por quê?

— Achei que você estava chateado comigo por causa da brincadeira que o Braga fez.

Senna, Marcos não sabia, já estava disputando o GP de Mônaco de 1992:

— Cara, você tem que entender que logo mais vou passar duas horas andando a um centímetro do *guard-rail*.

Marcos se lembrou então de como os mortais — parentes, amigos, chefes, namoradas e jornalistas — pareciam transparentes à frente de Senna, nos *grids* de largada, durante aqueles minutos que antecediam ao início das corridas. E perguntou:

— O que você fica pensando daquele jeito?

— Fico repetindo, na mente, minha melhor volta. O tempo todo.

Era parte da resposta. Ayrton também cuidava para que o cinto de segurança estivesse muito bem ajustado. Se o ajuste não fosse perfeito, o cinto começava a cortar o ombro e poderia forçar uma volta aos boxes. Igualmente fundamental era escolher a melhor posição do banco, da alavanca de câmbio e dos retrovisores. Os protetores de ouvido também tinham de estar muito bem colocados, porque o barulho do motor, sem a proteção deles, poderia provocar um sério distúrbio auditivo em poucas voltas.

Na temporada dominada pelas Williams que Senna dizia serem de "outro planeta", ele duelou com Mansell nas ruas do principado – a McLaren de Ayrton está à direita na foto.

Esse ritual, no caso específico daquele GP de Mônaco de 1992, garantiu a Senna uma das vitórias mais espetaculares de sua carreira.

Mansell não deu chance ao azar e fez a *pole*. Largou na frente, seguido de Senna, Patrese, Schumacher e Alesi. Mas, faltando sete voltas para o final, Nigel teve de parar no boxe, suspeitando de que um dos pneus estivesse perdendo pressão. Era do que Ayrton precisava.

Mansell voltou à pista exatamente atrás dele. As voltas finais foram eletrizantes. Mansell atacou com fúria de todas as maneiras, mas Senna conseguiu defender sua posição sem fechadas, apenas escolhendo boas trajetórias e usando ao máximo sua magistral capacidade de correr naquelas ruas.

Ayrton igualou, na bandeirada, o recorde de cinco vitórias de Graham Hill no circuito. Na cerimônia do pódio, Mansell teve um desmaio cuja autenticidade foi questionada por boa parte dos jornalistas, incluindo os ingleses. Berger, com a humildade que Nigel jamais teria, reconheceu:

"Ninguém, a não ser Senna, poderia ter vencido naquelas condições. Qualquer um teria cometido algum erro."

O Sufoco de Cléber

Na vitória de Ayrton em Mônaco, a TV Globo se deu conta de que Galvão fazia muita falta. E o locutor Cléber Machado sentiu o peso e a importância que a cobertura da Fórmula 1, com Senna, tinha para os brasileiros e, conseqüentemente, para a emissora com a exclusividade da transmissão das corridas.

Galvão Bueno estava em Mônaco apenas na condição de amigo de Senna. Deixara a TV Globo em meio à crise com Reginaldo Leme e, através de sua produtora, a PGB, se associara à rede OM, criada pelo empresário e político paranaense José Carlos Martinez. Senna chegou até a discutir, com executivos das Organizações Martinez, sua participação, como comentarista de Fórmula 1, no programa de esportes que seria comandado por Galvão. Mas o projeto não evoluiu.

Inicialmente, para Cléber, a oportunidade de substituir Galvão oficialmente foi até atraente. Ele viu, na indicação de seu nome para narrar o primeiro grande prêmio da temporada, na África do Sul, uma chance de viajar e de crescer profissionalmente. E não entendeu muito quando o diretor de esportes, Ciro José, às vésperas da viagem, disse, preocupado:

— Acho que não era você que tinha que ir.

Cléber, um profundo conhecedor de futebol e muito respeitado entre os colegas pelo desembaraço com que recorria à sua prodigiosa memória quando o assunto da transmissão era bola, narrou as corridas da África do Sul, do Brasil e de Ímola sob críticas da imprensa e dos espectadores. Chegou a Mônaco na berlinda, por causa dos erros e hesitações típicas de quem, ele sempre reconheceu, não era íntimo daquele esporte.

Nas voltas finais da corrida, o erro que não teve perdão: Cléber demorou muito para perceber que o então líder Nigel Mansell voltara do *pit-stop* atrás de Ayrton, e que, portanto, Senna era o líder da prova. A histórica resistência de Senna às investidas de Mansell, nas voltas finais, foi narrada com entusiasmo, mas aquela foi a última corrida de Cléber como substituto oficial de Galvão. Só então, em outra conversa, Ciro explicou a Cléber por que fora contra a substituição desde o início:

— Era o primeiro grande prêmio sem Galvão. Na comparação, você ia sair perdendo de qualquer maneira.

Cléber tirou da experiência outras lições, reveladoras de uma circunstância que a maioria dos fãs de Senna, na época, desconhecia ou simplesmente menosprezava: o drama de narrar uma corrida de automóvel sem entender muito do assunto:

"Você passa a corrida inteira supondo coisas que possam estar acontecendo com o piloto e o carro. Você não vê a expressão do piloto depois de uma curva, como você vê a cara do jogador de futebol, quando ele erra ou acerta um chute. Além disso, muitas vezes, corrida é uma repetição. Se você não tem um olho clínico, você passa 70 voltas vendo e narrando a mesma coisa. É muito, muito difícil."

Cléber foi substituído por Luís Alfredo até o final da temporada de 1992. A partir de 1993, Galvão estava de volta para "os amigos da Globo". Nos anos seguintes, como reserva, Cléber voltou a narrar corridas e se tornou até mais íntimo dos segredos do automobilismo. Mas nenhuma dificuldade se comparou à responsabilidade de acompanhar Senna pela TV Globo, sem ser um especialista em Fórmula 1, exatamente no ano em que ele não teve condições nem de sonhar com o título mundial.

A Nova Encrenca

Todos já tinham visto o suficiente, depois das cinco primeiras provas da temporada: era uma questão de tempo a eclosão da primeira crise entre Senna e Schumacher, dentro e fora da pista. Ayrton, por tudo que vinha fazendo desde 1984. E Michael, pelo que todos no *paddock* já tinham certeza de que faria nos anos que viriam. Nigel Mansell, pelo estilo e currículo, certamente complicaria a situação, se corresse por perto de Ayrton e Michael, mas, salvo no GP do Canadá, quando saiu da pista ao tentar tomar a ponta de Senna em uma manobra desastrada, ficou longe da encrenca. Lá na frente. E abrindo.

Nos treinos para a corrida que se seguiu ao Canadá, o GP da França, dia 5 de julho, em Magny-Cours, nada que Brundle, Senna, Schumacher, Berger e os projetistas da McLaren e Benetton fizeram, ainda que em sistema de condomínio, impediu que Nigel Mansell fosse três segundos mais rápido. Na corrida, outra dobradinha de Mansell e Patrese, desta vez garantida pela ordem, cumprida com desgosto por Riccardo, de ceder a liderança a Nigel.

Atrás dos pilotos da Williams, um pouco mais de pólvora para a guerra que todos já esperavam: Schumacher tentou ultrapassar Senna, que, previsivelmente, não facilitou. Os dois se tocaram e rodaram. Ayrton foi até o boxe da Benetton e, dedo em riste, não só reclamou como aproveitou para responder às queixas que Schumacher fizera para Ron Dennis e alguns jornalistas no GP do Brasil daquele ano.

"Você fez uma grande besteira, me jogou para fora da pista e, em vez de falar com seu chefe ou com os jornalistas, estou vindo falar com você agora."

Para quem não entendeu o recado, Senna explicou:

"Ele me acusou de atrapalhá-lo no Brasil, mas meu motor estava cortando, não era intencional. Se tivesse conversado comigo, eu diria."

Em Silverstone, dia 12 de julho, em outro passeio de Mansell, Ayrton, em vez de enfrentar Schumacher, travou um duelo antológico de 52 voltas, este sem reclamações das partes, com Martin Brundle, pelo terceiro lugar. Até ter a transmissão quebrada e cair para a 18ª posição.

O caldo da rivalidade entre Senna e Schumacher entornou de vez nos treinos para o GP da Alemanha, em Hockenheim. E, diferentemente do adversário frio, cerebral e cuidadoso que enfrentara em Prost, Ayrton encontrou à sua frente, no final da reta que dava acesso ao trecho sinuoso do estádio, um rival ousado e agressivo como ele, disposto a aplicar-lhe, a mais de 300 por hora, um *brake test.* O resultado: furioso, Senna passou quase uma volta tocando rodas com Schumacher. E, em boa parte do tempo, a cerca de 300 por hora.

Ayrton nem esperou o carro parar, na volta aos boxes. Revoltado, tirou o capacete e caminhou firme em direção à Benetton. Alcançou Schumacher no fundo da garagem. Depois de empurrar e sacudir o alemão pelos ombros, gritou:

"Da próxima vez vai ser a última!"

Jo Ramirez fez parte da brigada de resgate da McLaren que afastou Senna do agravamento da situação, enquanto um grupo da Benetton se encarregou de arrastar Schumacher para uma providencial entrevista à tevê alemã. Mas Senna esperou Michael voltar da entrevista e, com a intermediação de Flavio Briatore, conversou com ele. Por trás do *brake test*, ainda o incidente do GP do Brasil. Senna explicou que não estava atrapalhando Schumacher intencionalmente. E ofereceu até os registros da telemetria da Honda como prova de que o motor, em Interlagos, estava mesmo sofrendo cortes.

No final daquele dia, era inevitável associar as entrevistas dos envolvidos às dos tempos de Ayrton na Lotus-Renault. Desta vez, era o veterano Senna que falava de um novato brilhante:

"Schumacher tem talento, está no início da carreira e sob grande pressão, mas tem que saber logo como são as coisas. Alguém pode se machucar."

No Brasil, no dia seguinte, as manchetes também se pareciam muito com as da imprensa européia nos tempos da Lotus preta de Senna. Com o título "Alemão faz do carro uma arma", a edição do *O Estado de S. Paulo*, de 7 de julho de 1992, reclamou:

"O alemão Michael Schumacher, da equipe Benetton, está se tornando um piloto sem limites. Envolveu-se em inúmeros acidentes, quase todos por culpa sua. O mais grave, porém, acontece quando Schumacher parece não enxergar quem vai à sua frente e tenta ultrapassagens impossíveis."

Eram as voltas, no caso, muito rápidas, que o mundo dava.

A versão mais potente do motor Honda, que vinha permitindo a Senna atenuar a escandalosa superioridade da Williams, deu condições a ele de resistir às investidas de Patrese e garantir um ótimo segundo lugar na Alemanha. Em Hungaroring, no dia 16 de agosto, uma vitória de Ayrton emoldurou o desfecho de um dos campeonatos mais fáceis e previsíveis da história da Fórmula 1.

Mansell, campeão por antecipação com o segundo lugar, é claro, jamais concordou. Mas também não esqueceu, como revela em sua autobiografia, o gesto e as palavras de Senna naquele pódio de Hungaroring. Ayrton abraçou-o afetuosamente e disse:

"Bom trabalho, Nigel! Que sensação, hein? Agora você sabe por que sou tão filho-da-puta na pista. Eu não gosto de ficar sem essa sensação. E nem de deixar que outros a experimentem."

Duas semanas depois, à revelia de Senna, Michael Schumacher experimentou, no GP da Bélgica, em Spa-Francorchamps, uma sensação muito semelhante: ele venceu sua primeira corrida na Fórmula 1, em uma prova que, por ironia, parecia destinada a Ayrton, que tomara a ponta com sua assombrosa capacidade de se manter em pistas molhadas usando pneus *slick*.

A chuva, no entanto, piorou de tal modo, que Senna também teve de parar no boxe para fazer a troca de pneus, sendo ultrapassado pelas Williams de Mansell e Patrese. Quando a pista começou a secar, Schumacher fez uma oportuníssima troca para pneus *slick* e voltou à pista em ritmo de treino de classificação, sem deixar que ninguém o alcançasse.

Ayrton, com problemas de motor, ficou em quinto lugar, mais certo do que nunca de que tinha, de novo, um grande rival a vencer na pista.

Fora dela, um outro adversário preparava grandes surpresas.

— Gosto de você. Você é profissional. Vou te dar um furo mundial.

Foi usando estas palavras, ao telefone, em meados de julho de 1992, que Alain Prost ofereceu uma entrevista exclusiva à repórter Francesca Alliata Bronner, do jornal *La Repubblica*, o maior diário italiano. Os dois tinham-se conhecido semanas antes, num restaurante de Biarritz, quando Francesca, então repórter de cultura, turismo e gastronomia do suplemento *Venerdi*, fazia uma reportagem especial sobre talassoterapia, um tratamento no qual se prescrevem banhos de mar, viagens e climas marítimos. O furo que Alain prometia a ela não tratava de assuntos tão amenos. A entrevista provocou um rápido, mas intenso terremoto na Fórmula 1.

Onze anos depois, Francesca disse que Prost ficara "encantado" com ela e que, depois do encontro no restaurante, até participou, como personagem, da reportagem que ela produzia em Biarritz. Surpresa com a oferta do furo feita por Alain, ela levou a proposta ao diretor da revista, Franco Recanatesi, que comprou a idéia com entusiasmo, pedindo que ela perguntasse a Prost "tudo sobre Ferrari, Mansell, Senna e Piquet".

Recanatesi, 11 anos depois, confirmou que Francesca tinha um canal aberto com Prost e que esta ligação foi decisiva para a realização da entrevista exclusiva. Franco disse que também pediu à repórter que fizesse uma pergunta específica sobre o que chamou de "boatos recorrentes de que Senna era homossexual". Recatanesi explicou:

"Senna era um personagem impressionante, muito melancólico, completamente diferente do padrão da Fórmula 1, um homem de muitas facetas."

Francesca, mais de uma década depois, garantiu que só fez refletir, no texto, o estado de espírito de Prost:

"Além de descontraído, ele tinha o sentimento de orgulho típico dos que se vingam. Ele queria falar de Senna. Queria falar de Mansell. Tinha ódio deles. Sabia que era uma entrevista importante. Queria vingança."

A abertura da entrevista, publicada na edição de 7 de agosto de 1992 do *La Repubblica*, descrevia as circunstâncias e o clima em que ela foi feita:

"Descansado, sereno e bronzeado, Alain Prost chega à piscina na hora marcada. Está em grande forma. Não exatamente bonito, mas tem um aspecto saudável e feliz. Pede uma cerveja e se estica na cadeira."

Depois, o texto de Francesca resumiu os antecedentes: Prost, demitido no final de outubro de 1991, às vésperas de voltar à Fórmula 1 em 1993, pilotando a poderosa Williams, tinha "um nó atravessado na garganta", sofrera "uma grande humilhação", vivera "um momento terrível, o mais humilhante da carreira", "um divórcio muito doloroso". Após a introdução, veio o ataque à Ferrari, que o demitira, entre outros motivos, pelo fato de Alain ter reclamado publicamente do carro, chamando-o de "caminhão". O texto atribuído a Prost dizia:

"Se não mudarem a mentalidade, nenhum piloto, nem mesmo o melhor, subirá ao pódio. Um ano depois, o caminhão está ainda pior, com todo respeito ao Luca de Montezamolo. Cometi dois erros na Ferrari: primeiro, acreditar que eu poderia mudar a mentalidade daquela gente. Em Maranello não há solidariedade, entusiasmo e a humildade necessária para se vencer. E falta sobretudo profissionalismo como o que os japoneses têm. Meu outro erro foi dizer a verdade."

Na entrevista, Prost também se dizia desiludido com Niki Lauda, então assessor da Ferrari, e revelava ter sido apalpado pela princesa Stephanie de Mônaco, por baixo da mesa de um jantar de gala no principado. No trecho referente a Senna, Prost primeiro atacou o piloto:

"Senna é hoje o melhor corredor. Mil vezes superior ao Mansell. Mas humanamente ele não existe. É isso. Prefiro não falar mais. Costumo falar demais."

No momento seguinte da edição da entrevista, Francesca insistiu no assunto Senna:

"O que você pensa do Senna?"

A resposta de Prost:

"Dizem que ele gosta de homens, em particular dos mecânicos. Mas isso não é novidade. Isso já foi dito pelo Piquet. E foi reforçado por sua ex-mulher, depois de tê-lo encontrado na cama com um dos caras da equipe."

Em toda a entrevista, apenas nesse momento, referente à vida particular de Senna, Prost deu uma resposta em que não assumia a responsabilidade pela informação que estava passando ao jornal. Francesca perguntou o que ele achava de Ayrton. Alain respondeu com a citação de um boato. Depois, atribuiu uma informação a uma ex-mulher, mas não deixou claro se estava falando da ex-mulher de Senna, Lilian de Vasconcellos, ou da ex-mulher de Piquet, Katerine Valentim. As duas leituras da frase eram possíveis.

Se estava se referindo a Lilian, não tinha qualquer fundamento. Lilian, que se separou de Senna anos antes da carreira dele na Fórmula 1, jamais fez tal afirmação. Se a Katerine, não havia nenhum registro de que ela tivesse falado isso. É relevante observar que, antes de se casar com Piquet, Katerine foi namorada de Senna.

Nas suas primeiras declarações, após a publicação da matéria, Prost afirmou, como registrou *O Globo* em 12 de agosto, que nunca dera aquela entrevista:

"Eu não falei com ninguém do *La Repubblica*. Não disse uma palavra sobre o Senna. Não abri a boca para falar do Mansell. Tudo é uma imensa mentira, uma invenção."

Três dias depois, em comunicado conjunto divulgado durante o GP da Hungria, Prost e Senna repudiaram a reportagem. Prost negou as frases atribuídas a ele e ofereceu ajuda para qualquer ação legal que Senna viesse a abrir contra o jornal. Os dois pilotos anunciaram também terem mandado cartas ao jornal, avisando que estavam entrando na Justiça. O comunicado terminava assim:

"Ayrton Senna e Alain Prost deploram este tipo de jornalismo sensacionalista, que acaba por aviltar não só as pessoas como o esporte automobilístico."

Onze anos depois, Prost reconheceu que deu realmente a entrevista a Francesca Alliata Bronner. Mas insistiu que, em nenhum momento, falou sobre a vida sexual de Ayrton. Ele reproduziu a frase que disse ter dito a Senna logo depois da publicação da entrevista:

"Ayrton, você me conhece. Eu jamais diria uma coisa daquelas."

Senna, do outro lado da linha, de acordo com Prost, reagiu de forma compreensiva. Alain afirmou ainda que desistiu da ação judicial, atendendo a pedidos da direção da Ferrari, que, segundo ele, não queria ficar "em situação desconfortável com um dos principais jornais italianos". Prost também disse que o *La Repubblica* jamais exibiu a gravação da entrevista.

Francesca descreveu de forma bem diferente os desdobramentos da entrevista. No mesmo dia da publicação, ela disse ter recebido um telefonema de Prost. Ele estava com uma voz que ela descreveu como de "quem estava morrendo". O diálogo, segundo Francesca:

— Você não sabe o que aconteceu. Você escreveu mentiras!

— Eu escrevi o que você me disse.

— Foi terrível. Aquela história da Stephanie. Por que você escreveu o que eu te falei?

— Eu escrevi o que você me disse, ora! Você me pediu para não escrever sobre sua mulher, seu casamento e sua conta bancária e eu cumpri o trato e não escrevi nada. Mas você não me pediu para não escrever o que falou de Senna e Mansell.

— O Senna me ligou furioso, me chamando de filho-da-puta. E eu disse pra ele que não era verdade.

— Como você diz que não disse?

— Eu vou ter que processar você.

Ao final do telefonema, de acordo com Francesca, Prost estava com muito medo das conseqüências da reportagem. Um medo, de acordo com ela, bem diferente do orgulho e da firmeza que demonstrara à beira da piscina em Biarritz, dias antes. Francesca garantiu que Alain jamais levou à frente qualquer processo contra ela ou contra o *La Repubblica*. Quem processou o jornal, recordou-se ela, foi Senna. Um mês depois da entrevista, o *La Repubblica* recebeu uma notificação de um advogado de Ayrton.

O processo correu na Justiça italiana e uma audiência chegou a ser marcada para o mês de maio de 1994. Francesca e a direção do jornal estavam formalmente notificados da data da audiência e tinham começado a preparar a documentação necessária para enfrentar os advogados de Senna, quando Ayrton morreu, em Ímola.

Um mês depois do acidente, de acordo com Francesca, um advogado da família de Senna escreveu uma carta a ela e à direção do jornal, informando que o processo estava sendo abandonado pelo fato de o autor da ação ter morrido.

Os jornalistas que acompanhavam a Fórmula 1 não deram muita atenção para a reportagem. A maioria encerrou definitivamente o assunto com a reprodução do comunicado conjunto em que Prost e Senna repudiaram a reportagem e o comportamento de Francesca. Àquela altura, Prost já tinha feito algo que doeria muito mais em Senna do que aquela maledicência covarde que Francesca garantiu ter ouvido de sua boca.

Ele tinha fechado a porta da Williams para Senna.

A Cláusula Alain

A cabeleireira Walderez Zanetti já tinha percebido que, em 1992, "as coisas não estavam nada boas para Ayrton". Ela não ousava invadir a privacidade dele para perguntar. Quando percebia que o corte de cabelo estava sendo interrompido por uma "conversa séria" pelo telefone, deixava a sala sem esperar que ele pedisse. Ela só viu semelhante expressão de gravidade no rosto de Senna dois anos depois, quando ele tirou o capacete pela última vez, dentro do *cockpit* da Williams, no *grid* de largada de Ímola:

"Ele estava agitado, infeliz com as coisas que estavam acontecendo e que estavam relacionadas com seu futuro na Fórmula 1."

Um dia, depois de um daqueles telefonemas difíceis, Senna desabafou:

"Walderez, é muito difícil quando você não pode dizer a verdade."

Ele queria ir para a Williams. O companheiro Gerhard Berger, 11 anos depois, lembrou que Ayrton, graças às suas ótimas ligações com o comando da Honda, sabia que os japoneses iam deixar a Fórmula 1 no final daquele ano. E já tinha comunicado a Ron Dennis que pretendia negociar com a Williams. O problema era que Prost estaria correndo pela equipe em 1993 e uma das cláusulas do contrato que ele assinara bem antes, no início do ano, com Frank Williams e Patrick Head, era um veto incondicional à presença de Senna.

Em meados de julho, Alain chegou a dar entrevistas, dizendo que não se oporia à idéia de dividir os carros da Williams com Senna. Era fumaça. Estava no papel e ele confirmou, 11 anos depois:

"Eu disse a Frank: a única coisa que eu não quero é outra temporada com Ayrton Senna na minha equipe."

Para surpresa de todos, no *paddock*, acostumados à inteligência e às bem estudadas manobras de Senna na hora de negociar contratos, ele parecia não se render à realidade. Sem o cuidado de preservar a McLaren e a Honda, mergulhou em uma campanha pública de denúncia de um suposto complô de Prost e da Renault para prejudicá-lo. Chegou a se oferecer para pilotar de graça para a Williams.

Um artigo do correspondente Mario Andrada e Silva para o *Jornal do Brasil,* edição de 20 de agosto, resumiu a situação de descontrole a que Ayrton chegou:

"Senna vende uma péssima imagem correndo desesperadamente atrás de um lugar na Williams. Já se comenta nos bastidores da F1 que ele não passa de um menino mimado que só se interessa pelos melhores carros do momento. Os italianos, magoados com a resistência de Senna em aceitar as propostas de Maranello, engrossam o coro inglês. Até os japoneses da Honda já deixaram escapar comentários contra o brasileiro. Um engenheiro chegou a chamá-lo de mal-agradecido e a dizer que, depois de tudo que a Honda fez pelo brasileiro, não é justo que Ayrton se humilhe por uma vaga na Williams e saia pelo mundo falando mal da McLaren e da Honda."

Mario registrou, em seu artigo, que "jornalistas das grandes comunidades da imprensa européia" aproveitavam o momento de vulnerabilidade do brasileiro para pintá-lo como um "mercenário de vitórias".

Mesmo entre jornalistas brasileiros, Senna foi criticado. Flávio Gomes, na edição da *Folha de S. Paulo* de 3 de outubro, questionou a decisão da Torcida Ayrton Senna de fazer uma carreata contra "o descaso da Williams e da Renault":

"É engraçado, deve-se reconhecer. O descaso é, aí sim, o direito da Williams e da Renault de decidir quem serão seus pilotos. Senna, nos últimos meses, tenta um lugar na equipe sem perguntar aos seus proprietários se eles o querem lá. O problema todo é o tal veto de Alain Prost. Esquisita mais uma vez a revolta sennista. Ayrton fez o mesmo na Lotus barrando Derek Warwick."

Mair Pena Neto, então cobrindo a Fórmula 1 pelo jornal *O Estado de S. Paulo*, escreveu:

"O desgaste de Ayrton era visível. A antipatia por ele em parte da imprensa aumentou, ao mesmo tempo em que a paciência de Ayrton encurtou. Ele estava muito cansado de tudo aquilo e ainda por cima não tinha como dar a resposta na pista, como sempre fazia."

Celso Itiberê, em sua coluna de 28 de setembro, em *O Globo*, criticou:

"Senna tem que entender que não pode agir como um Deus e decidir os destinos da Fórmula 1. Ele é apenas um personagem da encenação, importante, mas não insubstituível. Qualquer piloto no lugar de Prost teria feito exatamente a mesma coisa."

Até personalidades da vida brasileira foram convocadas, no caso, pelo jornal *O Globo*, na edição de 2 de setembro, para opinar sobre se Ayrton tinha ou não o direito de "exigir um carro de ponta para continuar na F1". O ator Lima Duarte respondeu:

"Errado. Ele deve ser menos chato, pois ganha milhões de dólares para correr e não para fazer exigências."

Gilmar, goleiro do Flamengo e da Seleção Brasileira, deu razão a Senna:

"Apesar de lamentar, caso ele fique fora das pistas, acho até certo ponto compreensível esta decisão. É como um jogador de futebol que se transfere para um time pequeno, sem condições de disputar títulos."

Valéria Monteiro, apresentadora de tevê transformada em musa da mídia brasileira, também ficou com Senna:

"Ele está certo. Não adianta ser o melhor piloto do mundo se o carro não for o melhor."

Até Milton Temer, jornalista, ex-editor de esportes do *Globo,* àquela altura já dedicado a uma carreira de político no Partido dos Trabalhadores, se manifestou, emprestando à polêmica o jargão do Congresso Nacional:

"Errado. Se for apenas para correr no carro vencedor, até eu quero ser piloto. O Senna deve mostrar que tem condições de guiar um carro de qualidade inferior. Tem que parar de querer competir casuisticamente."

Comparando duas pesquisas, o mesmo *Globo* chegou à conclusão de que Senna, embora ainda em primeiro lugar como esportista na preferência dos leitores, estava perdendo prestígio em seu próprio país: de 38,46%, em novembro de 1991, para 14%, em agosto de 1992.

A luta obsessiva de Senna pelo *cockpit* da Williams incluiu um jantar que reuniu, à mesa de um restaurante de Budapeste, às vésperas do GP da Hungria, ele, o empresário Julian Jakobi e Patrick Head. Quando pediu a conta, o diretor da Williams recebeu um cartão com a foto do restaurante e um recado manuscrito de Ayrton sobre ela:

— Patrick, eu paguei seu jantar, mas tenho uma condição: você deixar eu pilotar seu carro no ano que vem, de graça.

Nem o bilhete do restaurante, nem as idas de Senna à sede da Williams, em Didcot, na Inglaterra, adiantaram. Senna tentou ainda uma última manobra, às vésperas do GP de Portugal, em Estoril. Pouco depois de Prost anunciar oficialmente sua ida para a Williams, ele foi até o *motohome* de Bernie Ecclestone para uma conversa que durou cerca de 40 minutos. Queria intervenção na disputa. E explicou:

"A Renault entende muito da parte técnica, mas desconhece o jogo político. Nunca é tarde para reparar um erro e espero que não prevaleça uma situação suja como esta."

Foi inútil. Frank Williams não estava disposto a fazer, naquele momento, o que faria, pela metade do preço, um ano depois: pagar a multa pela quebra de contrato de 18 milhões de dólares que assinara com Prost. E ainda que estivesse disposto a gastar, a guerra aberta por Senna na imprensa contra Prost tornara inviável seu plano de ter Ayrton na equipe.

Para completar, Frank já começava a enfrentar a reação de Mansell e da imprensa inglesa pela humilhação que estava impondo ao campeão da temporada, ao oferecer a ele condições de renovação que, na verdade, fizeram Nigel abandonar a equipe e a Fórmula 1 de uma só vez.

Grandes jornais europeus lamentaram a saída de Mansell, denunciando o "baixo nível" das negociações entre pilotos e equipes de ponta, e não poupando críticas a Senna e Frank Williams. *L'Equipe* comparou a Fórmula 1 ao seriado *Dallas* e ofereceu aos leitores a chance de escolher quem cabia melhor no papel do vilão "JR", um homem totalmente sem escrúpulos:

"Como uma equipe pode tratar um campeão como se fosse gado?"

O *Independent* acusou Frank de ter preparado, nos bastidores, "um complô maquiavélico para provocar a saída de Mansell". O *Times* deu a seguinte manchete de primeira página: "Maus-tratos provocam a saída de Mansell."

Finalmente convencido de que não guiaria a Williams em 1993, Senna voltou a soltar o verbo. Primeiro, denunciando "um campeonato armado de antemão pela Renault", uma "farsa" montada para Prost não ter adversários. Depois, às vésperas do GP de Portugal, em entrevista ao correspondente Mair Pena Neto, chegando ao máximo do descontrole e advertindo Alain e todos da Fórmula 1 para situações de risco nas pistas em 1993:

"O carro de corrida é uma arma e pode não fazer mal só a você mesmo, mas a muita gente."

Prost reagiu às entrevistas chamando Senna de "louco furioso":

"É preciso ser louco, masoquista e doente para nos imaginar juntos. Como poderia me entender com quem me jogou deliberadamente para fora da pista? Senna não passa de um menino mimado e caprichoso que quer sempre obter o melhor. É um louco furioso que cortou o galho sobre o qual estava sentado. É menos inteligente do que todo mundo pensa."

Emerson Fittipaldi, convidado de Ayrton para um jantar na véspera do GP de Portugal, foi testemunha do estado de irritação de Senna ao ver o sonho de pilotar a Williams desabar:

— Aquele francês filho-da-puta é um covarde.

O Porre

Um porre histórico, entre os fiéis amigos da McLaren, colocou um ponto final naquela saga desgastante e inútil. O local e a ocasião surgiram quando a McLaren promoveu uma festa de confraternização no restaurante Conde da Luz, em Cascais, na semana que se seguiu ao GP de Portugal. Mansell tinha vencido a corrida, mas Berger e Senna haviam completado o pódio nessa ordem, elevando o ego da equipe.

Todos à mesa sabiam que Ayrton estava se sentindo derrotado, o que só serviu para aumentar a emoção dos discursos de Ron Dennis, Jo Ramirez, Emerson Fittipaldi, convidado especial, e do próprio Senna. Na lembrança de Emerson, Ayrton, ao seu lado na grande mesa, começou a beber muito vinho tinto, a ponto de tombar a cabeça para o lado:

— Não estou me sentindo bem. Estou enjoado, acho que vou vomitar.

Era o sinal para Emerson pedir ajuda a Berger para levar Ayrton até uma porta lateral do restaurante. Ao perceber que o momento estava próximo, Berger não resistiu à tentação de acrescentar mais uma molecagem ao *ranking* de sacanagens que os dois, ele e Ayrton, se aplicavam regularmente: simplesmente segurou a cabeça de Senna, esperou alguns segundos e direcionou o fluxo para o lado interno do restaurante.

Todos ainda foram para a boate Coconut. Ao chegar, já calibrado, Ayrton percebeu que Berger estava tomando água mineral. Não sabia que era apenas uma pausa de Gerhard entre copos de cerveja e rum. E provocou:

"Você parece uma bicha austríaca. Tem que tomar bebida de homem!"

Foi o início de uma insana gincana de doses de uísque no estilo *cowboy* que deixou os dois completamente embriagados. Para Peter Vader, um dos convidados da noitada, houve um determinado momento em que ninguém se deu conta de que Ayrton estava quase perdendo os sentidos no meio da festa. Ajudado pelas mulheres de Ron Dennis e Mansour Ojeh, Peter levou Ayrton para fora da boate. No mesmo carro de Ayrton foi colocado Joseph Leberer, também completamente bêbado.

Parte da imprensa italiana levou o porre de Senna a sério, associando a bebedeira à decepção com a perda da chance de ir para a Williams. Para a *Gazzetta dello Sport*, a noitada na Coconut revelou "um Senna descontrolado, cego pelo ódio a Alain Prost", freqüentando "boates e lugares pouco comuns a seu temperamento". O jornal temia que Senna se tornasse um anti-herói, caso viesse a se envolver em qualquer incidente com Prost em 1993. Ayrton, cobrado em entrevistas, deu a proporção que o episódio merecia:

"Era uma grande chance de um encontro humano, algo raro entre nós."

Ron Dennis, 11 anos depois daquele porre, deu uma explicação para a forma descontrolada com a qual Senna se soltava nessas raríssimas ocasiões:

"Tudo era muito intenso na vida de Ayrton. E tudo era muito difícil para ele. Era capaz de sentar na beira da cama e ficar duas horas pensando que calças iria usar. E isso também valia para escolher amigos, namoradas, tudo. Todas as decisões eram tomadas de forma muito detalhada e sofrida. Ayrton levava horas e horas pensando em qual seria a melhor decisão em tudo. Era completamente obsessivo, porque aquilo era a vida dele. E toda decisão era normalmente seguida de um relax emocionado. Em outras palavras, era como se ele dissesse: 'A decisão foi tomada. Vamos fazer uma festa para comemorar!'"

Na terça-feira, ao chegar ao boxe de Estoril para mais uma sessão de testes com a McLaren, Ayrton foi motivo de brincadeiras dos mecânicos. Aceitou algumas até o momento em que um engenheiro tirou seus óculos. Foi quando, mais uma vez, ele deu a proporção que o episódio merecia:

"Agora chega. Está demais."

Senna nem comemorou o que de certa forma foi uma vitória, ainda que tardia, sobre Berger, na gincana alcoólica da boate Coconut. No dia seguinte, Gerhard ainda não estava bem por causa da ressaca e, antes de entrar na McLaren para os testes, chegou a vomitar no caminhão da equipe. Ayrton foi chamado às pressas para cumprir o programa de testes previsto para o companheiro.

Estava inteirinho.

— Nós não somos uma equipe de corridas. Somos fabricantes de carros.

Foi durante um longo encontro particular, de quase três horas, no hotel do autódromo de Suzuka, às vésperas do GP do Japão de 1992, que Nobuhiko Kawamoto, então principal executivo da Honda, explicou pessoalmente a Senna o que ele já sabia que ia acontecer e que fora oficializado semanas antes, durante o GP da Itália: a retirada da fábrica japonesa da Fórmula 1. A lembrança que Kawamoto guardou da reação de Senna foi a de um homem resignado:

"É claro que não era fácil para ele, mas Ayrton entendeu nossas razões. A Fórmula 1 era apenas uma maneira de enfrentarmos desafios e demonstrarmos nosso espírito de luta."

Em entrevista na sede da Honda, em Tóquio, no dia 23 de julho de 2003, Kawamoto lembrou os argumentos que apresentou a Senna naquele encontro. E desautorizou os que interpretaram o fim da aliança com a McLaren e Ayrton como uma derrota pessoal sua. Kawamoto, um histórico entusiasta do envolvimento da fábrica com a Fórmula 1, desde os tempos em que, como chefe do Departamento de Pesquisa e Desenvolvimento, comandara a equipe nos anos 60, com os pilotos Richie Ghinter e John Surtees, esclareceu, sorrindo:

"Eu tomei a decisão."

A primeira razão, ele explicou, foram as dificuldades que a Honda estava enfrentando por causa da situação econômica do Japão, naquele final dos anos 90. Outro motivo, ele continuou, foi o progressivo afastamento do objetivo inicial do fundador Soichiro Honda de usar a Fórmula 1 para melhorar a tecnologia da fábrica, educando seus jovens engenheiros naquele ambiente exigente "onde não há desculpas e as pessoas são obrigadas a ser as melhores o tempo todo":

"No final de 16 corridas em 88, a tendência passou a ser a de manter tudo do jeito que estava, apenas não errando e optando por soluções conservadoras. Não havia nenhum grande desafio para nossos engenheiros. Era hora de parar. E também era hora de darmos um descanso para eles, que começaram a se cansar de tanto viajar."

Para Kawamoto, as dificuldades enfrentadas na parceria com Frank Williams no final dos anos 80 o levaram a construir um "ótimo relacionamento" com Ron Dennis. Por este motivo, segundo ele, o chefe da McLaren "entendeu perfeitamente as razões da retirada da Honda":

"Ron é um homem de negócios. Não foi difícil para ele entender."

No livro *Formula One: The people, money and profits that power the world's richest sport* [Fórmula 1: As Pessoas, o Dinheiro e o Lucro que Comandam o Esporte mais Rico do Mundo], no entanto, o autor Russel Hotten citou, sem revelar o nome, o comentário de "um dos parceiros de Ron Dennis" sobre a postura do dono da McLaren naquele rompimento unilateral dos japoneses:

"Ron se gaba de ler a mente das pessoas, mas não conseguiu ler a mente dos japoneses da Honda. Se estivesse lendo, certamente trabalharia num plano alternativo."

Para Jo Ramirez, Ron Dennis simplesmente não conseguiu entender como a Honda decidiu deixar a Fórmula 1 por causa de uma queda, para ele passageira, nas vendas dos carros da marca:

"Prevaleceu o argumento das vendas e, para Ron, um homem que pensava o futuro como ninguém na Fórmula 1, isso era uma loucura."

— Ayrton, o que você pensa e sente a respeito da saída da Honda da Fórmula 1?

À pergunta, feita no *paddock* de Monza por Kawai Kazuhito, da Fuji TV, seguiu-se mais um daqueles famosos silêncios de reflexão. A resposta veio em forma de agradecimento aos técnicos e engenheiros da Honda:

— Fico triste. A Honda criou um método de trabalho nunca visto na Fórmula 1. Foi ela que acirrou a competição, fez crescer os outros como a Renault....

No meio da frase, a voz embargou, e Ayrton começou a chorar. Kawai, constrangido, encerrou a entrevista.

Na pista, durante os treinos oficiais em Monza, Ayrton tomou um grande susto quando o *cockpit* foi inundado por um jato de óleo quente que chegou a escorrer pelo capacete. Mesmo sem enxergar direito, ele conseguiu encostar a McLaren perto da *chicane* Ascari, se afastando do carro rapidamente e com os olhos ligeiramente afetados pelo óleo. Estava a 300 por hora quando algo se rompeu no sistema hidráulico da suspensão. E sentiu medo:

"Foi uma experiência feia."

Na corrida, o mesmo problema, uma falha na bomba do sistema hidráulico, tirou da liderança primeiro a Williams de Mansell e, depois, a poucas voltas de vencer em casa pela primeira vez, a de Patrese. Ayrton herdou o primeiro lugar para não perder mais, seguido das Benetton de Brundle e Schumacher. Foi um presente de despedida que ele não conseguiria dar aos japoneses na corrida seguinte.

O motor Honda explodiu na segunda volta do GP do Japão, em Suzuka, no dia 25 de outubro.

Despedida na Grama

O último duelo entre Senna e Mansell terminou num local não muito surpreendente para quem acompanhou os nove anos que os dois tinham passado disputando o mesmo pedaço da pista: a grama. Fora da pista. O que despertou uma certa polêmica naquela estranha batida, na 19ª volta do GP da Austrália, em Adelaide, no dia 8 de novembro, foi saber, mais uma vez, quem tinha provocado o acidente.

Foi Mansell, aproveitando a superioridade da Williams para aplicar um *brake test* naquela incômoda McLaren que tirava a tranqüilidade de seu adeus à Fórmula 1, na liderança da última corrida do ano? Ou foi Senna, correndo mais que o carro e encontrando o ponto de freada, à força, na traseira daquela Williams que ele tanto desejara e que, ingrata, estaria nas mãos, logo de quem, Alain Prost, no ano seguinte?

O lendário Stirling Moss, compatriota de Mansell, era um dos que acreditavam na hipótese do *brake test*. Já o jornalista Enzo Russo, da revista *Rombo,* pendia mais, ainda que ironicamente, para a tese da reação antecipada de Senna à volta de Prost à Fórmula 1 naquele carro imbatível. Em sua autobiografia, Mansell passou rápido como a Williams pelo episódio, apenas lamentando ter sido atingido por trás por Senna e sem repetir a declaração que dera em Adelaide logo depois do acidente:

"Senna é um piloto perigoso que faz manobras inaceitáveis e devia ser excluído da Fórmula 1."

Ayrton, talvez pela alegria com a vitória da McLaren de Berger contra a Benetton de Schumacher no final daquela corrida, ou para evitar uma nova tempestade com declarações de fim de temporada, reagiu com calma:

"Ele pode dizer o que quiser. A verdade é que freei tarde demais. Não tinha como evitar o acidente."

Mansell e Senna nunca mais se falaram. Nem se encontraram. Ayrton ouviu, de Emerson Fittipaldi, tempos depois, um relato impressionante sobre o que Nigel fez nos ovais da Fórmula Indy. Nas mais de 150 milhas em que resistiu às investidas de Emerson, nas 500 Milhas de Indianápolis do ano seguinte, Mansell fez, estreando no circuito, o que nunca se vira na pista mais famosa do mundo. Saiu de traseira e conseguiu recuperar a trajetória várias vezes, sem se estatelar no muro e contrariando a regra básica da Indy de que não se deve nunca tentar corrigir o carro naquela situação. O relato de Emerson para Ayrton:

— Eu via a mão dele no *cockpit* corrigindo, as rodas dianteiras mexendo, a 340 quilômetros por hora, e não acreditava. Várias vezes gritei no rádio para a equipe: "Ele vai bater! Ele vai bater!". E tirava o pé, esperando a pancada. Mas o cara completava a curva. Isso não existe em Indianápolis.

A reação de Senna ao comentário de Emerson foi um sinal de que, encrencas à parte, ele tinha muito respeito pelo rival:

— Ele tem um fantástico controle do carro.

O Sonho de Emerson

O *grid* de largada dos sonhos de Emerson Fittipaldi, nas 500 Milhas de Indianápolis de 1993, seria formado por ele mesmo, em sua Penske, Ayrton Senna, no outro carro da equipe de Roger Penske, e Nigel Mansell, na Lola da equipe Newman-Haas. Determinado a realizar esse sonho, Emerson reservou uma boa mesa para os dois jantarem, no restaurante Fasano, em São Paulo, em dezembro de 1992.

Ayrton vinha dando sinais de que poderia até se afastar da Fórmula 1, se não tivesse um carro competitivo nas mãos em 1993. Previa uma temporada sem emoções, com as Williams de Prost e Damon Hill repetindo o enredo de Mansell e Patrese em 1992. Ao desembarcar em Cumbica, depois do GP da Austrália, ele avisou:

"Se eu achar que não vou ser competitivo no ano que vem, paro. O único prazer que eu tenho é ser competitivo e lutar por vitórias, pois ainda sou jovem e tenho condições de parar temporariamente e aguardar a oportunidade adequada para voltar a lutar por vitórias."

Senna não falava em se transferir para outras categorias do automobilismo. Na hipótese de se afastar por algum tempo, ele indicava estar mais preocupado em aproveitar as férias no Brasil e cuidar dos negócios. Naquele jantar, em São Paulo, Emerson tentou seduzi-lo com a oportunidade de um teste com a Penske. Sem compromisso.

Na entrada do Fasano, Emerson viu que José Bonifácio de Oliveira Sobrinho, o Boni, então vice-presidente de operações da TV Globo, dividia uma mesa com Ricardo Scalamandré, também da emissora. E o provocou, referindo-se a uma suposta transferência de Senna para a Fórmula Indy que, na época, era transmitida no Brasil pelo SBT, concorrente principal da TV Globo:

— Boni, o Ayrton vai assinar com a Penske e vai para a tela do SBT.

À brincadeira, Emerson emendou o convite:

— Ayrton, por que você não testa o meu carro? Vou andar em Phoenix antes do Natal. Você não quer dar umas voltas?

— Puta, meu, eu vou! O que você acha?

— Meu sonho é você correr comigo em Indianápolis. Imagina a gente lado a lado no *grid*! O que mais eu poderia querer na minha vida?

— Então eu vou.

Entusiasmado, Emerson ligou para Roger Penske:

— Roger, Ayrton quer testar o carro.

Seriam dois dias de teste no circuito misto de Firebird e dois no oval de Phoenix. Roger aceitou a idéia, mas em parte:

— Concordo que ele ande no misto, mas no oval eu não quero. Se ele andar muito rápido, pode se machucar.

Emerson entendeu a preocupação. O oval de Phoenix era "violento" demais, mesmo para Senna, porque ele não tinha qualquer experiência com os carros e os circuitos da categoria americana. Ayrton, por sua vez, telefonou para Jo Ramirez, na Inglaterra, falando do teste e pedindo que ele mandasse para o Brasil o macacão, as luvas e as sapatilhas.

— Não mando porra nenhuma.

Era uma brincadeira, um protesto bem-humorado de Ramirez. A experiência aconteceu no dia 20 de dezembro, no circuito de Firebird, nos Estados Unidos.

No final de 92, frustrado e com o futuro incerto na Fórmula 1, Ayrton aceitou um convite de Emerson Fittipaldi para testar a Penske nos Estados Unidos. Mas não era para valer.

O banco da Penske-Chevy 92 de Emerson estava grande demais para Ayrton e os mecânicos da equipe tiveram de improvisar almofadas para evitar que ele ficasse jogando o corpo dentro do *cockpit*. Na segunda saída, segundo Emerson, "Ayrton já mandou o chinelo". Fazia algum tempo que ele não dirigia carro de corrida com câmbio manual. Na volta aos boxes, Ayrton abriu a viseira e seus olhos brilhavam:

— Eu tinha a impressão de que o carro ia ser muito duro, mas a suspensão mexe mais que a Fórmula 1. É muito gostoso de guiar. O carro avisa a gente o que vai fazer.

Emerson ficou emocionado ao ver Senna no *cockpit* do seu carro. O correspondente do *Globo*, José Meirelles Passos, viu lágrimas nos olhos de Fittipaldi e registrou em sua reportagem que os dois pareciam "pai e filho". Ayrton disse a Meirelles:

"O Emerson é responsável pelo meu sonho de ser piloto. E agora ele está fazendo isso de novo. Ele é que botou fogo para que eu viesse para cá e, ao chegar aqui, senti que o vírus despertou dentro de mim. Ele estava adormecido. Quando ligaram o motor, senti que acordou."

Mais de dez anos depois, Emerson lamentou o fato de a experiência ter acontecido naquele "circuitinho de merda":

"Era um circuito muito travado. A curva mais rápida era a 160 por hora. O resto era quase um kartódromo. Se ele tivesse andado num misto como Elkhart Lake, por exemplo, aí que ele ia gostar mesmo."

Foram então para o oval curto e violento de Phoenix, onde Senna fez algo mais do que ver Fittipaldi acelerar naqueles 1.600 metros de vertiginosa velocidade. Assim que Emerson saiu para o teste, o ex-piloto Rick Mears, ainda trabalhando na Penske, levou Senna num carrinho de golfe até a saída da curva 1. Na terceira ou quarta volta rápida, Emerson levou um "puta susto" com um vulto, a centímetros do lado de fora do muro, ele a um palmo pelo lado de dentro, a cerca de 290 quilômetros por hora. Era Ayrton. Que depois comentou:

— Que loucura!

Para Jo Ramirez, aquele teste foi mais uma questão de curiosidade do que de definição profissional. Ele recordou que Senna ficou impressionado com a diferença entre os carros da Indy e da Fórmula 1. E com um detalhe:

"Ayrton disse que a sensibilidade dos carros da Fórmula 1 ao erro era incomparavelmente maior."

Passada aquela experiência mais afetiva do que profissional em Firebird, a Fórmula Indy voltou a ter, para Ayrton, uma importância que o amigo Braguinha definiu com uma frase:

"Ele odiava aqueles ovais. E achava que seria uma besteira mudar de categoria."

Ayrton continuava, na verdade, muito preocupado com o equipamento que teria nas mãos na temporada de 1993. Ligou para o ex-chefe da Honda na Fórmula 1, Yoshitoshi Sakurai, para assuntar, como fazia de tempos em tempos. O conselho do velho amigo foi uma pergunta desafiadora:

— Você tem tido sempre o melhor motor e a melhor equipe. Não está na hora de mostrar o que é capaz de fazer em qualquer carro?

Ayrton teria muitas razões para agradecer mais aquele conselho.

GRANA

"Cheguei à conclusão de que o *dolce far niente* não combina com a minha personalidade, com meu jeito de ser. Eu preciso e acho que sempre precisarei de uma coisa que me absorva, que tome meu tempo e minha atenção. Na hora e no momento certos, vou transferir toda essa energia para os negócios."

Ayrton não teve a hora e o momento de se dedicar apenas aos negócios. Mas houve fases, como naquele final de temporada de 1992, em que ele deixou claro que estava se preparando seriamente para multiplicar de forma competente sua fortuna pessoal.

Bastou uma conversa de cerca de três horas com Ubirajara Guimarães, na primeira classe de um vôo de São Paulo para Frankfurt, para que

Senna ficasse preparado para negociar com a Audi a exclusividade da representação da fábrica no Brasil. A argumentação incluía uma análise do mercado automobilístico brasileiro, as perspectivas futuras desse mercado, o potencial de compra do país, o perfil do consumidor brasileiro, o que o Brasil poderia representar para a Audi no futuro, quais os principais movimentos da concorrência, quais fábricas de automóveis estavam se instalando no país, de que maneira a fábrica alemã poderia beneficiar-se da política de incentivos do governo brasileiro e os investimentos que teriam de ser feitos para que uma marca desconhecida no Brasil como a Audi tivesse êxito.

Senna ouviu a longa explanação de Bira, um empresário então com mais de 20 anos de experiência no setor, sem dizer uma palavra. Só no dia seguinte, na mesa de negociação com os alemães, Bira se deu conta de que Ayrton absorvera tudo. E ficou assombrado com sua desenvoltura na argumentação:

"Ele fez muito melhor do que eu faria."

Bira não teve dúvidas de que, para os executivos da Audi, Senna fizera um longo curso sobre a indústria automobilística mundial e brasileira. Só Bira sabia que o "curso" tinha começado e terminado algumas horas antes, a bordo de um Jumbo 747 da Varig.

Senna já era um milionário. No *ranking* da revista *Forbes*, era o mais rico entre os pilotos de Fórmula 1, com 22 milhões de dólares, seguido de Mansell, com 14,5, e Berger, com oito. Era também o terceiro na lista geral de esportistas, perdendo para o jogador de basquete Michael Jordan, com 35,9 milhões, e o boxeador Evander Holyfield, com 28 milhões. Não havia nenhum craque do futebol mundial, na época, entre os 40 esportistas mais ricos.

A Ayrton Senna Licensing e Participações já tinha uma filial em Londres, com o nome de Senna Group, comandada por Julian Jakobi, agora sócio. Com a experiência de ter sido um dos principais executivos do IMG, o escritório mundialmente famoso por administrar interesses dos principais esportistas internacionais, entre eles, além de Prost, Monica Seles e Steffi Graf, Julian cuidou de todos os contratos internacionais de Ayrton, dentro e fora da Fórmula 1. A sociedade de Senna com Jakobi, como os íntimos de ambos esperavam, não deixou Dennis muito satisfeito. Mas, para Jo Ramirez, a nova parceria refletia a necessidade de Ayrton ter alguém "mais internacional" na administração de seu patrimônio.

Senna não era, para usar a linguagem do *marketing*, um produto "difícil de trabalhar". Uma pesquisa, encomendada pela filial internacional de sua empresa, indicara que ele estava, na época, entre as dez personalidades mundiais mais conhecidas. No Brasil, além da casa de Angra, do jato executivo e do helicóptero Esquilo, Senna era dono de seis andares do prédio em que funcionava seu escritório, no bairro de Santana, e participava de mais três empreendimentos imobiliários. Tinha quatro unidades num prédio com 104 *flats* na Zona Norte, entre outros imóveis. O negócio mais vistoso que sua empresa preparava, na época, era o projeto de um barco de luxo com a marca Senna, em parceria com o estaleiro Fast Boat, de Eduardo Souza Ramos. Preço aproximado da unidade: 350 mil dólares.

Com a indefinição do futuro de Senna na Fórmula 1, Julian Jakobi especulava até sobre a possibilidade de Ayrton ganhar ainda mais dinheiro fora da pista, dado o interesse que a Philip Morris, o Banco Nacional, a Shell e outros patrocinadores continuavam tendo nele, não importando, como disse o correspondente Mario Andrada e Silva, se ele estava no *cockpit* de um carro de Fórmula 1 ou tomando sol em Angra dos Reis.

Cabo Eleitoral

Paulo Maluf queria Ayrton Senna no estúdio, gravando uma mensagem de apoio e uma declaração de voto, para sua campanha à Prefeitura de São Paulo. O pedido não foi feito diretamente ao piloto. Como Lembrou Maluf, 11 anos depois, foi encaminhado através de Leonardo, a pessoa da família Senna com quem ele tinha mais intimidade.

Maluf acabou conseguindo parte do que queria. Leonardo, depois de consultar o irmão, disse que Ayrton aceitaria dar uma declaração, "se isso ocorresse numa abordagem jornalística". Dito e cumprido. Na partida para o GP do Japão daquele ano, às vésperas da eleição, ao ser abordado por uma equipe da TV Manchete, Senna disse:

"Estou indo para o Japão, mas volto ao Brasil para votar no Maluf."

Para quem perguntou ou considerou que houve oportunismo político, Maluf respondeu, mais de dez anos depois:

"Não forcei a mão porque era uma amizade pura."

Ayrton, confirma Braguinha, "gostava do Maluf". E Maluf venceu a disputa com o petista Eduardo Suplicy, candidato de Luiza Erundina, a prefeita que levara o GP do Brasil de volta para Interlagos. No dia 27 de novembro, Maluf recebeu Senna para um almoço de agradecimento ao apoio público dado à sua campanha. Em ambiente descontraído, Ayrton até brincou com a condição de "desempregado" na Fórmula 1:

"Vim falar com o prefeito para ver se ele me arruma uma boquinha."

Maluf respondeu no ato, desqualificando, de brincadeira, um secretário que acabara de escolher:

"Se o Ayrton quiser ser secretário de Esportes, entro em contato com o Arnaldo Faria de Sá, que passaria a ser chefe de gabinete dele."

No final daquele ano, Ayrton teve uma decepção com um político ao qual declarara um apoio entusiasmado. O presidente Fernando Collor, então afastado do poder por um processo de *impeachment*. Em uma conversa com Ayrton, decepcionados e envergonhados com os escândalos de corrupção do governo Collor, o *designer* Sid Mosca propôs a Senna tirar a palavra "Brasil" da assinatura no famoso capacete verde e amarelo. Senna discordou:

— Não, não, deixa como está.

A frustração com Collor se juntou a uma triste coincidência que envolvera Ayrton com os últimos momentos da vida de outro político brasileiro.

No dia do acidente que matou o deputado Ulysses Guimarães, sua mulher, dona Mora, o ex-ministro Severo Gomes e a esposa, dona

Henriquetta, 12 de outubro de 1992, Senna teve uma conversa corriqueira com o presidente do PMDB no condomínio Portogalo, pouco antes da decolagem do helicóptero que desapareceria no mar de Angra dos Reis.

Ayrton também tentaria voltar para São Paulo de helicóptero naquela tarde, mas foi desaconselhado a decolar. Nelson Loureiro, seu piloto, tinha voado mais cedo no bimotor Sêneca III da família, levando Viviane e os filhos. E fizera uma viagem difícil. Em vez dos 50 minutos normais, levou uma hora e 40 minutos, por causa de um contorno aéreo que incluiu sobrevoar São José dos Campos e Bragança Paulista para fugir de uma tempestade da qual até os Boeings que chegavam ao aeroporto de Congonhas estavam sendo afastados. Loureiro teve tempo de avisar a Ayrton:

— Não vem que a formação é pesada.

O helicóptero de Ulysses Guimarães, que decolara meia hora antes do Sêneca III da família Senna, já tinha desaparecido quando Loureiro fez o alerta.

INCERTA

Aquele ano em que quase tudo dera errado, na pista e fora dela, acabou de forma inusitada. Mesmo sendo uma personalidade facilmente reconhecida em qualquer rua do país, Ayrton decidiu se permitir uma passagem de ano típica do jovem desconhecido de Santana que um dia ele fora.

Acompanhado do amigo Alfredo Popesco e de duas mulheres, num dos carros da família, Ayrton passeava, sem rumo, pela noite de São Paulo e teve a atenção voltada para um grupo animado de pessoas, entre elas algumas mulheres bonitas e bem-vestidas, perto de uma das bancas de jornal da avenida 9 de Julho.

Para surpresa de Alfredo, Senna decidiu parar na banca, que também era uma floricultura, e perguntar aonde todos estavam indo. Alguém respondeu:

— Vamos a uma festa no Morumbi.

Antes que Alfredo pudesse tomar qualquer atitude, Ayrton emendou:

— Nós também.

E foram todos para uma mansão no bairro do Morumbi, onde cerca de 200 pessoas se serviam de um farto bufê, com bebida e música à vontade. Todos excitados com a presença de Ayrton Senna.

Alfredo achou graça: ninguém quis saber quem tinha convidado.

11º Capítulo

Lúcido, Veloz e Feliz

Um dos maiores e mais bem-sucedidos blefes da história da Fórmula 1, de acordo com as revelações feitas por Ron Dennis no *motohome* da McLaren, em Interlagos, no dia 6 de abril de 2003, começou a ser engendrado num telefonema de São Paulo para Londres, no inverno europeu de 1993, quando Senna comunicou a ele que estava prestes a abandonar a Fórmula 1:

— Ron, talvez eu pare. Todas as portas se fecharam.

— Isso é uma estupidez, Ayrton!

— Não temos motor. Não terei condições de vencer.

— Venha para a Inglaterra, Ayrton! Teste o carro em Silverstone e aí a gente conversa.

As chances de Ron eram mínimas. Ele já não tinha os motores Honda, pelos quais não pagava uma libra esterlina sequer e tampouco os dólares com os quais a fábrica japonesa contribuía para que ele atendesse ao que a revista *Autosport* chamava de "terríveis exigências salariais" de Senna. Ron tentara, a todo custo, obter o fornecimento dos motores Renault V10 com os quais Alain Prost e sua Williams já antecipavam, na mesma pista de Silverstone, a superioridade que teriam naquele campeonato. Oferecera uma fortuna à equipe francesa Ligier pelos motores. Não adiantou. A questão mobilizou interesses nacionais e até o presidente francês François Mitterrand entrou na disputa, pressionando a estatal Renault a manter o fornecimento à Ligier.

A McLaren disputaria o campeonato de 1993 equipada com motores Ford HB de segunda geração, por determinação contratual – um passo atrás em potência e desenvolvimento em relação aos que seriam fornecidos à Benetton de Schumacher e Patrese. E Ron Dennis ainda pagaria por eles. Para completar, Gerhard Berger, o melhor companheiro de equipe com quem Ayrton poderia sonhar, tinha voltado para a Ferrari e fora substituído por Michael Andretti, campeão da Fórmula Indy e filho do lendário e influente Mario Andretti. O único consolo de Ron eram os tempos promissores que o então piloto de testes da equipe, Mika Hakkinen, tinha conseguido na pista. Não tão bons como os da Williams, mas animadores.

Senna interrompeu os tradicionais três meses de férias no verão brasileiro que tanto irritavam parte da mídia especializada inglesa. Ao final do primeiro dia em Silverstone, para espanto dos jornalistas que enfrentaram o frio para acompanhar sua volta ao *cockpit*, foi o mais rápido dos testes do dia. E também de todo o inverno, superando, inclusive, as Williams de Alain Prost e de Damon Hill. Ao deixar o *cockpit*, Senna e Ron Dennis foram para uma sala reservada do autódromo. Ron, conhecendo Ayrton, sabia que ele estava pensando cuidadosamente no que dizer e fazer. E esperou um bom tempo antes de perguntar:

— O que você acha?

Silêncio.

Ao lembrar o momento decisivo da conversa, dez anos depois, Ron disse que Senna não teve outra alternativa a não ser elogiar o carro, quase contrafeito, como quem não quisesse ter chegado àquela descoberta:

— É realmente um bom carro.

Sem dizer palavra, Ron comemorou:

— Agora eu o peguei!

Depois, disse:

— O problema, Ayrton, é que eu não tenho dinheiro para seu salário. Temos de encontrar, juntos, uma maneira de conseguir.

A partir daquele momento, de acordo com Ron, os dois começaram a construir o que ele chamou de "plano teatral". O principal desafio era convencer quase a Fórmula 1 inteira de que Senna resistiria, sim, ao impulso de correr, e ficaria de fora do campeonato de 1993, se não tivesse o equipamento e o dinheiro que pedia. Quase ninguém acreditava nessa possibilidade. E com razão.

No *script* concebido por Ron e que foi posto em prática durante as semanas seguintes, ele e Ayrton quase brigaram em público, especialmente diante dos jornalistas. Também fazia parte do "plano teatral", de acordo com Ron, convencer John Hogan, o diretor da Philip Morris, o principal patrocinador, de que só um orçamento maior manteria Senna na equipe:

"E quando alguém dissesse que era tudo encenação, eu diria que não era de jeito nenhum. E Ayrton entraria com seu discurso, ameaçando mais uma vez não correr. Então eu procuraria o John Hogan."

Segundo Ron, o "plano teatral" incluiu até oferecer vantagens com as quais Senna, na verdade, não concordava. Como, por exemplo, aumentar seu tempo à disposição dos patrocinadores. Preocupado, Ayrton reclamou com ele. De verdade. Na lembrança de Ron, a resposta que deu foi:

— Não se preocupe. Apenas continue encenando.

Dez anos depois, no *paddock* do mesmo GP do Brasil de 2003, John Hogan, da Philip Morris, o principal alvo do "plano teatral", afirmava, ao lembrar a temporada de 1993, que Ron e Ayrton não conseguiam se entender mesmo. Hogan lembrou até ter promovido uma reunião de conciliação entre os dois, em seu escritório:

"Entreguei uma carta aos dois. A mensagem era a mesma e dizia o seguinte: Vocês dois estão se comportando como crianças. Você, Senna, é o melhor piloto do mundo e vai vencer. Você, Ron Dennis, dirige uma das melhores equipes do mundo. Vocês têm que se entender!"

Ao ser confrontado com a contradição entre o depoimento de John Hogan e suas revelações sobre o "plano teatral", Ron Dennis se permitiu um discreto sorriso antes de insistir:

"Foi um arranjo meu e do Ayrton. John Hogan vai saber a verdade quando ler o seu livro."

Encenação ou não, não houve controvérsia sobre o que aconteceu na reunião para fechar o contrato de Ayrton com a McLaren, na verdade o primeiro de uma série de 11 que foram assinados ao longo daquele ano. Os famosos "corrida por corrida". Aconteceu em Lousanne, no escritório suíço da Philip Morris, com a participação de Ron, Julian Jakobi, John Hogan e Ayrton. Os três primeiros, partindo de Londres, em três jatos executivos diferentes. Ayrton, saindo do Algarve, em Portugal, em seu avião, pilotado por Owen O'Mahony. Ao se levar em conta a lembrança que Julian guardou do episódio, um detalhe parece reforçar que tudo era mesmo uma encenação:

"Dentro do carro, no trajeto entre o aeroporto e a sede da Philip Morris, eu fui ao lado do motorista. Ayrton e Ron, no banco de trás, não estavam preocupados. Pareciam dois meninos, falando de seus brinquedos, os jatinhos."

Braguinha não acompanhou as negociações, mas não duvidou do blefe:

"Acredito que o Ron Dennis seria capaz, sim, de montar uma operação dessas com o Ayrton."

Durante a reunião na Suíça, Ayrton, segundo Julian Jakobi, "reagiu", quando Ron Dennis disse que só tinha cinco milhões de dólares:

— Nesse caso, só disputo as cinco primeiras provas.

John Hogan fez as contas e perguntou:

— Isso significa que você quer um milhão de dólares por corrida?

— Isso mesmo.

— Tenho dois milhões. Você disputa dois grandes prêmios e eu vou sair em busca do dinheiro.

Na lembrança de Hogan, Ron Dennis ficou "horrorizado" com aquele tipo de acordo, embora tenha "concordado" com a missão que lhe coube de tentar conseguir mais dinheiro junto à direção da Shell. De acordo com Hogan, todos saíram da reunião dispostos a fazer sua parte para levantar os nove milhões de dólares que faltavam e atender às "exigências de Senna", entre elas, a de que os depósitos das parcelas de um milhão de dólares fossem feitos antes de cada corrida. A maratona bancária decorrente dessa cláusula foi testemunhada por toda a Fórmula 1. Hogan confirmou:

"Os cheques, às vezes, atrasavam um pouco e a gente sabia que Senna não entraria no *cockpit*."

O contrato preparado por Julian, com cerca de 100 páginas e cláusulas específicas para corridas, treinos, direitos comerciais de imagem e cartas de indenização para os patrocinadores, foi definido depois de um dia inteiro de negociação e serviu de modelo para os outros 11 até o final da temporada.

Uma década depois, Ron Dennis admitiu que "não havia outro meio de conseguir o dinheiro". Sua única queixa era a de que o "plano teatral" foi uma estratégia exaustiva. Jamais, no entanto, por causa de desentendimentos com Senna:

"Não era o Ayrton negociando comigo. Isso é o que todo mundo pensa. Éramos Ayrton e eu construindo um ambiente no qual convencêssemos os patrocinadores a gastar mais dinheiro com a gente. Nós não estávamos um contra o outro. Estávamos completamente juntos naquele momento."

Senna, embora desse a impressão de que estava apenas aguardando os dólares a bordo da lancha *Joana*, sob o sol de Angra, também correria atrás de dinheiro. A ponto de romper, pela primeira vez, um pacto não explícito de não falar de dinheiro com Marcos Magalhães Pinto, o amigo e herdeiro do Banco Nacional.

A proposta que fez a Marcos, num encontro que tiveram no apartamento de Mônaco, não resultou em qualquer desembolso maior do banco. Ayrton queria apenas obter a permissão do Nacional para negociar com Bruno Motta, diretor de *marketing* da Shell no Brasil, com a ajuda de Peter Vader, um contrato específico pelo qual a empresa petrolífera usaria, apenas em Interlagos, o espaço do macacão contratualmente exclusivo do Nacional. Executivos da TV Globo também sentaram à mesa para garantir que a operação fosse bem-sucedida.

Peter Vader confirmou que Ayrton pediu sua ajuda para convencer a direção da Shell a fazer um contrato de patrocínio exclusivo só para o Grande Prêmio do Brasil. Esse acordo foi fechado entre Ayrton e Bruno Motta, diretor de *marketing* da Shell, no restaurante Barracuda, no bairro da Glória.

Ao final de algumas semanas, o plano de Ron Dennis deu certo. Ayrton correria mais uma temporada pela McLaren. E por 16 milhões de dólares. De uma hora para outra, os ultimatos de Senna sobre o afastamento da Fórmula 1 deram lugar a declarações como a que ele faria a Celso Itiberê, de *O Globo*, ao desembarcar em Londres:

"Se tiver um carro que ande, vou correr. Não precisa ser um carro para ganhar, basta que sinta possibilidade de competir."

Era exatamente o que ele teria nas mãos naquele ano.

Dedos e Mãos

— Vera, estou no Algarve. Comprei uma bela casa. Você vem aqui?

Vera Peres, a ex-namorada portuguesa, quase não acreditou que era Ayrton. Dividida, recém-saída de uma briga com o homem que viria a ser seu primeiro marido, ela hesitou. Na dúvida, aceitou o convite, mas quis estar acompanhada, mais uma vez, de Filipa, a mesma amiga que estava com ela, "só por segurança", na noite que marcara o início de seu namoro com Senna, em 7 de outubro de 1990. Ayrton nem se importou:

— Então traz a Filipa.

E Vera pensou:

— Vai começar tudo outra vez.

Quando as duas amigas chegaram à Quinta do Lago, só a governanta Juracy estava em casa, com as cadelas de Senna. Ele não demorou. Estava correndo a pé pelas redondezas. Assim que chegou, fez festa nas cadelas e foi logo buscar dois moletons para que Vera e Filipa ficassem à vontade. O programa da noite foi a exibição, em um sofisticado sistema de *home theater*, do mais recente *show* de Michael Jackson. Mal a sessão começou, Vera pensou:

— Lá vêm os dedos e mãos.

Vieram. E também não demorou muito para que aquele homem brincalhão, que adorava Barbra Streisand, vivia fazendo piadas com o sotaque português dela e assoviava "lindamente" no chuveiro, se revelasse e mergulhasse Vera, de novo, no mesmo dilema afetivo de 1991. No dia seguinte, um domingo, na piscina da casa, Senna abraçou Vera por trás de surpresa:

— Vou sentir saudades.

Dias depois, às vésperas da partida para Kyalami, Vera passou um de seus últimos momentos com Senna. Fez a bainha de algumas calças dele, ajudou-o na preparação da mala e gostou muito quando ele dispensou um carro que ia buscá-lo, dirigindo o Volkswagen Polo dela até o aeroporto de Faro. Um pôr-do-sol maravilhoso e inesquecível para ela marcou a despedida, com um beijo na testa:

— Te cuida, garota.

Na volta à Europa, Ayrton já estaria com Adriane Galisteu.

Delírios e Barbadas

O raciocínio era simples: se com o instável e às vezes estabanado Nigel Mansell, o título fora garantido tão facilmente, que prognóstico diferente poderia ser feito para o "professor" Alain Prost, a bordo da sempre poderosa Williams-Renault? A princípio, nenhum. Com o título de certa forma garantido para Alain, antes mesmo da primeira largada, a expectativa maior da temporada era em relação ao duelo entre Senna e Schumacher, mais uma vez em carros relativamente semelhantes. E havia uma pergunta instigante: o que o campeão da Fórmula Indy, Michael Andretti, faria na Fórmula 1, dividindo a McLaren com Senna?

Mike Kranefuss nunca viu um piloto entrar na Fórmula 1 tão despreparado e mal assessorado como Michael. Em uma conversa com Mario Andretti, o pai, e Carl Hass, o último patrão do piloto antes da transferência para a McLaren, ainda em 1992, durante uma etapa da Fórmula Indy em Detroit, Kranefuss, com a experiência de 25 anos como diretor esportivo da Ford, tentara avisar sobre as grandes mudanças sofridas pela Fórmula 1 em relação a 1978, quando Mario Andretti fora campeão pela Lotus.

O alerta de Mike incluía uma descrição dos métodos e critérios de Ron Dennis e da McLaren, uma detalhada explanação sobre a postura corporativa e agressiva da imprensa automobilística européia e um relato sobre o que Ayrton Senna fazia, dentro e fora da pista, incluindo o impacto que ele provocaria na carreira de qualquer companheiro de equipe, fosse quem fosse. Kranefuss ficou em estado de choque com a reação de Mario. O pai de Michael Andretti não viu qualquer problema e chegou a prever:

— Michael é que vai surpreender Senna, vencendo várias provas logo na primeira temporada.

Kranefuss mal conseguia acreditar que um profissional experiente como Mario Andretti pudesse estar tão enganado:

— Se vocês forem para a Fórmula 1 desse jeito, essa mudança pode destruir Michael dentro e fora da pista.

Não adiantou. Mario insistiu que Mike Kranefuss não estava sendo "realista".

Mike, na verdade, já vira o suficiente para prever o massacre desmoralizante que Michael Andretti sofreria na McLaren. Ele advertia os Andretti sobre um piloto tão dedicado e perfeccionista que, em poucas semanas de trabalho com a Ford, condicionado por seis anos de parceria com os japoneses da Honda, não conseguia entender a falta de compromisso da fábrica americana no seu envolvimento com a Fórmula 1:

"Ayrton simplesmente não entendia como alguém não poderia estar 100% comprometido com a vitória."

Para Mike, teria interessado à Ford um contrato com a McLaren e Ayrton, em bases semelhantes às que tinha com a Benetton, se Ron Dennis tivesse procurado a fábrica antes. No final das contas, a Ford decidiu ficar só com a equipe de Schumacher, o que rendeu à empresa uma série de críticas na imprensa especializada, primeiro por ter perdido a oportunidade de ter Senna como contratado e, mais tarde, por conseguir resultados piores do que a própria McLaren de Senna, ao longo da temporada de 1993. Prevaleceu a tese de que a perspectiva aberta para a Ford pela McLaren era de curto prazo, só a temporada de 1993, enquanto a parceria com a Benetton seria de longo prazo.

A diferença de potência entre os motores Ford que Senna e Schumacher tiveram em 1993 foi motivo de um diálogo revelador entre o ex-piloto e jornalista Edgard Mello Filho e Senna. Edgard, conhecido por seu vocabulário irreverente e totalmente inspirado na vida dos autódromos e oficinas, perguntou:

— Não tem jeito de mexer neste contrato da Benetton com a Ford?

— O Ron está tentando, mas não vai ser fácil, o Flavio Briatore está marcando em cima.

— Tem mais alguma coisa na usina, não tem?

— É, tem algumas coisinhas.

As "coisinhas" em questão deram à Benetton de Schumacher, nos cálculos de Senna, algo em torno de 40 cavalos a mais de potência.

No dia 14 de março, no circuito de Kyalami, começou o chamado "campeonato da tecnologia", uma temporada em que o volume e a abrangência da ajuda eletrônica instalada nos carros foram tão grandes, que houve um consenso: o talento poderia naufragar na mediocridade. Apesar de seus 40 "cavalitos" a menos, Senna liderou o GP da África por 23 voltas e resistiu ferozmente, antes de ceder a posição à Williams do rival Prost. Logo na primeira prova, o retorno da velha rivalidade. Ao criticar a resistência de Ayrton à sua poderosa Williams, Alain atacou:

"Os islâmicos estão dispostos a morrer por qualquer coisa, assim como Senna invoca Deus para arriscar a própria vida pela vitória."

GALISTEU

Minutos antes de entrar no *cockpit* da McLaren, para o *warm-up* do GP do Brasil, segunda prova da temporada de 1993, dia 28 de março, Ayrton puxou Braguinha pelo braço e apontou discretamente para um grupo de jovens modelos que usavam maiôs da Shell à sua frente. Queria o telefone de uma delas. Uma certa Nara, eles descobriram depois. Braguinha reagiu, dizendo, de brincadeira, que não era cafetão. Mas emendou:

— Tu és uma besta! Mulher é aquela!

Braga apontava para uma jovem de olhos verdes, cabelos dourados e corpo perfeito. Adriane Galisteu, às vésperas de completar 20 anos, estava ali a trabalho, contratada pela agência de modelos Elite, mil dólares por quatro dias no papel de recepcionista, na área VIP da Shell do Brasil e nas caminhadas com os convidados da empresa.

No livro que escreveu um ano e meio depois, com a ajuda do jornalista Nirlando Beirão, *O Caminho das Borboletas*, ela confirmou: foi abordada por um certo Jacir, que se identificou como "assessor para assuntos particulares do Ayrton", depois da corrida. Jacir pediu seu número de telefone e, mais tarde, a convidou para uma festa-surpresa que estava sendo preparada para Ayrton na boate Limelight, Zona Oeste de São Paulo. Adriane aceitou o convite.

Paulistana de classe média, Adriane tinha começado a carreira de modelo ainda menina, participando de desfiles de moda. Filha de um empresário gráfico que morreu quando ela tinha 15 anos, Adriane, aos 19 anos, já contribuía para o orçamento da casa da mãe com o dinheiro que ganhava em desfiles e campanhas publicitárias. Ela entendia muito pouco de Fórmula 1.

Ayrton deixou Interlagos já de noite, de helicóptero, na companhia de Galvão Bueno e do filho Cacá. Passou no escritório do edifício Vari, em Santana, e ainda jantou com os pais, no apartamento do bairro de Higienópolis, Zona Sul de São Paulo, antes de seguir para a festa. Aquela noite foi considerada o marco inicial do namoro.

Muita gente testemunhou o encontro. Estava lá o amigo que se tornara desafeto, Reginaldo Leme, convidado por Senna para um brinde de champanhe e reconciliação, Pelé, que tirou uma foto marcante ao lado de Ayrton, e o estreante brasileiro na Fórmula 1, o jovem e tímido Rubens Barrichello. Na lembrança do repórter Marcos Uchoa, da TV Globo, aquela noite foi decididamente especial: na pista da Limelight, Senna era o único homem que dançava, cercado por cinco mulheres muito bonitas, entre elas Adriane. Para surpresa de Uchoa e de muitos que estavam na festa, Senna dormiu na casa dos pais. Sozinho. Ele queria continuar a comemoração com um churrasco, na casa de Angra.

O coração de Ayrton, de acordo com o sensor instalado em seu corpo, a pedido da TV Globo, batia 120 vezes por minuto, freqüência surpreendentemente baixa, comparável à de qualquer torcedor da arquibancada de Interlagos, quando ele se aproximou da Williams-Renault de Damon Hill a cerca de 220 por hora, no trecho ainda molhado da subida do Esse.

Como se estivesse vestindo a camisa amarela da seleção, Ayrton deu um drible para a esquerda. E quando Damon tentou proteger a posição, Senna já estava do seu lado direito, preparando-se para tomar, e não mais perder, a liderança do GP do Brasil de 1993.

Bem antes daquela ultrapassagem, quando faltavam menos de dez minutos para a largada, Ayrton pegara um celular e ligara para o piloto de seu helicóptero, Nelson Loureiro, pedindo que conseguisse, com os controladores de vôo da região de São Paulo, a mais precisa previsão possível sobre o tempo na região de Interlagos. Nelson consultara a torre de controle do Aeroporto Internacional de Cumbica e obtivera a informação de que a possibilidade de chuva era grande. Baseado na informação, Ayrton fez um ajuste de última hora na McLaren.

No seco, depois da largada assustadora em que Michael Andretti destruiu sua McLaren no alambrado do Esse do Senna, Alain Prost e Damon Hill dispararam, como se previa, com suas Williams-Renault. Mas, como também previram os amigos de Nelson Loureiro na torre de controle de Cumbica, choveu. Choveu muito. Um toró que deixou Interlagos quase às escuras, especialmente na freada do Esse do Senna, onde Prost, depois de insistir em dar mais uma volta com pneus *slick*, rodou como um sabonete até bater na Minardi de Christian Fittipaldi, outra vítima do aguaceiro.

Depois da ultrapassagem de Hill, o coração de Senna bateu muito mais forte, na casa dos 190 batimentos, pelos cálculos de Nuno Cobra, na penúltima volta, quando a luz da pressão de óleo acendeu no painel do McLaren. O motor Ford HB ia explodir a qualquer momento. Milhões de brasileiros comemoravam mais uma vitória, mas Ayrton ainda torcia e rezava, dentro do *cockpit*, para que o motor agüentasse. Na 100ª vitória da McLaren, o carro não voltou aos boxes. O motor apagou logo depois da bandeirada.

Mais uma vez, a reta oposta de Interlagos foi tomada pela multidão embandeirada. Ayrton, agora inteiro, triunfante e de braços erguidos, fez da McLaren quebrada um pódio improvisado. A cena mereceu, na memória dos brasileiros, lugar semelhante ao das conquistas das Copas. Senna sabia que estava fazendo história, apesar de ser quase machucado pela euforia dos torcedores:

"Levei muita pancada, mas, se fosse necessário, repetiria tudo outra vez. Quando Deus quer, ninguém tira."

A volta de Senna ao boxe de Interlagos,
depois da eletrizante vitória no GP Brasil de 93.

Deus voltou a ser assunto na entrevista à imprensa, depois da cerimônia do pódio. Senna disse que Deus tinha trabalhado a favor dele com a chuva. E logo depois, deu uma piscada de olhos para Alex Dias Ribeiro, que estava na primeira fila e que fora um de seus interlocutores mais constantes nas conversas espirituais.

Uma nota do então colunista Nirlando Beirão, no jornal *O Estado de S. Paulo*, sobre os bastidores da festa daquele GP do Brasil forneceu uma prova de que nem todos os corações estavam batendo forte naquela tarde de domingo:

"Refestelado no camarote da Brahma, um cidadão brasileiro acompanhou com relativa indiferença a última volta do GP e a bandeirada final para Ayrton Senna. A rigor, não moveu um único e escasso músculo da face."

Era Nélson Piquet.

O Contratinho da *Playboy*

Adriane foi. Desistiu de um comercial e aceitou o convite de Senna para o churrasco em Angra. Acabou passando vários dias com ele. Foi o começo do namoro.

A medida da importância que ele daria ao novo caso foi sentida pelo jornalista Juca Kfouri, então diretor da revista *Playboy*, duas semanas depois do GP do Brasil. Ele recebeu um telefonema de Portugal. Senna, com quem Juca tinha estado apenas uma vez, sete anos antes, na entrega do prêmio de "Esportista do Ano" da revista *Placar*, foi direto:

— Juca, eu queria te pedir um favor...

— Ayrton, o Pelé, o dom Paulo Evaristo Arns, o Chico Buarque e você não pedem favor. Vocês mandam! Vocês são as únicas razões de alegria para o Brasil...

A resposta de Juca provocou um riso surpreso de Ayrton do outro lado da linha.

— Sabe o que é, Juca, não sei se você sabe, mas estou namorando uma moça que fez um ensaio para a *Playboy*, a Adriane Galisteu.

Na hora, Juca se lembrou da conversa rotineira que tivera com a produtora Ariane Arneiro. Em março, como sempre acontecia na época do GP do Brasil, a revista fizera uma prospecção de novos rostos, coxas, peitos e bundas no exército de moças bonitas que desfilavam pelo *paddock* com *shorts* e camisetas dos patrocinadores da Fórmula 1. E a produtora entrara na sala de Juca anunciando:

— Fizemos um contratinho com uma menina da Shell que é bonitinha. O nome dela é Adriane Galisteu.

Era um contrato de cinco mil dólares, que renderia a Adriane um espaço discreto, uma ou duas fotos na seção de beldades desconhecidas ou de segundo escalão. Nada de ensaio, muito menos a capa. Ayrton, que não sabia desses detalhes, continuou:

— Pois é, Juca, isso vai me atrapalhar muito. Ela fez bobagem, uma menina pobre, que viu a chance de ganhar cinco mil dólares. Por isso eu queria te pedir uma coisa: eu pago os cinco mil. Você entregaria as fotos?

Juca nem fez suspense:

— Ayrton, não tem nada que devolver coisa alguma. Onde você está, que eu vou mandar te entregar amanhã mesmo os originais.

As fotos foram devolvidas imediatamente a Adriane, junto com o contrato de Licença de Uso de Imagem (LUI). Os cinco mil dólares ainda não tinham sido pagos. Dois anos depois, ela voltaria a ser fotografada nua e receberia um dos maiores cachês da história da revista no Brasil. Não foi um milhão de dólares, como se divulgou, mas Juca Kfouri garantiu que era muito dinheiro.

O resgate dos negativos foi o menor dos problemas que o namoro causou.

"Quando era só brincadeira, a família achava ótimo. Quando começava a ficar mais sério, eles não gostavam."

Braguinha, o autor da frase, era um dos amigos íntimos de Senna para quem o namoro com Adriane significou uma "emancipação afetiva". Para Linamara Battistella, Adriane "rompeu um pouco o círculo de pressão familiar ao qual Ayrton estava submetido". Galvão Bueno, embora fizesse parte do grupo dos que nunca acreditaram que Ayrton viesse um dia a se casar com ela, também foi testemunha de que o encontro foi marcante:

"O Ayrton me disse: ela me faz muito bem. Ela é o meu lado feliz. Quando estou fodido, ela está por perto, sempre alegre."

Marcos Magalhães Pinto recordou que, já no segundo compromisso com Adriane, um jantar do casal com ele, Marcos, na churrascaria Rodeio, em São Paulo, Senna aproveitou um momento à parte para dizer:

— Essa aí acho que vou namorar.

Marcos também não acreditava que os dois se casariam, mas tem certeza de que aquele namoro "fez muito bem para o Ayrton":

"Ela não cobrava. Não falava coisas chatas, respeitava totalmente a vontade do Ayrton e ficava à disposição dele."

Para Walderez Zanetti, a fiel e discreta cabeleireira, Senna, no início, ficou "um pouco preocupado com o noticiário":

"Mas rapidinho ele começou a ser uma pessoa mais feliz, mais alegre, mais solta. A gente percebia nela uma pessoa sofrida. No contato com a Adriane, ele aprendeu a lidar com a vida profissional e também com a vida pessoal. Ele ficou uma pessoa pra melhor, com certeza."

Outro sinal de que Senna estava realmente envolvido com Adriane era um pequeno e inédito detalhe: ele fez questão de dizer a Walderez que a nova namorada gostava do corte. A frase de Senna:

— Walderez, ela gostou. Disse que quem corta meu cabelo corta muito bem.

Para Nuno Cobra, Adriane foi um "marco" na vida de Ayrton, diferente das "menininhas" que ele tinha namorado. Com ela, segundo Nuno, Senna agiu de forma diferente desde o início. E chegou a prever para Nuno:

— Com essa vai ser diferente. A imprensa não vai ter acesso. Eu vou proteger essa moça de qualquer maneira. Ela é inteligente, diferente, me ajuda muito e tem sempre umas idéias. Tem personalidade.

Nuno disse que estranhou, já que Ayrton nunca se comportara daquela maneira antes. E revelou que Adriane tinha muita "ação" sobre ele, "uma ação positiva, que deixava Ayrton solto, relaxado e contente":

"Ela fez o Ayrton sorrir, lutava para que o Ayrton ficasse mais presente na vida do Senna. O Senna era um saco, coitado."

Com pouco mais de um mês de namoro, dia 1º de maio de 1993, uma pauta equivocada entregue a uma dupla de jornalistas da *Folha de S. Paulo* resultou num incidente entre eles, na saída de uma das salas do complexo de cinemas Center 3, na avenida Paulista. Acompanhado de Adriane, Ayrton tinha ido assistir ao filme *Herói por acidente*, com Dustin Hoffmann.

A informação que o fotógrafo Sérgio Andrade tinha, ao ser convocado para a reportagem, era de que Ayrton estava no cinema com a modelo Marcella Prado. E a missão do repórter que o acompanhava era perguntar se era verdade que Senna era o pai da criança que Marcella estava esperando. Surpreso com a pergunta e os *flashes* da câmera de Sérgio, Ayrton partiu para a briga. Sérgio continuou fotografando e, mais irritado ainda, Senna quebrou a lâmpada do *flash*.

A briga continuou, agora por causa do filme fotográfico. Sérgio, experiente, escondeu o rolo com os flagrantes da briga, antes de entregar um outro para Senna. A foto foi publicada pela *Folha*, no dia seguinte. E Sérgio guardou, como lembrança, o *flash* quebrado por Ayrton.

A partir daquele dia, a mídia brasileira descobriu o que já vinha sendo revelado em algumas notas de coluna social: Senna tinha uma nova namorada.

Adriane jamais sairia do noticiário.

Donnington Park

Frank Richardson, comissário de pista, era um dos muitos funcionários do autódromo de Donnington Park que estavam magoados com as críticas publicadas na imprensa inglesa contra a escolha do circuito como palco do GP da Europa de 1993. Um dos principais argumentos dos críticos era que Donnington, uma pista tradicional das provas de motos e que também fazia parte do calendário das categorias menores do automobilismo britânico, não tinha pontos de ultrapassagem.

Dez anos depois daquele histórico GP da Europa, o terceiro da temporada de 1993, Richardson e outros colegas ainda guardavam no rosto o sorriso genuíno do orgulho, ao lembrar que Senna precisou de apenas uma volta da corrida, a primeira, para saltar da quarta posição no *grid* para a liderança e demonstrar, aos críticos de Donnington, que o circuito tinha, sim, não apenas um, mas pelo menos quatro pontos de ultrapassagem. Dependia, é claro, de quem estivesse ao volante.

As imagens da largada, naquele 11 de abril chuvoso e frio, se tornaram uma referência em qualquer conversa sobre Fórmula 1. Segundos depois da luz verde, na freada para a longa curva à direita do final da reta, Ayrton ultrapassou Schumacher e embutiu imediatamente na traseira da Sauber de Karl Wendlinger. O momento seguinte ninguém conseguiu explicar de forma satisfatória: num trecho veloz, sinuoso e em descida, que até em dias de sol qualquer moto ou carro de corrida fazia em fila indiana, Ayrton saiu para ultrapassar Wendlinger, por fora, do lado direito. Para espanto geral, Senna conseguiu manter a trajetória.

Donnington Park, 1993. Para muitos, a primeira volta mais espetacular da história da Fórmula 1, momento supremo em que Ayrton demonstrou coragem e maturidade.

Senna colou na traseira de Damon Hill e levou apenas duas curvas para tomar-lhe a segunda posição. Passar Prost, o líder da prova, seria demais, muitos pensaram. Momentos depois, na aproximação de uma curva em forma de grampo, já no trecho final do circuito, foi mesmo demais. Senna tomou a ponta de Alain, a tempo de fechar a primeira volta em primeiro lugar.

Emerson Fittipaldi acompanhou aquela primeira volta de pé, em frente à televisão, sem respirar, extasiado, em sua casa de Key Biscaine, na Flórida. No dia seguinte, ligou para Ayrton:

— Você nunca mais faz uma dessa na vida. Isso não existe!

James Hunt viu naquele momento Ayrton como uma nova referência para o resto dos pilotos. E disse a ele pessoalmente, depois da corrida:

"Você já fez o que tinha de fazer este ano."

Um confuso jogo de xadrez das equipes com o tempo e a chuva se seguiu àquela primeira volta. A Williams, totalmente perdida, chegou a fazer Prost parar sete vezes no boxe para troca de pneus. Damon Hill, que terminou em segundo apesar de ter sido vítima da tumultuada estratégia da equipe, resumiu:

"Eu estava louco para a prova acabar logo. Não estava entendendo nada do que acontecia. E nem sei como consegui este segundo lugar."

Absoluto na pista, Senna só encontrou uma certa dificuldade com outro piloto, que também dava um espetáculo quase incógnito naquela corrida. Ao saltar de 12º no *grid* para a quarta posição, também na primeira volta, Rubens Barrichello, pilotando uma Jordan-Yamaha, não poderia imaginar situação melhor naquele aguaceiro, em sua terceira corrida de Fórmula 1. Mas a confusão causada pela chuva e pela sucessão de *pit-stops* era tanta que, quando Senna se aproximou para colocar uma volta de vantagem sobre ele, Barrichello achou que era uma disputa de posição. Seu relato, dez anos depois:

"Eu estava sem noção do que estava acontecendo. Largara sem nunca ter feito um *pit-stop* na vida, mas já tinha feito cinco paradas, quando Senna se aproximou. Eu tinha visto o boxe da Jordan me mostrar placas dizendo que eu estava em terceiro e, depois, em segundo lugar. Na falta de novas placas e na dúvida, comecei a achar que estava liderando a corrida."

A disputa não passou de duas curvas, mas foi suficiente para deixar Senna irritado. Barrichello, muito provavelmente, terminaria em segundo lugar, se não fosse traído a poucas voltas do final pelo motor Yamaha. Teve de abandonar e ainda engolir um grande sapo, o primeiro de sua carreira: a equipe divulgou que o problema era pane elétrica, mas, na verdade, garantiu Geraldo Rodrigues, *manager* de Barrichello na época, foi falta de combustível. Os técnicos da Yamaha haviam imposto a versão de pane para não expor seu motor beberrão.

Depois da bandeirada, alegre como um menino, Ayrton foi abordado por um jornalista que queria saber se ele tinha passado algum susto durante a corrida. A resposta foi muito semelhante à que ele dera em Portugal, oito anos antes, depois da primeira vitória de sua vida, em outro dilúvio:

"Susto? Quase morri do coração um monte de vezes!"

Parte do espetáculo de Ayrton em Donnington Park foi atribuída à suavidade do acelerador da McLaren, vital em pista molhada, em contraste com a forma abrupta com que o motor Renault despejava potência nas rodas motrizes das Williams de Prost e Hill. Além de reclamar dessa falta de maciez, Prost criticou a equipe Williams. Ao saber das reclamações de Alain, ainda no *paddock* de Donnington, Senna respondeu com um desafio, pelo *Jornal do Brasil*:

"O Prost, né? Ele tem sempre uma desculpa. Um bruto de um carrão desses e o cara fica chorando. Vamos trocar de carro. Pinta o carro dele de vermelho e branco e dá pra mim. Não quero nem mudar de cor, mas muda só de carro pra gente conversar depois!"

À consagração de Ayrton em Donnington Park correspondeu um massacre de Prost. O jornal *Le Quotidien*, francês como Alain, reclamou:

"Será uma injustiça se Senna não conquistar o quarto título."

Um júri informal de dez campeões mundiais — Stewart, Fittipaldi, Lauda, Hunt, Andretti, Scheckter, Jones, Piquet, Rosberg e Mansel —, reunido pela revista italiana *Autosprint*, considerou Prost "culpado" pelas duas derrotas da equipe Williams em Donnington e, semanas antes, Interlagos. Na suposta "defesa" de Alain, a revista usou argumentos de Frank Williams. Na "acusação", de Cesare Fiorio, ex-diretor da Ferrari, conhecido desafeto de Alain.

Na irônica edição da reportagem, Alain foi considerado "culpado" das seguintes "acusações": insolvência fraudulenta, por dissimular a própria incapacidade de correr na chuva; omissão, por não vencer duas corridas em que dispunha do melhor carro; reincidência no delito anterior, por perder duas provas consecutivas; calúnia, por dizer que sua Williams não andava bem no molhado; difamação, por tentar culpar a equipe por não ter feito a troca de pneus na hora certa no Brasil; abuso da credibilidade popular, por iludir os torcedores ao dizer que voltava a correr para ser campeão, e omissão de distúrbios mentais, por não alertar a Williams sobre sua hidrofobia.

Em meio à onda de condenação por suas queixas, Prost mudou o tom dias depois da corrida, ao perguntarem sobre Senna durante um programa ao vivo, no horário nobre da Fórmula 1 da tevê francesa:

"Ele é simplesmente imbatível. O que fez naquela primeira volta deixou todos os pilotos aturdidos. Foi inacreditável."

Dez anos depois, Alain reconheceu que "nada deu certo" em Donnington. Mas fez uma ressalva:

"No final da corrida, parecia que eu era o único estúpido na equipe Williams. E todo mundo cometeu estupidez naquele dia, principalmente com os dados da previsão de tempo."

Donnington Park diminuiu ainda mais o número de críticos de Senna na mídia. E poucos tiveram coragem de continuar colocando-o apenas na confortável classificação de "um dos melhores de todos os tempos". A discussão passou a ser outra: onde colocá-lo, no apertado patamar em que já se encontravam Fangio e Clark? E outra pergunta começou a ser feita: qual o momento mais brilhante da carreira de Senna? Bernie Ecclestone foi um dos muitos que não demoraram um segundo para responder:

"Donnington."

Conta Corrente

Tudo muito bom, tudo muito bem, mas, sem um milhão de dólares depositados na conta, antes de cada corrida, como previa o contrato inicial assinado com a McLaren e seus patrocinadores, Senna não entraria no *cockpit*. Mesmo. A prova, para quem duvidasse, aconteceu no final de abril, às vésperas da quarta prova da temporada, em Ímola. John Hogan, Ron Dennis e Julian Jakobi, testemunhas e protagonistas, confirmaram o episódio.

Ayrton estava em São Paulo, esperando que o depósito fosse feito em Londres para, só então, pegar o vôo Rio-Roma. Na quarta-feira, dia em que normalmente ele partia para as corridas na Europa, Julian Jakobi ligara de Londres, dizendo que o milhão previsto não estava na conta. No escritório do edifício Vari, no bairro de Santana, ao receber a informação do primo Fabio Machado, Senna não hesitou:

— *No money, no race.*

Dado o recado, Ayrton sinalizou para Fabio que ia "sair de circulação" e se divertir um pouco, de acordo com relato posterior de Fabio a Julian. Em Londres, logo na manhã de quinta-feira, quatro horas à frente do Brasil no fuso horário, Julian e sua assistente, Fiona Spence, confirmaram que o depósito fora feito pela McLaren. Mas, ao ligar para Fabio para dar a notícia, Julian ficou sabendo que Ayrton tinha sumido: "E o problema é que não sei onde ele está."

Uma intensa operação de busca teve início para só terminar em cima da hora de seu embarque para Roma. Jo Ramirez foi encarregado de esperar Ayrton na pista e levá-lo de helicóptero para Ímola. Não daria tempo de Senna participar do treino, se fosse de carro. Acabou chegando ao autódromo minutos antes do início do treino. Entrou no carro e, na segunda volta, rodou e bateu no muro dos boxes.

Mas os dólares estavam na conta.

Situação semelhante aconteceu às vésperas do GP da França, em Magny-Cours, no início de julho. A essa altura, revelou Julian Jakobi, o relacionamento entre Ayrton e Ron Dennis não estava indo muito bem.

Diferente, portanto, do clima do "plano teatral" que, de acordo com Ron, precedera os acordos dos *race by race contracts*. Ayrton, em São Paulo, e Ron, na Inglaterra, não se entendiam. E daquela vez, não se tratava de depósito, mas de uma simples cláusula contratual.

A discussão telefônica se prolongou até o momento em que Ayrton teve de embarcar de São Paulo para Paris. Ron Dennis insistia na sua posição, em relação à cláusula, tendo o relógio como aliado e, supôs Julian, os horários de vôos do Brasil para a Europa em cima da mesa. Ron sabia, também de acordo com a suposição de Julian, que, se Ayrton embarcasse, dificilmente deixaria de disputar o GP da França nas condições que ele, Ron, queria.

Julian estava em Paris. Em sua lembrança do episódio, Ron endureceu o jogo com ele e com Fabio Machado, em São Paulo, quando teve certeza de que o avião de Ayrton tinha decolado. Para surpresa de todos, no entanto, Senna deixou o Jumbo da Varig na escala do Rio de Janeiro, foi até um telefone no terminal de passageiros do Aeroporto Internacional do Galeão e ligou para Julian para saber como havia terminado a negociação. Era madrugada na França. Quando soube do resultado, mandou Julian dizer que não embarcaria de volta se não fosse atendido. Nova rodada de ligações internacionais. Ron, de acordo com Julian, acabou cedendo, e Ayrton voltou à primeira classe do Jumbo da Varig para seguir viagem.

Tereza Brown não se lembrou exatamente da data ou do grande prêmio, mas, a julgar pelo estresse das operações telefônicas intercontinentais que precederam os GPs de San Marino e da França, foi provavelmente em Ímola ou em Magny-Cours que ela presenciou um desabafo de Ron Dennis com os mais íntimos, no *motohome* da McLaren. Estava exasperado com as exigências de Senna:

— Não é possível que ele não entenda que não podemos pagar o que ele está querendo!

O comentário de Tereza foi uma carinhosa provocação ao sócio do marido:

— Todo homem tem seu preço.

Ron, resignado, mas ainda contrariado, reclamou, impotente:

— Vocês, brasileiros...

ANGRA II

Juracy estava triste, abalada com a morte do marido, quatro meses antes, e não gostava de Portugal. Agradeceu e recusou o convite. Mas Ayrton não desistiria facilmente da idéia de levar para a nova casa, no Algarve, no início de 1993, a fiel e carinhosa governanta dos tempos de Esher, na Inglaterra:

— Quero que você cuide de tudo, Juracy.

Ela continuou irredutível e Ayrton propôs que ela experimentasse, "como se fossem férias". Juracy aceitou, relutante. Julian e Fiona, em Londres, entraram em cena, cuidando da casa dela em Wimbledon e providenciando sua viagem para o Algarve. Em março de 1993, ela desembarcou na casa onde viveria "dias maravilhosos" até maio de 1994. No fim de semana seguinte à sua chegada, já foi Juracy quem mostrou a Ayrton a nova decoração que ele pedira.

Senna queria que Juracy enchesse a casa de flores. Seguindo orientação do patrão, ela comprou 34 grandes vasos da Espanha, enfeitou a entrada da casa com uma jardineira de beijinhos, mandou plantar duas grandes palmeiras junto ao portão de entrada e uma terceira, perto da garagem.

Uma outra mudança fora ditada por um susto da família: o sobrinho Bruno, saindo descalço e molhado da piscina, escorregara e se chocara com um grande vidro da sala de música. Depois de socorrer o sobrinho, que levou 25 pontos no joelho, Ayrton mandou trocar todos os vidros da casa por material temperado e menos perigoso.

Ayrton também refez o quarto de vestir. Instalou um grande espelho em uma das paredes e identificou o conteúdo de todas as gavetas com pequenas placas: camisas de manga curta, camisas de manga comprida, camisas sociais, meias esporte, meias brancas, meias sociais, cuecas e muitos, muitos tipos e modelos de sapato. Ele não gostava de perfume. Usava apenas sabonete e desodorante. Dois tipos.

Uma obsessão de Senna, nova em relação aos tempos de Esher, deixou Juracy impressionada: ele não tolerava uma fresta sequer de luz vazando pelas portas e janelas de seu quarto. A pedido dele, ela encomendou um serviço de blecaute. Satisfeita, foi conferir o resultado com Ayrton no primeiro despertar dele, depois da instalação da película. Ainda não estava satisfeito. E para demonstrar, pediu que ela ficasse na posição em que ele dormia e apontou para um ponto de luz na base da porta do quarto de vestir. A solução foi tapar a pequena fresta com uma lingüiça de areia. Para que ele não acordasse irritado, Juracy simplesmente proibiu o trânsito da arrumadeira naquela parte da casa até que ele saísse do quarto.

O carinho que Senna tinha por Juracy incluía atenções de filho. No dia 20 de setembro daquele ano, ao sair para uma viagem, Ayrton tinha como hóspede o amigo e agora ex-piloto Thierry Boutsen, a mulher e o filho. Thierry, ao se despedir, perguntou se podia ficar mais dois dias na casa. Senna autorizou, com uma condição: a de que Thierry levasse Juracy para jantar num bom restaurante. Dois dias depois, Ayrton lembrava, era o aniversário dela.

Senna queria privacidade, mas os fãs, aos poucos, acabariam descobrindo seu novo endereço em Portugal. E caberia a Juracy administrar o assédio. Havia os fãs tradicionais, em busca de autógrafos. Mas havia também os excêntricos e os que improvisavam. Uma portuguesa humilde, na falta do que doar, apareceu na porta da mansão com uma grande cebola:

— Por favor, use essa cebola na comida dele.

Logo em seguida, uma outra fã, Maria Angelina, apareceu com uma galinha:

— Faça uma deliciosa cabidela para ele.

Juracy aceitou a galinha e a deixou dentro de uma caixa, na garagem. No dia seguinte, quando Ayrton chegou, ela contou:

— Você ganhou uma cebola e uma galinha.

Ayrton quis saber se Juracy tinha matado a galinha. Ela disse que não e os dois foram até a garagem. Ele se aproximou do caixote com um punhado de arroz cozido nas mãos. A galinha comeu tudo. E teve seu destino mudado:

— Juracy, é esta a galinha que você vai matar? Pode devolver e dizer que não vou matar galinha que come na minha mão.

A galinha acabou ficando uns tempos na casa e ganhou até um nome pouco criativo: "Cocó". Com a chegada do Brasil da cadela *Mauze*, "Cocó" teve de ir embora.

Morreu de velha na casa de Maria Angelina.

Juracy disse ter atendido, na casa do Algarve, a algumas ligações de Xuxa. A primeira aconteceu às quatro e meia da madrugada, horário de Portugal. Do outro lado da linha, uma voz feminina disse:

— Oi, eu sei que seu nome é Juracy. Eu sou a Xuxa. Queria saber se está tudo bem com o Ayrton.

Surpresa, Juracy respondeu:

— Não posso acordar ele agora!

— Não, não quero que você acorde. Só quero saber se ele está bem.

De acordo com Juracy, os telefonemas tinham em comum o fato de serem feitos após acidentes ou momentos difíceis de Ayrton nas pistas. Invariavelmente, ela sempre contava para Ayrton na manhã seguinte. Em uma dessas ocasiões, ele reagiu:

— Em vez de ligar, por que ela não vem para cá?

Juracy resolveu provocar, referindo-se ao namoro com Adriane Galisteu:

— Pra segurar vela?

Um sorriso triste de Ayrton, segundo Juracy, encerrou a conversa.

Para Juracy, Ayrton "gostava muito" de Adriane e ela parecia gostar dele. Mas Juracy não gostava de Adriane de jeito nenhum. Tudo o que fazia por ela, incluindo tomar as providências para que tivesse aulas de inglês, só era feito por causa de Ayrton.

Até o estilo de vestir de Adriane, considerado "provocante" por Juracy, a incomodava. De tal maneira que, às vésperas de sua primeira viagem para um grande prêmio europeu, em Mônaco, Juracy não resistiu à irritação com o pequeno *short* que Adriane pretendia usar na viagem:

— Aonde você vai?

— Vou para Mônaco.

— Não com essa roupa!

Na lembrança de Juracy, Adriane insistiu em usar o *short*. E ela continuou:

— Você sabe com quem você está indo?

— Claro que sei. E ele gosta dessa roupa.

Ayrton se aproximou das duas. Juracy chamou a atenção dele para o *short* de Adriane. Foi o suficiente, segundo ela, para que ele decidisse:

— Vai já trocar essa roupa. Assim você não vai comigo.

De acordo com Juracy, Adriane obedeceu e mudou a roupa:

"Ela fazia tudo para agradar o Ayrton."

E Ayrton, por sua vez, fazia tudo, de acordo com Nirlando Beirão, para afastar Adriane do estereótipo da "modelo vulgar, da loura burra".

Estava claro, para Juracy e para quem quer que gostasse de Ayrton, que era impossível ignorar a nova namorada. Mas Adriane também sabia que jamais poderia ignorar a família dele. A casa do Algarve, para Linamara Battistella, era uma espécie de território neutro. Morar no Algarve, ela acredita, era uma forma que Ayrton encontrara de conciliar o namoro com a família que ele não queria perder nem magoar. Era também uma forma de Adriane estar num país onde se falava o português e no qual Senna tinha amigos:

"O Ayrton me disse: morar em Portugal agora significa conciliar as duas situações."

Antes da casa do Algarve, na opinião de Linamara, Senna não se dera "nem o direito de ter um endereço em São Paulo que não fosse o dos pais":

"Ele não queria magoar os pais, porque sabia que era muito esperado por todos. Até comprou o apartamento nos Jardins. Mas lembro que ele dizia: não quero que saibam que eu tenho esse apartamento."

O piloto Owen O'Mahony sabia, como poucos, como Senna conciliava, de um lado, a família e o Brasil, e de outro, Portugal, Adriane incluída. Ayrton, normalmente muito rigoroso com o desperdício de dinheiro, não abria mão do conforto de cruzar o Atlântico quando quisesse, na hora que quisesse e com quem quisesse. Nem mesmo os argumentos de Owen de que as viagens para São Paulo, às vezes duas por mês, eram um despropósito sensibilizavam o patrão:

"Com o dinheiro gasto em cada viagem, Ayrton poderia comprar todos os lugares da primeira classe de um Jumbo da British Airways ou da Varig. E ainda sobrariam dólares."

Naquela caríssima ponte aérea de conciliação afetiva, Ayrton também manteve o costume de transportar encomendas ou presentes como se estivesse saindo de Tatuí para São Paulo. Ele gostava de levar queijos para a família e pedia para Maria Assunção, a governanta da casa de Sintra:

— Embrulha bem o queijo pra não cheirar.

Num dos vôos, já namorando Adriane e, lembrou Owen, "visivelmente entusiasmado", ele pediu uma ligação para Nova York. Eles sobrevoavam o Atlântico, entre a escala técnica em Cabo Verde e Londres. Owen não soube quem era a mulher do outro lado da linha, mas notou uma preocupação muito grande de Ayrton em explicar para ela que, daquela vez, não iria sofrer, que Adriane era "muito diferente da outra". Owen concluiu que, "muito provavelmente", Ayrton se referia a Xuxa.

O piloto sentiu, na condição de empregado de Senna, que, aos poucos, Ayrton também estava tomando decisões antes delegadas a Fabio Machado, o principal executivo da família. Como no dia em que lhe comunicou que ele, Senna, passaria a ser o único a tomar todas as decisões relacionadas com o jato. O avião custava, parado no chão, 250 mil dólares por ano. O que explicava a brincadeira a bordo, durante um vôo entre o Algarve e Paris. Pouco antes de pousar, Owen, um dos poucos que acreditavam que Senna acabaria, sim, se casando com Adriane, caminhou pela cabine até onde estava o casal e brincou:

— Mantenha sua mulher longe das lojas. Do contrário, ela vai acabar com o limite do seu cartão de crédito.

A resposta de Senna:

— Owen, ela custa para mim bem menos do que você.

O Rei das Ruas

— Vocês estão fechando negócio comigo, mas eu digo: vocês têm que ser rápidos. Na minha atividade de piloto, o amanhã nunca se sabe.

O senso de humor de Senna deu o tom para a reunião de agosto de 1993 em que ele acertou uma parceria comercial, para o Brasil, com Giuseppe De'Longhi, dono do gigante europeu dos aquecedores e condicionadores de ar. A frase de Senna não era apenas mais uma tirada bem-humorada.

Ayrton tomou um grande susto no dia 20 de maio, durante o primeiro treino oficial para o GP de Mônaco, em sexta marcha, a cerca de 260 por hora. Um sensor eletrônico da suspensão interpretara erradamente uma ondulação da pista e fizera a traseira do carro arriar. A McLaren dera uma violenta guinada para a direita e fora de encontro ao *guard-rail*. O carro ainda bateu do outro lado da pista e desceu a avenida em pedaços, até parar na pequena área de escape da curva Saint Devote. A seqüência de pancadas foi tão forte que Ayrton ficou sentado, quieto e grogue, perto do carro, por cerca de dez minutos. Seu relato a Lemyr Martins:

"Eu nem sei como saí do carro. Não me recordo de ter aberto o cinto, tirado o volante e nem o capacete. Via as pessoas que estavam à minha volta como se fosse através de um vidro fosco. Até a voz do comissário de pista parecia um eco. Só voltei à razão quando senti uma dor aguda na mão esquerda. Pensei que estava quebrada."

Era apenas uma luxação. Mais tarde, ao assistir às imagens do acidente, registradas por um cinegrafista amador, ele exibiu sua incomum capacidade de fotografar, em detalhes, aquelas viagens violentas, com segundos de duração, que às vezes ele e os outros pilotos da Fórmula 1 faziam, no limite entre a sorte e a fatalidade:

"Na primeira batida, de frente, até achei que o nariz do carro poderia absorver parte do choque. A segunda foi a pior de todas, porque o carro já estava sem nariz e, ainda muito veloz, foi de frente de novo contra o *guard-rail*. Lembro que cheguei a mexer as pernas, esperando a batida. É inacreditável que eu tenha saído inteiro."

Três dias depois do acidente, Senna teve outra sensação naquelas ruas que lhe davam tanta sorte e alegria. O *pole position* Prost, sem se entender com o câmbio eletrônico da Williams, queimou a largada e foi punido com uma parada obrigatória de dez segundos nos boxes. Schumacher, o herdeiro da liderança, àquela altura com um Ford ainda mais potente do que o que equipava a McLaren, também ficou pelo caminho, com um vazamento no sistema hidráulico. Ayrton recebeu, pela sexta vez, o troféu de vencedor do GP de Mônaco, tornando-se o novo recordista do circuito.

A vitória aparentemente fácil escondeu outra façanha, mistura de sacrifício físico com habilidade psicomotora. A mão esquerda ficara inchada e dolorida, depois do acidente na Saint Devote, e ele temia não conseguir dar mais do que três ou quatro voltas rápidas. Para poupá-lo da dor, a McLaren mudou todos os comandos, dentro do *cockpit*, facilitando o uso da mão direita. Canhoto, ele se adaptou perfeitamente à mudança durante a corrida, mas quase desmaiou de exaustão, por duas vezes, na sala de imprensa improvisada no salão de uma escola infantil.

Exaustão e emoção. Ao lado de Senna, na entrevista, o segundo colocado na prova, Damon Hill, filho de Graham, o piloto que até a bandeirada daquela tarde dividia o recorde de vitórias do circuito com Senna, fez uma homenagem que levou o novo "rei" de Mônaco às lágrimas:

"Tenho certeza de que, se estivesse aqui, meu pai seria o primeiro a dar os parabéns. É uma honra que seu recorde tenha sido superado por um piloto como Senna."

As emoções boas, na pista, começaram a escassear a partir daquele fim de semana. Senna obtivera uma ilusória liderança do campeonato, somando ao sexto triunfo em Mônaco as vitórias de Interlagos e Donnington Park, mais os segundos lugares de Kyalami e Barcelona. Ele estava com 39 pontos e Prost com 34. Só não marcara pontos em Ímola, onde liderou na pista molhada e chegou a resistir à Williams de Prost, até abandonar com uma pane hidráulica na 40ª volta.

Depois da vitória em Mônaco, viriam sete vitórias seguidas da Williams-Renault, uma de Michael Schumacher e muita decepção com a McLaren.

Fora da pista, no entanto, Senna ria à toa. Como nunca.

Até Nélson Piquet, o filho, então com sete anos, entrou na fila acompanhado da mãe, Sylvia Tamsma, para ganhar um cumprimento de Ayrton naquele glorioso GP de Mônaco. Recebeu um abraço e um beijo carinhoso de um Senna que, para todos que o conheciam mais, estava irreconhecível, risonho e orgulhoso. Para Nirlando Beirão, aquele fim de semana foi o melhor momento do namoro de Senna com Adriane:

"Ayrton convidou Adriane para acompanhá-lo na corrida e ela, acostumada às butiques de classe média, não sabia nem o que botar na mala para a viagem. Seria o primeiro vôo internacional de uma jovem paulistana de origem modesta que nem o Rio de Janeiro conhecia. A mudança era violentíssima: de uma hora para outra, estaria voando para o paraíso da burguesia européia na primeira classe de um Jumbo 747, ao lado de um tricampeão mundial de Fórmula 1."

Para Nirlando, não por outra razão, o melhor momento do livro que ele escreveu a partir do depoimento de Adriane também foi o do relato daqueles dias em Mônaco. Num dos trechos, ele descreveu o deslumbramento de Adriane, ao lado de Senna, durante o jantar da vitória:

"O auditório estava apinhado. Ficamos bem no centro da mesa principal. Eu olhava para o lado e via o príncipe Albert. Virava para o outro, Michael Douglas. E aquela menina bonita? Ah, a Cindy Crawford, com seu namoradão grisalho e charmosérrimo, Richard Gere. De repente, quem está olhando para mim, quase em frente? A princesa Caroline. Faço um aceno protocolar com a cabeça e abaixo os olhos, morta de inibição. Nunca se viu tanta concentração *per capita* de beleza e fama."

O radialista Luis Roberto, correspondente de Fórmula 1 do Sistema Globo de Rádio, já na viagem de volta de Mônaco para o Brasil, testemunhou um momento que, de acordo com ele, "parecia filme publicitário". Da sala de embarque do Aeroporto Charles De Gaulle, em Paris, à espera da conexão para São Paulo, ele identificou, na pista, o jato de Senna, taxiando. Era Galvão Bueno, desembarcando para pegar a mesma conexão para o Brasil, depois de uma carona de luxo no avião do amigo:

"Ayrton e Adriane também desceram e, enquanto Galvão se afastava, os dois ficaram abraçados, trocando gestos carinhosos. Eu fiquei impressionado com a beleza daquele momento. Aquele namoro tinha mesmo uma luz diferente."

Reginaldo Leme, ainda em processo de reaproximação com Senna, não apenas registrou aquele novo estado de espírito. Fez até uma cuidadosa provocação:

— Aí, cara, está descobrindo a vida, hein?

Jo Ramirez não hesitou ao apontar o ano de 1993 como o período mais feliz da vida de Senna, pelo menos nos seis anos em que os dois conviveram na McLaren:

"A partir do namoro com Adriane, Ayrton continuou muito competitivo, mas passou a encurtar suas conversas telefônicas relacionadas com treinos e corridas. Limitava-se a perguntar se estava tudo certo. E encerrava logo a conversa."

Para Tereza Brown, a amiga e confidente, Ayrton resumiu aquela fase da vida com um comentário curto, mas para ela muito significativo:

— Estou bem, comadre.

CARONAS

— Fodeu! Acabou! Bateu! Morri!

Só que não batia. E Nuno Cobra não morria. Ele ou qualquer outra pessoa que estivesse ao lado de Senna, de olhos vidrados, espinha gelada e coração na boca, no banco do carona de um carro de passeio de qualquer marca ou potência, na marginal do Tietê, em São Paulo, ou em alguma auto-estrada da Alemanha, Inglaterra, Portugal ou Itália.

Nuno usou seus conhecimentos profissionais para explicar, com carinhosa ironia, o que acontecia com os caronas de Ayrton, quando ele corria no trânsito. Devido ao que Nuno chamou de "conexões intraneurais" que, ele disse, só Senna possuía, os caronas, tão logo começava a correria, mergulhavam num estado de "caos sensorial e mental":

"O Ayrton ainda estava longe de seu próprio limite quando os caronas já tinham ultrapassado os seus há muito tempo. Tecnicamente, então, para os caronas, o carro já tinha batido. E como não batia, vinha o segundo estágio, uma sensação que eu costumava chamar de morte instantânea com continuação demorada."

Ayrton corria muito fora das pistas, confirmaram amigos como Galvão Bueno, Joseph Leberer, Dennis Rushen, Américo Jacoto Júnior, Alfredo Popesco, Tereza Brown e outros caronas, de todas as épocas. E continuou correndo, inventando curvas, brechas e trajetórias de tirar o fôlego, não importava a época de sua vida ou o número de títulos e *pole positions*. As vítimas eram apenas os carros. De preferência, os das locadoras.

Na Alemanha, após uma das corridas que Senna disputou em Hockenheim, Nuno foi o carona no banco da Mercedes que Ayrton dirigiu pela auto-estrada até Frankfurt. Como fazia em outras viagens, Ayrton ia aumentando a velocidade, de olho nas reações de Nuno: 190, 200, 220 quilômetros por hora e Nuno, do lado, imóvel e aparentemente tranqüilo. Aparentemente, ele explicou:

"Na verdade, eu estava me cagando todo."

Intrigado, Ayrton não resistiu quando estava passando dos 200 por hora:

— Você não está vendo o velocímetro, não?

Nuno nem aí. Senna, que não resistia a uma disputa, fosse mão de porrinha ou a tomada da curva Parabólica, em Monza, continuou acelerando. Quando o velocímetro se aproximava da marca de 240 por hora, Nuno pôs a mão no ombro direito dele e disse:

— Garotão, diminui que isso faz mal para a saúde.

Obediente, Ayrton diminuiu para 180 e, com um certo alívio, reclamou:

— Puxa, você demorou, hein?

Williams

Foi Galvão Bueno quem atendeu ao telefone na casa de Senna no Algarve, em setembro, dias depois do Grande Prêmio da Itália. Do outro lado da linha, Flavio Briatore, diretor da Benetton, em desespero:

— Não deixe Senna assinar contrato sem antes falar comigo!

Galvão respondeu que não sabia como Ayrton poderia ser localizado. Briatore insistiu:

— Mas eu sei que ele está aqui em Londres...

— Mas eu não sei onde ele está.

— Como você, um amigo dele, hospedado na casa dele, não sabe onde ele está?

— Não sei mesmo. Só sei que ele ia pegar o avião e voltaria à noite.

Na véspera, a decisão sobre o futuro de Senna na Fórmula 1 fora o assunto predominante no jantar em que estavam Ayrton, Adriane Galisteu, Galvão e a mulher Lúcia. Galvão tinha uma posição, repetida com impaciência:

— Cara, vai para a Ferrari! É o sonho da sua vida. E os caras estão loucos para ter você lá!

— Mas o carro é uma bosta!

— Eu sei que é. Mas faz um contrato de três anos. Na coletiva de imprensa você promete que, no primeiro ano, remonta a equipe, no segundo, consegue algumas vitórias e, no terceiro, é campeão. Vai que acontece de você ser campeão no segundo ano. Hein? Sabe o que acontece? Você vira Deus!

Ayrton parou, pensou e revelou onde estaria no dia seguinte:

— Você está inteiramente certo em tudo o que está falando, mas tem uma coisa: eu já estou há dois anos sem ganhar. Não tenho o direito de passar mais um ano sem ser campeão. Vou para a Williams, ganho dois campeonatos e aí vou para a Ferrari pra ser o maior de todos...

Era exatamente o que Ayrton estava fazendo naquele momento: assinando com a Williams. Tarde demais para Briatore, cujos carros dariam a Michael Schumacher os dois títulos que Ayrton estava planejando conquistar na Williams. O mesmo Schumacher que, na Ferrari, realizaria o plano de Senna de ser "o maior de todos".

Prost cobrou caro pelo *cockpit*. Dez anos depois, ele lembrou que, naquele setembro de 1993, ao ser pressionado pela Renault e por Frank Williams para esquecer vetos e aceitar Senna na equipe, deu uma resposta dura:

— Não quero mais um ano de merda como aqueles da McLaren. Não preciso disso. Se você quer mesmo o Ayrton, paga o meu ano de contrato de 94 e eu vou embora.

Alain disse que recebeu cada centavo do que era previsto no contrato. O que significa que ele embolsou, de acordo com as estimativas da época, cerca de oito milhões de dólares sem ter que entrar na pista para uma volta sequer, em 1994. Uma década depois, ele não escondeu uma certa satisfação ao dizer:

"Ayrton só não recebeu mais, na sua ida para a Williams, porque a equipe teve de me pagar."

Alain também disse que Patrick Head era menos entusiasmado do que Frank com a troca de pilotos, "por saber que o carro não era tão bom quanto todos imaginavam":

"Patrick conhecia minha capacidade de desenvolver o carro e queria que eu continuasse na Williams."

Frank queria Senna. E fez, em entrevista publicada em novembro daquele ano pelo *Estado de S. Paulo*, uma curiosa conta de "erros" que haviam precedido a contratação de Ayrton:

"Em 83, quando ele testou uma Williams na primeira vez que guiava um Fórmula 1, eu não pensava muito em Ayrton. Meu primeiro erro. No final de 84, tentamos contratá-lo, mas ele preferiu a Lotus. O primeiro erro dele. No final de 86, quebrei meu pescoço, isso me atrapalhou e ele ficou na Lotus em 87. No final do ano, ele foi para a

McLaren. No meio de 90, estive perto de contratá-lo, mas ele preferiu ficar na McLaren, seu erro número dois. No fim de 91, Nigel tinha de continuar conosco. Daí caí fora. Quer dizer, está dois a dois."

Senna queria um contrato de um ano e argumentou que, na McLaren, era assim. Frank Williams não concordou. Durante as negociações, Ayrton mal conseguiu dormir. Passou horas no telefone, alternadamente, com Frank, Julian Jakobi e Fabio Machado.

Senna e Ron Dennis não estavam mais juntos na operação que o chefe da McLaren chamara de "plano teatral", levantando um milhão de dólares por corrida. Pela primeira vez, em muitos anos, Ron, de acordo com fontes da própria McLaren ouvidas pela imprensa, na época, estava sendo surpreendido, no jogo de xadrez das grandes equipes.

Um intenso bate-boca, impossível de ser escondido da imprensa, no dia 13 de junho, no *motohome* da McLaren, em Montreal, foi um dos sinais externos de que a longa parceria estava seriamente estremecida. Jornalistas presenciaram, de longe, o momento em que, dedo em riste apontado para Ron, Ayrton não se conformou com o fato de uma pane de alternador ter destruído o que poderia ter sido uma grande corrida sua.

Depois de largar na oitava posição no *grid*, algo que não acontecia com ele desde 1987, ele fizera duas ultrapassagens eletrizantes sobre Patrese e Alesi e sustentava bravamente um segundo lugar contra Schumacher, quando ficou a pé. Na prova seguinte, em Magny-Cours, a frustração começou com um tempo de classificação inaceitável, dois segundos mais lento que o *pole* Damon, e terminou com um frustrante quinto lugar, a 32 longos segundos do vencedor, Prost.

Em Silverstone, Ayrton fez do desespero com a falta de equipamento um espetáculo polêmico: durante sete voltas, no limite entre o talento e o desastre, ele resistiu às investidas de Prost e sua Williams. Para uns, uma irresponsabilidade; para outros, um momento radical de automobilismo em sua essência. Quinto colocado, ele teve mais uma decepção com a McLaren. O erro de um engenheiro no uso do *software* do combustível o obrigou a fazer uma economia desnecessária no acelerador.

Em Hockenheim, ele não passou de um modesto quarto lugar, depois de ficar um segundo e meio atrás das Williams nos treinos oficiais. E em Monza, ao fazer ajustes de freio nos botões do painel, Ayrton deu sua contribuição para mais um dia de decepção na McLaren, perdendo o ponto de freada e batendo em cheio na traseira da Ligier de Martin Brundle.

Ron Dennis perdeu Ayrton. Mas a McLaren ainda se recuperou o suficiente para lhe dar o vice-campeonato daquele ano e as duas últimas vitórias de sua vida.

No dia 25 de setembro, véspera do GP de Portugal, em Estoril, contrato assinado com a Williams, Ayrton não resistiu à tentação de premiar o correspondente Mario Andrada e Silva, do *Jornal do Brasil*, com um furo. Chamou Mario e avisou:

— O anão vai parar. Pode dar.

— Vai parar quando?

— Vai dizer hoje.

O furo foi dado pelo correspondente Luis Roberto, na rádio CBN, que estava com Mario e não teve de esperar a impressão do jornal. Luis Roberto correu para um telefone, ligou para a redação da rádio CBN e entrou ao vivo:

— Alain Prost vai parar de correr!

Heródoto Barbeiro, então gerente de jornalismo da emissora, chegou a pedir que a produção da rádio perguntasse se Luis Roberto tinha certeza. No *paddock*, houve quem achasse que Luis Roberto tinha enlouquecido. No final do treino de classificação, a equipe Williams distribuiu uma nota convocando a imprensa para uma entrevista coletiva. Não era loucura.

Bernie Ecclestone, que passara o ano trocando acusações com Prost por causa das críticas do piloto à drástica redução da ajuda eletrônica aos carros, prevista para a temporada de 1994, se uniu a Senna e comemorou a aposentadoria do campeão de 1993 com um balanço cruel de seu final de carreira:

"Prost se retirou em 91 porque era cômodo, voltou em 93 porque era cômodo e agora se retira novamente porque é cômodo. Espero que desta vez seu adeus seja definitivo. A Fórmula 1 não é lugar para pilotos acomodados. Esse ano não vi uma única vez Prost rodeado de fãs. Acho que ele passou o ano sem dar um autógrafo."

De Michael a Mika

O humor de Ayrton estava péssimo no jantar com Galvão e Braguinha, na véspera do GP de Portugal. Ele mal conseguia comer. Não era por causa das críticas e ironias de Prost, na entrevista em que o rival anunciara a aposentadoria. Também não eram as declarações de Ron Dennis, que o chamara de "individualista" e "muito caro" quando soube que ia perdê-lo para a Williams. Ayrton perdeu o sorriso e o apetite por causa de exatos cinco centésimos de segundo. Esse tempo, menor que um rápido piscar de olhos, foi a diferença que o deixou atrás de Mika Hakkinen, o piloto de testes promovido a titular da McLaren, no *grid* de largada da corrida.

Tomar dois segundos da Williams-Renault de Damon Hill era aceitável. Assistir, impotente, a Prost disparar para o tetracampeonato no outro carro de Frank, passava. Até ser ultrapassado pela Benetton de Schumacher, dependendo das condições, dava para agüentar. Mas ser superado pelo companheiro de equipe, suprema hora da verdade para qualquer piloto de competição, foi demais para Senna.

Na manhã seguinte, durante o tradicional *briefing* dos pilotos com a direção da prova, Gerhard Berger, com a experiência de três temporadas ao lado de Senna na McLaren, se aproximou do jovem Hakkinen, deu-lhe alguns tapinhas de incentivo nas costas e fez uma previsão que se revelaria certeira:

— Muito bem, você foi mais rápido que o mestre. Aproveite porque tenho certeza de que você nunca, nunca mais conseguirá ser mais rápido do que ele.

Nos primeiros instantes da corrida, Ayrton, aceso e arisco como nos tempos em que dividia a equipe com Prost, não deixou que as dúvidas suscitadas por aqueles cinco centésimos durassem mais de uma volta. Hakkinen, terceiro no *grid*, até largou na frente de Senna, o quarto, mas, antes da segunda curva do circuito de Estoril, foi ultrapassado de forma arrebatadora. A casa estava em ordem de novo.

Ayrton abandonou a prova na 19ª volta, com o motor quebrado, mas isso era o que menos importava.

Michael Andretti, demitido sem qualquer cerimônia por Ron Dennis depois do GP da Itália, jamais foi motivo de semelhante preocupação para Senna. Conseguiu a proeza de completar apenas quatro voltas, em suas desastradas e curtíssimas participações nas três primeiras corridas do campeonato. Somou apenas sete pontos em 13 corridas. Surpreendido pela alta tecnologia da Fórmula 1, prejudicado pelas restrições do regulamento à quantidade de testes e maltratado por um carro que estava longe de ser uma Williams, Michael ainda tinha Ayrton Senna do lado, na outra McLaren:

"Foi difícil, porque Senna pode muito bem ter sido o maior piloto que já existiu. E apesar disso, ele fez coisas boas para mim dentro da equipe. Tentou ser o mais prestativo possível e não acho justo acusá-lo de nada. O problema era um só: ele era muito bom."

Dez anos depois, Michael Andretti, além de reconhecer a solidariedade de Senna à situação constrangedora que viveu na McLaren em 1993, testemunhou:

"Senna fez tudo o que estava ao seu alcance. Eu soube que ele, no meio de uma entrevista coletiva, disse que eu tinha sido tratado de forma injusta, que eu não tive chance de mostrar meu talento e que estava desapontado porque sabia que eu tinha potencial. Achei isso muito legal. Foi totalmente dele a iniciativa."

Alain Prost, em especial, ficaria de queixo caído se ouvisse o balanço que Michael Andretti fez do convívio com Senna:

"Ele era gente boa, realmente um cara bom, verdadeiro e de bom coração. Acho que muitas vezes não foi entendido pelas pessoas. Bastou, para mim, encontrar com ele pessoalmente para descobrir isso tudo."

Michael tinha uma característica em comum com Senna: não queria ficar longe de seu país. Mesmo depois de Ron Dennis ter oferecido a própria casa para ele e a mulher, Sandy. De acordo com Jo Ramirez, o vaivém entre os Estados Unidos e a Inglaterra encurtou a permanência de Andretti na McLaren:

"Todo fim de semana era a mesma coisa: jatinho de Woking para Heathrow, Concorde para Nova York e avião de carreira para a Filadélfia. Dois dias depois, ele fazia o mesmo caminho de volta. Eram cerca de seis mil libras por final de semana. Chegou um momento em que o Ron disse: chega, não dá."

Brevê

O coronel Fiúza, oficial da Força Aérea Brasileira encarregado de brevetar Senna para helicópteros, estava tão preocupado, que chegou a ligar para o Nelson Loureiro, piloto e instrutor de Ayrton, avisando que o teste em São Paulo seria "duro" e incluiria, entre outras situações de vôo, manobras de rotação a 180 e a 360 graus, simulação de pane hidráulica e o chamado "pouso corrido", que acontece quando o helicóptero fica sem o rotor de cauda. Algumas questões teóricas o próprio Nelson Loureiro desconhecia, ele mesmo confessou, dez anos depois.

Fiúza estava preocupadíssimo com a responsabilidade de dar o brevê a um ídolo que, para ele, era um patrimônio da nação brasileira. Mas a realização do sonho do brevê de helicóptero foi também uma demonstração do perfeccionismo de Senna. No dia 10 de outubro de 1993, depois de uma hora e 40 minutos de vôo, o chamado *check final* do brevê, o coronel Fiúza, segundo Nelson, desceu do Esquilo de Ayrton completamente aliviado e impressionado com a qualidade do novo brevetado.

Para Owen O'Mahony não houve qualquer dificuldade na hora de ensinar Ayrton a pilotar. Segundo ele, o patrão não gostava de se arriscar quando pilotava o jato. Comportado, quando assumia o comando do avião, era mais para pousar, ao voltar para casa, no Algarve. Ayrton tinha um código para Owen, quando queria pilotar:

"Ele perguntava: Como está o vento em Faro? Com isso, deixava claro que queria pilotar, sim, mas só se as condições estivessem boas."

De acordo com Nelson Loureiro, Ayrton, como passageiro, a bordo de aviões ou helicópteros, parecia estar na pista. Não tinha medo de nada. Sua única pergunta aos pilotos, em situações de vôo que pareciam mais delicadas, era:

— Dá pra chegar?

Se a resposta era sim, ele não se preocupava mais com o assunto.

Júnior lembra que houve, no entanto, pelo menos um susto no ar. Em 1989, Senna pilotava seu helicóptero, levando amigos de São Paulo para a casa de Angra. Júnior estava ao lado. No meio da viagem, o tempo fechou na serra do Mar. Ayrton viveu momentos difíceis depois de cometer um erro de avaliação sobre as condições de visibilidade.

Sem que os convidados a bordo percebessem e, principalmente, sem transparecer qualquer sentimento de medo ou pânico, Senna fez um pouso muito difícil no condomínio Portogalo. Ao contrário do que fazia, seguiu direto para a casa, sem cumprimentar o administrador, Matheus, e a mulher, dona Maria. Minutos depois, ao perceber que Ayrton tinha se isolado num canto, olhando em silêncio para o mar, Júnior se aproximou e cobrou:

— Você não acha que exagerou hoje?

A resposta de Senna, sério:

— E por que você acha que estou aqui sentado até agora?

Encrenca Irlandesa

"Sou um péssimo comentarista de luta de boxe."

Rubens Barrichello não quis comentar, mas assistiu à briga de camarote, perplexo e de olhos arregalados. Ela aconteceu na sua frente, no boxe de sua equipe, a Jordan, logo depois do GP do Japão, em

Suzuka, o penúltimo da temporada de 1993. De um lado, Senna. De outro, seu companheiro de equipe, o irlandês Edie Irvine, estrela acidental da corrida por ter protagonizado uma cena inédita.

Irvine disputava a sexta posição com Damon Hill, quando Ayrton, o líder da prova, se aproximou para colocar uma volta de vantagem sobre eles. Irvine não apenas resistiu à ultrapassagem durante algumas voltas. Depois que Senna o passou, ele voltou a ultrapassar Ayrton, em uma série de manobras arriscadas na pista molhada de Suzuka. Senna desceu do pódio reclamando de Irvine:

"O Irvine me passou na *chicane*, quando eu era o líder, e ainda tentou bater rodas comigo. O cara é um perfeito idiota."

A reclamação foi levada, ainda quente, a Irvine. Que devolveu:

"O Senna que se dane. Se quer andar na minha frente, que seja mais rápido."

A réplica, imediatamente levada ao *motohome* da McLaren, fez com que Senna pensasse por dez segundos antes de partir, possesso, para a Jordan. Encontrou Irvine sentado numa mesa. Filtrada a coleção de palavrões trocados, a discussão, registrada por vários jornalistas e iniciada por Senna, foi assim:

"Por que você me passou naquela *chicane*?"

"Porque você estava muito lento."

"Então como você explica eu estar te colocando uma volta?"

"Se você ia tão rápido, por que não me ultrapassou?"

Ayrton perdeu o controle e empurrou Irvine com as duas mãos. Ele caiu para trás, sobre a mesa e, ao voltar à posição normal, tomou um soco direto de esquerda no lado direito do rosto. O engenheiro Giorgio Ascanelli, pela McLaren, e o diretor comercial Ian Philips, pela Jordan, conseguiram afastar Ayrton do local.

Damon Hill, testemunha ocular do incidente na pista, criticou a reação de Senna, argumentando que Irvine fez apenas o que ele, Senna, costumava fazer com os adversários. O amigo Maurizio Sala viu um certo "estrelismo" na reação de Ayrton. Joseph Leberer queria ter tido dez minutos para dissuadi-lo da decisão de ir ao boxe da Jordan tomar satisfações.

Mario Andrada e Silva, que cobriu a luta pelo *Jornal do Brasil*, escreveu:

"Um monge budista teria atacado o irlandês muito antes de Ayrton. Irvine é insolente e malcriado até o limite do compreensível."

Não era o que pensava o presidente da FISA, Max Mosley, que anunciou, no dia 9 de dezembro, uma punição branca: retirada da superlicença de Senna por duas corridas e *sursis* de seis meses, "considerando o alto grau de provocação que precedeu o incidente". Senna estava presente no anúncio de Mosley. Ficou muito irritado e decepcionado, mas não a ponto de iniciar uma guerra como a que travara com Balestre. Bernie Ecclestone, mentor e aliado histórico de Mosley, também ficou irritado com o que chamou de *ego trip* do presidente da FISA. Bernie achava que a briga tinha acontecido "fora do horário do expediente" e dava razão a Ayrton:

"Se eu fosse o Senna, teria arrebentado o Irvine."

Dez anos depois, Max Mosley lamentou que o dia do anúncio da punição tenha sido a última vez em que esteve pessoalmente com Senna.

Divórcio de Luxo

Karl Heinz Zimmermann, *restauranteur* e responsável pela comida da Lotus nos tempos de Ayrton, jurou para Peter Vader, ex-diretor de *marketing* da Shell do Brasil, que foi verdade: Karl, que adorava provocar Ron Dennis, tendo chegado a trocar socos com ele num restaurante em Barcelona, se aproximou da McLaren de Senna, no *grid* de largada do GP da Austrália, em Adelaide, com uma dose de aguardente *snichzel* num copo de plástico. E pediu:

— Vamos lá, Ayrton. É sua última corrida na McLaren. Nós todos odiamos o Ron. Nos dê esse prazer!

De acordo com Karl, Ayrton, que já tinha recusado ofertas anteriores, acabou aceitando e tomando a dose em pleno *grid* de largada.

Jo Ramirez estava naquele *grid*. Sem copinhos de *snichzel*. E jamais esqueceu um gesto inesperado de Ayrton, já durante seu ritual de concentração para a largada. De repente, *pole position* pela primeira vez naquela temporada, ele fez um sinal para Jo, como se quisesse que o amigo ajustasse o cinto de segurança, tarefa que normalmente nunca delegava a ninguém. Quando Jo se aproximou para ajustar o cinto, Senna segurou sua mão, dispensou a comunicação por rádio e disse:

— É muito duro, pra mim, correr a última. Vou amar vocês para sempre.

Jo, emocionado, procurou incentivar Ayrton a vencer para deixar a McLaren uma corrida à frente da Ferrari, em número de vitórias. Ele concordou, aceitou o "desafio" e começou a chorar dentro do capacete. Jo lamentou criar aquela situação emocional a poucos minutos da largada, mas a conversa não atrapalhou. Senna fez uma corrida perfeita.

Na área restrita para a chegada dos carros, as câmeras da tevê australiana registraram um precioso momento de ternura. Primeiro, no afetuoso abraço que se deram Ayrton e o inoxidável Ron Dennis.

Três anos após o acidente de Suzuka, a tentativa de reconciliação de Ayrton no GP de Adelaide. Ao lado de Damon Hill, Senna levanta o braço de Prost no pódio.

Instantes depois, o que tinha tudo para ser um momento de frieza e constrangimento se tornou uma reconciliação que arrancou aplausos dos que estavam por perto: quando Prost, segundo colocado, caminhou de sua Williams em direção a Ron para cumprimentá-lo, Ayrton se antecipou e o cumprimentou. Todos ficaram emocionados.

Na cerimônia do pódio, Senna puxou Prost e Hill, o terceiro colocado, para o lugar mais alto. Depois ergueu o braço de Alain. Um mês e meio depois, Prost deu uma entrevista dizendo não acreditar que o gesto de Ayrton tenha sido "completamente sincero":

"Eu tentei várias vezes fazer as pazes com ele e ele sempre recusou. Mesmo na entrevista coletiva de Suzuka, eu disse que queria, no meu último GP, em Adelaide, ver as coisas diferentes, com um bom sentimento entre nós. Na hora ele recusou. No pódio do Japão, ele sequer olhou para o meu lado."

Na Austrália, Senna estava mesmo diferente. Sereno, generoso, sorridente e inexplicavelmente satisfeito com aquele vice-campeonato. Em sua reportagem para o *Jornal do Brasil*, Mario Andrada e Silva atribuiu grande parte daquele bom humor ao "clima de lua-de-mel com a namorada Adriane", que incluiu, além de um passeio pelo zoológico de Adelaide, um lanche no McDonald's e um comentário bem-humorado de Ayrton:

"Isso é pra você ver o que um homem não faz por uma mulher."

O emblema do último fim de semana feliz de Ayrton Senna na Fórmula 1 foi a homenagem consagradora que a cantora Tina Turner fez a ele durante um *show* para milhares de pessoas, ainda na noite daquele domingo. O palco foi montado ao lado da pista e Ayrton resolveu assistir a uma parte do espetáculo, acompanhado de Adriane. Ao chegar, foi reconhecido por todos e Tina o chamou imediatamente, anunciando uma inversão na ordem das músicas, para cantar para ele "Simply the best". Senna dançou com Tina no palco e a velha dama do *rock*, entusiasmada, fez um bis da música. Do outro lado do palco, Rubens Barrichello e a namorada, emocionados.

No churrasco de despedida promovido pela Philip Morris em Adelaide, Ayrton pediu a palavra e brincou:

"Muito obrigado por tudo o que vocês fizeram por mim e pelo presente. Agradeço bastante e espero fazer tudo para vencê-los no ano que vem."

Ron Dennis deixou gravados, num CD intitulado "Obrigado, Ayrton Senna", o seu reconhecimento e uma sugestão bem-humorada sobre o que Ayrton deveria fazer em Didcot, sede da equipe Williams:

"Caro Ayrton, tudo que é melhor é caro. Algumas vezes, porém, acaba valendo a pena. Obrigado por todos os resultados e pelos bons momentos que nós compartilhamos. Tenha boas férias em Didcot."

Dez anos depois, Ron Dennis dizia ter certeza de que, já naquele fim de semana na Austrália, Senna estava arrependido de ter trocado de equipe. Dennis chegou a afirmar que, se não houvesse o contrato com a Williams, Senna voltaria atrás:

"Ayrton definitivamente não estava se sentindo confortável ou certo de que deixar a McLaren era a coisa certa para se fazer naquele momento. Eu senti isso e nós conversamos."

Ron confessou também "um certo ressentimento", depois de gastar "muito dinheiro" com Ayrton "em detrimento da equipe":

"Tínhamos vencido cinco corridas no ano, quase em condições de lutar pelo título. Achava que era hora de Ayrton retribuir. Não em dinheiro. Mas ficando com a família. Acho que ele não sabia o quão forte era a família McLaren."

Uma outra "silenciosa frustração" de Ron Dennis não diminuiu com o tempo:

"Ele guiou para nós durante seis anos, ganhou a maioria das corridas com a McLaren, conquistou seus três títulos pela McLaren e, de um modo estranho, a percepção que as pessoas têm das corridas pela Williams é completamente desproporcional. Eu converso muito com a minha mulher sobre isso e nunca vou me acostumar."

12º Capítulo

Glória Incerta

Juracy dos Santos cuidava dos macacões dos tempos da Lotus. E não viu alegria nos olhos de Ayrton, quando ele vestiu o da Williams, para a apresentação da equipe no circuito de Estoril, no dia 19 de janeiro de 1994:

"Ele não estava muito feliz desde o início."

O macacão não era mais aquele de cor vermelha que parecia uma segunda pele, uniforme de combate que ele usara para conquistar a Fórmula 1. A expressão não tinha mais a faísca do rebelde que desafiara o reino. O macacão agora era azul e branco. Transmitia uma estranha formalidade. Não tinha história.

Vistas pela tevê, para Dennis Rushen, o chefe de equipe da temporada vitoriosa de 1982 na Fórmula Ford 2000, aquelas primeiras imagens de Ayrton na Williams deram a impressão de que a hora de parar tinha chegado:

"Ele ficou diferente. O coração dele não estava mais lá."

Braguinha tinha o costume de acompanhar os treinos de Ayrton em Estoril de vários pontos do circuito. Até se divertia com a capacidade que Senna tinha, nos tempos da McLaren, de localizá-lo à beira da pista e acenar, brincalhão, mesmo durante voltas rápidas. Naqueles testes da Williams, Braguinha preferiu acompanhar tudo no boxe. E logo no início, não entendeu o que estava acontecendo. Ayrton dava uma volta rápida e outra bem mais lenta. Outra rápida, outra lenta, logo em seguida.

Ayrton e Patrick Head examinam a Williams FW16: um carro arisco, instável e difícil de guiar em pistas onduladas, que mereceu de Senna o apelido de "cadeira elétrica".

Quando a Williams FW16 voltou ao boxe, ele soube a razão. Senna simplesmente não conseguia fazer duas voltas rápidas consecutivas. E explicou:

— A direção parece de caminhão.

Uma referência do tamanho do problema que Senna tinha pela frente foi Rubens Barrichello, que igualou seu tempo, sem maiores dificuldades, com a modesta Jordan. Ao fazê-lo, Rubens também melhorou em três segundos o tempo do carro em relação à sua melhor volta no circuito em 1993. A Williams de Senna, ao contrário, perdeu rendimento em comparação ao carro usado por Prost em 1993.

As novas regras, introduzidas pela FISA com o objetivo de resgatar a importância do piloto no resultado das corridas, tinham acabado com a ajuda eletrônica. Não havia mais sensores determinando ajustes automáticos de suspensão ou controle computadorizado de tração e frenagem. E o carro de Ayrton, despido da alta tecnologia, transformara-se no que ele chamou de "cadeira elétrica", num desabafo ao amigo Pedro Queiroz Pereira, também presente nos testes de Estoril.

A expectativa geral com a apresentação de Senna na Williams, no entanto, pesava toneladas: no primeiro dia, ele deu dez voltas no circuito e quatro horas de entrevista. Alguns jornalistas e colunistas brasileiros, desconhecendo o tombo tecnológico sofrido pela Williams, não se conformaram com o tom cauteloso e quase decepcionado das primeiras entrevistas e chegaram a criticá-lo. Um deles chamou Senna de "piloto chorão", criticando-o por "passar a imagem, manjadíssima na Fórmula 1, do piloto reclamão, aquele que sempre afirma que tem um equipamento inferior para justificar derrotas e valorizar vitórias". Um insuspeito Nélson Piquet, no entanto, explicou, também pelos jornais:

"O problema é que a Williams estava muito mais adiantada que os outros na eletrônica e, com a mudança de regulamento, desceu um degrau. Enquanto isso, a Benetton deu um salto enorme por causa da Ford. Eles conseguiram ganhar 1.500 rotações e 40 cavalos no motor. A disputa entre as duas vai ser ali, parelha, corrida a corrida."

Antes mesmo de disputar a primeira corrida pela Williams, Senna, desapontado com os resultados e se sentindo um estranho na equipe, chegou a considerar a possibilidade de se transferir, no ano seguinte, para a Ferrari, equipe em que sempre sonhou terminar a carreira. De acordo com Julian Jakobi, alguns telefonemas trocados entre Ayrton e Luca de Montezemolo, presidente da Ferrari, ainda no inverno europeu de 1994, o deixaram "mais perto do que nunca" de um contrato com a equipe italiana.

Em termos de valores, segundo Julian, não seria um acerto muito diferente do que Ayrton fizera com a Williams. Ele queria apenas ter um bom carro. E chegou a dizer a Montezemolo que gostaria de levar, para a Ferrari, dois engenheiros dos tempos da McLaren: Nigel Stepney e Giorgio Ascanelli. Baseado nos relatos de Ayrton sobre as conversas com o presidente da Ferrari, Julian chegou a fazer um relatório que depois guardou no arquivo dos contratos e negociações feitos em nome de Senna. Nove anos depois, Julian revelou:

"Michael Schumacher herdou as bases do contrato que Ayrton estava acertando com Montezemolo."

Quase dois meses depois daquela apresentação morna da nova Williams, o ânimo de Ayrton continuava o mesmo, na véspera da primeira prova da temporada de 1994, em Interlagos. Um diálogo de Ayrton com Tchê, o velho amigo dos tempos do *kart*, na parte reservada do boxe da Williams, depois da tomada de tempos do sábado, foi revelador. Tchê queria saber se ia ser fácil vencer. Ayrton deu-lhe um abraço afetuoso e explicou que estava machucando o cotovelo, os pulsos e a cintura por causa da posição desconfortável e apertada no *cockpit* da Williams:

— Estou numa merda que dá gosto. Tchê, que falta você me faz!

No mesmo dia, ao encontrar o piloto Raul Boesel, à época disputando a Fórmula Indy com carro da marca Lola, Senna perguntou:

— E seu carro, é bom?

Boesel aproveitou para desabafar:

— Meu carro é uma merda.

— Pois é, mas você pode comprar um Reynard. Eu não posso comprar outro carro. Meu carro é uma bosta!

— É mesmo?

— É ruim. Muito ruim!

No encontro com Emerson Fittipaldi, no mesmo dia, Ayrton antecipou:

— Não vai ser fácil com o alemão.

Não foi mesmo. Pilotos ouvidos pela *Autosport* naquele fim de semana ficaram impressionados com a diferença de comportamento da Benetton para a Williams, quando eram ultrapassados por Senna e Schumacher, na luta pela *pole position*. Para um deles, enquanto Michael parecia passear em uma poltrona pelo circuito, Senna dava a impressão de estar num carro de montanha-russa. A *pole position* foi a única alegria de Ayrton. Ele largou na frente, mas voltou do *pit-stop* atrás de Schumacher. E na tentativa de alcançar Michael, rodou na curva da Junção, na 55ª volta.

DUREZA

A argumentação de Ayrton era simples: nada mais natural que o principal responsável pelos altos índices de audiência das corridas da Fórmula 1 fosse patrocinado pela emissora detentora dos direitos exclusivos da transmissão. Com essa convicção, ele pediu que o amigo Braguinha intermediasse, no início de 1994, uma conversa com Roberto Irineu Marinho, filho mais velho de Roberto Marinho e vice-presidente da Rede Globo de Televisão.

Senna, um dos esportistas mais bem pagos da década de 1990, não estava exatamente sem dinheiro, mas reduzira drasticamente suas exigências salariais para, enfim, ter o direito de pilotar a Williams-Renault que tanto o infelicitou na pista em 1992 e 1993. Ele sabia que boa parte dos dólares que Frank Williams poderia oferecer a ele, algo em torno de oito milhões naquele ano, estava sendo depositada em parcelas na conta bancária do ex-rival Prost, demitido pela equipe de modo a abrir espaço para Senna.

As conversas com Roberto Irineu Marinho e, posteriormente, com os executivos da emissora chegaram a evoluir para uma situação em que a TV Globo arcaria com uma cota de patrocínio para Senna, que não chegava ao milhão de dólares por corrida de 1993, mas era "muito dinheiro", de acordo com Braguinha. Na última hora, porém, a TV Globo desistiu da operação. Emerson Fittipaldi foi um dos amigos que testemunharam a frustração de Ayrton com o fracasso do negócio:

"Era para dar uma mão no salário. E o Ayrton ficou contrariado."

Fora da Williams, Senna continuava ganhando muito dinheiro e multiplicando o patrimônio, naquele início de 1994. O mais modesto de seus contratos, mantido num patamar relativamente baixo por razões afetivas, era o do eterno patrocínio do Banco Nacional: um milhão de dólares. Nos outros negócios, à época gerando uma receita de cerca de 20 milhões de dólares, segundo estimativas da imprensa especializada, Ayrton se envolvia cada vez mais com a tomada de decisões e o comando administrativo. E explicava, no final de março:

"Tenho 34 anos, mas daqui a cinco anos eu preciso pensar no que fazer."

O mais vistoso empreendimento de Ayrton no Brasil, a exclusividade para a venda de carros da marca Audi no país, foi lançado no dia seguinte ao GP do Brasil, com uma festa grandiosa que reuniu cerca de dois mil convidados num hangar do Aeroporto de Congonhas, em São Paulo. Organizada pelo promotor de eventos José Vítor Oliva, a festa teve seu clímax quando o humorista Jô Soares desembarcou de um avião cargueiro dirigindo um Audi. Só a queima de fogos de artifício, feita por uma firma americana, custou 15 mil dólares. Nove anos depois, na lembrança de José Vítor, o evento teve "um tamanho compatível com a grandiosidade das coisas que Senna fazia":

"Tudo dele atraía muita gente. Todos queriam estar perto. Uma loucura."

Nem tudo naquela noite aconteceu de acordo com o *script*. Segundo o executivo Eduardo Correa, um dos convidados, os telões falharam na hora do "desembarque". Além disso, segundo ele, Ayrton e Jô Soares, no palco, deram a impressão de abandonar o *script* na última hora. Conversaram por cinco ou dez minutos com o público e pareceram querer encerrar o evento rapidamente. Houve uma entrevista ao vivo do local da festa para o *Jornal da Globo*, mas a âncora Lilian Wite Fibe, como era de se esperar, só fez perguntas sobre Fórmula 1, mais exatamente o abandono de Senna no GP do Brasil do dia anterior. Nem uma palavra sobre a Audi.

Na manhã daquela segunda-feira, mesmo de ressaca com a decepção da rodada e a vitória da Benetton de Schumacher, Ayrton deu uma demonstração de pragmatismo comercial. No *test drive* dos carros Audi realizado no mesmo circuito de Interlagos, um evento destinado à mídia, não havia previsão de que a TV Globo comparecesse. Charles Marzanasco Filho, o assessor de imprensa de Senna no Brasil, teve a idéia. Ligou para José Maria de Aquino, chefe de reportagem da editoria de esportes da emissora, e perguntou:

— Zé, e se o Ayrton mostrasse como ele rodou com a Williams?

— Isso é *Jornal Nacional* na certa.

Ayrton se permitiu, então, explicar detalhadamente, para o repórter Mauro Naves, o que tinha acontecido com sua Williams, na rodada da curva da Junção. E com um irresistível atrativo jornalístico: rodou de novo, na mesma curva, com o repórter da TV Globo dentro do carro. Um sedã Audi.

Nélson Piquet, instado a comentar o novo empreendimento de Senna, manteve a tradição de cutucar: revendedor de carros e caminhões da marca Mercedes, concorrente direto, portanto, de Ayrton, Piquet questionou a veracidade de pesquisas do governo alemão citadas por Senna que indicariam ser o Audi superior ao BMW e ao Mercedes:

"Ele sabe que é um fusca de luxo."

Os brasileiros não concordaram. Em poucos anos, os Audi deixariam para trás, nas vendas no Brasil, os concorrentes Mercedes e BMW.

Idílio e Confronto

Ayrton estava furioso quando Adriane o encontrou nos boxes de Interlagos, na manhã de sexta-feira, 25 de março, às vésperas de os dois completarem um ano de namoro. Ele tinha um exemplar da revista *Caras* nas mãos. De acordo com o relato do jornalista Nirlando Beirão, assim que ela se aproximou, Senna jogou a revista em sua direção e explodiu:

— Era isso que você queria?

Era uma reportagem, de capa, feita pela jornalista Cynthia de Almeida. Apresentava Adriane como "namorada de Ayrton Senna". A revista *Caras*, que ainda estava para completar um ano de existência no Brasil, era, de acordo com Nirlando Beirão, seu primeiro diretor, inspirada no conceito das chamadas "revistas *del corazón*" da Argentina. Se o Brasil, como a Argentina, não tinha "realeza", *Caras* criaria uma nobreza de prestígio e estrelato, o *star system* brasileiro.

Senna, "o príncipe", encabeçava a lista de 20 eleitos por Nirlando e sua equipe para compor a "casa real" brasileira, ao lado de Xuxa, a principal estrela entre as mulheres. Também faziam parte da "corte" da versão brasileira de *Caras* o humorista Jô Soares, o jogador Romário, o apresentador Cid Moreira e as atrizes Malu Mader e Regina Duarte.

Ayrton, portanto, passara a ser uma preocupação diária para Nirlando. E a busca de entrevistas e imagens dele vinha sendo tão intensa, que incluiu, naquele verão de 1994, uma tentativa de pouso de helicóptero na casa de Angra. O fotógrafo argentino Carlos Marcchi, que o próprio Nirlando considerava "maluco", queria se aproximar da casa do condomínio Portogalo de qualquer maneira. E só não conseguiu pousar porque Ayrton, acompanhado de Leonardo, correu para o heliponto e acionou o motor do seu helicóptero, impossibilitando, por razões de segurança, o pouso de *Caras* na intimidade de sua mansão.

Na opinião de Nirlando Beirão, Senna, ao reagir contra aquela reportagem de capa, pareceu estar querendo dizer que Adriane era "uma modelo e não a futura mãe dos filhos dele". Àquela altura, o namoro era o centro de uma sofrida crise entre Ayrton e a família. No final de 1993, Adriane chegara a ser levada por Ayrton para passar o Natal com a família em Tatuí, mas, na última hora, voltou para São Paulo dirigindo o carro de dona Neyde. Outro momento tenso foi a compra de um carro Uno, zero quilômetro, cor prata, para ela. A transação fora feita pelo amigo Alfredo Popesco, a pedido de Senna. De acordo com Alfredo, o presente deixou Milton da Silva chateado.

Quando Ayrton e Adriane estavam no Brasil, o namoro misturava situações românticas e tensas. O piloto Nelson Loureiro confirmou que até bilhetes apaixonados eram motivo de viagens do helicóptero de Senna. Em uma delas, a pedido de Ayrton, Nelson levou Adriane para uma filmagem em Paraty, litoral do estado do Rio. Logo depois de pousar, quando ela disse que estava com saudade de Senna, àquela altura no escritório do edifício Vari, em Santana, Nelson, cúmplice, propôs:

— Escreve um bilhetinho que eu levo pra ele.

Adriane aceitou a sugestão, escreveu o bilhete e, minutos depois, ele estava voando de volta para São Paulo. Para surpresa de Ayrton, ao perceber o pouso antecipado do helicóptero no prédio:

— O que você está fazendo aqui?

— Trouxe esse bilhete aqui pra você.

Ayrton, segundo Nelson, pegou o bilhete e reagiu, preocupado:

— Você é louco. Meu pai me mata se souber disso. Aliás, mata você e eu.

— Mas você tem que responder ao bilhete, Ayrton.

Algum tempo depois, Nelson decolou novamente para Paraty, levando a resposta de Ayrton.

Para Nelson, um dos que perceberam o mal-estar na família deflagrado pelo namoro, a atitude de Milton da Silva era a de "um pai diante de um filho que fez escolhas de vida diferentes das que ele imaginava e queria". De acordo com ele, no final de 1993, as brigas haviam chegado a um ponto em que ele ouviu Ayrton flertar com uma alternativa inimaginável para quem conhecia sua profunda dependência emocional em relação ao Brasil, Tatuí e, principalmente, Angra dos Reis:

— Estou pensando até em não vir para o Brasil e ficar lá em Portugal com a Adriane.

Braguinha, um dos que perceberam não apenas os problemas com a família, mas também a mudança pessoal de Ayrton, deu, nove anos depois, uma explicação simples para a crise:

"O Miltão achava que todo mundo que se aproximava do Ayrton tinha interesses, queria tirar vantagens. Bastava um relacionamento durar mais para ele não gostar."

Para Linamara Battistella, por mais sofrida que tenha sido a crise e por maiores que fossem as diferenças com o pai, "ele jamais romperia com a família por causa de Adriane":

"Ayrton tinha um respeito imenso e profundo pela mãe. Um rompimento público com a família seria impossível e impensável."

A julgar pelo depoimento de Cristine Ferracciu, Ayrton, nesse período, também viveu momentos de conflito afetivo que o levaram a ligar para ela, no início de março, "aos prantos":

"Ele pediu perdão. Não se conformava com os erros que tinha cometido. Tinha chegado à conclusão de que tinha perdido e machucado as duas únicas mulheres com as quais poderia ter casado: Adriane Yamin e eu. E que tinha machucado a Yamin fazendo com ela o que Xuxa fez com ele."

Ayrton só chorava, pedia perdão e, de acordo com Cristine, tentava explicar sua relação com Adriane:

— Ela não incomoda, não faz perguntas e não enche o saco.

Com a autoridade de quem ajudou Adriane a escrever suas memórias, Nirlando Beirão confirmou:

"Adriane não desafiava o Ayrton. Muito jeitosa, ela não pressionava nem fazia uma carga de responsabilidade. Se fosse uma Claudia Schiffer, ele ficaria intimidado. Mas foi uma relação que foi crescendo e ele começou a sinalizar para a família que queria aquilo."

Era impossível ignorar o namoro, qualquer que fosse o papel que dessem a Adriane. Nuno Cobra esteve três semanas na casa do Algarve, para um trabalho intensivo com Senna. Disse ter formado com ela uma "aliança" para não deixar que ele voltasse a ser "aquela pessoa tensa, preocupada, responsável, lacônica, triste e taciturna":

"A Adriane dizia: 'Ataca daí, Nuno, que eu vou atacar daqui. Vamos tirar esse Senna daí. Ele está virando Senna, está ficando triste'."

Em uma única oportunidade, Takeo Kiuchi, o engenheiro da Honda que se tornou amigo, disse ter sentido "a sensação reconfortante de que

Ayrton era um ser humano normal": um jantar em Suzuka, na semana do GP do Japão de 1993. Kiuchi já estava de volta ao Departamento de Pesquisa e Desenvolvimento da Honda, no Japão, e recordou:

"Eu estava com a minha mulher, Yuki, e Ayrton com Adriane. Foi um encontro em três idiomas: japonês, inglês e português. Eu nunca vi Ayrton tão alegre e brincalhão como naquele dia."

Walderez Zanetti, no penúltimo corte de cabelo, já em 1994, viu Ayrton "na época em que ele estava melhor como pessoa":

"Na hora de se despedir, Ayrton fez o que não costumava fazer. Parou na escadaria, virou-se para mim e mandou um beijo tão afetuoso que todo mundo no salão caiu de quatro."

GUINADA

Cerca de duas semanas depois daquele GP do Brasil, uma grande surpresa para quem testemunhou a reação contrariada de Senna à edição de *Caras* sobre Adriane. A mesma revista conseguiu negociar, diretamente com Ayrton e com intermediação de seu fotógrafo, Norio Noike, uma reportagem impensável: ele e Adriane, em poses generosas, no reduto máximo da intimidade da família: a fazenda em Tatuí.

Edgardo Martolio, diretor-superintendente de *Caras* na época, contou que Ayrton fez questão de escolher as locações para as fotos de Norio, que recebeu cerca de três mil reais da revista, mais o direito de vender o material internacionalmente. Senna foi também convidado para ir à ilha de Caras, mas declinou. Sua determinação, no entanto, deixou Edgardo impressionado:

"Foi como uma confirmação do namoro dos dois. Foi por isso que o Senna aceitou fazer as fotos."

Nirlando avaliou que a decisão, "um surpreendente sinal verde", sem qualquer imposição de limites ao texto e à imagem, era uma mensagem clara de Ayrton para a revista e para quem quer que a lesse que ele estava dando a Adriane a intimidade de um território familiar. Na cabeça de

Nirlando, a fazenda, ao contrário de Angra, era um reduto íntimo que só foi aberto à visitação pública na festa de inauguração do kartódromo, em 1991.

E Adriane estava lá, sensualmente guardada nos braços de Ayrton, à frente de cenários românticos de fim de tarde. A revista só chegou às bancas no dia 29 de abril, dois dias antes da tragédia de Ímola. Na capa, sobre uma foto do casal, o título: "Ayrton Senna fala de amor: mulheres, namoros, casamento, filhos".

Ayrton e Adriane Galisteu. Até os amigos íntimos de Senna, que não gostavam do namoro, admitiram que o relacionamento fez muito bem a ele.

Na reportagem de 12 páginas e 14 fotos, Senna declarou-se um "divorciado convicto" e, apesar da chamada da capa, não disse palavra sobre casamento. Ao longo da entrevista, insistentemente focada na vida amorosa, ele também não fez qualquer referência explícita à relação com Adriane. E defendeu os "relacionamentos abertos", sem dar qualquer sinal de que estava perto de se casar com ela.

Sete meses depois daquela reportagem, já depois de Ímola, Adriane fez, com a ajuda do texto de Nirlando, uma descrição daquele relacionamento. Em seu livro, levado às bancas pela mesma editora de *Caras*, ela descreveu o namoro:

"Recordo-me, em êxtase, do dia em que os beijos ardentes que nós tínhamos só ensaiado sobre a areia prosseguiram no sacolejo das ondas dentro da lancha, nós dois sozinhos. Dos beijos e sacolejos nasceu a ânsia do amor. Lembro-me também daquela urgência de peças de roupas arrancadas, braços entrelaçados, unhas cravadas, leme abandonado, nau sem rumo. Brotou um amor selvagem, irresistível, incontrolável. Taí, eu digo com todo orgulho de mulher amada, um Ayrton que ninguém experimentou."

O Medo de Sonia

Uma outra rodada na pista, três semanas depois do GP do Brasil, já nos treinos oficiais para a segunda prova do campeonato, o GP do Pacífico, no Japão, deixou Ayrton tão irritado, que Sonia Ito, que normalmente traduzia as entrevistas dele para o japonês, foi às lágrimas.

Os jornalistas japoneses faziam perguntas sobre o carro, Sonia traduzia, e Senna ficava em silêncio, nervoso. Ela insistia, pressionada pelos japoneses, e ele não respondia. Nunca o medo se misturou tanto com a grande admiração que ela sentia, havia anos, por Ayrton. No dia seguinte, um acidente com a McLaren de Mika Hakkinen, na primeira curva, deixou Senna fora da corrida, metros depois da largada. Na volta a pé para os boxes, ele estava tão irritado, que Sonia não teve coragem de se aproximar. Aos jornalistas japoneses que a pressionavam, ela não hesitou:

— Não vou. Tenho medo dele.

Naquele dia, Ayrton fez uma reunião de uma hora e meia com o comando da Williams e com os responsáveis da Renault, pedindo, de acordo com a reportagem de Mario Andrada e Silva, para o *Jornal do Brasil*, "melhores condições de trabalho". Ayrton já sabia que a Renault ia fornecer motores para a Benetton na temporada de 1995 e estava preocupado com a falta de preparo e organização da equipe.

Senna queria uma opção especial de câmbio, com uma quinta e uma sexta marchas mais longas, com menos torque e mais velocidade. A equipe não tinha levado as engrenagens para Aida, porque Patrick Head considerara o gasto de transporte desnecessário. Existia, àquela altura, na Williams, uma situação que Nuno Cobra, depois de conversas com Senna, considerou "de litígio":

"Ayrton brigava muito com os engenheiros e mecânicos da Williams. Os japoneses, no tempo da McLaren, ficavam com ele no boxe até de madrugada. Com os ingleses, davam cinco horas e adeus!"

Frank Williams não foi para Aida. Senna ligou para ele, pedindo algo que nenhum dos pilotos que passaram pela equipe jamais havia pedido: uma reunião com todos os funcionários, na sede em Didcot, na Inglaterra, só para incentivá-los. Galvão Bueno disse que Ayrton queria também ir pessoalmente à sede da Renault, em Paris, justificando:

— Esse carro é uma merda. Mas eu vou deixar os caras malucos. Vou fazer o carro ficar bom!

A reunião em Didcot aconteceu dias depois. E Patrick Head, que já estava impressionado com "o imenso controle que Ayrton tinha do que faziam com o carro no boxe", admirou-se com a coragem dele diante de 200 ingleses, ao dizer:

— Pessoal, tivemos um mau começo, mas as coisas estão melhorando. Portanto, mãos à obra que nós vamos vencer!

Ainda naquele domingo, no Japão, Senna teve um encontro de duas horas, em seu quarto, com Yoshitoshi Sakurai, o ex-chefe da Honda na Fórmula 1 e confidente nas questões profissionais. De acordo com Sakurai, Ayrton estava decepcionado e preocupado com a Williams:

GP de Aida, em 94. A corrida de Ayrton durou alguns metros. Na segunda prova do campeonato, a Williams número 2 sai da pista junto com a Ferrari de Nicola Larini.

"Ele parecia fraco, sem a aura que tinha nos tempos da McLaren. Estava também reflexivo, parecendo fazer um balanço de vida."

Naquela noite, Sakurai teve a impressão de que Senna não parecia estar preparado para "a vida depois da Fórmula 1". Um dos assuntos da conversa, segundo Sakurai, foi uma antiga sugestão que dera para que Ayrton começasse a se preparar "para ser presidente do Brasil". A reação de Senna:

— Político tem de ser submisso. Não sou assim. No fundo, sou mesmo um piloto de Fórmula 1.

Sakurai já tinha deixado o hotel de Senna, quando começou a sentir a sensação incômoda de que aquele fora "um encontro de despedida". Decidiu, então, ligar de novo para o quarto dele. Ninguém atendeu. Depois de várias tentativas, resignou-se, contando com um novo encontro que jamais aconteceria.

Galvão também estava preocupado, menos com o desafio que Ayrton tinha de acertar a Williams do que com o volume e a freqüência dos compromissos comerciais que ele assumiu para aquela temporada. "Muita coisa na cabeça, muita preocupação". Na manhã seguinte à corrida de Aida, quando os dois se encontraram no café da manhã do hotel, Senna se queixou de que não conseguira dormir direito. E Galvão provocou:

— É isso. Arruma mais uns três ou quatro negócios que você emenda todo dia, acaba o problema.

Rubens Barrichello e seu *manager* Geraldo Rodrigues, dias antes, também em Aida, tinham compartilhado um momento em que Ayrton parecia estar precisando muito das emoções simples e anônimas de um homem comum. Por coincidência, os três estavam em quartos no mesmo andar de um hotel, perto da Disney japonesa. E, para surpresa de Barrichello e Geraldo, foi Senna, em um encontro casual no corredor, a caminho da sala de ginástica, quem perguntou se podia acompanhá-los mais tarde, no passeio pelo parque.

Foram dois dias de muita descontração, durante os quais Barrichello ficou sensibilizado com a "imensa satisfação" de Senna com um programa banal que o estrelato tornara uma raridade: comer um hambúrguer de carrocinha.

Na verdade, dois hambúrgueres de carrocinha.

Na Terra de Alain

— Fico imaginando o Prost, dando o pontapé inicial num jogo do Maracanã e a vaia imensa que ele ia levar. Não vou não.

Braguinha, em nome do presidente da Confederação Brasileira de Futebol, Ricardo Teixeira, convidou Ayrton para dar o pontapé inicial no amistoso da Seleção Brasileira contra um combinado dos times Paris-Saint-Germain e Bordeaux, no estádio Parc des Princes, em Paris, na noite de 20 de abril. Levado por Galvão Bueno apenas para assistir ao jogo, Senna queria apenas cumprimentar o time de Carlos Alberto Parreira, depois da partida. Insistiram tanto, que Ayrton aceitou o convite, ainda com medo de receber o que seria a primeira grande vaia de sua vida.

Estava completamente enganado. Foi ovacionado pelos milhares de compatriotas de Alain Prost que lotavam o estádio. Depois do jogo, no caminho para o restaurante La Coupole, em companhia de diretores da Renault, ao passar por trechos interditados por causa do jogo, ganhou trânsito livre em troca de meia dúzia de autógrafos para os guardas. E, ao chegar ao restaurante, foi novamente aplaudido pelos fregueses. Muitos bateram palmas de pé.

Horas antes daquela consagração, Ayrton viveu uma situação curiosamente inversa no saguão do hotel em que estava hospedado. Na saída para o estádio, no elevador, ao lado de Betise Assumpção, sua assessora de imprensa, Galvão e outros brasileiros, ele estava preocupado com o assédio dos fãs e combinou com todos de atravessar o saguão rapidamente e entrar logo no carro, temendo uma longa sessão de autógrafos.

O grupo fez o combinado: cruzou rapidamente o salão e, na calçada, todos se deram conta de que o carro de Senna, uma Renault Espace, não estava à sua espera. Foram cinco minutos durante os quais, para surpresa de todos, ninguém se aproximou de Ayrton, sequer para um tapinha nas costas. Um dos integrantes do grupo provocou:

— Puxa, você está famoso mesmo, hein?

Todos riram muito e embarcaram para o estádio onde Ayrton acabou saboreando a inesperada homenagem dos franceses. Uma noite em que o jornalista Pedro Bial, um dos brasileiros que foram ao estádio e ao restaurante, ficou impressionado:

"Senna era um homem em estado de graça."

Aquela noite de afagos em Paris foi uma trégua em dias de uma tristeza enigmática que ele não escondia dos mais íntimos. No dia seguinte, já na casa do Algarve, teve uma conversa telefônica de cerca de 20 minutos com o amigo Oscar Jager, que estava em Angra e a guardou em detalhes. O assunto era a Williams, problemática e desconfortável:

— O *cockpit* é estreito para mim. A posição de guiar não é boa.

Ayrton estava desanimado e preocupado com a *performance* de Schumacher. E Oscar se sentiu à vontade para dar um conselho:

— Deixa eu falar! Você está falando como se tudo fosse definido em uma corrida. Você está querendo provar o quê? Não tem que provar nada pra ninguém! Parece até que você está começando hoje na Fórmula 1, pô!

Ayrton ficou quieto do outro lado da linha e, no final, deu a impressão de ter sido acordado pelos conselhos de Oscar:

— Muito obrigado por estas palavras.

Schumacher, 20 a Zero

A semana que antecedeu ao GP de Ímola começou com novos testes da Williams em Nogaro, no sul da França, e um telefonema de Ayrton para Juracy no qual ele disse que, na volta ao Algarve, precisava descansar. Ao chegar, estava sem apetite. Dizia, irônico, que era uma "dieta espiritual". E tinha uma dificuldade ainda maior que a normal para dormir. Na noite de terça-feira, dia 27 de maio, ele chegou a acordar Juracy de madrugada, pelo interfone:

— Juracy, você trocou o meu travesseiro!

Juracy foi até o quarto de Ayrton e o encontrou exasperado, entre vários travesseiros. Ficou assustada:

— Ayrton, você pegou todos os travesseiros da casa!

No almoço de quarta-feira, 28 de maio, servido no terraço da piscina, ele praticamente não tocou na comida. Acostumada com o ótimo apetite do patrão, Juracy ficou preocupada. E ele tentou tranqüilizá-la:

— Juracy, estou mesmo sem fome.

Owen O'Mahoney ficou até sem jeito com o estado de espírito de Ayrton naquele dia, ao embarcar no seu jato para a viagem de Faro à Itália. Senna entrou no avião por volta de meio-dia, sozinho e "estranho". Owen não perguntou nada. Na chegada ao aeroporto de Rimini, Ayrton deixou com Owen, como sempre fazia, a credencial normalmente usada por Milton da Silva, quando ele acompanhava as corridas da fase européia. E Owen apenas se despediu com a brincadeira de sempre:

— Eu fiz o meu. Agora você vai lá e faz o seu.

Na quinta-feira, antes de seguir para Ímola, Senna teve mais um daqueles compromissos comerciais que causavam preocupação em Galvão Bueno: o lançamento de três modelos de *bikes Senna*, criadas pela fábrica italiana Carraro. Só no final daquela tarde ele chegou ao autódromo de Ímola. E acabou dividindo um macarrão, no *motohome*, com os quatro correspondentes dos principais jornais brasileiros: Livio Oricchio, de *O Estado de S. Paulo*, Mario Andrada e Silva, do *Jornal do Brasil*, Flávio Gomes, da *Folha de S. Paulo*, e Celso Itiberê, de *O Globo*.

Na lembrança de Livio, Riccardo Patrese, da Benetton, passou na hora e brincou com Ayrton. Não houve resposta. Queixava-se do carro e ainda tinha na memória a manchete que, de acordo com Patrick Head, tanto o incomodara. Na edição da *Autosport* que se seguiu ao GP de Aida, o texto da capa provocava: "Michael 20, Ayrton zero."

As retas de Ímola eram a esperança para o Renault V10 vencer o equilíbrio e os 40 cavalos a mais que a Ford tinha conseguido para o motor da Benetton de Schumacher. Ayrton e Damon Hill tinham testado, em Nogaro, várias modificações aerodinâmicas e mecânicas. Uma delas, feita apenas no carro de Senna, fora a alteração na altura do volante, para aumentar o conforto no *cockpit* e a dirigibilidade. Os carros tinham melhorado, mas Ayrton continuava insatisfeito:

"Não estou conseguindo dirigir esse carro. Ele está muito difícil de guiar. É tão duro que qualquer ondulação do piso faz ele saltar."

Naquela quinta-feira, *O Globo* já publicava um artigo em que Celso Itiberê antecipava o desafio daquela corrida:

"O asfalto de Ímola, se é bom na maior parte dos cinco quilômetros, tem um trecho muito ondulado em um ponto perigoso, em que os carros chegam a mais de 300 por hora: a curva Tamburello. Por causa da velocidade e da necessidade de um carro estar regulado o mais duro possível, a conseqüência natural é o fundo bater no chão. Se isso acontecer, são dois os riscos: que o fundo fique danificado e prejudique todo o comportamento aerodinâmico do carro; que o desconforto para o piloto seja tal, que depois de algumas dezenas de voltas ele sinta dores musculares e câimbras. Se o carro for regulado mais alto um pouco para atravessar este trecho, fica comprometido no resto do circuito."

Schumacher seria o espectador mais próximo do problema, no domingo.

O Aviso

Nas palavras de Sid Watkins, Rubens Barrichello ficou morto por seis minutos. O exato tempo em que foi sufocado pela própria língua, entalada na garganta depois da fortíssima batida na cerca, a mais de 200 por hora, na entrada da Variante Baixa. Era o final de uma volta de classificação, 15º minuto do primeiro treino oficial para o GP de Ímola. A Jordan decolou da zebra para o muro de proteção, voou sobre a margem gramada que separa o asfalto do alambrado, bateu violentamente contra a tela e girou sobre o próprio eixo duas vezes por mais 100 metros, até finalmente aterrissar com as rodas para o ar.

Além de quase morrer asfixiado, Barrichello sofreu um abalo neurológico que teve como resultado uma amnésia parcial que durou mais de um mês. O desligamento acabou servindo para amortecer os fatos terríveis que ainda estavam para acontecer naquele fim de semana. Barrichello não se lembraria de ter sido visitado por Senna no centro médico de Ímola. Nem da visita que ele mesmo, Barrichello, fez, no dia seguinte, ao boxe da Williams, para desejar boa sorte a Senna antes de voltar para a Inglaterra, vetado para a corrida pelo mesmo Sid Watkins.

Barrichello não se lembrou, mas Ayrton não só foi até o centro médico para vê-lo como ficou muito abalado. Os dois dias que eles haviam passado juntos e incógnitos no parque Disney do Japão, semanas antes, entre um e outro compromisso com patrocinadores, comendo hambúrguer de carrocinha, haviam mudado a relação entre eles. Para Ayrton, Barrichello, aquele estreante que, ele apostava, seria "a próxima estrela", havia-se tornado uma espécie de irmão mais novo na Fórmula 1.

Ao sair do centro médico, Senna estava pálido. A entrevista para os jornalistas brasileiros que estavam na porta foi estranha. Cercado por microfones e meio engasgado, ele repetiu, sete vezes, em menos de um minuto, a frase "ele está bem". Logo depois, um jornalista da rede de tevê alemã RTL fez três tentativas de entrevistá-lo, mas Senna não conseguia articular as idéias. Incrédulo, o alemão ouviu apenas um comentário de Ayrton:

— Não vai funcionar. Não vou conseguir falar.

Mais tarde, Ayrton se recuperou suficientemente para conceder, no *motohome* da Williams, uma entrevista previamente agendada com o jornalista Mark Fogarty, para a revista inglesa *Carweek*. A condição era de que a conversa poderia ser interrompida a qualquer momento, caso a equipe precisasse de Senna para resolver o que estava sendo chamado de "um grande problema de engenharia". Mark registrou na reportagem que "Senna parecia cansado e disperso":

"Sua face estava distante, seus olhos estavam marejados e, durante a conversa, ele perdeu seu foco usual. Alguma coisa estava na sua mente, comprometendo a concentração que ele sempre tinha em momentos como aquele."

Ayrton explicou o contrato com a fábrica de bicicletas Carraro, sua participação na concepção do modelo da *bike* e a idéia de associar a marca Senna a "todos que acreditam em qualidade, tecnologia e exclusividade", aos fãs dele e do automobilismo. Mark perguntou qual a razão de Ayrton se envolver em tantos negócios, mesmo já tendo ganhado muito dinheiro.

— Porque eu sou louco, esta é a resposta direta. Como você diz, eu não preciso. Eu não precisava me envolver porque isso traz todo tipo de dor de cabeça e de problemas.

Ayrton fez uma menção indireta à aposentadoria ao explicar para Mark a razão de tantos negócios e planos para o futuro: o compromisso que ele tinha com as pessoas que trabalhavam com ele enquanto ele ainda estava nas pistas:

"Isto é o que quero criar, em vez de parar de correr e dizer para essas pessoas: muito obrigado a todos por tudo, vocês agora se cuidem. Não preciso mais de vocês. Adeus."

Foi quando a entrevista foi interrompida por David Brown, o engenheiro responsável pelo carro de Senna. Educado, mas sem esconder alguma relutância, Ayrton aceitou a interrupção e combinou com Fogarty de retomar a conversa mais tarde. Não aconteceu. No dia seguinte, sábado, não houve clima. Senna se ofereceu para concluir a entrevista por telefone, na semana seguinte.

O diálogo interrompido foi a última exclusiva.

Pressão de Pneu

Driblar regulamentos com pressão política, malabarismos de interpretação e truques tecnológicos mais ou menos sofisticados eram uma prática rotineira dos bastidores do automobilismo. Por isso, com a experiência de dez temporadas na Fórmula 1, Ayrton tinha certeza absoluta de que a Benetton de Schumacher estava fora do regulamento naquele início de 1994. Comentara o assunto com Emerson Fittipaldi, no GP do Brasil, com Alain Prost, por telefone, no início de maio, com os mais íntimos que estavam com ele em Ímola, como Galvão Bueno, Julian Jakobi e Braguinha, e com os donos da Williams. Para Senna, o carro de Michael tinha controle de tração e outras irregularidades.

Ao mesmo tempo, Senna sabia que sua Williams-Renault estava consumindo os pneus de uma forma tão intensa, que a estratégia de corrida, em Ímola, com a limitação do regulamento de sete jogos de pneus por grande prêmio, estava prejudicada. Ayrton e a equipe estavam também preocupados com rachaduras que começavam a surgir nas laterais dos pneus. Queriam obter outros que substituíssem os problemáticos.

Naquela sexta-feira, depois do treino de classificação em Ímola, o comando da Williams fez uma grande pressão sobre os técnicos da Goodyear. Patrick Head, que acompanhou Frank Williams e Senna no encontro, explicou, nove anos depois, o motivo da tensão:

“Foi uma reunião tensa porque havia uma preocupação com a segurança, com combinação das ondulações na curva Tamburello e as rachaduras. Mas o pessoal da Goodyear insistia que o problema das rachaduras nos pneus não afetava a segurança."

As câmeras de uma produtora independente inglesa, que captava imagens na Williams para um vídeo, acabaram registrando parte do encontro. Na gravação, é possível ver e ouvir o momento em que Frank Williams, no meio de uma argumentação, disse aos técnicos da Goodyear:

— Se alguma coisa acontecer com ele, vocês estarão em apuros.

Meses depois, o repórter Roberto Cabrini, da TV Globo, supondo que aquela reunião pudesse ter alguma relação com o acidente fatal do domingo, decidiu investigar e acabou descobrindo, em uma entrevista por telefone, gravada com Leo Mehl, então diretor do departamento esportivo da Goodyear, que a Williams e Senna estavam querendo convencer a Goodyear a ceder mais pneus, trocando-os pelos que estavam com rachaduras.

Na entrevista gravada com Cabrini, Leo Mehl, preocupado com a possibilidade de o repórter associar o acidente fatal de Senna a algum problema com os pneus, acabou dizendo que a Williams queria uma "vantagem" com a qual a Goodyear, pelo menos no início da conversa, não concordava. Em outras palavras, a Williams tinha um pleito polêmico ou, dependendo da interpretação, estava simplesmente querendo passar por cima do regulamento. Ao comentar o desfecho da reunião, Leo Mehl disse a Cabrini:

"Não vou dizer se demos ou não os pneus. O que posso dizer é que, no sábado, Senna estava feliz."

Ayrton não viveria para usar qualquer pneu menos rodado da Goodyear.

Nem para confirmar todas as suspeitas que tinha em relação à Benetton de Schumacher. Uma investigação comandada por Charlie Whiting, diretor técnico da FIA, concluiria, meses depois do GP de Ímola, que havia um *software* escondido no carro de Michael. O equipamento ilegal garantia largadas perfeitas, evitando que as rodas patinassem, mesmo que o alemão pisasse fundo no acelerador. O *software* impedia, também, que o motor morresse.

Vitória tardia.

— Por que ele está assim? Eles eram amigos?

O inglês Adrian Newey, projetista da Williams-Renault FW16, não entendera a reação de Senna e procurara uma explicação com Betise Assumpção. Descontrolado, Ayrton colocara as mãos no rosto, caminhara para um canto do boxe e começara a chorar convulsivamente. Na imagem do monitor de televisão, os médicos do circuito de Ímola aplicavam massagens cardíacas no austríaco Roland Ratzenberger, deitado em uma maca no asfalto da curva Tosa, perto de sua Simtek destruída.

Aconteceu aos 18 minutos do treino classificatório de sábado. A Simtek do jovem Roland tinha perdido o aerofólio, a 315 quilômetros por hora, na reta veloz que ligava as curvas Tamburello e Villeneuve. O choque com o muro destruíra o lado esquerdo do carro e fizera a Simtek rodopiar, destruída, até a curva Tosa, o capacete de Ratzenberger já arriado na borda esquerda do *cockpit*. Na ambulância, a caminho do hospital do circuito, o coração de Roland ainda respondeu, com batidas fracas. O esforço dos médicos continuou durante o vôo de 12 minutos até o hospital Maggiore, em Bolonha. Mas após sete minutos de tentativas de ressuscitação, ele morreu. Às duas e quinze da tarde.

Ayrton jamais vira alguém morrer num grande prêmio de Fórmula 1. A última vítima fatal, em corridas, fora o italiano Ricardo Paletti, morto na largada do GP do Canadá de 1982, antes, portanto, da estréia de Senna na categoria. A morte mais próxima fora a de Elio De Angelis, durante um treino privado, em Paul Ricard, em 1986.

Ao contrário dos outros pilotos, que retomariam a rotina da preparação para a corrida, Ayrton resolveu ir até a curva Tosa, conversar com os comissários e com o professor Sid Watkins. O velho amigo se impressionou tanto com o impacto que a morte de Roland tivera em Ayrton que teve certeza: aquela era a hora de aconselhá-lo a não correr no dia seguinte e a pensar seriamente em abandonar a Fórmula 1:

"Deixe essa vida. Não corra amanhã. Algo de muito ruim vai acontecer. Você já é tricampeão mundial, é o melhor piloto do mundo. Não precisa mais ficar se arriscando. Vamos pescar. Vamos esquecer isso."

Senna, como sempre, demorou, mas respondeu:

— Existem coisas que fogem ao nosso controle. Preciso continuar.

30 de abril de 1994. Abalado com a morte de Roland Ratzenberger, Senna conversa com Sid Watkins na pista de Ímola.

Apesar da afirmação, Ayrton, na verdade, ainda estava em dúvida se deveria correr no dia seguinte. Na volta do local do acidente, trancou-se por quase uma hora num cubículo do *motohome* da Williams. Não falou com ninguém. Em seguida, foi até Frank Williams e pediu que alguém da equipe levasse à direção da prova sua convicção de que a corrida deveria ser suspensa e a de que os pilotos não tinham condições emocionais de participar da prova, depois do acidente de Barrichello e da morte de Ratzenberger.

A direção da prova não concordou e mais tarde até o chamou à torre de controle para adverti-lo e ameaçá-lo com uma punição disciplinar por sua ida "não autorizada" ao local do acidente de Roland. Nove anos depois, Max Mosley acha que a atitude dos comissários era correta:

"Eu entendo por que ele queria ir, mas não havia nada que ele pudesse fazer."

Embora estivesse considerando seriamente, naquela tarde de sábado, a possibilidade de não correr no domingo, aos jornalistas Ayrton preferiu falar apenas dos riscos que esperavam os pilotos no GP de Ímola:

"Consegui o melhor tempo, mas isto não quer dizer que está tudo bem. Está ruim para todos nesta pista. Há muito vento e sujeira no circuito, o que dificulta muito o trabalho do piloto. Tirar a eletrônica foi um grande erro. Os carros estão imprevisíveis, muito velozes e difíceis de dirigir. Este vai ser um ano com muitos acidentes e arrisco dizer que teremos sorte se não acontecer nada muito grave."

Na primeira das duas ligações que fez para Adriane Galisteu naquele sábado, de acordo com o livro dela, Ayrton ainda a encontrou na casa de Braguinha em Sintra, recém-chegada do Brasil e a caminho do Algarve. O jardineiro Fernando Leite atendeu. E ficou tão impressionado com o tom de voz de Senna que, antes de passar o telefone para Adriane, perguntou:

— Você está muito triste, Ayrton. O que houve? Você está bem?

Senna não respondeu. Parecia não querer deixar Fernando preocupado. O telefone foi passado para Adriane, que ouviu um desabafo:

— Está tudo uma merda.

— O caso do Rubinho?

— Não. Um austríaco. Menino. Segunda corrida. Bateu e morreu. Eu vi. Morreu na minha frente. Sabe de uma coisa? Eu não vou correr.

Perto das sete da noite, quando Galvão Bueno estava prestes a deixar o autódromo, Betise Assumpção o chamou e disse que Frank Williams queria uma conversa. Os dois não tinham intimidade, mas Frank sabia da amizade que unia Senna a Galvão. E estava preocupado, com os sinais que Ayrton estava emitindo naquele final de tarde. No *motohome* da Williams, Frank quis saber:

— Você, que conhece bem o Ayrton, acha que ele vai correr amanhã?

— Não só acho que ele vai correr como vai fazer tudo para ganhar.

— Você acha?

— Acho não! Tenho certeza...

Frank então revelou o motivo de sua apreensão. Disse que tinha ficado preocupado com o estado emocional de Senna na hora em que ele deixara o autódromo. Galvão se ofereceu então para levar um recado para Ayrton, já que jantaria com ele. Frank quis saber:

— Vocês vão jantar? Quem vai?

— Ayrton, eu, Leonardo, Bira, Celso Lemos, Braguinha, Juliani, Wily Dungl e o Leberer.

— São boas pessoas. Vai fazer bem a ele. Peça para Ayrton ir falar comigo antes de dormir. Não esqueça, por favor. Preciso falar com ele. E não se esqueça de uma coisa: no máximo às dez e meia da noite, eu me desligo.

Frank se referia ao fato de, a partir daquele horário, não ter mais a assistência do enfermeiro que o ajudava em sua paraplegia. Patrick Head, ao confirmar a preocupação de Frank, faz questão de dizer que não se tratava de fazer qualquer tipo de pressão:

"Frank jamais pressionaria Ayrton. O que havia era uma tremenda pressão sobre a equipe. Todos sabíamos que Schumacher e sua Benetton eram uma ameaça. Sabíamos que tínhamos de vencer aquela corrida. Além disso, muitos na Williams jamais tinham vivido a experiência de uma morte na pista. Foi um despertar assustador para muitos de nós."

Conversas da Noite

Adriane já estava na casa do Algarve quando Ayrton ligou, por volta das oito da noite em Portugal, nove da noite em Ímola. Ela se preparava para tomar banho e atendeu, mas ele queria falar primeiro com Juracy:

— Juracy, tenho um assunto muito sério para resolver com Adriane. Por isso, amanhã não vai ninguém comigo pra Portugal. Não precisa preparar aquele jantar que combinamos. E também não vá me buscar no aeroporto.

— Mas quem vai te buscar, Ayrton?

— Você dá o seu carro pra ela me buscar.

O assunto daquela conversa séria para a qual Senna ditou instruções tão detalhadas era conhecido por pouquíssimas pessoas. De acordo com Braguinha, eram gravações de conversas feitas no telefone do apartamento de Ayrton em São Paulo. Entre as conversas gravadas, uma era entre Adriane e o antigo namorado. O conteúdo dessa gravação estava em Ímola. Tinha sido levado por Leonardo, que havia recebido uma cópia e a mostrou a Ayrton no início da noite de sábado.

Além de Ayrton e Leonardo, pelo menos Braguinha e Galvão Bueno tinham conhecimento da fita. De acordo com Braguinha, o diálogo de Adriane com o ex-namorado era entremeado por provocações não muito sutis dele, dizendo que "era melhor de cama do que Ayrton".

A gravação foi mostrada a Ayrton no quarto dele, no hotel Castello. A conversa foi muito difícil para os irmãos. Mas Senna e Leonardo foram juntos para o autódromo no dia seguinte.

Na descrição que faz do telefonema de Ayrton, de Ímola para o Algarve, no sábado à noite, Adriane fala, em seu livro *O Caminho das Borboletas*, de "juras apaixonadas" temperadas de "saudade" e "amor". Mas há um momento em que o texto talvez se referisse à questão da conversa telefônica dela, gravada em São Paulo. Começou com uma frase de Ayrton:

"Preciso lhe dar umas palmadas."

"Palmadas? Por quê?"

"Tenho muito a lhe dizer e a lhe propor, a lhe oferecer. Devo estar aí às oito e meia da noite, por aí. Quero passar a noite em claro. Vamos conversar até o amanhecer. Quero convencê-la de que sou, disparado, o melhor homem de sua vida."

"Você não conhece os outros... (em tom de brincadeira)"

"Vou provar que sou o melhor."

Adriane finaliza o trecho dizendo:

"Nem imaginei que houvesse espaço para intriga e veneno. De nossa parte, não havia."

O Último Jantar

— Não vejo a hora de ter a vida do Fagner!

O sócio e amigo Ubirajara Guimarães não se esqueceu deste desabafo de Senna, no quarto do hotel Castello, pouco antes de todos seguirem para o jantar na Trattoria Romagnola, no centro da bela e calma Castel San Pietro Terme. Além de gostar pessoalmente de Fagner e de suas músicas, Ayrton, de acordo com Ubirajara, admirava a "vida tranqüila, sem estresse e sem pressões" que o cantor levava.

No jantar da Romagnola, Senna teve, como acompanhantes, Galvão, Braguinha, o executivo da Fundação Ayrton Senna, Julian Jakobi, Leonardo, Ubirajara e Joseph Leberer, o aniversariante do dia. Paolo Liverani, ao servir à mesa, percebeu que o tema dominante era o acidente de Ratzenberger.

Mas o grupo conversou sobre outros assuntos. Um deles, segundo Galvão, foi "a história complicada da Adriane e a família dele". Para Braguinha, aquele encontro marcou a mudança, para melhor, do estado de espírito de Senna. Até um gole de vinho ele tomou.

Julian Jakobi percebeu a mudança principalmente quando Senna manifestou, mais uma vez com veemência, a certeza de que a Benetton de Schumacher estava correndo fora do regulamento. A planejada reunião dele com Jackie Stewart e Niki Lauda para tratar da segurança da Fórmula 1 também foi comentada. A hipótese de Senna não correr na manhã seguinte, para todos os participantes, já era passado. Ao final do jantar, pago por Julian com um cartão de crédito, Ayrton se despediu do dono do restaurante no estilo de sempre:

— Até o ano que vem.

Um quatro estrelas discreto, com 52 quartos e suítes capazes, mais do que de abrigar, de esconder até 120 hóspedes numa das encostas de Castel San Pietro Terme. Refúgio de Senna na região de Ímola desde setembro de 1989, o hotel Castello mais parecia uma casa de família. Lá, ele tinha o que queria: muito verde, silêncio, um imperceptível serviço de segurança, espaguete ao *pomodoro* fora do horário das refeições, peito de frango e, principalmente, a cumplicidade de todos os funcionários para que tivesse sempre seu canto e seus horários de dormir e correr respeitados.

Do proprietário do hotel, Valentino Tosoni, um piloto de helicóptero apaixonado por automobilismo, a Marzia Miza, recepcionista, todos recebiam em troca um tratamento afetuoso e fraterno que jamais receberiam de qualquer outro integrante da Fórmula 1, nos anos que se seguiriam.

Na noite daquele sábado, os funcionários que trabalhavam na recepção perceberam que Senna estava tenso. Mas também testemunharam a paciência com que ele, ao chegar do jantar, posou para fotografias com um casal que celebrava o casamento no salão do restaurante.

Ayrton deixou Galvão, Leonardo, Ubirajara, Celso e Betise no saguão do hotel e subiu para sua suíte. No elevador, encontrou o velho rival Martin Brundle, seu substituto no *cockpit* da McLaren vermelha e branca. A conversa, na lembrança de Brundle, não teve nada de especial. Apenas um perguntando ao outro se estava tudo certo e se as famílias estavam bem, até a despedida à inglesa:

— *See you...*

Ayrton recebera o recado de Galvão e, por volta das 11 da noite, deixou seu quarto para bater à porta do de Frank. Conversaram por quase uma hora, Senna descalço, de pijama e sentado no chão carpetado. Falaram da corrida de Ímola e das perspectivas da Williams para a prova seguinte, nas ruas de Mônaco. Frank disse depois a Nigel Roebuck que dormiu com a certeza de que Ayrton tinha se recuperado emocionalmente e estava decidido a correr.

A mesma certeza teve Julian Jakobi, que, antes de ir dormir, teve um rápido diálogo com Ayrton:

— Você está bem para correr amanhã?

— Estou.

13º CAPÍTULO

A PERDA

Foi Ayrton quem tomou a iniciativa de comentar com Braguinha, na manhã de domingo, no saguão do hotel Castello, depois do café da manhã, as gravações que ouvira na noite anterior. De acordo com Braguinha, Senna demonstrou uma mistura de "contrariedade e resignação":

— Vou dar umas palmadas nela pra ela parar de ficar dizendo bobagens.

Para Braguinha, Ayrton deu sinais de que absorvera o episódio com serenidade. Senna teria ficado muito mais chateado, naquele mesmo saguão, com Ron Dennis, que não lhe devolveu um aceno:

— Puxa vida, trabalhei anos com esse cara e ele finge que não me conhece.

Nove anos depois, Ron Dennis confirmou a intenção:

— Foi frieza. Não fui rude com ele, mas aquela frieza estava mesmo em mim.

Por trás do gesto, o desapontamento de Ron com a decisão de Ayrton de deixar a equipe num momento em que ela precisava dele. Para Ron, parcerias eram para os bons e maus momentos. Ele esperava que Ayrton ficasse e, mesmo entendendo que ele precisava vencer, sentira-se "traído":

— Era como uma namorada chegar e dizer que não quer mais ficar com a gente. Você se sente um pouco rejeitado e menosprezado.

Apesar da frieza de Ron, Ayrton ainda mantinha laços com a McLaren, a ponto de, na véspera, ter ligado para Jo Ramirez, pedindo que ele providenciasse um helicóptero para levá-lo, logo depois da corrida, do autódromo para o aeroporto de Bolonha, onde já pedira a Owen O'Mahony que ele estivesse a postos com o avião. Senna queria estar logo com Adriane em Portugal e justificou ao velho amigo Jo:

— Espero que você não repare eu estar te ligando e te pedindo esse favor, agora que saí da McLaren. É que esse pessoal da Williams não faz nada pelos pilotos. Somos apenas empregados.

Julian Jakobi confirmou que o sentimento, entre engenheiros, mecânicos e funcionários da McLaren, nos primeiros meses de 1994, era de que Ayrton, mais cedo ou mais tarde, voltaria a correr pela equipe:

— A McLaren cuidava dos pilotos de um jeito especial e Ayrton gostava muito disso.

E não havia como negar que o clima estava difícil naquele início de temporada. Ayrton deixou claro que não tinha uma boa impressão do carro, apesar das mudanças que estavam começando a dar resultados. Os carros tinham muita pressão aerodinâmica por serem muito colados ao chão e não eram fáceis de dirigir. Eram ariscos. Nas palavras de Patrick Head:

— Ayrton esperava sentar no carro e ser um segundo mais rápido que todo mundo. Estava desapontado e não foi particularmente gentil. O tempo todo ele parecia dizer: Virem-se. Me dêem um carro como o que vocês fizeram para o Mansell.

No *warm-up*, Senna não teve uma "Williams de Mansell" nas mãos. A expectativa de todos era saber se o abalo do sábado afetaria seu desempenho. E ele deixaria gravados, nos cronômetros oficiais, números que calariam todos os que tinham apostado que ele amanheceria com medo e já sem a velha determinação de se arriscar. Ele foi um segundo inteiro mais veloz que Michael Schumacher com sua Benetton.

Não que Senna estivesse imune à atmosfera sombria daquela manhã. No encontro com Jo Ramirez, pouco antes do *warm-up*, quando o velho amigo foi ao boxe da Williams para confirmar a reserva do helicóptero para Bolonha, ele comentara:

— Jo, nosso querido esporte não perdoa. Está sempre nos lembrando que é perigoso.

Mas não estava cheio de pressentimentos ou mergulhado em pensamentos sinistros. Galvão Bueno recordou a conversa animada que Senna teve com o piloto de carros-turismo Xandy Negrão, que estrearia naquele domingo na Copa Porsche, preliminar da Fórmula 1. Xandy queria alugar uma casa no condomínio do Algarve e Ayrton chegara a pedir que Julian ajudasse Xandy a encontrar uma próxima à dele, acrescentando:

— Aí a gente vai para as pistas juntos.

Xandy emendou:

— E a gente pode dividir o combustível do avião.

O comentário de Xandy, um milionário do setor farmacêutico no Brasil, foi a oportunidade de uma brincadeira de Senna:

— Quem disse que eu quero dinheiro de pobre?

Ayrton também tratou com Julian, naquela manhã, de questões profissionais rotineiras. Pediu que ele colocasse, como prioridade da semana seguinte, em sua agenda, a reunião sobre segurança que marcara com Jackie Stewart, Niki Lauda e Alain Prost. Outro assunto: as difíceis negociações com um dos patrocinadores de Senna, Christian Viros, da TAG-Heuer. E um pedido: que Julian providenciasse uma bandeira da Áustria:

— Vou ganhar a corrida e quero fazer uma homenagem ao Ratzenberger.

Senna não aliviou o pé no *warm-up*. Na primeira saída para a pista, ele tomou uma atitude que deixou emocionado, na cabine de transmissão, o novo comentarista de Fórmula 1 da emissora francesa TF1, Alain Prost. A exemplo do que fizera para a TV Globo no GP do Brasil, Ayrton deu a primeira volta do *warm-up* narrando a própria pilotagem, com o seu rádio conectado à TF1. A primeira frase não estava no *script*:

— Em primeiro lugar, eu queria mandar uma mensagem para Alain Prost: Alain, eu sinto falta de você.

No *briefing* da direção da prova, ele se manifestou contra o uso do *safety car* à frente dos carros, na volta de apresentação. Considerou a idéia de alto risco, sinônimo de pneus frios na largada. Queria mudanças e chegou a marcar, para a véspera do GP de Mônaco, uma outra reunião sobre questões de segurança com Schumacher, Berger e Christian Fittipaldi. Bernie Ecclestone participou do *briefing* e, passados nove anos do pequeno discurso que fez, propondo aos pilotos uma reflexão sobre os fatos de sexta e sábado, avaliou que só Ayrton se sensibilizou:

— Ninguém parecia estar ligando para o assunto. A única pessoa naquela sala que parecia estar profundamente tocada pelo que tinha acontecido era Ayrton, um homem sensível.

Um breve episódio, no entanto, interrompeu aquele *briefing*. Um grande acidente, envolvendo os carros que disputavam a Copa Porsche, fez com que praticamente todos corressem para a janela da sala. Decididamente, as coisas continuavam dando errado naquele estranho fim de semana.

Ayrton deixou a sala do *briefing* conversando com Schumacher, mas não quis dar entrevistas. Os radialistas Luis Roberto e Nilson César se aproximaram, acompanhando sua caminhada em direção ao boxe da Williams. Luis Roberto tentou:

— E aí Ayrton, alguma novidade pra gente?

Senna, referindo-se às providências de segurança que estavam sendo tomadas, afirmou, categórico:

— A Fórmula 1 nunca mais vai ser a mesma, depois desse fim de semana.

Celso Itiberê tentou uma entrevista no boxe da Williams. Quando se aproximou, Ayrton, sério, limitou-se a estender a mão, como quem dizia: "Não fale comigo".

A poucos minutos da abertura da pista para o alinhamento no *grid* de largada, Prost, a caminho da cabine da TF1, passou pelos fundos do boxe da Williams e encontrou Ayrton fazendo alongamento, já de macacão. Nove anos depois, Alain disse que sua chegada provocou uma reação simpática de Ayrton. Mas Alain ficou intrigado com o estado de espírito do antigo rival:

— Ele estava diferente. Não era o Ayrton que eu conheci, forte, confortável e sempre dono da situação.

Galvão Bueno, também a caminho da cabine, passou pelo boxe da Williams para o ritual que tinha com Ayrton antes de toda corrida. E quem sempre começava era Senna:

— Te cuida, vai pela sombra e vê se não diz besteira na transmissão.

— E você vê se não faz besteira na pista pra eu ter que explicar. Te vejo no pódio.

SILÊNCIO

As transmisssões de rádio e televisão foram iniciadas minutos antes da largada, com a lembrança da perda de Ratzenberger e do violento acidente de Barrichello. Mesmo os mais antigos, entre jornalistas, mecânicos e chefes de equipes, acreditavam que já havia acontecido desgraça demais naquele GP de San Marino de 1994. E que a corrida ia ser tranqüila.

Perplexos, todos aprenderam que não, logo nos primeiros segundos da corrida. Na largada, J. J. Lehto, quinto colocado no *grid*, deixou o motor de sua Benetton apagar. E o português Pedro Lamy não teve como desviar. Sua Lotus bateu em cheio na traseira do carro de Lehto. Quatro espectadores ficaram feridos pelos destroços que voaram sobre o alambrado, caindo na área da arquibancada, em frente à reta dos boxes.

A corrida não chegou a ser interrompida. Pela primeira vez, na Fórmula 1, como acontecia na Fórmula Indy, um *safety car* foi usado para puxar a fila indiana dos 23 pilotos remanescentes, enquanto a pista era preparada para a nova largada. O mesmo *safety car* que, como Ayrton dissera no *briefing*, poderia comprometer o aquecimento ideal dos pneus.

Nove anos depois, Patrick Head mal conseguia acreditar que, durante as cinco voltas em que Ayrton andou atrás do *safety car*, não houve qualquer diálogo, uma palavra sequer, entre ele e os integrantes da equipe Williams que estavam na freqüência do rádio:

— Ninguém perguntou a ele como estava o carro. E ninguém perguntou porque o silêncio era sintoma da pressão a que todos estávamos submetidos. Normalmente, falaríamos sobre a liberação da pista, daríamos uma força para o piloto. Mas isso não aconteceu. Foi tudo muito difícil.

Cinco voltas lentas e silenciosas, sem contato com a Williams. Como companhia, Ayrton teve apenas o ronco do motor Renault, abafado pelos *ear plugs,* dentro do capacete, rosnando à espera da largada. Como ameaça, sumindo e reaparecendo nos retrovisores, a Benetton verde e azul daquele jovem alemão de queixos tão proeminentes quanto sua autoconfiança.

No fechamento da quinta volta, o *safety car* foi para o boxe e a Fórmula 1 prendeu a respiração mais uma vez, àquela altura já sem a convicção de que o domingo ia terminar bem. Ayrton garantiu a liderança na nova largada, seguido de Schumacher e de Gerhard Berger, com sua Ferrari. Na primeira passagem veloz pela curva Tamburello, Schumacher se assustou com o comportamento arisco da Williams de Senna e com as fagulhas que o carro arrancava do piso ondulado, metros à sua frente.

Na abertura da volta seguinte, Senna manteve a frente. Quarta, quinta, sexta marcha. No meio da Tamburello, a Williams deu uma violenta balançada antes de seguir direto para o muro.

1º de maio de 1994. A Williams de Senna, em primeiro plano na foto, faz a curva Tosa, no GP de Ímola, momentos antes do acidente.

Galvão Bueno, na cabine de transmissão da TV Globo, perdeu o grande amigo no decorrer de uma frase:

"Passa rasgando na reta Ayrton Senna. Seis voltas completadas. Aí ele tenta fazer falar mais alto seu motor Renault, em relação ao motor Ford. É a parte de maior velocidade. Eles vão atingir os 330 quilômetros POR HORA!"

As duas últimas palavras da frase se tornaram um grito, com visão do impacto.

O último susto durou 1s03.

A telemetria, velha parceira das vitórias, mostrou que este foi o tempo decorrido entre o instante em que a Williams se desgarrou da trajetória normal, a 307 quilômetros por hora, e o impacto no muro da curva Tamburello. Os dados telemétricos também foram uma prova inquestionável de que, durante aqueles inesperados 13 décimos de segundo de descontrole, ele quis entender e reagir ao que estava acontecendo: aliviou o pé no acelerador, tentou correções no volante, encostou o pé na embreagem e voltou a tocar no acelerador antes de frear violentamente na área de escape e se espatifar no muro, a 216 quilômetros por hora.

No instante derradeiro, antes do muro, a telemetria permitiu supor que ele tirou as mãos do volante e tentou se proteger com um gesto instintivo.

Depois de completar seis voltas no circuito, a Williams bate contra o muro na curva de Tamburello.

Não seria exagero imaginar que ele esperava escapar de mais um, depois de dez anos de Fórmula 1 e pelo menos uma dezena de acidentes sérios. Mas um braço da suspensão dianteira direita da Williams, transformado em lança mortal no choque contra o muro, entrou pela viseira, desfigurando seu rosto e destruindo seu cérebro. O velho capacete amarelo, inútil para salvá-lo naquele dia, cumpriu um último papel. Pouparia milhões de pessoas de uma imagem devastadora.

A Williams semidestruída ainda se arrastou pela área de escape de concreto, rasgou uma pequena faixa de grama e voltou ao asfalto da Tamburello por alguns décimos de segundo, à frente da Ferrari do amigo Gerhard Berger, antes de voltar ao piso de cimento, como se Ayrton estivesse, enfim, abandonando a prova. Logo depois, a câmera do helicóptero registrou aquele suave balançar de cabeça no *cockpit*. Intenso momento de esperança para uns. Mensagem do pior para outros.

Os primeiros comissários de pista chegaram 20 segundos depois da batida. Nenhum deles teve coragem de se aproximar. Muito menos de debruçar no *cockpit*, como sempre acontece nos acidentes. As lentes da tevê não mostravam o quadro desolador que eles tinham à frente. O enfermeiro Giuliano Mazzoli, integrante da equipe responsável pelo trecho entre a Tamburello e a Tosa, avisou aos médicos que estavam na torre de controle do circuito:

— O estado é grave e ele está inconsciente no *cockpit*.

Natalino Fantoni, um dos bombeiros voluntários de Ímola que se aproximaram, já tirara Nélson Piquet, tonto e assustado, do *cockpit* de outra Williams, em 1987. Também estava por perto quando a Ferrari de Berger batera e virara uma bola de fogo, em 1989. Com Senna, não havia o que fazer. Um dos paramédicos gritou e Natalino ouviu:

— Deixa! Não mexe! Ele está morto, está morto!

Sid Watkins foi levado às pressas para o local, a bordo do *medical car*, com sua sofisticada coleção de equipamentos, completamente inúteis naquela tarde. Ao chegar junto ao *cockpit* da Williams, o chamado anjo da guarda dos pilotos constatou o que chamou oficialmente de "quadro de morte cerebral irreversível": o rosto daquele jovem amigo que vivia agradecendo a Deus por nunca ter sofrido uma fratura sequer, em dez anos de Fórmula 1, estava deformado, tinha fraturas múltiplas e profundas. O sangue abandonava seu corpo rapidamente, em grande quantidade. Em seu livro *Life at the limit* [A Vida no Limite], Watkins contou:

— Senna deu um grande suspiro. Seu rosto estava tranqüilo. Parecia em repouso. Tive ali, no momento em que o socorria, a estranha sensação de que sua alma tinha partido.

Um minuto e 40 segundos depois da batida, os médicos de uma unidade de terapia intensiva móvel checavam respiração e batimentos, examinavam os olhos, removiam secreção e sangue da boca e tentavam introduzir o respirador artificial. Não conseguiram. Optaram por retirar Ayrton do *cockpit* e fazer a traqueostomia ali mesmo, no chão.

Quatro minutos haviam passado desde a batida.

Eram ferimentos típicos de motociclistas, não de pilotos de Fórmula 1, na lembrança do anestesista Giovanni Gordini. Ele fazia parte da equipe médica responsável pela assistência ao público, mas, com a gravidade do acidente, fora levado à Tamburello na garupa de uma motoneta.

Apenas um dos pilotos viu de perto, e não por vontade própria, aquele esforço para salvar Senna. O francês Erik Comas, que aguardava o reinício da prova dentro de sua Larrousse-Ford na saída do boxe, foi liberado por engano pelos comissários e, em vez da pista livre, encontrou os médicos tentando desesperadamente manter Ayrton vivo à beira da pista. Erik não teve coragem de voltar a correr naquele domingo.

De nada adiantaram as inovações que os médicos tinham introduzido preventivamente para ganhar tempo, depois do acidente de Barrichello e da morte de Ratzenberger: manter o helicóptero no ar durante as primeiras voltas e, no caso de acidente, continuar com o motor ligado durante o resgate.

Celso Itiberê estava determinado a deixar a sala de imprensa e tentar caminhar até a Tamburello, mas foi desaconselhado por Angelo Orsi, fotógrafo e editor de *Autosprint*, que voltava do local do acidente sem qualquer orgulho de ter feito a mais completa seqüência fotográfica de que se tem notícia do acidente.

— Não vai!

— Por quê?

— Não vai porque você vai ficar muito chocado. Eu estava na curva, fiz toda a batida, vi tudo o que aconteceu. Ele não vai se salvar.

Quando o helicóptero decolou, levando Ayrton, ainda vivo, para o hospital Maggiore, do meio da reta que levava à curva Villeneuve, 17 minutos e dois segundos depois da batida, os médicos, paramédicos e bombeiros começaram a se dispersar, exaustos e chocados. Um deles, o médico Giuseppe Pezzi, aproximou-se do posto chefiado pelo voluntário Lelio Benetti e desabou, apático, anestesiado pela experiência.

Pezzi estava tão arrasado, que não tinha forças ou disposição para limpar o próprio rosto, salpicado de sangue e de pedaços de massa encefálica. Lelio pegou uma garrafa de água mineral, um lenço e limpou cuidadosamente o rosto de Pezzi.

PARTIDA

— Nelson, pára em Marte e depois me leva para Guarulhos que eu estou indo para a Itália.

Ao entrar no helicóptero do filho, por volta das 11h45, no gramado da fazenda Dois Lagos, em Tatuí, dona Neyde ainda acreditava que Ayrton sobreviveria. Eram 16h45 na Itália e ele já estava no hospital Maggiore, em Bolonha. Ela tinha assistido a tudo pela tevê, na sala principal da fazenda, ao lado do marido, e dera um grito desesperado na hora da batida. Os dois haviam acompanhado, em estado de choque, as imagens do atendimento na pista. Francisco Crispim, o administrador da fazenda, foi testemunha do pranto dos dois, no primeiro telefonema de Leonardo, ainda no autódromo.

Dona Neyde embarcou sozinha no helicóptero. Muito tenso e com a perna quebrada, Milton ficou na fazenda, acompanhado apenas dos empregados.

No vôo de Tatuí para São Paulo, foram 40 minutos de silêncio absoluto e apreensão. Ao pousar no Campo de Marte, Nelson passou dona Neyde para o seu Chevrolet Ômega e a levou até o apartamento da família, no 20º andar do edifício Mont Blanc, na rua Tupi, onde já estavam Viviane, o marido Flávio e o sobrinho Fabio Machado. Na chegada à alameda estreita e arborizada do Pacaembu, o sinal: fãs e jornalistas cercaram o carro.

Dona Neyde cobriu o rosto com as mãos e chorou.

A mala da viagem preparada às pressas para a Itália chegou a ser colocada no carro de Nelson, mas logo voltou ao 20º andar. O sobrinho Fabio tinha feito uma ligação.

— Você acha que é o caso de o seu Milton e dona Neyde irem para aí?

— Não. Não venham.

Julian Jakobi já estava no hospital Maggiore, em Bolonha, quando fez a recomendação a Fabio. Leonardo também já voara para lá, acompanhado de Betise e Ubirajara Guimarães. Os três tinham permissão para entrar na Unidade de Tratamento Intensivo, mas não quiseram ver Ayrton.

Na viagem de 12 minutos da curva Tamburello até o heliponto do hospital, Senna foi submetido a outra traqueostomia. Segundo o anestesista Gordini, ele estava em coma, mas ainda respirava espontaneamente. Alessandro Misley, o médico que cuidou de Senna no helicóptero, constatou outro sintoma de gravidade: o roxo ao redor dos olhos, indício de fratura da base do crânio.

Senna perdeu grande quantidade de sangue durante o vôo. Mais de quatro litros. E no pequeno trajeto de ambulância do heliponto ao lado do hospital para a sala de emergência, o coração parou e voltou a bater, segundos depois. Havia uma preocupação muito grande dos funcionários e médicos de evitar que as pessoas vissem a cabeça. Era um caso de "afundamento frontal".

Fizeram radiografias de todo o corpo. E também exames de ressonância magnética e tomografia computadorizada. Ainda foi possível melhorar a respiração, mas, de acordo com Giovanni Gordini, a situação era gravíssima: a irrigação do cérebro estava comprometida, a pressão sangüínea chegara a níveis críticos e havia uma grande perda de massa encefálica. Quando a tomografia do cérebro ficou pronta, os médicos chegaram à conclusão de que o tipo de dano sofrido na cabeça era irreversível.

O capuchinho Vittorio Zuffa, então com 72 anos, conhecido pelo nome religioso de padre Amedeo, havia se tornado capelão do hospital Maggiore um ano antes, depois de três décadas à frente da paróquia bolonhesa de San Giuseppe. Ele assistia à corrida pela televisão, no 12º andar do hospital. E soube, pela tevê, que Senna seria internado um andar abaixo do seu.

Ao descer as escadas, padre Amedeo encontrou tanta gente e tanto tumulto, que teve até dificuldade de entrar na UTI. Quando finalmente conseguiu se aproximar do leito onde Ayrton estava, percebeu que ele respirava com muita dificuldade, quase gemendo. E concluiu que tinha de desempenhar sua "missão" de padre católico apostólico romano: uma bênção, a absolvição dos pecados, a unção dos enfermos e, finalmente, a extrema-unção.

Padre Amedeo não sabia exatamente qual era a religião de Senna. Uma pessoa que ele não conseguiu identificar, dentro da UTI, chegou a dizer que ele era evangélico, "possivelmente adventista do sétimo dia". Ao lembrar aquela tarde, nove anos depois, padre Amedeo disse que não deu importância:

"Não fiz questão de saber se ele era católico ou não. O Brasil é um país muito católico e, acima de tudo, ele era um cristão."

Gerhard Berger, único piloto de Fórmula 1 presente no hospital, foi um dos poucos a fazer questão de ver Ayrton na UTI. Ele fora uma das vítimas da desinformação que tomara conta dos boxes de Ímola, depois do acidente:

"O que se ouvia era que Senna ainda lutava para sobreviver, quando ele de fato já havia perdido a batalha pela vida. Nesse momento, eu tive somente um sentimento: queria vê-lo uma última vez."

O anestesista Giovanni Gordini, que já conhecia Gerhard da milagrosa operação para salvá-lo do acidente de 1989, na mesma curva Tamburello, não se conteve e fez um alerta quando ele se aproximou da UTI:

— O que você vai ver não é exatamente a face de Ayrton Senna.

Berger insistiu. Ficou por alguns minutos junto ao amigo:

"Ayrton estava coberto com um lençol verde, que deixava descoberta parte dos ferimentos da testa. A mão e o pé que eu vi eram de um morto, ao meu ver. Dois ou três médicos ainda se ocupavam dos ferimentos na testa, e para mim não ficou claro se ele ainda estava vivo ou não."

Onze andares abaixo, os jornalistas eram mantidos no saguão principal do térreo. Roberto Cabrini tinha a responsabilidade de acompanhar os acontecimentos, interrompendo a programação da TV Globo quantas vezes fossem necessárias. Entrara ao vivo ainda durante a corrida, repetindo os boletins oficiais que falavam do estado de coma e da parada cardíaca que Ayrton sofrera. Cabrini se limitava aos termos dos boletins, mas já tinha certeza da morte:

"Descia todo mundo para dar entrevista no saguão. Não era um comportamento típico de uma equipe médica lutando para salvar a vida de alguém."

O colega Luis Roberto, do Sistema Globo de Rádio, viveu um momento estranho e inesperadamente belo naquele saguão. Ele aguardava para entrar ao vivo, com um celular ligado no retorno da programação. Era possível ouvir o locutor José Carlos Araújo, o Garotinho, narrar um clássico do futebol brasileiro, Flamengo e Vasco, Maracanã lotado.

De repente, Luis e os outros brasileiros que estavam por perto começaram a ouvir algo que ecoou no saguão do hospital Maggiore de Bolonha e ficou em sua memória o resto da vida: pelo retorno do celular, dezenas de milhares de vascaínos e flamenguistas, históricos inimigos nas arquibancadas, faziam, espontaneamente, um coro intenso e emocionado, ainda na torcida para que Senna sobrevivesse:

— Olê, olê, olê-olá, Senna, Senna! Olê, olê, olê-olá, Senna, Senna!

Galvão Bueno, àquela altura, já estava no hospital. Entre uma e outra saída da cabine de transmissão de Ímola para respirar e se recompor, ele vivera as duas horas mais difíceis de sua vida profissional:

"Vi o sangue, mas não tive coragem de falar na transmissão. Continuei narrando fora do ritmo normal. Estava muito abalado, à espera de um milagre."

Finalmente livre do sacrifício de transmitir uma corrida que os brasileiros só continuavam a assistir para saber notícias de Senna, Galvão saiu correndo da cabine. Queria ir logo para o hospital. Estava muito agitado na hora de embarcar no helicóptero que o levaria para Bolonha, com Berger e Braguinha. Queria saber notícias. Tentava falar com o colega Cabrini. Braguinha achou que era a hora de avisar:

— Papagaio, pára! Ele morreu!

Passavam cinco minutos das seis da tarde na Itália, uma e cinco no Brasil, quando a médica Maria Thereza Fiandri, emocionada, leu para os jornalistas que estavam no hospital Maggiore o primeiro anúncio:

"O eletroencefalograma de Ayrton Senna não registra nenhuma atividade. Continuamos com a ventilação pulmonar. Senna tem morte cerebral. Nós o mantemos vivo apenas porque a lei italiana assim o exige. Não há mais esperanças."

Livio Oricchio, em sua reportagem para *O Estado de S. Paulo*, escreveu que as pessoas em volta reagiram como se ninguém esperasse. Algumas choraram. Outras saíram correndo da sala em busca de um telefone.

Giovanni Gordini, que anos depois se tornou chefe daquela UTI do hospital Maggiore, disse, dez anos depois, que ficou impressionado com o número de pessoas que duvidaram dos médicos. O próprio Leonardo Senna quis saber dele se Ayrton ainda estava mesmo vivo.

Uma hora depois do anúncio da morte cerebral, 14h05 no Brasil, a mesma doutora Fiandri voltou à sala e pediu a atenção de todos:

"Às 18h40, Ayrton Senna não apresentava mais atividade cardíaca. Ele está morto."

Novamente houve muito choro. E Roberto Cabrini disse logo depois, ao vivo, para milhões de brasileiros sintonizados na TV Globo naquele início de tarde, a frase que ele confessou depois ter estudado com cuidado e que, nos anos seguintes, foi repetida por brasileiros que o cercaram nas ruas para lembrar que estavam escutando e sofrendo, junto com ele, aquele momento intenso de dor coletiva na história do país:

"Uma notícia que a gente nunca gostaria de dar: morreu Ayrton Senna da Silva."

Só então os jornalistas puderam subir até o centro cirúrgico, mas ficaram contidos por um cordão entre o elevador e a porta da UTI. Ela se abriu e saíram o cônsul do Brasil em Milão, José Botafogo Gonçalves, Celso Itiberê e Galvão Bueno, acompanhando a maca com o corpo de Ayrton, coberto por um lençol. Estava sendo levado para o Instituto Médico Legal, no centro de Bolonha.

Assim que a porta do elevador se fechou, Galvão foi ao encontro dos jornalistas. E usou, sem querer, a mesma expressão que o consagrara na transmissão de grandes conquistas do esporte brasileiro. O tom, porém, era dolorosamente o oposto — triste e impotente:

— Acabou. Acabou.

IMPACTOS

Quando o celular tocou, Emerson Fittipaldi estava fazendo um treino de tanque cheio, um *full run tank* de 28 voltas, no circuito de Michigan, nos Estados Unidos, deliciando-se com *the beast,* como ele chamava o potentíssimo motor Mercedes que usaria nas 500 Milhas de Indianápolis daquele ano. Quem atendeu à ligação foi Chuck Sprugs, chefe da equipe Penske. Emerson passava pelo boxe a 300 quilômetros por hora quando Chuck acionou o rádio, pedindo que ele parasse imediatamente:

— Pit! Pit! Pit!

Ele pensou logo em aerofólio solto ou algum outro daqueles problemas sobre os quais só se comenta com o piloto depois, nos boxes, para evitar o pânico em alta velocidade. E obedeceu. A visão de Chuck caminhando com o celular em sua direção, na chegada ao boxe, provocou um tremor em Emerson. Depois, veio uma violenta queda de temperatura corporal, quando Chuck disse quem estava do outro lado da linha: a mulher de Emerson.

— É a Tereza.

Emerson jamais tinha sido interrompido, na pista, por uma ligação telefônica. Teve certeza de que era algo de grave, com um dos cinco filhos ou com os pais, até Tereza resumir a notícia da morte de Senna a uma pequena frase:

— É o Ayrton...

Ele não conseguiu falar com ninguém. Foi para um canto e se entregou a um longo pranto, seguido de muita raiva e de um murmúrio que só ele ouviu:

— Fórmula 1 de merda! Fórmula 1 de merda! Aquele *cockpit* baixo, como é que corre assim, porra? Como pode?

Era a lembrança que tinha de Ayrton, na pista de Interlagos, semanas antes, apertado, ombros perigosamente expostos no *cockpit*, uma situação bem diferente da dos carros da Fórmula Indy e suas laterais altas e largas. A indignação aumentou quando Emerson lembrou que a velocidade de uma batida na curva Tamburello era bem menor do que a dos impressionantes "porrões" dos carros da Fórmula Indy nos circuitos ovais americanos. Ele teve certeza de que Ayrton estaria muito mais protegido, antes, durante e depois do acidente, se corresse nos Estados Unidos.

Mas era tudo inútil. Ele pegou o Learjet no aeroporto próximo à pista, foi para casa, na Flórida, e ficou dois dias sem falar com ninguém, até o velório em São Paulo.

Gerard Ducarouge sabia que o acidente era muito sério, mas a notícia da morte o alcançou na sala de espera de um pequeno aeroporto, no interior da França. Como alguém que estivesse morrendo, Gerard viu passarem, em segundos, pela lembrança, os três anos em que trabalhara com Ayrton. Perplexo, triste e cercado de um punhado de pessoas perplexas e tristes, ele começou ali mesmo a tomar a decisão de deixar o automobilismo, depois de quatro décadas projetando carros para pilotos como Jackie Stewart, Pedro Rodriguez, Dan Gurney, François Cevert, Jean-Pierre Beltoise, Nigel Mansell e Alain Prost. Também decidiu não ir ao enterro de Ayrton. Fizera o mesmo quando perdera o pai e a mãe.

Peter Warr, já afastado da Fórmula 1 desde 1989, aproveitava o silêncio de um torneio de golfe no interior da Inglaterra, quando um amigo chegou com a notícia. De certa forma, o fato de ter enfrentado a morte de Jim Clark quase três décadas antes o ajudou a assimilar o golpe. Estar num campo de golfe, longe das pistas, foi um motivo a mais para só ter boas lembranças de Senna. De Jochen Rindt, Warr guardara a terrível imagem do corpo do piloto, estirado na maca de um necrotério próximo ao autódromo de Monza, em 1970. Colin Chapman, o dono da equipe, lhe dera a missão de fazer o reconhecimento exigido pela polícia italiana.

Derek Warwick, também distante da Fórmula 1, não deixara a mágoa, pelo veto à sua ida para a Lotus, afetar a grande admiração que tinha por Senna. Ele assistia à corrida com amigos em sua casa, na ilha de Jersey, no canal da Mancha. Quando a morte foi confirmada, chorou como um velho amigo.

Dick Bennetts, dono da West Surrey Racing de Fórmula 3, tinha três motivos para ficar em estado de choque. Fora patrão de Ayrton, de Roland Ratzenberger e de Rubens Barrichello. Estava em Donnington Park, no comando de sua equipe e diante de um problema. O brasileiro Gualter Sales, um de seus pilotos, chocado com as notícias de Ímola, estava se sentindo sem condições de disputar a última bateria da Fórmula 3. Dick, ainda tentando entender o que estava ocorrendo na Itália, aconselhou:

— Concentre-se. Não podemos mudar o que aconteceu.

Gualter acabou entrando no carro para disputar a bateria.

Dennis Rushen, o chefe dos tempos da Fórmula Ford 2000, não se perdoou por não ter feito o que pensara em fazer logo no início de 1994, quando viu o semblante de Ayrton nos primeiros testes com a Williams:

"Minha vontade era de chegar e dizer: você não gosta mais disso. Pára de correr porque, do contrário, você vai acabar morrendo."

Nobuhiko Kawamoto também sentiu remorso, internado num hospital, com o pé quebrado em uma corrida amadora de *kart*. Uma semana antes, Senna ligara para ele em Hong Kong. Tentara duas vezes e não o encontrara no quarto do hotel. Kawamoto se arrependeu, nos anos seguintes, de não ter tentado saber o que Senna queria falar com ele:

"Imaginei que ele não estava muito feliz. Eu não sei o que ele queria falar, mas ele me ouvia, e o meu maior arrependimento é não ter podido dizer algumas coisas para tirá-lo da situação mentalmente instável em que estava."

Hiro Teramoto sentiu até raiva de Senna, antes de saber toda a história do acidente. Apesar de estar afastado do automobilismo e recém-casado, ele sabia que a Williams FW16 tinha problemas. Nos tempos em que era responsável pelos amortecedores da McLaren, testemunhara momentos em que Ayrton fazia "coisas loucas", acertos arriscados, para compensar a ineficiência dos carros que pilotava. Hiro apostou que Senna tinha tirado a pressão aerodinâmica ao máximo, deixando o carro difícil de guiar nas curvas, para tentar fugir de Schumacher.

Yoshitoshi Sakurai estava trabalhando em seu escritório, a 60 quilômetros de Tóquio, quando um amigo telefonou. Ao perceber a gravidade da notícia, Sakurai começou a se lembrar da última conversa, semanas antes, num hotel de Osaka, quando sentiu a incômoda sensação de que Ayrton estava se despedindo. E concluiu:

— Ele não tinha mesmo uma vida para ser vivida depois que deixasse as pistas.

Juan Manuel Fangio, então com 83 anos, não estava assistindo à corrida, mas a televisão de sua casa, em Buenos Aires, estava ligada. No caminho do quarto ao banheiro, ele percebeu que falavam do acidente e perguntou:

— O que eles estão dizendo do Senna?

A sobrinha Pipi desconversou e só deu a notícia dias depois, com muito cuidado. O que não evitou que Fangio fosse tomado por uma profunda tristeza.

Tchê estava no kartódromo Ronaldo Couto Daux, na praia dos Ingleses, em Florianópolis, acompanhando cinco pilotos, clientes seus que disputavam o Campeonato Sul-americano de *Kart*. Contrariado com a manchete de um jornal local que fazia um trocadilho, "Senna Acumulado", para cobrar o fracasso de Ayrton nas duas primeiras provas da temporada, ele disse ter recebido a solidariedade até de Nélson Piquet, que também estava lá, num boxe próximo, acompanhando o filho Nélson Angelo.

A imagem do acidente deixou Tchê tão transtornado, que, momentos depois, ele se viu, perdido, no boxe de Piquet. Quando os dois começavam a conversar sobre o acidente em Ímola, um rapaz, passando na frente da garagem, provocou:

— Piquet! Seu inimigo se fodeu!

Nélson, na lembrança de Tchê, ficou tão indignado quanto constrangido:

— Não é meu inimigo, não, viu? É concorrente. Não confunda as coisas.

Mario Sergio de Carvalho, o rival dos tempos do *kart*, também estava em Florianópolis, acompanhando seus clientes. Não vira o acidente. Quando a mulher, Katia, ligou aos prantos com a notícia, ele se lembrou do último encontro, na festa da fazenda em Tatuí, quando o velho rival, tricampeão do mundo, dissera que gostava mesmo era de *kart*. Para Mario, que se tornara fabricante e preparador, e para todos os que viviam do kartismo no Brasil, estava começando naquele dia uma nova era profissional, bem mais difícil.

Muitos dos meninos que deixaram o kartódromo de Florianópolis naquela tarde de domingo, alguns assustados, outros aos prantos, jamais voltaram a correr.

Apenas um Corte no Braço

Ímola não parou.

Quem não estava acostumado, ou não conhecia o esporte e sua história, se espantou com a lógica, o discurso e o comportamento da Fórmula 1 depois do seriíssimo acidente de Senna. Mesmo com Ayrton, um dos maiores pilotos de todos os tempos, à beira da morte, a poucos quilômetros dali, o GP de San Marino continuou.

O coração de Senna ainda batia, na UTI do hospital Maggiore, quando a corrida terminou, com a alegria contida dos que subiram ao pódio — Schumacher, Larini e Hakkinen — e a invasão da pista por milhares de torcedores italianos, em meio a uma festa de bandeiras vermelhas pelo segundo lugar da Ferrari.

Só depois da bandeirada, alguns pilotos começaram a descobrir que não tinham sido informados completamente sobre o acidente. Schumacher, o vencedor da prova, disse nove anos depois que, ao saber da morte de Senna, chegou a fazer uma reflexão surpreendente:

"Eu não sabia o que pensar. Não estava certo se continuaria a correr se o que aconteceu naquele dia continuasse a acontecer."

Na lembrança de Schumacher, Ímola foi um fim de semana "horrível" no qual ele se confrontou, pela primeira vez, com o fato de que as pessoas podiam morrer correndo de carro. Até então, para ele, morrer na pista era coisa dos velhos tempos. Talvez se machucar, mas morrer parecia impossível. E a explicação de Michael para o leve sorriso na cerimônia de premiação, por muitos considerado um gesto frio e desrespeitoso?

"Eu não sabia da morte quando fui para o pódio. E fiquei profundamente chocado quando soube. Me abracei a Corinna e nós dois choramos."

Martin Brundle, oitavo colocado na prova, foi outro enganado:

"Primeiro me disseram que Ayrton estava ferido. O que eu não sabia era daquele sangue no chão da curva Tamburello. Se eu descobrisse que eles sabiam que Senna estava morto, quando reiniciamos a corrida, eu pegaria alguém pela garganta. Me sinto mal até hoje por aquele dia."

No *paddock* de Ímola, Senna ficara em segundo plano, ou terceiro, dependendo do boxe, assim que o helicóptero de resgate decolara para o hospital Maggiore, desimpedindo a pista para a nova largada.

Patrick Head teve tempo e cabeça para examinar a Williams de Ayrton quando ela foi levada de volta ao boxe, durante a interrupção da corrida, após o acidente. Nove anos depois, ele disse que sua preocupação era saber se havia algo sério que pudesse impedir Damon Hill de participar da nova largada com o outro carro da equipe. De acordo com Patrick, havia, ele não sabia se deliberadamente ou não, muita desinformação durante a corrida:

"Por algum tempo, enquanto Ayrton era atendido na pista, a informação dada para nós era de que ele sofrera apenas um corte no braço."

Depois, de acordo com Patrick, acrescentaram que Senna ficara inconsciente "por alguns momentos". Mais algum tempo depois, até que um prognóstico otimista chegou ao boxe da Williams:

"Disseram que ele estaria ok para correr em Mônaco. Quase no final da prova é que fomos informados de que a situação era muito mais séria."

Só então começou, depois da bandeirada, o que Patrick chamou de "o pior momento" de sua vida.

Bernie Ecclestone atribuiu à mesma desinformação um mal-entendido que o deixou em situação desconfortável com a família Senna. A suspeita levada para o Brasil foi a de que, depois de ter informado a Leonardo Senna que o irmão tinha morrido, Bernie voltara atrás com outra informação, apenas para justificar o reinício da corrida. Quase uma década mais tarde, Ecclestone ficava indignado com a confusão, segundo ele disse, provocada pela semelhança entre as palavras *head* e *dead*:

"Eu estava na sala da direção da prova. Alguém me disse que o problema era com a cabeça (*head*). Eu entendi que ele estava morto (*dead*), e disse ao irmão que Ayrton estava morto. Depois, quando fui checar, disseram que seu estado era grave. Foi uma grande confusão."

Anos depois, em entrevista publicada no livro *Chasing the title*, de Nigel Roebuck, Bernie deixou claro que era mesmo contra o cancelamento da prova:

"Por que a corrida deveria ter sido parada? Nada ia trazer o cara de volta. A gente não pára de voar toda vez que um avião cai, não é?"

A notícia da morte pegou Prost no aeroporto, no momento em que ele opinava sobre um texto que o presidente da Renault queria distribuir para a imprensa sobre o acidente. Na cabine da TF1, ele chegara a comentar, ao vivo, nos instantes seguintes à batida, que o acidente poderia não ser tão grave. Minutos depois, porém, ficara em silêncio, lágrimas nos olhos, arrasado. Alain explicou, nove anos depois:

"Era uma parte da minha vida que estava sendo tirada de mim."

O jornalista Giorgio Piola também estreava como comentarista de tevê. Mago do desenho, sua especialidade era expor com precisão, para leitores do mundo inteiro, à revelia das equipes, os segredos e as novidades dos carros da Fórmula 1. Tinha trocado empurrões com Senna durante uma entrevista em Hungaroring, anos antes, e não gostava do que chamava de "fundamentalismo" de Ayrton. Preferia Prost, abertamente. Nove anos depois, para ele, aquelas horas em Ímola foram as "mais horríveis" da sua vida:

"Eu fiquei a ponto de chorar no microfone. Eu tinha absoluta convicção de que Ayrton era tão superior, que jamais morreria num acidente."

Piola não agüentou ficar na cabine ao saber da morte. E perdeu o controle quando ouviu, pela transmissão ao vivo, o diretor da Benetton, Flavio Briatore, interpretar a perda de Senna como "o preço que todos têm de pagar pelo desenvolvimento da tecnologia dos carros". Piola o interpelou:

— Pára de falar essa bobagem. Hoje é um dos dias mais terríveis da Fórmula 1!

Ele deixou o circuito "com vontade de bater em alguém". Chegou a prometer a si mesmo que ia parar de trabalhar na Fórmula 1. Isso não cumpriu.

Keith Sutton, o fotógrafo oficial de Ayrton dos tempos das fórmulas Ford e 3, estava na curva Rivazza. Quando os carros pararam de passar à sua frente e os colegas começaram a correr em direção à Tamburello, ele ficara sabendo que era Senna. Já chocado com a morte do amigo Ratzenberger, Keith não conseguira sair do lugar. Os mais de 350 grandes prêmios fotografados perderam momentaneamente o sentido. Ele enquadrara aquele capacete amarelo milhares de vezes. E não quis fotografar mais nada.

Só dois meses depois, em casa, sem que houvesse um motivo, Keith teve uma intensa crise de choro ao se lembrar do jovem tímido que fotografara sem parar em uma tarde do inverno de 1981, em Thruxton.

O repórter Kawai Kazuhito, da Fuji TV, ganhara uma garrafa de uísque Johnny Walker de presente antes da corrida. Estava com ela na sala de imprensa. Antes que o acesso à curva Tamburello fosse fechado, depois da corrida, ele foi até o local da batida. Ali, acompanhado de outros dois jornalistas japoneses, improvisou uma homenagem: esvaziou a garrafa inteira no muro da Tamburello. Ao lado dele, um dos colegas fez uma espécie de prece:

— Que você vá para o céu e se encontre com Soichiro Honda.

Em seu livro *Chasing the title*, ao comentar a onda de choque provocada pelos acontecimentos de Ímola, Nigel Roebuck afirmou para os que se espantaram com a face amarga da Fórmula 1, nos moldes em que ela existiu pelo menos até a morte de Senna:

"Jovens como Roland e Ayrton são mortos por nos darem emoções fortes desde o início das corridas de velocidade e isso vem sendo aceito como inevitável em um esporte de risco."

Roebuck cita logo depois um comentário de Niki Lauda que, em vez de concordar com a maioria das pessoas, ressaltou que mais impressionante era não terem acontecido acidentes fatais por tanto tempo:

— Há 12 anos Deus esteve olhando pela Fórmula 1. Nesse final de semana, ele fechou os olhos.

Dores

Lilian de Vasconcellos não assistia às corridas de Fórmula 1 perto do segundo marido. Temia que um gesto de incentivo ou preocupação pudesse ser mal-interpretado por ele. Mas, por coincidência, sentara-se em uma das poltronas do andar superior da cobertura em que moravam, no bairro da Saúde, em São Paulo, para tratar de um assunto rotineiro. A tevê estava ligada e Lilian não teve dúvidas quando a Williams explodiu na Tamburello:

— Morreu.

A confirmação da morte sensibilizou o marido:

— Lilian, você está se segurando. Solta!

E ela se soltou. Chorou muito. Nove anos depois, Lilian disse que fez uma descoberta no meio daquele pranto:

— Vi o quanto fui apaixonada por Ayrton e como a relação que eu tinha naquela época estava acabando.

Lilian sentiu também uma vontade muito forte de poder ter dito a Ayrton que perdoava e entendia sua reação naquela tarde de 1981, na Inglaterra, quando ele fora surpreendentemente frio e pragmático ao saber da possibilidade de se tornar pai de um filho dela. E passou a ter sonhos com Ayrton, em situações que ela não sabia a quem submeter: os amigos espíritas ou sua terapeuta.

Nuno Cobra estava num seminário, no clube Monte Líbano, em São Paulo. Ao final de sua palestra, um dos participantes levou-o para um canto e deu a notícia da batida. Imediatamente, ele foi para sua casa na rua Alvarenga, no bairro do Butantã, e lá já encontrou a filha Rosane, abalada e sugerindo que ele fosse para a Itália:

— Você tem que ir para lá. Ele é muito forte e você pode ajudar muito o Senna a se recuperar.

Nuno estava pálido e mal conseguia articular uma resposta. Por isso, Rosane revolveu levá-lo para uma caminhada na pequena praça que ficava a metros de sua casa. Depois de algum tempo, os dois decidiram voltar. No caminho, cruzaram com uma vizinha que não se preocupou nem em cumprimentá-los antes de dar a notícia:

— Olha, o Ayrton morreu.

As pernas de Nuno fraquejaram instantaneamente e ele desabou quase desmaiado sobre o teto de um carro. Rosane e outros vizinhos se aproximaram para ajudar, um deles oferecendo água com açúcar. Catatônico, deu várias entrevistas, chamando os dirigentes da Fórmula 1 de assassinos. Nuno levou muito tempo para se recuperar do choque:

— Fui para o espaço naquele dia.

Cristine Ferracciu estava ao lado do marido na cama, no apartamento que alugara para morar, enquanto durasse a obra em sua casa, em São Conrado, Zona Sul do Rio. O tom diferente da narração de Galvão Bueno chamou sua atenção. O marido tentou evitar que ela visse:

— Dorme, dorme.

— O que houve?

— Nada. Dorme...

Num primeiro momento, ela não se deu conta da gravidade. A imagem da chegada de Sid Watkins ao local do acidente, porém, provocou uma forte taquicardia. Minutos depois, a amiga Ana Berger ligou da

Europa aos prantos. E as horas seguintes foram de descontrole total. Era a primeira grande perda de sua vida:

— Eu achava que Ayrton era indestrutível. Entrei num estado de histeria completa.

Nove anos depois, Cristine avaliou que seu marido a teria abandonado naquele momento, diante de sua emoção pela morte de Ayrton, se não fosse tão apaixonado por ela. O único pedido dele foi para que Cristine não fosse ao enterro. Os dois viajaram para Miami, onde ficaram 20 dias. Só na volta ela visitou dona Neyde em São Paulo. E ouviu da mãe de Senna a frase que guardou com carinho:

— Você é da parte boa das lembranças do meu filho.

Do Natal daquele ano, Cristine guardou um cartão de dona Neyde: "Que os anjos da natureza sempre abençoem o seu sorriso, que com certeza trarão muitas alegrias para meu filho que não está mais aqui."

Nos anos que se seguiram, Cristine teve uma resposta-padrão para as pessoas que, ao saberem de seu namoro com Senna, começassem a perguntar sobre a sexualidade dele:

— Do Ayrton, na minha frente, você não vai falar. Não vai mesmo!

A governanta Maria Assunção e o marido Fernando estavam no santuário de Fátima pagando promessas. Os filhos já sabiam, mas haviam decidido poupar o casal do choque, dizendo apenas que era um grave acidente. O rádio do carro tornara o cuidado inútil, no caminho de volta para Sintra. Maria não percebeu no início, mas a vida e o trabalho na mansão dos Braga começaram a perder o sentido para ela naquele dia:

— Foi como se um computador dentro de mim fosse sendo desligado aos poucos.

Sid Mosca entrou em "parafuso" na sala de sua casa, em Santo Amaro, São Paulo, quando, na imagem da tevê, o capacete que ele criara e pintara pessoalmente ficou estático, para nunca mais se mexer, ligeiramente inclinado para a direita, no *cockpit* da Williams. Ele sabia que Senna tinha decidido usar um modelo que era um centímetro e meio mais aberto, na parte vazada da viseira. E ficou transtornado quando soube, depois das circunstâncias que haviam tornado o acidente fatal:

— Se fosse outro modelo mais fechado, menor, como o antigo, talvez ele tivesse uma chance.

Sid pintara a entrada de sua empresa com as cores da nova equipe de Ayrton. O chão quadriculado e as paredes em azul-marinho, amarelo e branco. Queria fazer uma surpresa para o amigo na primeira ida dele a São Paulo.

Linamara Battistella tinha acabado de chegar de um congresso na Cidade do México. De banho tomado, sentara na poltrona de sua casa, em São Paulo, para ver a corrida e assistiu a tudo, ao vivo. Tivera o impulso inicial de ligar para dona Neyde e, ao fazer contato, só conseguira dizer que estava rezando.

Depois, ao ver a aglomeração de médicos, enfermeiros e comissários na Tamburello, lembrou do "constrangimento profundo" que Ayrton sentia quando falava de Frank Williams. Ele costumava dizer a Linamara que não compreendia como Frank conseguia viver naquela cadeira de rodas, com as limitações físicas e a dependência decorrente da tetraplegia. A possibilidade de que Ayrton pudesse sobreviver como Frank provocou, em Linamara, mais apreensão do que consolo:

— Achei que era melhor não sobreviver daquela maneira. Para ele, o movimento era algo fundamental.

A imagem de Senna, imóvel no *cockpit*, fizera passar um filme na mente de Cristina Sala, que assistia à corrida com o marido Ricardo em casa, no bairro paulistano de Vila Olímpia. E não era o fenômeno da Fórmula 1. Era o menino genial e solitário do kartódromo de Interlagos, o confidente obsessivamente apaixonado pela amiga Sofia, o homem sozinho e triste que ela deixara para trás, no aeroporto de Heathrow, depois de um reencontro inesquecível. Mesmo fazendo parte de uma família que tinha o automobilismo no sangue, Cristina sentiu, naquele momento, uma súbita indignação com a inutilidade daquele sacrifício.

O irmão Maurizio Sala estava disputando uma regata com um amigo no seu *supercat* 17 na represa de Guarapiranga, abalado com a morte de Roland Ratzenberger, seu ex-parceiro nas 24 de Le Mans. Ele sabia que

Roland estava na Fórmula 1 na base do sacrifício, gastando dinheiro do próprio bolso para se manter na fraquíssima equipe Simtek, sem medir esforços. Maurizio não quis assistir à corrida. Soube de Senna no meio da tarde. Nove anos depois, disse que ficou triste, mas não surpreso:

"O Ayrton, pelo estilo de guiar, não poderia ter outro fim. Para quem anda sempre no limite, uma hora alguma coisa dá errado."

Owen O'Mahony estava na sala dos pilotos do aeroporto de Rimini e voara imediatamente para Bolonha depois do acidente. A ele coube, mais tarde, uma missão muito difícil: fazer as medições e consultas necessárias para saber se o jato de Senna tinha espaço suficiente para que o caixão fosse levado nele:

"Confesso que foi reconfortante quando chegamos à conclusão de que não seria possível levar o caixão. Se fosse possível, não sei se eu teria condições de fazer aquela viagem."

Na sala de sua casa em Cambridge, na Inglaterra, braço engessado, nariz quebrado, costela ainda doendo muito, Rubens Barrichello rezara, pedindo um milagre. Ele chegou a acreditar que Ayrton escaparia. Sua referência era seu próprio acidente, uma batida a uma velocidade maior do que a da Williams de Senna. A correspondente Valéria Sffeir e o cinegrafista do escritório da TV Globo em Londres estavam lá para fazer a reportagem de sua torcida por Ayrton. Emocionados, fizeram outra, mostrando um Barrichello triste e abalado, apesar da amnésia parcial provocada pelo impacto da sexta-feira, na Variante Baixa.

Américo Jacoto Júnior chegara a gritar para a televisão:

— Sai do carro! Sai do carro!

Depois, resignado, lembrou o presente que dera a Ayrton alguns anos antes. Um disco de vinil de Milton Nascimento. Na capa, ele escrevera uma dedicatória que reproduzia um trecho da música "Canção da América":

"Amigo é coisa pra se guardar do lado esquerdo do peito, mesmo que o tempo e a distância digam não."

Xuxa preferiu a reclusão. Não aceitou uma sugestão dada por um diretor da TV Globo para que comandasse uma oração em louvor a Senna. E não quis dar entrevistas.

Choque

Não é necessário lembrar. Cada brasileiro sabe. E ainda sente, dez anos depois, como foi aquele dia. O lugar onde estava, as palavras que pronunciou, o vazio que o capacete imóvel abriu no peito, a angústia do resgate, os pés alinhados e caídos, a mancha vermelha no chão de cimento branco, o domingo desfeito em perplexidade e o baque definitivo, no meio da tarde, direto do hospital Maggiore.

O então presidente Itamar Franco estava no palácio da Alvorada, lendo os jornais e revistas no quarto. Avisado pelo sobrinho Ariosto, mandou divulgar uma nota antes mesmo do anúncio da morte do piloto, dizendo que estava acompanhando o noticiário "com tristeza e desolação". Itamar não conseguiu falar com os pais de Ayrton, mas chegou a colocar um avião à disposição da família, caso os Senna quisessem ir para Bolonha.

Fernando Henrique Cardoso, então candidato à Presidência da República pelo PSDB, estava num palanque em Volta Redonda, para um comício em comemoração ao Dia do Trabalho. O candidato então líder nas pesquisas, com 42% das intenções de voto, contra 16 de Fernando Henrique, era Luís Inácio Lula da Silva, do Partido dos Trabalhadores. Ele participava de uma reunião preparatória da festa de lançamento da campanha, marcada para aquele domingo, em Brasília. Lula deu uma entrevista, anunciando o cancelamento do *show*:

"Não há sentido em fazer festa quando os brasileiros choram a perda de Senna."

A cantora Beth Carvalho estava a caminho do aterro do Flamengo, no Rio, para um *show* em comemoração ao Dia do Trabalho, quando soube da morte. Tinha um contrato a cumprir, mas não sabia o que fazer. Não existia clima para um *show*. Era, para Beth, "algo maior do que a morte de um presidente". Mas ela subiu ao palco e resolveu cantar apenas uma música, em homenagem a Senna. Era "O meu guri", de Chico Buarque, que, num dos trechos, diz:

"E na sua meninice ele um dia me disse que chegava lá. Olha aí. Olha aí. Olha aí, aí, o meu guri, olha aí. Olha aí, é o meu guri. E ele chega. Chega suado e veloz do batente. E traz sempre um presente pra me encabular."

Cerca de duas mil pessoas acompanharam o refrão, emocionadas.

Milton Nascimento, um dos músicos preferidos de Ayrton, também deixou milhares de pessoas às lágrimas naquela tarde de domingo, acompanhado pela Orquestra Sinfônica Municipal de Campinas, no gramado do parque do Ibirapuera, em São Paulo. Milton cumpriu as 12 músicas do programa. No final, driblando sua conhecida timidez, pegou o microfone e anunciou para cerca de 40 mil pessoas:

— Vocês sabem que a pior coisa do mundo é perder um amigo. Vamos tocar agora uma música que ele cantava e ouvia quando a gente estava junto, em qualquer lugar do mundo.

E veio "Canção da América":

— Amigo é coisa pra se guardar do lado esquerdo do peito, mesmo que o tempo e a distância digam não.

Adilson Almeida, presidente da Torcida Ayrton Senna, tivera uma reação rotineira à batida. Achara que era um acidente a mais e até se levantara para pegar um suco de laranja no fundo da sala, onde ele e outros 50 sócios da entidade dividiam o café da manhã, tradicionalmente organizado na sede, em dias de grande prêmio. Ao voltar os olhos para a tela da tevê, ele não tomou o suco. Foi para o fundo da casa e ficou um bom tempo sozinho, olhando as árvores em silêncio.

Em poucas horas, aquela casa do bairro de Santana, primeiro escritório de Ayrton, se tornou ponto de concentração de fãs e cenário de dramáticas demonstrações de dor, tristeza, desespero e histeria.

Nas estradas de acesso a São Paulo, os conterrâneos de Senna demonstraram, na volta para casa, que o trauma de Ímola fora extensivo ao ato de dirigir. Muita gente tirou o pé do acelerador.

As estatísticas de acidentes caíram quase pela metade naquele domingo.

Um negócio milionário acabou naquele domingo, exatos dois dias antes de ser sacramentado. Era um contrato de dois milhões e meio de dólares para a construção do primeiro de uma rede de 15 parques de automobilismo inspirados na carreira de Senna. O contrato seria assinado por ele e pelo empresário Alain Baldacci, sócio de Gugu Liberato.

Estava tudo acertado, exceto por alguns detalhes jurídicos. Baldacci já tinha importado 100 *karts* para o primeiro parque, que teria, além das pistas, escolas de trânsito, áreas de jogos, vídeos e espaço multimídia para grandes pilotos. Baldacci desembarcara no Aeroporto Internacional de Guarulhos naquele domingo, procedente dos Estados Unidos, e perguntou ao sócio:

— E aí, como está a corrida?

O sócio descreveu o acidente. Alain não se conteve e fez um comentário que depois o deixou constrangido:

— Puxa vida, só faltava acontecer alguma coisa grave com o Senna. E o nosso projeto?

"Fórmula S". Esse seria o nome dos parques. Nove anos depois, Baldacci não reclamou do "prejuízo grande e marcante" que disse ter sofrido ou dos 100 *karts* que ainda eram seus. Ele não culpou a família pelo fato de o projeto não ter prosperado.

Não tinha o menor sentido depois da morte de Ayrton.

O jornalista responsável pela matéria em que Nélson Piquet disse que Ayrton não gostava de mulheres, Eloir Maciel, estava assistindo à corrida em casa, em Tucumã, na Argentina, para onde tinha se mudado. O filho Lourenço, de cinco anos, estava com ele. No primeiro momento, ele chegou a acreditar que não era grave, mas mudou sua percepção quando viu o ângulo formado pelos pés do piloto.

Eloir sentiu então uma tristeza profunda que só aumentou nos dias seguintes, à medida que os amigos, colegas e vizinhos iam lhe dando pêsames, apenas pelo fato de ser compatriota de Senna. Junto com os pêsames, veio um mal-estar que se transformou em arrependimento:

"Naquele momento, deixei de ser profissional da notícia e me senti um filho-da-puta por ter levado para a redação a matéria que tanto sofrimento causou a ele."

Os japoneses não viram o acidente ao vivo. A tradicional versão editada da corrida pela Fuji TV só foi ao ar por volta de uma da madrugada no Japão, cinco da tarde em Ímola, quando Senna já estava no hospital. O produtor Hirofumi Natsumo estava no comando na transmissão e, ao perceber a gravidade do acidente, encomendou discretamente a um editor de imagem um especial de homenagem ao piloto.

A versão editada da corrida foi interrompida pela notícia da morte de Senna, dada com lágrimas nos olhos pelo locutor da emissora, Jun Imanya. Foi o início de uma programação especial que durou o dia inteiro.

O jogador Zico, ídolo do futebol japonês, estava dormindo na concentração do time Kashima Antlers. Ele foi acordado por um jornalista local, assustado, tentando lhe explicar o que havia acontecido. Zico morava no Japão havia um ano e meio e ainda tinha dificuldades com o idioma. Mas percebeu que se tratava de um acidente sério com Senna.

Zico lembrou-se da ansiedade de fã que sentiu no dia em que ele e Ayrton foram a atração de programas ao vivo na TV Fuji. Já era um momento em que o culto a Senna tinha diminuído, com a saída da Honda da Fórmula 1. Mas ainda assim, de acordo com Zico, a paixão dos japoneses continuava muito forte.

Uma paixão tão forte que a Honda, mesmo já sem qualquer laço com Ayrton ou a Fórmula 1, amanheceu o dia 2 de maio com uma homenagem. Suspendeu as vendas na grande loja do térreo da sede da empresa, em Tóquio. No estande giratório central, em vez de modelos da fábrica, colocaram uma das McLaren-Honda de Senna e, ao fundo, o telão de apoio às vendas passou a exibir, ininterruptamente, um *making of* do comercial de Ayrton para a fábrica. Durante quase um mês, a sede da Honda não vendeu um carro. Milhares de pessoas entraram na fila. E as lojas de flores da região bateram recordes de venda.

Hirofumi Natsumo ficou dois dias direto na emissora, envolvido com a repercussão da morte de Senna entre os japoneses. Nove anos depois, ele disse que aquela cobertura só teve paralelo com a da morte da princesa Diana, em 1997. A Asahi TV, concorrente direta, deu, no principal telejornal, uma manchete que tinha dois alvos:

"Senna morreu. A Fórmula 1 acabou."

De certa forma, não deixava de ser verdade no Japão.

"Quando soube que Senna morreu, senti a mesma coisa de quando me disseram que John Lennon estava morto."

O comentário, feito para o correspondente Livio Oricchio, de *O Estado de S. Paulo*, não foi de um fã dos Beatles. Era George Harrison, um deles. Aficionado pela Fórmula 1 e admirador de Ayrton, ele deu o testemunho de ter vivido, com Senna, a surpreendente condição de um admirador paciente e resignado com a falta de tempo do ídolo.

Novos Recordes

E Adriane estava lá, sensualmente guardada nos braços de Ayrton, à frente de cenários românticos de fim de tarde. Na capa de *Caras,* em todas as bancas do país, com o consentimento de Senna, na manhã do dia em que ele morreu.

As vendas estavam seguindo a média até o final da manhã. À medida que as horas foram passando, o que restava dos 180 mil exemplares se esgotou rapidamente. No mesmo dia, a equipe da revista preparou uma versão atualizada com as primeiras informações e imagens de Ímola. Um milhão de revistas foram vendidas. Nunca mais *Caras* vendeu tanto. Para Edgardo Martolio, diretor-superintendente, a edição foi um marco na história da revista:

— Eu diria que a gente pode dividir *Caras* em dois períodos: antes e depois de Senna. A partir daquela edição, as pessoas começaram a conhecer a revista e a média das vendas aumentou bastante.

A mais importante revista semanal brasileira, *Veja*, na época a quarta do mundo em circulação, também lançou uma edição especial, a quarta dos seus 25 anos de existência e única não motivada por fatos políticos importantes. As outras especiais tratavam da indicação do general Ernesto Geisel para o lugar do general presidente Emílio Garrastazu Médici, durante a ditadura militar, da morte do ex-presidente Juscelino Kubitscheck e da votação do *impeachment* do presidente Fernando Collor. Na carta aos leitores, *Veja* explicou:

"A morte de Senna não diz respeito ao país formal, institucional. Ela toca direto na sensibilidade, na maneira de ser e de se reconhecer de todo um povo."

A distribuição dos 300 mil exemplares da edição especial para 23 mil bancas e pontos-de-venda em duas mil cidades do país envolveu uma operação de emergência da qual participaram mais de 2.500 pessoas. Ancelmo Góes, então diretor da sucursal de *Veja* no Rio e titular da coluna *Radar*, foi um dos executivos de *Veja* que se alinharam ao diretor Mario Sergio Conti contra a edição especial. Do outro lado, os editores Fábio Altman e Eurípedes Alcântara.

Ancelmo não acompanhava a Fórmula 1, não tinha Ayrton como fonte ou personagem e não imaginava que ele pudesse provocar a reação que provocou. As horas seguintes fizeram Ancelmo mudar drasticamente de idéia:

— A edição especial vendeu igual a pão quente.

De acordo com Fábio Altman, havia um detalhe curioso na edição de *Veja* que já estava nas bancas naquele domingo:

"Era uma reportagem falando sobre o acidente de Barrichello, dizendo que não se morria mais na Fórmula 1. E com uma frase do Senna, dizendo que as novas tecnologias impediam mortes nas pistas."

Houve um grande susto na redação da *Folha de S. Paulo* naquela tarde, durante o fechamento da edição sobre a morte de Senna: um dos repórteres caiu e passou tão mal que os colegas acharam que ele estava morrendo. Só depois souberam a razão do mal-estar. Na sexta-feira, véspera de seu aniversário, ao saber que teria de fazer o plantão na Editoria de Esportes, ele desabafara com um grito:

— Eu quero que esse Ayrton Senna morra!

Para César Seabra, editor de esportes de *O Globo*, as pessoas, na redação, estavam mais doces, solidárias e cordiais naquele domingo. Não havia ironia. Ninguém fazia piada. Não havia o deboche da banalização da morte, esporte impublicável mas muito praticado nas redações do mundo inteiro em dias de tragédia. As cobranças eram suaves. Alguns iam chorar no corredor.

O impacto do acidente de Ayrton Senna provocou outro fenômeno raro nas redações. A maioria dos jornalistas, entre eles muitos que jamais tinham escrito uma linha sobre automobilismo, teve um impulso imediato de correr para a redação — e escrever alguma coisa sobre aquele pesadelo que começava a tomar conta do país.

Mair Pena Neto, ex-correspondente de Fórmula 1, tinha uma série de outros motivos para correr para a redação do *Jornal do Brasil*. Quando chegou ao prédio da avenida Brasil, ficou impressionado:

"Todo mundo queria ser da editoria de esporte naquele dia. Não era busca de notoriedade. Era uma compulsão profissional."

Sérgio Rodrigues, outro ex-correspondente dos tempos de Senna na Fórmula 1, acordou na casa da namorada, no Flamengo. Um amigo a avisou pelo telefone:

— Liga a televisão que o Ayrton Senna morreu.

Ela deu a notícia a Sérgio com cuidado. Quando ele ligou a tevê, já havia uma tarja preta na tela. O que mais marcou a lembrança de Sérgio foi a "viagem estranha" que ele fez para casa:

"Na rua, até os passarinhos pararam de cantar. Não tinha carro passando ou cachorro latindo. Alguma coisa sobrenatural parecia estar acontecendo."

Sérgio teve o impulso de ir para uma redação trabalhar. Na época, era editor da *Veja Rio*, que não teria o que dizer sobre o assunto. Ligou para a redação de *Veja*, em São Paulo, oferecendo-se para ajudar na edição especial. Não precisavam dele. Sérgio então quase protagonizou um caso radical da compulsão profissional que tomara conta dos jornalistas brasileiros naquele dia. Ligou para Mair, no *Jornal do Brasil*, mas se controlou. Não seria muito profissional se oferecer para trabalhar para outra empresa, assim, de uma hora para outra, em pleno domingo.

"Eu queria falar com as pessoas, estar envolvido com o assunto."

A colunista Barbara Gancia, da *Folha de S. Paulo*, nunca fora amiga de Senna. Guardava uma certa antipatia pelo piloto fechado, desconfiado e de pouca conversa que conhecera no kartódromo de Interlagos nos anos 70. Também tinha uma boa lembrança: o banho de champanhe que levara de Senna em Mônaco, logo depois de uma das vitórias dele no principado. Com a certeza de que Senna não escaparia, Barbara começou a se sentir péssima. O título de sua coluna, dois dias antes, tinha sido:

"Ayrton Senna não será campeão do mundo."

O texto era baseado em informações de uma pessoa ligada a Ayrton e dizia que ele não estava se preparando física e mentalmente para vencer, como fizera nos anos anteriores. Desolada, Barbara terminou o dia aos prantos, sozinha em uma das mesas da Pizzaria Venice, no bairro do Ibirapuera.

Renato Maurício Prado, o mais persistente crítico de Senna entre os correspondentes brasileiros de Fórmula 1, estava na cama, em seu apartamento na rua Jangadeiros, em Ipanema. A mulher, Cátia, dormia e, para não acordá-la, ele usava um fone de ouvido. Não precisou de muito tempo para concluir que Senna morreria.

"Fiquei pasmo. Senti que um capítulo da minha vida estava acabando. E aquele gosto de cabo de guarda-chuva na boca."

O Estúdio Gelado

Fátima Bernardes estava em seu segundo ano de apresentação do *Fantástico,* e sua missão, coincidente com uma reformulação idealizada pelo diretor do programa, Luizinho Nascimento, era mostrar que "domingo não é só doença, desgraças e extraterrestres". A caminho da redação da TV Globo, em estado de choque com a morte de Senna, ela se lembrou da assustadora experiência que vivera no início daquele ano, ao fazer uma reportagem sobre previsões e profecias com uma cartomante cigana chamada Esmeralda, que lia cartas de baralho e os olhos dos clientes num quarto de empregada. Antes de entrar, Fátima pensara:

— Se ela lê mesmo os olhos, vai chegar à conclusão de que eu não acredito em nada disso.

Uma intensa vermelhidão tomou conta do rosto de Fátima no momento seguinte, quando Esmeralda começou a fazer comentários certeiros sobre um assunto muito pessoal dela. O cinegrafista chegou a desligar a câmera e perguntar se Fátima queria que ele aguardasse um pouco do lado de fora. Ela dispensou a gentileza, recompôs-se e iniciou a entrevista, pedindo as previsões de Esmeralda para o Brasil, seus ídolos e seus desafios políticos e esportivos. Na leitura de uma das cartas, Esmeralda se referira a um "rapaz corredor". Fátima ajudou:

— O Senna?

— É, ele tem de tomar muito cuidado numa curva que pode ser fatal. Aliás, não é só ele não. Todo corredor brasileiro tem de tomar cuidado na curva.

A conclusão geral de Luizinho e da equipe do *Fantástico*, incluindo a da própria Fátima, foi de que a inclusão do alerta de Esmeralda seria de mau gosto num momento doloroso como aquele. A história só foi ao ar meses depois.

Decidir sobre a cigana Esmeralda era o menor dos problemas de Luizinho, Geneton Moraes Neto, Ricardo Pereira e de Carlos Schroder, o então diretor de produção da Central Globo de Jornalismo, que comandou toda a operação jornalística da emissora naquele dia. Em seis horas, eles teriam de fazer algo inédito na história da TV Globo: montar outro *Fantástico*.

A exibição do programa teria momentos de alto risco operacional, devido às mudanças no *script* e às entradas de Pedro Bial, Reginaldo Leme e Roberto Cabrini, ao vivo, da Itália. Foi também a primeira vez em que Brasil e Portugal ficaram no ar, em rede, Globo de um lado do Atlântico, SIC do outro. A média do Ibope, 50 pontos, foi uma das maiores da história do programa.

Nove anos depois, Pedro Bial, que foi às pressas de Londres para Bolonha, considerou aquele dia agitado e triste como um momento comparável às reportagens que fez sobre o colapso da União Soviética:

"Não há 1º de maio em que eu não me lembre do dia em que Ayrton morreu."

O *Fantástico* do dia da morte de Senna marcou o início da cobertura jornalística de um fato que Carlos Augusto Montenegro, diretor-presidente do Ibope, considerou o de maior impacto na opinião pública brasileira, à frente da posse de Lula, em 2003, da morte de Tancredo Neves, em 1985, da campanha das diretas, em 1982, e da conquista do tetracampeonato pela Seleção, em 1994.

Para Montenegro, a perda de Tancredo Neves teve grande impacto, mas foi também "uma agonia amortecida", ao longo dos 40 dias que o presidente eleito lutou contra a morte no hospital. Da mesma forma, a conquista do tetra do futebol foi "uma festa imensa que explodiu e acabou em um dia":

"A morte de Ayrton foi inesperada, dificílima de assimilar para milhões de brasileiros."

O desafio de Fátima Bernardes e Sandra Annenberg era não desabar, aos prantos, no meio da apresentação ao vivo, ao lado de Celso Freitas. Elas decidiram, quase por instinto, que não se olhariam nem conversariam muito nos momentos em que estivessem fora do ar, nos comerciais e durante a exibição das reportagens. Não que quisessem passar frieza. Era medo de perder o controle. A cada momento em que tinha de introduzir ou acompanhar, no monitor do estúdio gelado, as reportagens cada vez mais emocionantes que iam chegando, Fátima repetia internamente:

— Eu tenho de conseguir dar essas notícias!

Apesar de todos esses cuidados, as duas apresentadoras não conseguiram evitar o embargo da voz no encerramento do programa. À esquerda de Celso, mãos postas sobre a bancada, Fátima foi a primeira:

"Mas a imagem do acidente não vai ser a única lembrança numa carreira de dez anos de glória na Fórmula 1."

Na outra ponta da bancada, repetindo o gesto de Fátima, Sandra completou, à beira do descontrole:

"A imagem que fica é a de um supercampeão, um herói nacional, o nosso Ayrton Senna."

Era a deixa para o estúdio sair do ar.

A poucos metros dali, na redação, a exibição do clipe final do programa, ao som do "Tema da Vitória", foi a deixa para um momento raro na história do jornalismo da TV Globo. Uma equipe praticamente inteira, dezenas de editores, repórteres, produtores, editores de imagem, contínuos e chefes, todos se entregaram finalmente ao pranto, imóveis diante de computadores, nos corredores ou protegidos pela penumbra das ilhas de edição.

O *Fantástico*, como muitos domingos, às vezes era triste. Mas jamais haveria um *Fantástico* tão triste como aquele.

Extremos

Milton da Silva, duro na queda, não resistiu. Teve uma crise e passou mal, chegando a ser examinado pelo geriatra Paulo Borges, de Tatuí. Dona Neyde, incomodada com o assédio da imprensa e os telefonemas incessantes, decidiu que a alternativa menos sofrida era voltar para Tatuí e enfrentar, junto com o marido, os dois dias dolorosos que os aguardavam até que pudessem estar perto do corpo do filho.

Novamente foi Nelson Loureiro o único companheiro de viagem de dona Neyde. No vôo de volta a Tatuí, ela mais uma vez não trocou uma palavra sequer com o piloto. A diferença foi que, dessa vez, ela chorava. Na aproximação da fazenda, os dois puderam ver, de cima, que já havia um plantão de jornalistas na entrada. Por isso, Nelson pousou o helicóptero bem perto da casa.

Estava começando a espera silenciosa. Ela e o marido teriam a companhia de dois amigos de infância de Ayrton, Alfredo Popesco e Christiano Foux, da amiga Beth, filha de Benedito, o padrinho goiano de Ayrton, de Flávio, um amigo de Dianópolis, e do próprio Nelson Loureiro.

Adriane Galisteu tinha acordado por volta das nove da manhã e caminhado. O almoço leve, peito de frango grelhado e salada, fora preparado pela cozinheira Natália para a hora da corrida. À noite, quando Ayrton voltasse, o prato seria peixe assado. O almoço fora servido na sala de música. A tevê estava ligada para que as duas assistissem à corrida.

Juracy não foi além da imagem do leve balançar do capacete. Teve certeza de que ele tinha morrido. Saiu gritando desesperada pela casa. Adriane, segundo ela, tentou acalmá-la:

— Juracy, fica calma que ele vai sair dessa.

Em poucos minutos, porém, o tumulto tomou conta da casa do Algarve. O telefone não parou e muitos amigos chegaram aos prantos. Adriane chegou a embarcar num jatinho com Luiza de Almeida Braga, no aeroporto de Faro. O destino era Bolonha, mas elas nem decolaram. Às 19h40, hora local, Braguinha ligou da Itália dando a notícia. Ele achava preferível que Adriane fosse direto para o Brasil.

Não era essa a idéia da família Senna.

14º Capítulo

O Adeus

As pessoas não ficavam juntas. Apenas se cruzavam pela casa de dia, de noite e até de madrugada, insones e desoladas. Milton ainda tentava exercer a liderança, convocando todos para as refeições. Esses raros encontros, no entanto, duravam apenas alguns minutos. Bastava uma troca de olhares para que o choro contido se derramasse e cada um saía para um canto. Milton terminava não agüentando mais do que alguns minutos à mesa.

Alfredo Popesco chegou a ficar assustado e preocupado com os gritos de dor de dona Neyde que, às vezes, enchiam os amplos cômodos da fazenda Dois Lagos, nos dois dias que os pais de Senna passaram lá, com um pequeno grupo de amigos, à espera da chegada do corpo. Nem Alfredo conseguiu se conter. Num momento de dor, chutou com raiva a cama e a parede do quarto que dividiu com Christiano Foux.

Na memória do piloto Nelson Loureiro, que também estava na fazenda, não havia nada além de um grande silêncio, da dor desesperada de dona Neyde e do que chamou de "serenidade" de Milton:

"Ele não deixava que sua dor fosse percebida."

Foi durante aqueles momentos difíceis que Nelson soube que não havia qualquer disposição dos pais de Senna para atender às ligações de Adriane, que tentou, mais de uma vez, falar com eles em Tatuí. Alfredo, Christiano e a empregada Ednéia tinham orientação de não passar as ligações. Adriane conseguira falar com dona Neyde uma única vez, nas horas que se seguiram ao acidente, no domingo. Para Juracy, testemunha da ligação ao lado de Adriane, na casa dos Braga, em Sintra, a conversa "não foi agradável". Durante o telefonema, dona Neyde pediu que Adriane não fosse para a Itália. No final daquele dia, ela pegou seus pertences na casa do Algarve e voltou para Sintra, onde passou a ser hóspede dos Braga.

Nove anos depois, ao lembrar aquelas horas, Braguinha disse que recebeu um pedido de "todos da família Senna" para não levar Adriane para o enterro, em São Paulo. O pedido não foi atendido, mas para ele, seu gesto de solidariedade foi assimilado pelos pais de Ayrton, sem afetar a relação de amizade nos anos que se seguiram.

Em Bolonha, Celso Lemos teve a amarga missão de encontrar uma loja no centro da cidade para comprar roupas para serem vestidas em Ayrton. Escolheu um terno cinza, uma camisa azul-marinho e uma gravata clara. Ele e Julian Jakobi foram os responsáveis por todas as providências para o traslado, uma delas a de informar oficialmente às autoridades italianas que a família não queria que fosse feita qualquer autópsia.

Sinais na Noite do Atlântico

O comandante Reginaldo, piloto do MD-11 da Varig que faria o vôo 723 de Paris para São Paulo, na noite daquela terça-feira, não concordava, por ser uma violação das regras internacionais da aviação. Mas dona Neyde fizera dois pedidos através de Galvão Bueno: que o corpo do filho não fosse levado para o Brasil num compartimento de carga. E que a companhia fosse a Varig.

O corpo fora transportado, à tarde, de Bolonha para o aeroporto Charles De Gaulle, num avião cedido pelo governo italiano, depois de gestões do então chanceler brasileiro, Celso Amorim, junto ao presidente Luigi Scalfaro, para que a polícia e a justiça fossem rápidas na liberação. Leonardo, Julian, Ubirajara e Celso foram da Itália para a França no jato de Senna. O comandante Owen estacionara o avião ao lado do MD-11 da Varig, na escala de Paris, para que eles entrassem direto.

O pedido de dona Neyde foi atendido, com a interferência do diretor da Varig em Paris, Flávio Carvalho. A solução encontrada foi transferir Galvão, Celso, Betise Assumpção e Joseph Leberer da primeira classe para a executiva. Quatro poltronas foram retiradas da classe executiva para acomodar o caixão — e os ocupantes destes lugares foram transferidos para a primeira classe.

O MD11 decolou por volta de 23h30. O caixão foi coberto por uma lona, que o fixava no piso do avião através de cabos com engates, uma bandeira do Brasil e uma flor. Logo depois, um passageiro não brasileiro, cerca de 60 anos, abriu a cortina e estranhou. Quando disseram quem era, ele teve um baque. Aproximou-se, ajoelhou e rezou por alguns minutos, antes de voltar à poltrona em silêncio.

Por algum tempo, durante a longa viagem, a classe executiva daquele MD11 se tornou um velório íntimo para Celso, Betise, Leberer, Galvão, Reginaldo Leme, Livio Oricchio e os radialistas Luis Roberto, Marcelo D'Angelo e Cândido Garcia. Ao lado do caixão, Galvão justificou mais uma vez o apelido carinhoso de "Papagaio" que Senna lhe dera e contou várias histórias. De vez em quando, ele passava a mão no caixão, carinhosamente.

No meio da viagem, um dos integrantes da tripulação informou ao grupo que alguns aviões que estavam passando em rotas próximas à do MD11, na noite sem nuvens sobre o Atlântico, emitiam sinais de luz em homenagem a Senna. O comandante de um deles, outro avião da Varig, mandou uma mensagem pelo rádio:

"Ayrton, seja bem-vindo ao Brasil que te ama."

Tocado, Reginaldo Leme foi até a cabine de comando para tentar gravar uma daquelas mensagens com a câmera VHS que comprou para documentar a viagem. Não foi bem recebido pelo xará comandante:

— Isso aqui não é brincadeira.

Reginaldo ficou com raiva. Ainda estava sob o impacto da morte de Ayrton.

O radialista Luis Roberto conseguiu a primeira poltrona de classe econômica, após a cabine executiva. Ficou cerca de duas horas perto do caixão. Não conseguiu comer nem dormir durante as 11 horas do vôo.

Para Joseph Leberer, foram horas de tristeza, saudade e reflexão.

Uma alvorada dolorosamente bela, já em espaço aéreo brasileiro, marcou o fim daquele vôo. Depois da abertura da porta do avião, junto com a brisa fria da manhã no Aeroporto Internacional de Guarulhos, os que estavam na classe executiva sentiram o início da dor e da comoção que ainda estavam por acontecer. Era Viviane, entrando no avião num pranto desesperado, amparada pelo marido e enfim próxima do corpo do irmão.

Os passageiros foram desembarcados antes da descida do caixão. Na pista, o caminhão de bombeiros que Senna dispensara na festa do tricampeonato e que só aceitaria se tivesse de chegar morto ao Brasil. E uma guarnição de soldados da Aeronáutica, para uma rápida homenagem.

O silêncio que tomou conta do pátio e do terminal de passageiros, quando o caixão começou a ser tirado do avião, era tecnicamente impossível. Vera Biogione, funcionária da Infraero encarregada de coordenar aquele desembarque especial, jamais o esqueceu:

"Para um aeroporto imenso e barulhento como o de Cumbica, com movimento de uma cidade, aquele silêncio foi de arrepiar."

Os radialistas Luis Roberto, Marcelo D'Angelo e Cândido Garcia foram os últimos a entrar no ônibus que levou os passageiros do MD11 para o interior do terminal. Quando o motorista quis seguir viagem, sem esperar a descida do caixão do MD11, Cândido protestou:

— Você ficou louco? Acompanho esse cara desde quando ele guiava *kart*! Eu quero ver! Eu quero ver! Pára esse ônibus!

E o aeroporto ficou mais quieto ainda.

De Repente, Aquela Corrente

— Pode sobrevoar.

A primeira visão que Milton e dona Neyde tiveram do caixão foi de cima, a cerca de 500 metros de altura, das janelas do helicóptero do filho. Nelson Loureiro avisara que o caminhão dos bombeiros, já a caminho do velório, na Assembléia Legislativa de São Paulo, estava no campo visual e pedira permissão a Milton para se aproximar, quando o cortejo chegara nas proximidades da ponte das Bandeiras, na marginal Tietê.

Durante cerca de 20 minutos, o Esquilo de Senna ficou parado no ar. Milton e Neyde não disseram uma palavra.

O tráfego de helicópteros em volta era intenso, e Nelson, que já estava abalado emocionalmente, ficou preocupado:

— Seu Milton, está difícil pilotar.

— Vamos para a Assembléia.

Em terra, foi um cortejo de 31 quilômetros, duas horas e meia de duração, filas de carros com até seis quilômetros de extensão e centenas de milhares de pessoas num espetáculo espontâneo de palmas, gritos, lágrimas, cantos, acenos, gestos e mensagens que os brasileiros, acostumados a despedidas públicas dolorosas, jamais tinham visto.

A nação, engasgada, finalmente soltava seu pranto. E narrar aquelas cenas para milhões de pessoas foi um dramático desafio para o jornalista William Bonner.

Fã de Senna, Bonner só o tinha encontrado uma vez, a bordo de um Electra da ponte aérea Rio-São Paulo. Entre os dois, o corredor do avião e uma fila de crianças, adolescentes e adultos à espera de um autógrafo. Bonner foi brindado por um sorriso fraterno de Ayrton, resignado com o assédio, e não se perdoou por ter sido "ridículo" e não ter tido a humildade de aproveitar o momento para também pedir um autógrafo.

— Você vai narrar o cortejo.

Anos depois daquele vôo do Electra, a frase fora a única orientação que Bonner recebera, antes de pegar um avião para São Paulo. O tom, a abordagem e o ritmo da narração ele descobriu praticamente sozinho, durante as mais de cinco horas ininterruptas de transmissão, sem um *break* sequer para comerciais ou chamadas da programação.

Ao longo desse tempo, Bonner recebeu uma ou outra orientação para evitar o tom excessivamente fúnebre e deu informações que eram passadas para ele pelo fone de ouvido.

O país presta homenagem a Senna, no cortejo que parou o trânsito de São Paulo por várias horas, em 4 de maio de 1994.

Quando o corpo chegou à Assembléia Legislativa, no entanto, veio o primeiro grande nó na garganta. Um dos cinegrafistas da emissora flagrara um policial militar num choro derramado, ao ver o caixão de Senna coberto pela bandeira brasileira. Bonner não conseguiu mais falar. Também chorou muito, enquanto o diretor de tevê aumentava o volume do arranjo orquestral do "Tema da Vitória", feito para os funerais pelo maestro Roger Henri. A música só fez aumentar o choro.

O silêncio de Bonner chegou a uma duração que, segundo ele, ficou acima do razoável, em se tratando de uma transmissão jornalística. Por isso, o diretor encarregado de comandar a transmissão, Carlos Amorim, pelo fone, misturava solidariedade e urgência:

— Vamos lá, amigão, vamos lá.

Bonner retomou a transmissão, mas voltou a chorar em vários momentos. Em alguns deles, simplesmente balançou a cabeça, como que avisando que não tinha como dizer nada.

Ele e milhões de brasileiros.

Impressionado com o pranto das pessoas nas pontes do Tietê, e ainda atordoado pelo próprio acidente, Rubens Barrichello tomou, naquela manhã de quarta-feira, uma decisão que marcou o resto de sua vida. Ao lembrar o episódio, nove anos depois, ele disse que, envolvido pela dor que o cercava, impôs-se um papel e uma tarefa "inatingíveis":

— Vou pegar essa tristeza pra mim e vou resolver isso.

Ele pagaria pelos dez anos seguintes o alto preço de não realizar o compromisso.

Abraços e Distâncias

O jornalista Juca Kfouri não acompanhava mais a Fórmula 1 aos domingos de manhã, no entanto, jamais soube a razão, ligara a tevê e acabara assistindo, ao vivo, à batida fatal na curva Tamburello. Na noite daquela quarta-feira, ele dedicara a conversa diária que tinha com Lilian Wite Fibe, durante o *Jornal da Globo*, da TV Globo, ao fenômeno em que a morte de Senna se transformara, ao risco de espetacularização da tragédia e outros temas relacionados muito mais com a cena brasileira do que com a perda do esporte.

Ex-piquetista, pouco íntimo dos personagens brasileiros da Fórmula 1, Juca pretendia ir para casa dormir, ao deixar a redação da TV Globo, na praça Marechal Deodoro, no início da madrugada de quinta-feira. Meia hora depois estava parado de pé, em frente ao caixão de Ayrton Senna, no saguão da Assembléia Legislativa. O caminho de casa, na Vila Nova Conceição, passava em frente à Assembléia e fora o bastante para que ele encostasse o carro e dissesse para si mesmo:

— Você é brasileiro e está sendo testemunha de algo que está mexendo com o país. Você é jornalista. Você não pode ficar à parte disso, porra!

Entrou na fila dos fãs, mas foi reconhecido e levado até a área reservada para personalidades, a poucos metros do caixão. Eram 2h30 e, de repente, Juca se viu sozinho ao lado do corpo de Senna. Fotógrafos e cinegrafistas se posicionaram para registrar, e ele, ateu convicto, simplesmente não sabia o que fazer. Acabou pousando a mão direita sobre o caixão, fingindo rezar.

Foram dois gigantescos minutos, estranhos e inesperados.

Alain Prost fez questão de dizer que foi àquele velório não por ter sido convidado, mas por decisão própria. Antes, porém, ele fez uma consulta à embaixada brasileira em Paris, que, por sua vez, mandou um diplomata consultar Galvão Bueno, ainda na pista do aeroporto Charles De Gaulle, durante a transferência do caixão de Ayrton para o avião da Varig. Prost queria saber se seria bem recebido pela família Senna. E Galvão respondeu ao diplomata:

— Pode mandar dizer ao Alain que ele vai ser muito bem recebido pela família e por todos os brasileiros. E que, se for preciso, eu o pego no aeroporto, levo ao hotel, pego no hotel e levo ao enterro.

Michael Schumacher não foi. E tinha uma veemente justificativa, quase uma década depois:

"Eu não queria demonstrar meus sentimentos. Eu sentia que as pessoas estavam esperando que eu ficasse triste, que demonstrasse esse sentimento publicamente, mas não sentia as coisas dessa maneira. Eu queria ficar de luto honestamente, não porque todos esperavam que eu ficasse."

Jo Ramirez chegara a comprar a passagem para São Paulo. Fizera a mala e, momentos antes de embarcar, decidiu não ir. Preferiu entrar em uma capela de Dorchester e rezar, sozinho e incógnito, na hora em que o corpo de Senna estivesse sendo levado para o cemitério. Martin Brundle, o rival dos tempos da Fórmula 3, também não quis ir a São Paulo. Já tinha sofrido muito com o adeus a Stefan Bellof:

"Nunca mais fui a um enterro. Do contrário, teria de parar de correr."

Bernie Ecclestone estava em São Paulo, mas não foi aos funerais. Reflexo do mal-estar de domingo e das acusações de Leonardo, que, ainda sob o impacto da morte do irmão, chegara a responsabilizá-lo pela tragédia, dizendo que ele só se preocupava com dinheiro. Nove anos depois, Ecclestone confirmou que não se encontrou com a família Senna naquela semana e deixou claro que o motivo foram as "declarações estúpidas" de Leonardo. Bernie disse, no entanto, que a razão de ficar no hotel não foi o medo de ser hostilizado:

"Ninguém pode me ameaçar com o que quer que seja. Eu não me coloquei numa posição de ser hostilizado. Eu não vou a enterros. Eu fui a São Paulo com minha mulher. Ela foi ao enterro e eu fiquei no hotel."

Mais de dois mil jornalistas do Brasil e do exterior foram credenciados pela empresa de José Vítor Oliva, que organizou o velório a pedido da família Senna.

Entrar nas áreas reservadas foi uma obsessão para muitos. Adilson de Almeida, presidente da Torcida Ayrton Senna, preparava-se para cumprimentar a família, quando uma jovem modelo o pegou pelo braço e propôs:

— Me leva com você. Depois, quando a gente sair daqui, você faz comigo o que você quiser.

Sob o título "A descida ao inferno", a crônica do velório publicada pela revista *Veja* começava com um elogio à postura do presidente Itamar Franco:

"Itamar agiu como um professor de bom comportamento político diante do luto da nação. Pena que não teve muitos alunos."

O político que sucederia Itamar, o então candidato Fernando Henrique Cardoso, ficou três minutos diante do caixão, retirou-se com ar contrariado e, segundo *Veja*, disse:

"Vamos embora. Não tem sentido explorar isso. Já fiz o que me mandaram."

Lula não foi.

O então prefeito de São Paulo, Paulo Maluf, recebeu um registro menos generoso de *Veja*:

"Quando se aproximava dos populares e dos fotógrafos, Maluf lacrimejava. Ao se afastar, batia papo, sorridente, com outros políticos."

No final da crônica, a revista observava:

"Ninguém prestou atenção aos políticos no velório. Não foram aplaudidos nem vaiados. Foram ignorados. Quem estava ali era o povo, em sua dor íntima, inteira. O resto tentava ser enfeite."

Depois das honras militares e da salva de tiros de canhão à saída do cortejo em direção ao cemitério, uma pergunta em forma de reflexão do deputado petista Paulo Delgado, registrada pela jornalista Tereza Cruvinel em *O Globo,* resumia o contraste entre a comoção provocada pela morte de Senna e o prestígio da classe política brasileira na época:

"Qual é o político brasileiro de hoje que merece uma salva de tiros? Para o alto, bem entendido!"

"Tinha muita viúva para o meu gosto."

Assim Lilian de Vasconcellos justificou, nove anos depois, já separada do segundo marido e ganhando a vida com projetos de decoração e de arquitetura de interiores, sua ausência nos funerais do ex-marido. A frase era uma referência à presença de Adriane Galisteu e de Xuxa Meneghel no velório. Lilian desistiu de ir ao velório e, deste modo, deixou de ser a terceira personagem de uma cena constrangedora, provocada pela ostensiva distância que a família manteve de Adriane, em contraposição à carinhosa acolhida dada à apresentadora e ex-namorada.

Poucas pessoas, na época, sabiam do complexo, sofrido e ininterrupto relacionamento que Ayrton mantivera com Xuxa praticamente até morrer. Uma relação inacabada que atravessara todas as outras que ele tivera depois do fim público do namoro, em 1990, com muitos telefonemas internacionais e viagens de helicóptero entre Angra e o Rio de Janeiro, para conversas exasperadas e inúteis. Para quem estava desinformado, portanto, a presença de Xuxa nos funerais pareceu oportunismo. Até pessoas mais íntimas da família, conhecedoras da reserva dos pais com as namoradas de Senna, se surpreenderam com a acolhida dada a Xuxa.

Tereza Brown, companheira de Viviane e dos pais naquela semana de sofrimento e testemunha dos acontecimentos na área privativa da família, assegurou, nove anos depois, que Adriane não foi hostilizada. E garantiu que não houve nenhuma determinação da família para que ela fosse isolada.

"O que aconteceu é que ela chegou atrasada, depois da Xuxa, que já estava com a família."

Adriane, na verdade, conversou com poucas pessoas durante o velório: alguns pilotos da Fórmula 1, o comandante Owen O'Mahony e Betise Assumpção. Em seu livro, Adriane descreveu, através do texto de Nirlando Beirão, o que aconteceu quando se aproximou do pai de Senna:

"Por um momento, recordo-me de ter acariciado o ombro do senhor Milton, de pé, bem na minha frente. Calado em seu sofrimento, ele cedeu a um leve tremor de susto, quem sabe de reconhecimento."

Milton e Neyde não eram apenas distância. O velório foi também a oportunidade para vários gestos de gratidão e de carinho deles para as pessoas que tinham acompanhado de perto a vida do filho. Ao ver Owen O'Mahony, Milton pediu a uma secretária da família para traduzir uma decisão e uma frase. A decisão era presentear Owen com um dos dez protótipos da pulseira que seria lançada, naquele ano, para celebrar os dez anos de Fórmula 1 de Senna. A frase:

— Eu gosto de você porque você nem sempre diz o que gosto de ouvir.

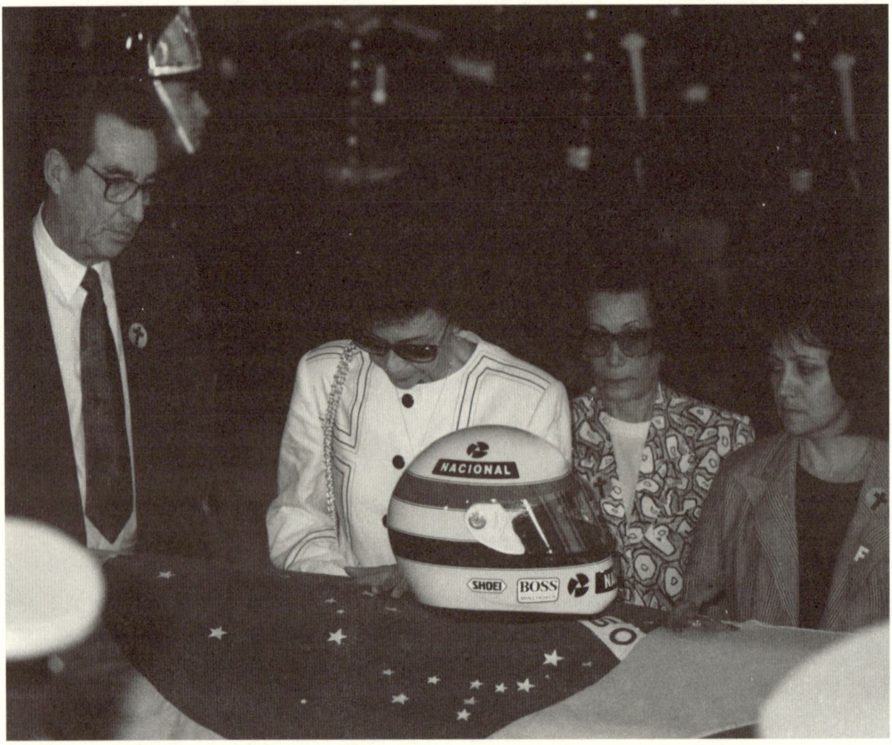

Contidos, emocionados, o pai e a mãe de Ayrton, de blusa branca,
no velório na Assembléia Legislativa, em São Paulo.

Owen usava no paletó um adesivo "A", de amigos credenciados. Quando Neyde viu o adesivo, sem explicar nada, ela o arrancou e mandou que alguém providenciasse imediatamente um adesivo "F", de família. Owen guardou o adesivo por muito tempo, até perdê-lo num descuido, na hora de mandar um paletó para a lavanderia.

Joseph Leberer também ficou paralisado com o carinho da mãe de Ayrton, ao ser chamado por ela na sala da Assembléia Legislativa reservada à família. Quando se aproximou de Neyde, ela disse:

— Você sempre cuidou dele.

Logo depois, abraçou Leberer por cerca de um minuto, mantendo-o sob as mãos trançadas, sem dizer uma palavra.

O cinegrafista Marco Antonio Gonçalves, da TV Globo, esqueceu parentes e autoridades que estavam no saguão e buscou, discretamente, um novo ângulo, diferente do que tinha no cercado reservado à imprensa pelos organizadores do velório. Ficou, de repente, com o caixão de Senna em primeiro plano. Durante horas ele registrou, sem ser notado, o pranto e a dor da gigantesca, paciente e organizada fila de brasileiros anônimos que foram ao velório.

Cada um da fila tinha poucos segundos de proximidade, ao passar, sem poder parar, na frente do caixão. Foram dezenas de milhares de rápidas e intensas despedidas. Crianças, adultos, homens, mulheres, pobres, remediados e abastados acenaram para o caixão como velhos amigos, lançaram beijos resignados no ar, cerraram punhos orgulhosos como se fosse final de corrida e choraram muito. Sem saber que estavam sendo filmados.

Mais tarde, o editor Amauri Soares e o repórter Renato Machado tiveram de fazer daquelas três horas de imagens uma reportagem de quatro minutos para o *Jornal Nacional*. A dramática escolha das imagens foi um dos momentos mais marcantes da vida profissional de Amauri. E a edição final da reportagem sobre a dor dos brasileiros foi o momento mais arrebatador da cobertura da emissora naquela noite.

O que mais impressionou o jornalista Mair Pena Neto no velório foi o que ele chamou de "santificação imediata" de Senna. Mair se deu ao trabalho de abrir e ler vários bilhetes que foram lançados em direção ao caixão de Ayrton pelas pessoas que passavam em fila pelo saguão. Não eram mensagens de adeus ou declarações de amor ou admiração. Eram pedidos de graças e de curas. Para muitos daqueles anônimos, Senna já tinha se tornado um santo.

Maria do Carmo da Silva, na sua vez de passar à frente do caixão, jogou um papel com a oração de Santo Expedito. Depois, explicou:

— Pedi ao Senna que ajude meu filho. Ele bebe muito.

Para a jovem Zuleika da Costa Rosa, de 16 anos, que acompanhava a cobertura do velório na tevê de sua casa, na periferia de Curitiba, a morte de Senna foi o impulso para um gesto trágico, em meio a uma crise de depressão que durava semanas. Zuleika se matou com um tiro na cabeça. A mãe, a faxineira Cleusa Aparecida Costa Rosa, encontrou um bilhete ao lado do corpo da filha:

"Vou ao encontro de Senna."

Toldos do Morumbi

Mais de 100 horas haviam passado desde o choque na curva Tamburello, quando o corpo de Senna chegou ao centro de uma quadra nobre do cemitério do Morumbi, no meio da tarde daquela quinta-feira. Um rigoroso esquema de segurança garantiu que o sepultamento fosse acompanhado de perto apenas pela família e pelos amigos credenciados. Mas o aparato dos chefes da Fórmula 1, especialmente Ron Dennis e os executivos ligados à McLaren, em limusines negras cercadas por muitos seguranças, desagradou a família. Tereza Brown, nove anos depois, traduziu:

"Foi uma ofensa pra mim. Tenho certeza de que Ayrton não gostaria de ver aquilo."

Xuxa e Adriane mantiveram o *script* do velório. E mais uma vez, a única pessoa a fazer companhia constante a Adriane foi Betise Assumpção. Para Owen O'Mahony, não houve hostilidade, mas Adriane ficou isolada. Ao cumprimentá-la, ele disse:

— Sinto muito. Espero poder vê-la feliz de novo no futuro.

Tchê, que preferira enfrentar uma fila de três quilômetros de fãs para ver, incógnito, o caixão no velório da Assembléia, não foi ao enterro. Mandou para o cemitério uma coroa de flores que evocava seu papel na carreira de Ayrton: "Eu dei pra você a primeira bandeirada, seu sucesso. E te dou o último adeus."

Alain Prost, Gerhard Berger, Emerson Fittipaldi, Jackie Stewart, Rubens Barrichello, Christian Fittipaldi e Derek Warwick carregaram o caixão até o jazigo protegido do sol por dois toldos. Nove anos depois, Prost disse que a hora mais difícil foi quando o caixão desceu à sepultura:

"Eu chorei naquele momento."

Nenhum jornalista a serviço entrara no cemitério. Mas Fátima Bernardes estava lá, como convidada de Ubirajara Guimarães, e tinha uma missão, na verdade, uma aposta ousada e delicada: entrevistar a mãe de Ayrton, sem câmera, e reproduzir depois a conversa. Na hora de se aproximar de dona Neyde, Fátima sentiu um grande e incontornável constrangimento. Não pediu a entrevista. Nem mesmo se aproximou, limitando-se a acompanhar, em silêncio, a cerimônia. A entrevista foi feita dez anos depois, em fevereiro de 2004, e terminou com as duas às lágrimas, manuseando as luvas de corrida que Ayrton pedia para a mãe costurar.

Rogério Marinho, irmão de Roberto Marinho e fã entusiasmado de Senna desde os tempos da Fórmula 3, estava entre os convidados. Na hora em que o caixão de Ayrton desceu à sepultura, ele sacou do bolso do paletó uma pequena câmera fotográfica e registrou o momento.

Não era para publicar no jornal.

Depois do enterro, os pilotos e chefes de equipe da Fórmula 1 fizeram fila para cumprimentar a família. Derek Warwick já estava emocionado quando ficou de frente para a mãe de Ayrton:

— Sou Derek Warwick.

Neyde pôs as mãos carinhosamente no peito dele, como se quisesse acabar logo com as cerimônias e disse:

— Eu sei quem você é. Ayrton falava muito de você. Você era muito, muito especial para ele.

A dificuldade do idioma impediu que a conversa continuasse. Para Neyde, Warwick se tornara uma pessoa especial para o filho por uma razão surpreendentemente simples. Derek fora o único piloto que desejara uma boa estréia para Ayrton na Fórmula 1, em sua primeira corrida pela Toleman, em 1984. Logo o Warwick, que seria vetado por Senna para dividir com ele os carros da Lotus em 1986.

A cerimônia do adeus. No cemitério do Morumbi, os pilotos carregam o caixão até a sepultura. Gerhard Berger e Emerson Fittipaldi estão na frente; logo atrás de Emerson, Alain Prost.

Derek fez parte do grupo de estrangeiros que viajaram para São Paulo a convite da família Senna. Herbie Blash, executivo da FOCA, a pedido dos pais de Ayrton, organizara a viagem. Toda a primeira classe de um vôo da Varig de Londres para São Paulo fora tomada pelos convidados. E ninguém pagara nada. Das passagens ao hotel quatro estrelas.

Ainda naquela tarde, a família de Ayrton, a exemplo do que se faz após um funeral na Europa e nos Estados Unidos, levou cerca de 100 pessoas, quase todos estrangeiros, para uma reunião seguida de almoço, na fazenda de Tatuí. Entre os convidados, todos levados de helicóptero, estavam Frank Williams, Gerhard Berger e Alain Prost.

O empresário italiano Fabio De'Longhi, então com 24 anos, herdeiro milionário do setor de eletrodomésticos, ex-patrocinador e sócio de Senna em um negócio de exportação, foi um dos convidados:

"Fiquei impressionado com a dignidade da família de Ayrton e com a capacidade que o pai teve de receber as pessoas naquele momento de perda."

As circunstâncias do encontro e a educação fizeram com que Fabio passasse quase todo o tempo da reunião da fazenda ao lado de Alain Prost. Admirador de Senna, Fabio, como milhares de fãs, não gostava de Prost, mas não só ficou ao lado do francês como também pôde perceber como o grande ex-rival de Senna estava assustado, mesmo tendo deixado de correr:

"Ele só falava sobre risco, acidentes, pilotos que morreram como o Elio De Angelis. E de Ayrton. Fiquei impressionado."

Nos dias que se seguiram ao enterro, na casa dos pais de Senna, no Pacaembu, as pessoas alternaram reminiscências saborosas e engraçadas com lágrimas e choros contidos pelos cantos do apartamento. A televisão não ficava ligada o tempo todo. E só aos poucos a família foi-se dando conta do que acontecera na cidade e no país. De acordo com Charles Marzanasco Filho, ninguém imaginava, na família, que a morte de Ayrton tivesse o impacto que teve.

Uma semana depois do enterro, dia 12 de maio, a família mandou publicar, nos principais jornais do país, uma mensagem de agradecimento. A íntegra da nota assinada pela "Família Senna da Silva" foi a seguinte:

"Durante muitos anos nos acostumamos a dividir com brasileiros de todas as idades, regiões e condições sociais nossas melhores expectativas para a realização dos sonhos de um ente querido que acreditava no trabalho, no aperfeiçoamento e na alegria infinita da vida. Quando empunhava a bandeira verde e amarela, Ayrton mostrava ao Brasil e ao mundo o quanto acreditava na grandeza do povo brasileiro. Ao conquistar uma vitória, ele agitava, orgulhoso, o maior símbolo da Nação. Esta imagem ficará para sempre. Conforta-nos a certeza de que nas manifestações de pesar e solidariedade sobrevivem os mesmos ideais do nosso Ayrton, e sua inabalável fé. Deus possa pagar aos admiradores de todo o mundo, à imprensa e ao povo brasileiro o irrestrito afeto demonstrado neste momento de profunda dor."

— Ache uma foto digna e faça uma capa digna.

O pedido era de Nigel Roebuck, o colunista mais respeitado da revista *Autosport* e histórico crítico de Ayrton Senna. Bruce Jones, o editor responsável pela edição sobre a morte de Senna, estava particularmente abalado porque era amigo de Roland Ratzenberger. Só quando começaram a chegar as fotos e reportagens sobre o que estava acontecendo no Brasil, na chegada do corpo, ele e o resto da equipe da revista se deram conta da importância de Ayrton para os brasileiros.

A capa escolhida usava uma foto da Williams acidentada e um título sob o fundo preto: "Morte em Ímola". Para surpresa de Bruce, um grande número de leitores da revista protestou contra a capa, considerando-a "sensacionalista": "Muitos simplesmente não queriam a palavra morte na capa. Alguns chegaram a ameaçar cancelar a assinatura."

No resto do mundo, os leitores queriam saber tudo sobre a morte de Senna. Até nos Estados Unidos, país tradicionalmente sem interesse pela Fórmula 1, o maior destaque foi o do jornal *The New York Times*, que tratou Ayrton como "o inigualável rei do automobilismo". O jornal mais vendido na Alemanha, o *Bild*, considerou "um delírio" a Fórmula 1 continuar depois das mortes de Ímola. O principal periódico esportivo francês, o *L'Équipe*, destacou que Senna "era o piloto ideal, como todos sonham ser". O inglês *Daily Telegraph* homenageou Ayrton, dizendo que acompanhá-lo nas pistas "era como visitar um universo paralelo". O jornal português *O Público* antecipou, na manchete, que Senna jamais seria esquecido em Portugal. O japonês *Asahi Shimbum*, com circulação de nove milhões de exemplares, acusou os organizadores do esporte de privilegiarem "o *show* do circo da Fórmula 1" e esquecerem a segurança dos pilotos. Na Itália, o esportivo *Corriere dello Sport* deu o tom da cobertura já na manchete:

"Mataram Senna."

Juntas, as redes de tevê brasileiras chegaram, na hora do enterro, à histórica marca de 73% dos aparelhos ligados em São Paulo e 63% no Rio. Nelson Ascher, num artigo para a *Folha de S. Paulo* escrito um ano depois, comentou o fenômeno de audiência provocado pela morte de Senna:

"Houve, sobretudo à esquerda, quem atribuísse a consternação generalizada à mídia. Ou seja, retomou-se a teoria da conspiração televisiva para manipular as consciências. Tal explicação, como sempre, nada explicava. A tevê, mais do que influenciar os sentimentos populares, sucumbiu a eles."

Em seu livro *Ayrton Senna, Herói da Mídia*, o jornalista Paulo Scarduelli selecionou as edições de 2 a 6 de maio da *Folha de S. Paulo*, *O Estado de S. Paulo*, *O Globo*, *Jornal do Brasil*, *O Povo*, de Fortaleza, e *Diário Catarinense*, de Santa Catarina. Descobriu que esses veículos ocuparam 340 páginas com o assunto e publicaram 208 cartas de seus leitores sobre o piloto. Entre crônicas, artigos, colunas e comentários assinados, os seis jornais abriram 26 páginas e meia para colaboradores e jornalistas opinarem sobre a tragédia. Senna foi assunto de 924 textos, 826 fotos e 67 ilustrações.

Em menos de uma semana, chegaram às bancas 2,3 milhões de exemplares de revistas extras, que totalizaram mais 432 páginas dedicadas a Senna. A maior parte das edições se esgotou. E o faturamento bruto das editoras totalizou 6,2 milhões de dólares.

Em meio à avalanche de textos da imprensa, o artigo de Raul Drewnick, publicado pelo jornal *O Estado de S. Paulo* no dia seguinte ao acidente, foi uma espécie de síntese do sentimento de milhões de brasileiros:

"Você era a nossa esperança (...) E a nossa pequenez, e a nossa insignificância, e a nossa incontornável incapacidade, e o nosso irremediável destino de obscuros coadjuvantes eram esquecidos enquanto perseguíamos com você, em cada reta, em cada freada, em cada curva traiçoeira, em cada manobra arriscada, a glória da liderança, o posto supremo do pódio, os braços erguidos, a taça ostentada (...) Em cada corrida, você renovava em nós a abençoada impressão de que podíamos mais do que podíamos, de que éramos melhores do que éramos, de que valíamos mais do que valíamos (...) Se um de nós vence como esse, por que não havemos nós de sermos respeitados um dia? E andávamos pela rua de nosso bairro miserável, de nossa cidadezinha humilde, de nosso país ignorado com o peito inflado e a cabeça erguida, como se fôssemos conhecidos na Itália, como você, como se fôssemos reconhecidos na Alemanha, como você, como se fôssemos amados no Japão, como você (...) Você era nossa cachaça, nossa consolação."

Uma das centenas de cartas de leitores daquela semana era um pedido de socorro ao futebol. Geraldo Rodrigues escreveu a *O Estado de S. Paulo*:

"Seleção brasileira de futebol: por favor, devolva ao povo brasileiro um pouco da alegria que ficou em Ímola!"

Menos de três meses depois, no dia 17 de julho, passados 24 anos da vitória no México, a seleção brasileira de futebol conquistou o tetracampeonato mundial. Nas comemorações, no estádio da Universidade de Stanford, na Califórnia, os jogadores exibiram uma grande faixa:

"Senna, aceleramos juntos. O tetra é nosso!"

Antes da Caixa-preta

A reação do amigo, um engenheiro da equipe Ferrari especializado em eletrônica, era o que faltava para que o jornalista italiano Alberto Sabatini, correspondente de Fórmula 1 da revista de automobilismo *Rombo*, tivesse certeza de que tinha um furo internacional nas mãos, dois dias depois da morte de Ayrton Senna:

— Incrível! Como deixaram você ver isso?

Sabatini tivera acesso a uma pilha de folhas impressas, com os dados da telemetria da Williams de Ayrton. Tivera também pouco tempo para ver o material, que incluía os treinos de sexta e sábado para o GP de San Marino, e se concentrara nas seis voltas que antecederam à batida na Tamburello. Anotara com precisão os números referentes à aceleração, frenagem, velocidade e pressão da barra de direção no volante. Colocara o papel no bolso e devolvera as folhas impressas à sua fonte na equipe Williams.

O passo seguinte fora procurar o amigo da Ferrari para que ele ajudasse a interpretar o que Sabatini chamou depois de "reconstituição gráfica dos últimos segundos de vida de Ayrton Senna". O artigo e os números que Sabatini escreveu naquela semana deixavam claro que algo acontecera no sistema de direção da Williams de Senna, instantes antes da batida. Mas, para evitar as restrições impostas pela legislação italiana a qualquer reportagem sobre assuntos sob investigação policial, ele apenas insinuava que se tratava do carro de Senna.

"Eu esperava por policiais batendo na minha porta no dia seguinte, mas não aconteceu nada."

No mesmo dia em que Sabatini esteve com aqueles papéis nas mãos, Patrick Head, na Inglaterra, deu uma entrevista ao jornal *The Independent* que foi reproduzida pela imprensa de todo o mundo. Ao falar dos dados telemétricos sobre o acidente, o diretor da Williams não fez qualquer referência a problemas no sistema de direção. E foi categórico:

"Senna cometeu um erro. Nós checamos a telemetria. Ele tirou o pé levemente do acelerador exatamente num trecho em que há remendos no asfalto. Isso causou a perda de aderência do carro."

Para muitos que não dispunham dos dados da telemetria, não era um absurdo conjecturar sobre um eventual erro de Senna. O próprio Ayrton, num teste realizado em Ímola, sete semanas antes do acidente, alertara para o risco representado pelas ondulações da Tamburello, especialmente para a Williams FW16 e seus crônicos problemas de dirigibilidade em pisos irregulares:

"Aquele trecho está ainda mais perigoso."

As novas regras da Fórmula 1 haviam acabado com a eletrônica que auxiliava os pilotos, tinham reduzido os recursos aerodinâmicos e também a dimensão dos pneus. Só a potência dos motores continuava a mesma. O resultado eram carros difíceis de guiar, mais lentos no contorno das curvas e velocíssimos nas retas. Ayrton fora um entusiasta do fim da ajuda eletrônica e chegara a mandar um cartão de Natal para o presidente da FISA, Max Mosley, felicitando-o e agradecendo pelas mudanças. Mas em entrevista ao jornal *O Globo*, publicada no dia 23 de janeiro daquele ano, estava preocupado:

"Estamos rodando em circunstâncias favoráveis, com poucos carros na pista, temperatura ideal e tomando grandes cuidados. Quando houver mais calor, a superfície estiver mais lisa e os carros passarem a lutar de verdade por uma fração de segundo, aí sim vai acontecer um festival de rodadas e batidas."

O comando da Williams teve ao seu lado, na tese do erro de Senna, a testemunha mais próxima do acidente, Michael Schumacher:

"Eu vi que o carro de Senna encostava bastante a traseira no asfalto na volta anterior. O carro estava bastante nervoso nessa curva e ele quase perdeu o controle. Na volta seguinte, aí sim, ele perdeu o controle. O carro tocou com as saias traseiras, oscilou para os dois lados e ele simplesmente perdeu o controle."

John Hogan, da Philip Morris, não estava tão perto, mas foi um dos poucos, no *paddock* da Fórmula 1, que defenderam abertamente a tese de que Ayrton morreu num erro de pilotagem. Nove anos depois, ele ainda considerava que o que aconteceu foi uma combinação fatal de uma série de coincidências e circunstâncias, materiais e psicológicas.

"De repente, ele tinha um adversário diferente de Prost, Mansell, Piquet ou qualquer outro. Ele sabia que Schumacher era a ameaça. De repente, o novo regulamento resultara num carro malconcebido que não era o que ele esperava. De repente, ele tivera algumas notícias perturbadoras sobre sua namorada em Ímola. Nada muito importante, mas uma história a respeito dela."

Hogan acrescentou que Barrichello tinha sofrido um grande acidente. Que Ratzenberger tinha morrido. E que acontecera uma grave batida na largada, seguida das voltas tensas atrás do *safety car*. Todos esses pontos, para Hogan, pesavam de um lado. Do outro, estava a determinação de Senna de vencer a corrida:

"Na minha visão, a mente dele naquele dia não era a mente concentrada de Ayrton Senna que eu conhecia. Schumacher estava muito confortável logo atrás dele. E Ayrton sabia disso. Na minha visão, ele cometeu um erro. Em outras palavras, ele era humano."

Gerhard Berger, nove anos depois, não se considerou satisfeito com as informações sobre o acidente. Preferiu raciocinar em tese:

"Nunca podemos descartar um defeito da máquina ou uma falha humana nos acidentes. No vídeo, era possível ver que o carro bateu contra as ondulações da pista, foi catapultado do chão, o que ainda não quer dizer nada. Daí, ele não virou mais para a esquerda e foi para o lado de fora."

Max Mosley, quase uma década depois, também admitiu não ter opinião formada:

"É uma grande pena que as autoridades italianas não tenham permitido aos nossos *experts* ver o carro em detalhes imediatamente após o acidente."

Luva Mortal

Não foram os *experts* da FISA, mas um grupo de especialistas liderados por Enrico Lorenzini, professor de engenharia da faculdade de Bolonha, que concluiu, em agosto de 1994, que a coluna de direção da Williams se partira antes do acidente. Senna, de acordo com os laudos apresentados no tribunal de Bolonha pelo promotor Maurizio Passarini, manteve sua trajetória, mas o carro não obedeceu ao seu comando e foi em direção ao muro. Ainda segundo Lorenzini, Ayrton virou o volante completamente, mas o carro continuou em linha reta.

"Descobrimos rachaduras na coluna de direção. É como se tivessem feito um trabalho às pressas, mas não temos condições de dizer quanto tempo antes da corrida. As duas partes da coluna eram de diâmetro diferente. Jamais vi um trabalho assim."

O "trabalho às pressas" a que Enrico Lorenzini se referia era um aumento no comprimento da coluna, pedido por Senna aos técnicos da Williams. Ao segurar o volante, suas mãos raspavam nas laterais do estreito *cockpit*. Ele queria o volante mais próximo alguns centímetros. A primeira alternativa, mais trabalhosa e demorada, era refazer o *cockpit*. A outra, aumentar o comprimento da coluna.

Na reportagem especial que fez para a revista *Veja*, exatamente um ano depois da morte de Senna, o então correspondente William Waack teve acesso aos detalhes do processo e entrevistou 12 peritos, entre técnicos e advogados ligados à investigação oficial das causas do acidente. A reportagem mostrou que a Williams usou, em vez de ligas de titânio, aço aeronáutico, que atendia às especificações técnicas, apesar de ser mais pesado.

A Williams, de acordo com os peritos ouvidos por Waack, também deixara de lado princípios básicos da física e da metalurgia, optando por uma solução inadequada, por implicar um "defeito de superfície": a chamada "luva", muito utilizada por encanadores. A coluna rompera, de acordo com a reportagem, exatamente onde os manuais de metalurgia previam que romperia: antes da solda, próximo ao ângulo reto da luva.

A contraprova solicitada aos peritos ao Centro dell'Aeronautica Militare di Pratica di Mari, perto de Roma, acusara 70% de fadiga da peça, indicando, para os técnicos ouvidos por Waack, que Senna não terminaria aquele GP de San Marino. A coluna não resistiria ao esforço de mudar a trajetória das rodas nas retas de Ímola. A suspeita seria comprovada depois, num microscópio eletrônico que mostrou fadiga no metal da coluna da direção.

O laudo da microscopia eletrônica, a cargo de Mauro Forghieri, ex-diretor da Ferrari, ficou pronto menos de dois meses depois da morte de Senna e, de acordo com os peritos entrevistados por Waack, comprovava que a coluna se quebrara antes e não depois da batida no muro.

A Tese do Erro

A argumentação dos advogados, técnicos e laudos da Williams era baseada na suposição de que Senna perdera o controle do carro na Tamburello. E que sua Williams estava em situação crítica por causa de uma combinação de vários fatores e atitudes.

O primeiro fato crítico, para a equipe, foi a suposta perda de pressão de um dos pneus traseiros da Williams, causada por um possível e minúsculo furo, provocado por fragmentos de metal que teriam ficado na pista, depois do acidente entre J. J. Lehto e Pedro Lamy, na largada. As quatro voltas dadas em baixa velocidade, atrás do *safety car*, também teriam contribuído para que os pneus não ficassem na temperatura ideal e, conseqüentemente, deixassem os carros mais baixos e ainda mais susceptíveis às ondulações da curva Tamburello.

Para a equipe, Senna agravou suas condições de dirigibilidade ao se comportar de forma diferente da de Damon Hill, com a outra Williams FW16. Ao contrário do que teria sugerido ao próprio Damon, antes da corrida, Ayrton, na hora do acidente, não estava evitando as ondulações da parte interna da Tamburello. E optara, a uma velocidade superior à de Hill em 16 quilômetros por hora, por uma trajetória que fizera a força gravitacional lateral que atuava na Williams saltar de 1,5G para 3,27G.

Nessas condições, ao passar por uma das ondulações, a súbita falta de aderência nas rodas dianteiras e a decorrente falta de pressão no volante teriam levado Senna a corrigir instintivamente o traçado. Nesse momento, ele teria apontado o carro para o muro, sem condições de trazê-lo de volta. Para a Williams, Ayrton fez o que os pilotos da Fórmula Indy são proibidos de fazer nos circuitos ovais: tentou o que os pilotos chamam de "jogo contrário" no volante.

A defesa da Williams usou a telemetria para demonstrar que as partes do carro monitoradas eletronicamente, como rotação do motor, temperatura, pressão do óleo, consumo de gasolina e comportamento da suspensão, funcionavam perfeitamente. E limitou-se a insistir: a interpretação dos dados telemétricos que indicavam uma súbita queda de pressão no volante como indício de quebra da coluna de direção era "inconsistente".

A Williams obviamente não contestou o fato de a coluna ter quebrado. Nem os laudos que detalhavam o tipo de solda e de material usado para modificar seu comprimento. Contratou, porém, uma perícia particular da empresa Alenia, especializada em investigação de acidentes aéreos, para demonstrar que a coluna estava íntegra após a modificação. E sustentou que não se poderia provar, num laboratório, o segundo exato da quebra da peça. Por isso, não se poderia excluir jamais a possibilidade de a coluna ter-se partido depois da batida.

Patrick Head, nove anos depois, afirmou que os documentos usados pela defesa da Williams foram enviados à família Senna.

O que não impediu que o engenheiro e construtor Adrian Reynard fosse convidado pela família para acompanhar o processo. Adrian não tinha dúvidas ao final da missão. Estava convicto de que a causa do acidente fora a quebra da coluna de direção:

"A fadiga do material na coluna é clara. Isso explica o fato de Senna ter tirado o pé e freado forte. Além disso, estamos falando de Ayrton Senna. Perder o controle na curva Tamburello não era algo que pudesse acontecer com qualquer piloto de Fórmula 1. Menos ainda com ele."

Adrian Reynard expressava a convicção da maioria dos pilotos e personalidades da Fórmula 1. A começar por Stirling Moss:

"Como era Senna, o problema deve ter sido do carro."

Derek Warwick não teve dúvidas de que a pressão sobre o sistema de direção da Williams de Senna foi grande o suficiente para provocar a quebra da coluna:

"O carro de Ayrton era uma merda, sim, os pneus estavam, sim, fora da temperatura ideal. Nessas circunstâncias, a Tamburello passava a ser, sim, uma curva mais delicada. Mas não acredito, de jeito nenhum, que Ayrton tenha perdido o controle do carro. Eu e, tenho certeza, todos os pilotos que correram com ele."

Rubens Barrichello concordou:

"Se o Ayrton tivesse perdido o controle do carro, teria saído rodando, como aconteceu com Berger e Piquet. Ele foi reto."

Gerard Ducarouge foi categórico. Não acreditava que Ayrton tivesse cometido um erro em uma curva que todos os pilotos faziam de pé embaixo. E considerava uma "bobagem" as especulações segundo as quais Senna estava mergulhado em premonições e as teorias que ligavam o acidente à grande pressão psicológica a que ele estava submetido:

"Especular sobre isso é o mesmo que especular sobre o que passava pela cabeça de Van Gogh quando ele pintava seus quadros."

Questão de Honra

Longe do Tribunal de Bolonha, foi muito difícil encontrar alguém na Fórmula 1 — piloto, dirigente, construtor ou chefe de equipe — favorável ao processo criminal que foi instaurado, nas semanas que se seguiram à morte de Senna, para apurar causas e responsabilidades. A começar por Michael Schumacher:

"Não tem sentido levar a um tribunal uma questão que diz respeito à Fórmula 1. Somos pilotos de corrida. Corremos em protótipos e não em modelos homologados. Quem corre aceita implicitamente as situações que fazem parte deste esporte. Ninguém quer causar o mal a algum piloto de propósito."

Para William Waack, argumentos como o de Schumacher não faziam o menor sentido no momento histórico que os promotores italianos viviam:

"Não importa se é uma lancha, um avião experimental ou um carro de Fórmula 1, quando ocorre uma morte, *ex oficio*, uma promotoria é obrigada a investigá-la. E se esta morte é resultado de negligência, não interessa a consciência do piloto sobre os riscos que ele corre ou não."

Em novembro de 1996, a denúncia do promotor Maurizio Passarini foi acolhida pelo juiz Diego Di Marco. Frank Williams, Patrick Head, Adrian Newey, Federico Bondinelli, um dos responsáveis pela empresa que administrava o autódromo de Ímola, Giorgio Poggi, o responsável pela pista, Roland Bruinseraed, o diretor da prova, e o mecânico que soldou a coluna de direção da Williams foram indiciados por homicídio culposo, por "negligência e imprudência".

O texto da denúncia sustentava que "uma das peças de sustentação do volante havia sido modificada e soldada defeituosamente". E que os responsáveis pela pista "não tomaram as medidas devidas para reduzir os perigos derivados do traçado do circuito". No mesmo processo, os donos da equipe Simtek foram absolvidos pela morte de Roland Ratzenberger. O promotor concluiu que, no caso de Roland, acontecera "um acidente".

Onze meses depois, em dezembro de 1997, ao ler a sentença do processo, o juiz Antonio Costanzo se disse convicto de que foi mesmo a quebra da coluna de direção modificada a causa da saída da pista da Williams. Mas considerou todos os acusados inocentes.

O promotor Passarini, que pedia um ano de prisão, com suspensão imediata, dos acusados, apelou da sentença, baseado na convicção de que Patrick Head e Adrian Newey foram os responsáveis finais pelos erros de *design* e pela precariedade do trabalho executado no carro de Ayrton.

O advogado contratado pela família Senna para acompanhar o caso enfatizou que os pais de Ayrton "não queriam condenações, mas apenas uma explicação sobre as circunstâncias do acidente". Mas lamentou a falta dos dados da "caixa-preta" da Williams de Senna, o que poderia esclarecer as dúvidas da família. Ele referia-se a um fato que fora motivo de outra investigação do promotor Passarini: a suspeita de que a "caixa-preta" possa ter sido manipulada na fábrica da Williams, em Didcot, Inglaterra, antes de ser entregue à Justiça de Bolonha.

A Williams negou qualquer manipulação, mas Passarini continuou com a suspeita de que dados importantes podem ter sido inutilizados. Para William Waack, o que desapareceu foi a prova definitiva de que a coluna de direção quebrou: os dados que poderiam acusar a mudança de ângulo das rodas dianteiras. Nove anos depois, William explicou:

"Os computadores da época tinham capacidade para absorver um número limitado de dados do carro para os boxes. E um dos dados importantes era o do ângulo da roda, que demonstrava se o piloto tinha virado a roda para a direção desejada ou não. Onde essa telemetria foi parar, da investigação do acidente até a investigação da Justiça italiana, esta foi sempre uma das indagações mais importantes."

Outra possível prova, potencialmente decisiva e que jamais apareceu, foram os supostos 1s16 de imagem que teriam sido captados pela câmera de bordo da Williams, a partir do momento em que Senna começou a escapar da curva Tamburello. Essas imagens poderiam mostrar a reação de Ayrton e, com ela, a explicação para o acidente.

Nove anos depois, o jornalista Roberto Cabrini, que conseguiu para a TV Globo uma cópia que registrou a imagem de Senna no *cockpit* até décimos de segundo antes da batida, tinha certeza de que o resto da seqüência foi gravado:

"Os porta-vozes da FOCA (Formula One Constructors Association) insistiam que as imagens da câmera de bordo não existiam, mas consegui confirmar com Frank Williams, Patrick Head e com o projetista Adrian Newey que elas tinham sido captadas. Confrontado, Bernie Ecclestone acabou autorizando que eu recebesse aquele trecho do pessoal da TV FOCA. É por isso que não tenho a menor dúvida de que o resto, até a batida, foi filmado. Só não sei se foi ou não destruído."

Sem Resposta

No dia 22 de novembro de 1999, o Tribunal de Apelações de Bolonha absolveu Patrick Head e Adrian Newey de todas as acusações. A decisão foi baseada no segundo parágrafo do artigo 530 do Código Penal italiano, segundo o qual qualquer acusação desaparece se não há novas evidências durante o processo de apelação.

Título: "Senna, a história não-contada".

Subtítulo: "Como a Williams limpou seu nome".

Assim foi a edição da *Autosport* que se seguiu à decisão do juiz italiano. A reportagem principal, um resumo detalhado da defesa apresentada pela Williams ao longo do processo, foi precedida de uma carta aos leitores na qual o editor Mark Skewis dizia, antes de remeter o assunto para os livros de História, que não tinha o objetivo de fazer um julgamento através da revista.

Mas ainda era cedo para remeter o acidente à História.

Em 27 de janeiro de 2003, o presidente do Tribunal de Cassações da Itália, Franceso Mario Agnoli, anulou o veredicto que inocentara Patrick Head e Adrian Newey, por causa de "erros materiais" não explicitados, e determinou que o recurso da promotoria fosse considerado mais uma vez. O advogado da Williams, Roberto Causo, ao ser informado sobre a anulação, disse ter certeza de que a absolvição seria mantida mais uma vez.

Semanas depois, Bernie Ecclestone acusou os promotores italianos de "querer o nome nos jornais" e se indignou:

"Ninguém desenha um carro para matar alguém. Carros de corrida são protótipos e às vezes acontecem falhas técnicas. O que quer que tenha acontecido, ninguém tentou matar Ayrton."

Bernie argumentou que, se ficasse provado que alguém queria, deliberadamente, matar Ayrton, "como nas histórias de máfia", aceitaria a realização do processo de Bolonha:

"Definitivamente não foi o que aconteceu. Na verdade, todo mundo ficou muito triste com o fato de ele não estar mais entre nós."

E se a questão fosse apenas saber, afinal, o que aconteceu na curva Tamburello? Ecclestone mudou o tom, pensou um pouco e respondeu:

"Jamais saberemos se a coluna quebrou porque ele saiu da pista ou se ele saiu da pista porque a coluna quebrou. Talvez tenha mesmo quebrado antes. Talvez."

Opinião semelhante foi manifestada por um visitante especial que, em março de 1995, um ano depois da tragédia, pegou um helicóptero em Interlagos, na semana do GP do Brasil, e foi até o prédio empresarial da família Senna, na rua Doutor Olavo Egydio, no bairro de

Santana. Num encontro com Viviane, Fabio Machado e Julian Jakobi, ele disse que achava que o acidente fora causado pela quebra da coluna de direção.

Era Frank Williams.

15º Capítulo

Depois de Maio

Em julho de 1995, um ano e dois meses depois da morte de Senna, Adriane Galisteu resolveu fazer uma consulta a seu amigo e protetor Braguinha. Ela havia recebido uma proposta para posar nua e queria saber o que ele achava da idéia. Era a *Playboy*. E o cachê, de algumas centenas de milhares de dólares, era um dos maiores da história da revista, no Brasil. Braguinha não hesitou:

— Pede um cabide e pendura a roupa. Você não tem um tostão.

Adriane não estava exatamente sem um tostão. Àquela altura, o livro *O Caminho das Borboletas* era um fenômeno do mercado editorial brasileiro. O diário dos 405 dias que se haviam passado desde o primeiro encontro dela com Senna, na festa da vitória no GP do Brasil de 1993, até a trágica primeira semana de maio de 1994 alcançara a marca dos 270 mil exemplares vendidos. E já estava negociado com editoras estrangeiras.

O mal-estar entre Adriane e a família, percebido nos funerais de Senna, foi a origem do livro, de acordo com Nirlando Beirão, o co-autor. O assunto tornara-se pauta obrigatória de *Caras*. Nirlando, o diretor da revista, entendeu que era "responsabilidade profissional" da sua equipe descobrir e explicar o real significado de Adriane na vida de Ayrton:

"Ela tinha ficado em segundo plano, ofuscada pela postura de viúva adotada por Xuxa."

Difíceis quando Ayrton estava vivo, as relações de Adriane com a família Senna haviam acabado de vez em dois encontros que ela tivera com dona Neyde, dias depois do enterro. Num deles, Adriane esteve com a mãe de Ayrton no apartamento da rua Paraguai para pegar suas roupas e pertences. Deixou o prédio com quatro malas e a escova de dentes dele.

No outro encontro, também nos dias que se seguiram ao enterro, dona Neyde fora à fazenda de Braguinha no interior de São Paulo, onde Adriane estava hospedada, para pegar o cartão de crédito do filho e dar a ela dois mil dólares, "a título de ajuda", na definição de Braguinha. Adriane não aceitou.

Para a tarefa de "desvendar o enigma", Nirlando convocou a produtora Cynthia de Almeida, que voltou de um encontro com Adriane na fazenda convencida de que havia uma história a ser contada. O publicitário Nizan Guanaes, dono da agência DM9, e que estava cuidando informalmente da imagem de Adriane nas semanas que se seguiram à morte de Senna, a pedido de Braguinha, apostava no sucesso de um livro. O passo seguinte foi uma conversa direta de Nirlando com Adriane. Ele a encontrou na fazenda, acompanhada da mãe, comendo chocolate "alucinadamente".

A conversa acabou com todas as dúvidas. Nirlando voltou para São Paulo, se entendeu com o departamento financeiro da editora e propôs a Adriane, por telefone, um adiantamento parcelado de 70 mil dólares e dez por cento do preço de capa do livro. Seria uma edição popular, barata e acessível, para ser lançada nas bancas, e, depois, no circuito tradicional das livrarias.

Adriane aceitou na hora.

E quis que Nirlando escrevesse o livro. No início de julho, um mês depois de Ímola, ele se hospedou na mansão de Braguinha em Sintra, onde Adriane já estava com a mãe, para três semanas de entrevistas, que renderam 30 fitas cassete de uma hora e meia de duração. No final de agosto, ele voltou a Portugal para mostrar os originais para Adriane e começou a perceber que ela era "uma moça especial".

Adriane ficou com o texto por dois dias, sem fazer qualquer comentário. Nirlando, ansioso para saber as impressões e preocupado com o prazo para a publicação do livro, não esperou o fim do terceiro e perguntou. A resposta:

— Sabe o que é? Tem um probleminha de tom no livro. Não é bem isso.

Nirlando acabou descobrindo o que instintivamente desagradara Adriane: não podia ser uma narração na primeira pessoa do singular, como ele fizera. Tinha de ser na primeira pessoa do plural. Em vez de eu, Adriane, nós, Ayrton e eu. Era este o "probleminha de tom" apontado por ela.

Nirlando se rendeu ao que chamou de "visão perfeita" de sua personagem. O livro só tinha sentido se fosse uma história dos dois, Adriane e Ayrton.

Adriane aceitou o convite da *Playboy* e se entregou às lentes da revista num ensaio produzido em uma ensolarada ilha grega e com um inesperado flagrante de depilação dos pêlos pubianos com espuma e aparelho de barbear. Foi, juntamente com o sucesso do livro, o início de uma sólida e bem administrada carreira no estrelato feminino brasileiro, com presença maciça nas páginas das revistas *del corazón*, contratos publicitários e o comando de programas de televisão. Com o passar dos anos, sua imagem foi sendo gradualmente desvinculada de Senna e do namoro que a tirara do anonimato a partir daquele trabalho de mil dólares para a Shell, em Interlagos, em 1993.

Em entrevista aos jornalistas Barbara Gancia e Marcos Augusto Gonçalves, na edição da *Folha de S. Paulo* de 20 de agosto de 1995, Adriane disse:

"O Ayrton foi uma porta na minha vida. Cabia a mim botar a mão na maçaneta e abrir essa porta. Foi um labirinto onde eu entrei. Poderia ter me perdido, mas não me perdi."

"Você quer dizer que se o Ayrton estivesse vivo, sabendo que estava morto, ele aprovaria o que você está fazendo?"

"Exatamente. Fiquei completamente catatônica com a perda do homem, não do ídolo, porque eu não estou nem aí para o ídolo. E depois disso eu tinha que fazer alguma coisa. Porque a Telesp não espera. Corta o telefone. Foi aí que surgiu o Nizan, o Nirlando, o livro. Foi o recomeço."

Quatro dias antes dessa entrevista, Barbara Gancia, que já escrevera textos devastadores contra Adriane em sua coluna na mesma *Folha de S. Paulo*, anunciara aos leitores que se tornara amiga dela:

"Não pode ser de todo incompetente uma jovem de 22 anos que, desde aquele fatídico 1º de maio, só faz cultivar da melhor forma que sabe a imagem do ídolo morto."

Título da coluna:

"Adriane Galisteu, a mulher que deu certo."

Durante anos, a família Senna manteve um rigoroso silêncio diante da trajetória pública de Adriane. Não comentou o livro. Recusou sistematicamente os pedidos de entrevista que não fossem sobre a carreira esportiva ou a ação social do Instituto Ayrton Senna. Houve, porém, um momento, no segundo aniversário da morte, em maio de 1996, em que Viviane, ouvida pela revista francesa *Paris Match*, tornou público o sentimento dos Senna:

"Se ela tem necessidade de dinheiro, deveria trabalhar, como faz todo mundo, e parar de ficar explorando a imagem de um morto."

Viviane disse ainda que tanto no livro *O Caminho das Borboletas* quanto nas fotos para a revista *Playboy*, Adriane se aproveitara de sua condição de ex-namorada "para faturar":

"Ela afirma contar no livro sua própria existência, mas, na realidade, fala da vida de Ayrton. Da mesma maneira, não é Adriane Galisteu, enquanto profissional, que interessa à *Playboy*, mas sim a ex-namorada do meu irmão."

Em outro momento da entrevista, Viviane disse preferir não expor "certos aspectos da vida de Adriane" que a família conhecia. E enfatizou que Ayrton "jamais pensou em casar" com ela:

"Ela foi apenas mais uma namoradinha, entre as muitas que Ayrton teve. Ele queria formar uma família, mas não tinha encontrado a mulher ideal."

Adriane, ouvida por *Paris Match*, respondeu:

"Queira ou não a família, a gente se amou muito."

Victoria

Um assunto delicado perseguiu a família Senna ao longo de seis anos depois da morte de Ayrton: a polêmica e a batalha judicial em torno de Victoria de Barros Gonçalves, uma menina nascida em 4 de setembro de 1993, no Hospital da Aeronáutica, no Rio, e que a mãe, Edilaine Gonçalves, nome artístico Marcella Praddo, modelo, ex-capa de *Playboy* e madrinha de escola de samba, dizia ser filha de Senna.

Três meses depois do nascimento de Victoria, Ayrton já em pleno namoro com Adriane Galisteu, Edilaine entrara em contato com ele. Queria registrar a filha. Senna negara a paternidade e se recusara a ir ao cartório, como queria Edilaine. A partir de janeiro de 1994, Edilaine buscou a ajuda de advogados para exigir o reconhecimento de paternidade.

A morte de Senna transformou Edilaine e a filha em personagens de revistas populares e até de alguns tablóides sensacionalistas ingleses. Edilaine, que se converteu para a Assembléia de Deus e passou a trabalhar como funcionária de uma loja de celulares da Barra da Tijuca, no Rio, manteve uma longa e surda disputa com a família Senna.

O pai de Senna, em resposta aos movimentos de Edilaine na Justiça, entrou com uma ação negatória de paternidade de Victoria na Justiça do estado do Rio de Janeiro. E toda a família cedeu sangue e saliva para os exames no laboratório Genealógica, indicado pela Justiça. O exame oficial de DNA deu negativo, confirmando resultados de três outros testes realizados anteriormente, um dos quais a cargo do Laboratório Gene, de Belo Horizonte, indicado pelos advogados de Edilaine.

Eternos Segredos

— Se contar, eu nego.

Esta era a condição inegociável que Senna exigia para ajudar as pessoas por quem se sensibilizava. Sigilo total. Imprensa, jamais. Uma discrição absoluta que se estendia até mesmo para o âmbito da família e dos assessores de confiança. Um compromisso que perdurou depois de sua morte, a ponto de dona Neyde, quase uma década depois de Ímola, continuar declinando educadamente quando alguém sugerisse que ela tornasse, enfim, públicos certos gestos de caridade do filho.

Julian Jakobi não revelou os valores, mas confirmou que Ayrton, de tempos em tempos, costumava ligar para ele de algum lugar do planeta e pedir que doasse dinheiro para instituições ou pessoas. Durante os conflitos da Bósnia, no início dos anos 90, Senna ligou e orientou Julian para que ele ajudasse as crianças vítimas da guerra. E, como sempre, determinou:

— Não fala nada disso para o Fabio.

O primo Fabio Machado, principal responsável pelos negócios de Ayrton no Brasil, não ficava sabendo. E quando recebia ordem de Senna para mandar dinheiro para alguma pessoa ou instituição no Brasil ou do exterior, ela também vinha acompanhada de uma determinação:

— Não fala nada disso para o Julian.

Todas as pessoas íntimas de Ayrton guardavam a mesma impressão: Ayrton detestava a possibilidade de seus gestos de caridade serem interpretados como promoção pessoal. Por isso, poucas pessoas souberam que, depois de numa reunião com Senna em seu escritório de São Paulo, no início dos anos 90, diretores da Apae, do Hospital do Câncer e da Associação de Apoio à Criança Deficiente receberam, cada um, 100 mil dólares.

Nem todos os beneficiados conseguiram manter o compromisso de calar sobre sua generosidade. Na primeira vez em que esteve no hospital de reabilitação onde Linamara Battistella trabalhava, em Vila Mariana, São Paulo, Ayrton ficou encantado com o trabalho de assistência e resolveu ajudar:

— O que eu posso fazer para ajudar vocês aqui?

Linamara precisava de um equipamento de avaliação isocinética que custava algo em torno de 100 mil dólares. Parte dos recursos ela teria com a Secretaria Estadual de Saúde e outras fontes oficiais, mas faltava dinheiro. E Ayrton decidiu doar dez mil dólares. A preocupação ia das crianças hemofílicas de São Paulo aos índios e seringueiros da reserva extrativa de Alto Juruá, no Acre, que receberam, em 1994, cerca de 50 mil dólares para a formação de uma equipe médica para a reserva.

Em alguns momentos, a decisão de ajudar foi precedida de momentos de profundo sofrimento. Como no dia em que Ayrton visitou uma entidade de assistência a crianças portadoras de graves deficiências. De tão chocado com o quadro que viu, três irmãos portadores de graves deformações, Ayrton começou a passar mal e foi amparado pelas crianças que ele ajudaria. Voltou para a casa dos pais devastado com o que vira.

A reação do filho não surpreendeu dona Neyde. Desde a infância, Ayrton demonstrava um sentimento genuíno de compaixão pelos desfavorecidos. Como no dia em que um dos meninos pobres que moravam perto de sua casa, em Santana, bateu à porta. Era um Natal no final dos anos 60. Dona Neyde descobriu, nas palavras do menino, que Ayrton tinha cuidado do presente dele:

— Vim buscar a bicicleta.

Dois meses antes de morrer, Ayrton manifestara a Viviane e ao resto da família o desejo de transformar aquela caridade sigilosa num projeto mais abrangente e duradouro para as crianças e jovens do Brasil. E dois meses depois de Ímola, estaria criada, em Londres, a Ayrton Senna Foundation. Em 24 de novembro, em São Paulo, o Instituto Ayrton Senna. As duas entidades passariam a receber 100% dos *royalties* gerados pelo uso da marca Senna e da imagem de Ayrton Senna no mundo inteiro.

Viviane, como presidente das duas entidades, convocou intelectuais, artistas, educadores e empresários para desenvolver as idéias e projetos inspirados no desejo original de Ayrton. Já em 1994, a receita das duas instituições foi de três milhões de dólares. Nove anos depois de Ímola, o Instituto Ayrton Senna se tornou a única organização não-governamental brasileira a receber a Cátedra Unesco em Educação e Desenvolvimento Humano, uma chancela rara concedida a entidades de destaque no apoio ao desenvolvimento humano. Única pessoa da família a não se afastar da mídia, Viviane passou a ser associada não só à imagem do irmão, mas também ao trabalho de ativista na área da chamada "advocacia social".

O primeiro grande contrato do Instituto Ayrton Senna aconteceu já em 1994, quando a Fuji adquiriu licença de comercialização da imagem de Senna no Japão e gastou dois milhões de dólares para montar um memorial multimídia chamado "Senna Forever", que percorreu dez cidades do país exibindo preciosidades como as certidões de nascimento e óbito do piloto, a bandeira que cobriu o caixão, sua bíblia pessoal, o *smoking* usado na premiação do primeiro título, macacões das várias equipes, a pasta executiva, peças de sua casa, brinquedos eletrônicos, a camisa do Kashima Antlers que Zico autografara para ele em 1993, e até o *kart* usado por Senna no último campeonato mundial que disputou.

Junto com a exposição, a Fuji colocou à venda 60 mil camisetas com a imagem de "Senninha", cada uma delas a 39 dólares, enquanto o pôster "Senna Forever" custava dez dólares. O pacote de licenciamento incluía o livro oficial de fotografias feitas por Norio Koike, por 36 dólares, quebra-cabeças, casacos, camisetas, bonés do Banco Nacional, chaveiros, decalques, toalhas e bandeiras.

Outro produto licenciado pelo instituto foi um sonho de consumo para poucos: a moto Ducati Senna 916, que teve somente 300 unidades produzidas na Itália, 30 delas importadas para o Brasil. A moto fora um dos últimos projetos de Senna e utilizava materiais de última geração, como a fibra de carbono. Preço: 39 mil dólares. Àquela altura, além da moto Ducati, já tinham sido lançados um relógio sofisticado, uma bicicleta ecológica com gerador antipoluente, uma caneta de fibra de carbono, um barco *offshore* e uma linha de óculos.

Nove anos depois de sua criação, ainda instalado no mesmo edifício Vari, construído por Ayrton na rua Doutor Olavo Egídio, em Santana, o instituto controlava todo e qualquer uso das marcas e da imagem de Senna. No final de 2003, com o trabalho de cerca de 51 mil educadores, o instituto e seus parceiros na área institucional atuavam em 24 estados brasileiros, atingindo 3.375 escolas, entidades e universidades em 463 cidades. Mais de 977 mil crianças e jovens eram atendidos em programas de educação formal, educação complementar centrada em artes, esportes e comunicação, apoio à juventude, qualidade em saúde e voluntariado. O investimento, só naquele ano, foi de 19 milhões de reais — provenientes dos *royalties* religiosamente cobrados pelo instituto.

O Desfalque

Um ano depois da morte de Ayrton, Viviane convidou Alain Prost para passar dois dias com a família em Tatuí, às vésperas do GP do Brasil. No vôo para a fazenda, a bordo do bimotor King Air de Ayrton, pilotado por Nelson Loureiro, Prost estava tenso, quieto, sozinho na cabine. Ao chegar, sempre acompanhado por Milton, dona Neyde e Viviane, ele passeou pelo lago e conheceu a pista de *kart* desenhada e construída por Ayrton. As conversas foram amenas e leves, até o momento em que ele foi levado à sala onde o grande rival guardava os aeromodelos, a paixão que não desaparecera com a idade. Todos se emocionaram.

Mais tarde, a conversa foi tão íntima, que aconteceu na cozinha da fazenda. O assunto não foi Ayrton. Nem Senna. Alain ouviu muitas histórias de Beco e notou que o pai, a mãe e a irmã estavam se sentindo muito bem em dar a ele a intimidade que Ayrton nunca lhe dera em vida. E ficou tocado:

"Conheci o ambiente que fez ele ser o que foi."

O encontro de Prost com os Senna foi visto com estranheza por alguns jornalistas brasileiros que tinham acompanhado a feroz guerra dos dois pilotos dentro e fora da pista. Alain, por sua vez, tinha sentimentos confusos ao voltar da fazenda:

"É difícil explicar o que eu sinto. É uma situação um pouco bizarra, já que eu e Ayrton vivemos coisas muito duras. É sempre uma emoção quando falo dele, porque sinto um pouco de arrependimento por terem acontecido situações tão difíceis entre nós."

Ver Senna e Prost juntos e reconciliados era um sonho do japonês Takeo Kiuchi, o engenheiro que teve a difícil missão de administrar o que Alain e Ayrton pediam dos motores Honda. Uma década depois da perda de Ayrton, Kiuchi, aos 47 anos, ainda guardava em casa, com carinho, junto a um pôster que reproduzia uma disputa de posição de Senna e Prost, um capacete de cada um:

"Pelo menos ali, na minha estante, os dois estão bem próximos."

Dez anos depois de perder o amigo Senna, Ron Dennis fez uma revelação surpreendente sobre o impacto da morte de Ayrton em sua vida pessoal e profissional:

"Minha vida mudaria profundamente e eu possivelmente abandonaria o automobilismo se Ayrton tivesse morrido num dos meus carros. O impacto seria imenso. E mesmo não tendo acontecido com uma McLaren, a morte dele fez com que eu guardasse uma certa distância afetiva dos pilotos que o sucederam."

Aos 67 anos, Nobuhiko Kawamoto, o parceiro de Ron Dennis nos tempos perfeitos do *dream team,* ocupava, em 2003, o cargo de consultor executivo da Honda, depois de presidi-la entre 1990 e 1992, exatamente a época em que a companhia deixou a Fórmula 1. Senna, para ele, se tornou parte da história da companhia:

"A maior contribuição que Ayrton deu para a imagem da Honda é muito simples de definir: depois dele, deixamos de ser uma fábrica de motocicletas e passamos a ser uma fábrica de automóveis."

Bernie Ecclestone, aos 72 anos, ainda à frente do *show* da Fórmula 1, guardava, em 2003, um certo espanto com o efeito provocado pela morte de Senna no negócio e no esporte:

"A coisa mais inacreditável é que a Fórmula 1 teve uma exposição enorme para pessoas que não acompanhavam as corridas. Portanto, não tivemos um impacto negativo. O impacto foi positivo. É uma pena que tenha sido assim. Pessoas que não ligavam para a Fórmula 1 de repente começaram a acompanhar porque um cara adorável tinha morrido."

Derek Warwick, o piloto que teve o destino profundamente marcado por um veto de Ayrton, estava aposentado das pistas em 2003. Aos 48 anos, casado com Ahonda e pai de duas filhas, Marie, de 25 anos, e Kerry, de 21, Derek, um dedicado dono de concessionária de automóveis Honda nas ilhas Jersey, paraíso fiscal e turístico situado no meio do canal da Mancha, fez um raciocínio curioso sobre a trajetória de Senna:

"Para quem, como eu, não tinha o espírito de matador de Ayrton, estou muito satisfeito com o que fiz na pista. E se eu pensar, o que não faço, chegaria à conclusão de que Senna foi uma espécie de instrumento para que eu não tivesse um carro competitivo de Fórmula 1. Por outro lado, Ayrton está morto. Eu estou vivo e, portanto, estou melhor que ele."

O jornalista italiano Giorgio Piola, um dos críticos mais persistentes de Senna no *paddock*, achava, em 2003, que o tempo não desfez as diferenças que tinha com Ayrton. Nem as críticas:

"Não me arrependo. Quando alguém morre assim, é normal você lamentar não ter tido tempo de conversar novamente. Mas eu não poderia mudar o que aconteceu. Além disso, não acredito em amizade na Fórmula 1."

O que não quer dizer, para Piola, que Ayrton não fosse especial:

"Ele tinha uma mágica que Michael Schumacher, por mais que vença corridas e campeonatos, não tem."

Um episódio como o de 1984, na África do Sul, quando Galvão Bueno e Reginaldo Leme ajudaram Senna a se recuperar da exaustão física após a corrida, seria impensável na Fórmula 1 de 2004. Primeiro, por causa dos carros, que não levam ninguém mais à exaustão. Em segundo lugar, porque Galvão, Reginaldo ou qualquer outro jornalista jamais conseguiria se aproximar do piloto. Galvão, dez anos depois da perda de Ayrton, não economizou:

"Hoje é tudo uma frescura insuportável. Conviver com a Fórmula 1 hoje é a coisa mais chata do mundo."

Seguros e Medíocres

As lições de Ímola transformaram a Fórmula 1. Um gigantesco e tardio esforço começou a acontecer, depois da morte de Senna e Ratzenberger, nos laboratórios, pranchetas, fábricas e regulamentos de Fórmula 1. Ayrton foi, involuntária e postumamente, o inspirador da política que Max Mosley batizou de "mortalidade zero". Com o tempo, as laterais que deixaram sua cabeça fatalmente exposta na batida do muro foram elevadas, o *cockpit* foi reforçado, a Tamburello e outras curvas velozes se tornaram comportadas *chicane*s, circuitos foram vetados ou reformados, padrões de construção dos carros foram redefinidos, recursos eletrônicos foram reintroduzidos e a monitoração eletrônica e computadorizada voltou aos níveis de ficção científica que se anunciavam antes de 1994.

Os pilotos passaram a acrescentar, à sua indumentária, o Head and Neck Support, ou HANS, um suporte para proteger a cabeça e o pescoço em acidentes frontais. Max Mosley, o presidente da FIA, exultou:

"Ayrton teria aprovado tudo que fizemos. Não há nada remotamente romântico ou excitante em morrer."

O professor Sid Watkins, amigo de Senna e participante ativo do processo de mudança da Fórmula 1, não tinha tanta certeza de que Ayrton aprovaria tudo o que foi feito. A certeza era baseada num comentário feito anteriormente por Senna, quando surgiu a idéia de reformarem a Eau Rouge, o histórico mergulho sinuoso de alta velocidade do circuito de Spa-Francorchamps:

"Se tirarem a Eau Rouge, tiram a razão de eu estar correndo na Fórmula 1."

O jornalista Lito Cavalcanti, correspondente da *Autosport*, ao contemplar os anos politicamente corretos que se seguiram à morte de Senna, fez um comentário com o qual ele apostou que Ayrton concordaria:

"A Fórmula 1 do Bernie e do Max Mosley é falsa. O produto dela é *fake*. Piloto hoje é uma máquina de multiplicar. Eles mataram os heróis do tempo do matar ou morrer. Acabaram com a excepcionalidade do esporte. Ora, automobilismo não inclui a morte, mas inclui o risco."

Pelo menos até 2003, fazer enquete sobre o lugar de Ayrton Senna na história da Fórmula 1 com quem entendia do esporte deu a muitos entrevistadores a sensação de que Schumacher continuava no vácuo da Williams, dez anos depois, ainda sem conseguir ultrapassar Ayrton na tomada da Tamburello naquele 1º de maio de 1994.

Com a escapada e a batida no muro, Michael ultrapassou o piloto. Mas o mito, o fenômeno, o mágico continuou à sua frente, resistindo nas curvas, retas, corridas e campeonatos, não com uma Williams-Renault, mas ora com a McLaren-Honda vermelha e branca, ora com a Lotus-Renault preta e dourada.

Ao longo da década que passou, nem a construção da impressionante estatística de recordes, vitórias e títulos de Schumacher foi suficiente para que ele ultrapassasse Senna, nas tradicionais enquetes da imprensa mundial sobre os melhores de todos os tempos. O que se discutiu, geralmente, foi se, e quando, Michael, não importavam os títulos, já teria o direito de estar no mesmo pódio que Ayrton dividia com Fangio e Clark.

O próprio Schumacher, nove anos depois de Ímola, reconheceu que o impacto emocional de igualar o número de vitórias de Senna foi a causa do inesperado acesso de choro que teve na entrevista para a televisão, ao lado de Mika Hakkinen, logo depois da cerimônia do pódio, no GP da Itália de 2000:

"É verdade. Quando me lembraram que eu estava igualando as vitórias de Senna, tudo voltou. Foi uma mistura de muitas coisas. Eu estava sob uma pressão inédita, mas claramente aquilo aconteceu por causa da memória de Ayrton. É uma pena que a gente não tenha corrido um contra o outro por todos esses anos."

Uma das mais recentes pesquisas feitas pela revista inglesa *F1 Racing* perguntava, em fevereiro de 2003, quais eram as 25 pessoas mais importantes na história da Fórmula 1. O júri era formado por 32 respeitados ex-pilotos, engenheiros, chefes de equipes e jornalistas. E a idéia era saber quais foram os que mudaram o esporte, os que, como diz a revista, "fizeram a diferença".

Ayrton ficou em terceiro. Atrás de Bernie Ecclestone, o primeiro, e Enzo Ferrari, o segundo. Os pilotos mais próximos de Senna foram Jackie Stewart, o quinto, Fangio, o sexto, Schumacher, o sétimo, e Jim Clark, o nono. Ao interpretar o terceiro lugar de Senna, a revista fez um dos mais precisos e inspiradores perfis jamais escritos sobre ele. A íntegra:

"Nenhum de seus antecessores conquistou sua excelência. Somente Michael Schumacher rivaliza sua fama. Onde Senna permanece único é na reverência quase religiosa sempre associada ao seu nome, que cresceu a partir de sua morte. Seu funeral no Brasil teve escala de grandes estadistas. Outro James Dean do automobilismo, Senna permanecerá sempre jovem para os milhões que choraram por ele, garantindo sua condição de ícone para as gerações futuras. Detestado por alguns, rejeitado equivocadamente por outros invejosos do seu talento, raramente, senão nunca, compreendido, Senna permanece para os que o viram como uma síntese — ou mesmo o apogeu — do significado da expressão "piloto de competição". Sua influência se estendeu além de sua própria geração e é incontestável que ele entendeu o que significava para os que o adoravam. Um certo grau de automistificação foi a conseqüência natural. Mas esqueça o mito: lembre-se da realidade. Senna podia manter o público num estado de encantamento com suas hipnotizantes jornadas além do limite. Ele nos levou a lugares que não sabíamos que existiam."

Vôos de Emoção

A família continuou freqüentando a casa de Angra depois de Ímola. Mas acostumar com a ausência de Ayrton, nos primeiros tempos, foi difícil até para Kinda, a cadela da raça *Snauzer* que era a única companhia dele, em muitos momentos, naquele refúgio. Quem testemunhou, alguns dias depois da morte de Senna, foi Oscar Jager, o fã que se tornou amigo íntimo dos Senna.

Primeiro, foi o reencontro difícil com a casa, o administrador Matheus, a mulher, Maria, e a filha, Xena. Num final de tarde, o grupo conversava em frente à casa, perto da praia. Era a hora preferida de Ayrton para se divertir no mar. Todos então ficaram emocionados quando, de repente, Kinda começou a raspar a pata direita na carenagem do *jet-ski* que ele usava para passear com ela em finais de tarde idênticos àquele.

Foi quando Oscar decidiu substituir o amigo. A partir daquele dia, Oscar passearia com Kinda, no mesmo *jet-ski* de Senna, todo final de semana em que estivesse em Angra.

No primeiro pouso feito em Angra dos Reis com o helicóptero de Senna, cinco semanas depois de Ímola, o piloto Nelson Loureiro testemunhou um momento que o deixou arrasado: Kinda, ao perceber que Ayrton não estava a bordo, ficou agitada e começou a procurar por ele. Percorreu todos os cômodos da mansão, um por um, em busca do dono. Depois, voltou para o píer. Quieta e, aos olhos de Nelson, triste.

Kinda morreu no dia 6 de janeiro de 1999, depois de esgotadas todas as tentativas da família Senna e dos amigos para salvá-la de um câncer. A operação de socorro incluiu até uma viagem às pressas de helicóptero para um veterinário de confiança de Oscar Jager, no Rio.

Américo Jacoto Júnior, o amigo de infância que acompanhou Ayrton por toda a vida, principalmente em Angra, desistiu de vez da Agronomia e, inspirado pelas dezenas de horas de vôo ao lado de Senna, fez um curso de pilotagem profissional. Comandante de helicóptero desde 1994, Júnior montou uma pequena empresa de táxi aéreo, a America Air, e mantém um escritório na Helicidade, um heliporto privado compartilhado por várias empresas, às margens do rio Pinheiros, em São Paulo.

Em 2003, Júnior continuava morando no bairro do Tremembé, onde dividia uma casa com Renata, namoro de quatro anos, gerente de uma loja de artigos para *surf*, e Yankee, um cão da raça Labrador. Júnior detestava falar do estigma de homossexual que cresceu nos bastidores da Fórmula 1 depois das piadas e comentários de Alain Prost, Nélson Piquet e outros desafetos de Ayrton. E dava a impressão de ficar mais indignado com os danos que a história causou a Ayrton do que a ele mesmo. Guardava com raiva, na carteira, junto com os documentos pessoais, uma ponta de papel onde se lia apenas o nome do repórter da *Veja* a quem deu uma entrevista — cujo resultado foi um texto insinuante que dizia que Júnior aplicava massagens em Senna.

Dez anos depois, ele dizia não ter mais esperança de reverter o estigma que sempre voltava, quando o identificavam com o famoso amigo de Senna.

O jato da família Senna, o mesmo que Ayrton usara durante os quatro últimos anos de vida, partira de Londres com destino a Praga, na República Checa, no outono de 1996. A bordo, dona Neyde e Viviane. Um certo tempo depois da decolagem de Heathrow, já em altitude e velocidade de cruzeiro, o comandante Owen O'Mahony deixou a cabine de comando, aproximou-se da poltrona da mãe de Senna e deu a notícia:

— Dona Neyde, tenho de dizer à senhora que fui contratado como piloto *freelance* de Michael Schumacher.

Foi um choque.

Owen contou que os contatos haviam começado alguns anos antes, quando ele fora intermediário na venda de um jato Citation para Schumacher. E Michael, tempos depois, ao trocar o Citation por um Challenger, convidara Owen para ser seu piloto.

Dona Neyde acompanhava o relato, inconformada.

Ele continuou, contando que dissera a Michael que não aceitaria contrato integral e que sua prioridade era a família Senna. Mas Schumacher insistira e propusera que Owen fosse uma espécie de instrutor de seu jovem piloto. Tudo correra bem, sem conflito de interesses, até as vésperas do GP da Europa, que estava sendo disputado exatamente naquele final de semana, no circuito espanhol de Jerez de La Frontera. Uma viagem de Schumacher que coincidia com a de dona Neyde e Viviane para Praga.

Quando a mãe de Senna já começava a pensar que aquele seria seu último vôo com Owen, o veterano piloto inglês desfez o suspense. Contou que se negara a ficar em Jerez, à disposição de Schumacher, e que o alemão ficara furioso. Um imenso sorriso se abriu no rosto de dona Neyde quando Owen reproduziu o argumento final que dera a

Schumacher, antes de partir de Jerez para Londres para se encontrar com as duas:

— Eu te avisei que a família Senna era prioridade.

Dona Neyde não se conteve:

— Owen, eu te amo!

A alegria tinha razão de ser. Àquela época, Owen se tornara íntimo e companheiro de momentos difíceis, um deles particularmente muito triste. Em julho de 1994, dois meses depois da morte de Ayrton, ele levara dona Neyde e Viviane a Portugal, para que elas desmontassem a casa do Algarve. Passada uma década, Owen ainda tinha a foto que fez com as duas junto à escada do avião.

Três leves sorrisos que misturavam tristeza e resignação.

Dentro da casa, naquele dia, dona Neyde parecia ansiosa, à procura de algo que não encontrava. Juracy, que ajudava no empacotamento, percebeu e perguntou se podia fazer algo por ela. Na resposta, o tamanho da saudade:

— Estou procurando alguma roupa dele que não tenha sido lavada...

Juracy tinha o que dona Neyde procurava: um cardigã bege de lã grossa que Ayrton usara pouco antes de morrer.

Ao receber a roupa das mãos de Juracy, Neyde abraçou o casaco como se fosse gente e ficou cheirando até as lágrimas.

Mais tarde, na cozinha da casa, ela revelou um desejo:

— Juracy, só te digo uma coisa: quando eu morrer, assim que eu morrer, assim que eu terminar de morrer, quero correr tanto, mas tanto, que enquanto eu não encontrar o meu filho eu não paro...

Referências Bibliográficas

Além dos milhares de recortes, reportagens e entrevistas que foram a base do banco de dados para o livro e para a produção das entrevistas, o autor também analisou importantes referências audiovisuais, como os principais documentários feitos sobre Senna no Brasil e no exterior, incluindo programas especiais da BBC e da rede inglesa ITN, e a gravação de todos os grandes prêmios de Fórmula 1 disputados por Ayrton, entre 1984 e 1994.

Foram também consultadas as coleções da seção "Alta Rotação", da revista *Quatro Rodas*, da revista brasileira *Auto Esporte*, da italiana *Autosprint*, seções especializadas dos principais jornais ingleses, o *site* Gptotal, dirigido por Eduardo Correa, e os mais respeitados anuários automobilísticos publicados no Brasil e na Europa.

Livros:

BERGER, Gerhard. *Zielgerade.* Viena: Edition Autorevue, 1997.

CORREA, Eduardo. *Fórmula 1: Pela glória e pela pátria.* São Paulo: Globo, 1994.

DOODSON, Mike. *Nelson Piquet.* Richmond: Hazleton Publishing, 1991.

ENGEL, Lyle Kenyon. *The Complete Book of Auto Racing.* Nova York: Bantam Books, 1970.

FITTIPALDI, Emerson. *Uma Vida em Alta Velocidade.* Rio de Janeiro: Objetiva, 2003.

GALISTEU, Adriane. *Caminho das Borboletas.* (co-autor Nirlando Beirão). São Paulo: Caras, 1994.

HENRY, Alan. *Ayrton Senna: Portrait of a champion.* Richmond: Hazleton Publishing, 1988.

HILTON, Christopher. *Ayrton Senna: As time goes by.* Sparkford: Haynes Publishing, 1999.

HILTON, Christopher. *Inside the Mind of the Grand Prix Driver.* Sparkford: Haynes Publishing, 2001.

HILTON, Christopher. *The Hard Edge of a Genius.* Nova York: Thorsons, 1990.

HOTTEN, Russel. *Formula One: The people, money and profits that power the world's richest sport.* Londres: Orion Business Books, 1999.

JONES, Bruce (org.). *The Ultimate Encyclopaedia of Formula One*. Londres: Carlton/Hodder & Stoughton, 1997.

LEME, Reginaldo. *AutoMotor: Anuário de automobilismo 96/97*. São Paulo: Casa Editorial Ltda.

MANSELL, Nigel. *My Autobiography*. Londres: Collins Willow, 1995.

MARTINS, Lemyr. *Uma Estrela Chamada Senna*. São Paulo: Panda, 2001.

MATCHETT, Steve. *The Mechanic's Tale: Life in the pite-lanes of formula one*. 6a. ed. Londres: Orion, 2001.

PIZA. Daniel. *Ayrton Senna: O eleito*. Rio de Janeiro: Ediouro, 2003.

PRITCHARD, Anthony; DAVEY, Keith. *The Encyclopaedia of Motor Racing*. Nova York: David McKay Company, 1969.

ROEBUCK, Nigel. *Chasing the Title: Memorable moments from fifty years of Formula 1*. Sparkford: Haynes Publishing, 1999.

SANTOS, Francisco. *Ayrton Senna: Saudade*. São Paulo/Alges: Edipromo/Talento, 1999.

SANTOS, Francisco. *O Anuário Automobilístico*. São Paulo: Editora Três, 1986.

SCARDUELLI, Paulo. *Ayrton Senna: Herói da mídia*. São Paulo: Brasiliense, 1995.

STURM, Karim. *Ayrton Senna: Sua vitória, seu legado*. Rio de Janeiro: Record, 1994.

TREMAYNE, David. *Racers Apart: Memories of motorsport heroes*. Croydon: Motor Racing Publications Ltd., 1991.

TREMAYNE, David: *The Science of Safety: The battle against unacceptable risk in motor racing*. Somerset: Haynes Publishing, 2000.

WALKER, Murray. *My Autobiography: Unless I'm very much mistaken*. Londres: Collin Willow, 2002.

WATKINS, Sid. *Beyond the Limit*. Londres: Pan Books, 2002.

Jornais:

Folha de S. Paulo, 79 edições, de 27/4/92 a 23/4/95

Jornal do Brasil, 291 edições, de 14/9/88 a 9/9/2001

O Estado de S. Paulo, 267 edições, de 15/10/82 a 1/5/2000

O Globo, 491 edições, de 23/11/82 a 28/2/93

Além destes, foram consultados os seguintes jornais: *Daily Express*, *Daily Mail*, *Extra*, *Gazeta Esportiva*, *Jornal da Tarde*, *O Dia*, *The Guardian*, *The Independent* e *The Sun*.

Revistas:

Autosport, 50 edições, coleção de 1987 até 2003

Caras, quatro edições, de 29/4/94 a 27/5/94

Carweek, 11 de maio de 1994

Contigo, seis edições, de 10/5/94 a 30/11/99

Exame Vip, 22 de fevereiro de 1989

F1 Racing, três edições de 2003 a 2004

Grid, duas edições, de julho de 1988 a maio de 1994

IstoÉ Gente, 13 de novembro de 2000

Manchete, sete edições, de 28/10/87 a 6/5/95

Playboy, agosto de 1990

Quatro Rodas, oito edições, de fevereiro de 1961 a maio de 1995

Veja, três edições, de 7/4/93 a 8/5/94

INTERNET:

Coluna do *site* Warm Up, 9/5/2002 (Edgard Melo Filho)

Site Autosport

Site Gptotal

Entrevistados

Antes de planejar, produzir e realizar as mais de 200 entrevistas que formam a base jornalística deste livro, o autor montou o banco de dados a partir do qual foi possível definir, de forma bastante precisa, o papel e a importância de cada entrevistado, no que diz respeito à vida de Ayrton Senna. O objetivo era não apenas confirmar o que já se sabia, mas também revelar episódios e situações desconhecidas, explicar atitudes e gestos, cotejar relatos conflitantes, entender decisões e reconstituir momentos decisivos da vida de Senna sem depender de fontes e versões únicas ou unilaterais.

As entrevistas foram realizadas em São Paulo, no Rio e Belo Horizonte, no Brasil; em Bolonha, Roma e Ímola, na Itália; em Londres, Silverstone, Norfolk e Donnington Park, na Inglaterra; Sintra e Estoril, em Portugal; Tóquio e Sendai, no Japão.

Os principais entrevistados são:

Adilson de Almeida, Akiko Sato, Alain Baldacci, Alain Prost, Alberto Sabatini, Alex Dias Ribeiro, Alexandre Garcia, Alfredo Popesco, Amauri Soares, Américo Bertinni, Américo Jacoto Júnior, Ancelmo Góes, André Ranschburg, Anna Luisa Tosoni, Antonio Carlos de Almeida Braga, Antonio Melane, Arnon Affonso de Mello, Arquimedes Bertinni, Artur Bragantini, Barbara Gancia, Bernie Ecclestone, Beth Carvalho, Bob Dance, Bruce Jones, Capitan Owen O'Mahony, Carlos Augusto Montenegro, Cássio Mota, Celso Freitas, Celso Itiberê, César Seabra, Charles Marzanasco Filho, Charles Naccache, Chico Serra, Chris Dinnage, Christian Fittipaldi, Cléber Machado, Cleusa Aparecida Costa Rosa, Clive Chapman, Creighton Brown, Cristina Sala, Cristine Ferracciu, Damien Smith, Dennis Rushen, Derek Warwick, Dick Bennetts, Dora Bria, Edgard Mello Filho, Edgardo Martolio, Eduardo Correa, Eduardo Souto, Eduardo Souza Ramos, Eduardo Suplicy, Edvaldo Soares de Mello, Eloir Maciel, Emerson Fittipaldi, Fábio Altman,

Fabio de' Longhi, Fátima Bernardes, Fernando Assunção, Fernando Collor, Fiona Spence, Flavio Andrade, Flávio Gomes, Francesca Alliata Bronner, Francisco Cláudio Mattos, Franco Recanatesi, Galvão Bueno, Geneton Moraes Neto, Geraldo Rodrigues, Gerard Ducarouge, Gerhard Berger, Giorgio Piola, Giovanni Gordini, Giuliano Mazzoli, Gordon Murray, Hideaki Machida, Hiro Teramoto, Hirofumi Natsumo, Ingo Hoffmann, Jo Ramirez, João Máximo, John Hogan, Jorge de Souza, Jorge Peter, José Carlos Brunoro, José Dirceu, José Genoíno, José Luiz Galvão, José Vítor Oliva, Joseph Leberer, Joyce Pascowitch, Juca Kfouri, Julian Jakobi, Júlio Lopes, Jun Ikushima, Juracy Moreira dos Santos, Kawai Kazuhito, Keith Sutton, Leda Eber, Lelio Benetti, Leopoldo Canetoli, Lilian de Vasconcellos, Linamara Battistella, Lito Cavalcanti, Livio Oricchio, Lúcio Pascoal (Tchê), Luis Roberto, Luiz Furkim, Luiz Oswaldo Rodrigues, Luizinho Nascimento, Mair Pena Neto, Marcella Praddo (Edilaine Gonçalves), Marco Mora, Marcos Magalhães Pinto, Marcos Uchoa, Maria Assunção, Maria do Carmo Pacheco, Mario Andrada e Silva, Mario Sergio de Carvalho, Marjorie Andrade, Marli Azeredo, Martin Brundle, Martine Kindt Cohen, Martino Gaeta, Marzia Mais, Maurício de Souza, Maurício Magalhães, Maurizio Sandro Sala, Max Mosley, Michael Andretti, Michael Kranefuss, Michael Schumacher, Miguel Barros, Milton Alves, Milton Coelho da Graça, Mônica Alves, Nelson Loureiro, Nirlando Beirão, Nobuhiko Kawamoto, Nuno Cobra, Oni Arruda, Osamu Goto, Oscar Jager, Oscar Pedroso Horta Filho, Padre Amedeu, Paolo Liverani, Patrick Head, Paula Scarpato, Paulo Casseb, Paulo Maluf, Pedro Bial, Pedro Queiroz Pereira, Pelé, Peter Farfaras, Peter Vader, Peter Warr, Petrônio Corrêa Filho, Piero Gancia, Pipi Fangio, Raimundo Fagner, Raul Boesel, Reginaldo Bufaiçal, Reginaldo Leme, Renato Maurício Prado, Ricardo Amaral, Ricardo Pereira, Ricardo Valadares, Roberto Cabrini, Robinson Gaeta, Roger Henri, Romário de Souza Faria, Ron Dennis, Rosane Cobra, Rubens Barrichello, Ruth de Aquino, Satoru Nakajima, Sérgio Andrade, Sergio Gilz, Sérgio Rodrigues, Sid Mosca, Silvio Potengi, Sonia Ito, Stefano Arnhold, Takeo Kiuchi, Tatsuya Hiraishi, Tereza Brown, Tony Kanaan, Ubirajara Guimarães, Vera Biojone, Vera Lúcia Vieira Lima Canux, Vera Peres, Vicente Senna, Virgínia Bertinni, Wagner Gonzales, Walderez Zanetti Aranega, Walter Moreira Salles, Washington Olivetto, William Bonner, William Waack, Wilson Leite Passos, Xandinho Negrão, Xitãozinho e Xororó, Yoshitoshi Sakurai e Zico.

Créditos das Imagens

Todos os esforços foram feitos no sentido de identificar as pessoas que aparecem nas fotos deste livro. Se, porventura, ocorrer alguma omissão quanto a créditos, os direitos encontram-se reservados aos seus titulares.

- Acervo Cristine Ferraciu (págs. 352, 385)
- Acervo Emerson Fittipaldi (pág. 441)
- Acervo Lúcio Pascoal (págs. 6, 29, 42, 381)
- Arquivo Dppi (págs. 208, 219, 252, 299, 309, 465, 491)
- Arquivo Getty Images (págs. 2, 6, 9, 14, 147, 189, 217, 345, 347, 419, 495, 509, 519, 527, 533)
- Arquivo Sutton Images/ Keith Sutton (págs. 19, 21, 57, 67, 80, 109, 496)
- Foto de Arquivo / Agência O Globo (págs. 91, 115)
- Foto de Egberto Nogueira / Conteúdo Expresso (págs. 572, 582)
- Foto de Fernando Maia / Agência O Globo (pág. 578)
- Foto de Lemyr Martins / Conteúdo Expresso (pág. 158, 252)
- Foto de Pedro Martinelli / Conteúdo Expresso (pág.121)
- Foto de Sérgio Berezovisk / Conteúdo Expresso (pág. 44, 169)
- Foto de Silvio Corrêa / Agência O Globo (pág. 197)
- Jorge Araujo / Folha Imagem (pág. 460)
- Le Segretain Pascal / Corbis Sygma (pág. 506)
- Luiz Prado / AE (pág. 362)
- Piazzoli Alberto / CorbisSygma (pág. 534)
- TempSport / Corbis (pág. 270)

Legendas das Fotos de Abertura

- Cap. 1, pág. 19 — 1964. No *kart* construído pelo pai, o menino agitado que a família chamava de Beco fez a travessia das brincadeiras de infância para o sonho da velocidade.
- Cap. 3, pág. 91 — Ayrton lança um modelo esportivo da Ford no Brasil. Desde o início da car-

reira, ele sabia que, sem *marketing* e verba de patrocínio, nenhum talento sobreviveria na Fórmula 1.

• CAP. 4, PÁG. 121 — Janeiro de 1986. Ayrton no *cockpit* da Lotus-Renault.

• CAP. 6, PÁG. 219 — A estréia na McLaren-Honda inaugura um período de vitórias na pista e problemas fora dela. Nesta foto, Ayrton em Budapeste, 1989.

• CAP. 8, PÁG. 309 — Da falta de motivação ao revide. Em 1990, Ayrton foi para a pista como um guerreiro ferido, inconformado com a perseguição política que lhe foi movida por Jean-Marie Balestre.

• CAP. 12, PÁG. 495 — Uma conversa difícil com técnicos da Williams, no Brasil, março de 94.

• CAP. 13, PÁG. 527 — Japão, 17 de abril de 1994. Senna não precisou de muito tempo para perceber que a Williams, sem a ajuda eletrônica, estava longe de ser o carro perfeito dos tempos de Mansell e Prost.

A Carreira de Ayrton Senna em Números

1984

Nome do GP	Grid de largada	Final
GP do Brasil	16º	A
GP da África do Sul	13º	6
GP da Bélgica	19º	6
GP de San Marino		NC
GP da França	13º	A
GP de Mônaco	13º	2
GP do Canadá	9º	7
GP de Detroit	7º	A
GP de Dallas	6º	Ac
GP da Inglaterra	7º	3
GP da Alemanha	9º	Ac
GP da Áustria	10º	A
GP da Holanda	13º	A
GP da Itália		NP
GP da Europa	12º	Ac
GP de Portugal	3º	3

Classificação – 9º lugar (13 pontos)

1985

Nome do GP	Grid de largada	Final
GP do Brasil	4º	A
GP de Portugal	1º	1
GP de San Marino	1º	7
GP de Mônaco	1º	A
GP do Canadá	2º	16
GP de Detroit	1º	Ac
GP da França	2º	Ac
GP da Inglaterra	4º	1
GP da Alemanha	5º	A
GP da Áustria	14º	2
GP da Holanda	4º	3
GP da Itália	1º	3
GP da Bélgica	2º	1
GP da Europa	1º	2
GP da África do Sul	4º	A
GP da Austrália	1º	A

Classificação – 4º lugar (38 pontos)

1986

Nome do GP	Grid de largada	Final
GP do Brasil	1º	2
GP da Espanha	1º	1
GP de San Marino	1º	A
GP de Mônaco	3º	3
GP da Bélgica	4º	2
GP do Canadá	2º	5
GP de Detroit	1º	1
GP da França	1º	Ac
GP da Inglaterra	3º	A
GP da Alemanha	3º	2
GP da Hungria	1º	2
GP da Áustria	8º	A
GP da Itália	5º	A
GP de Portugal	1º	4
GP do México	1º	3
GP da Austrália	3º	A

Classificação – 4º lugar (55 pontos)

1987

Nome do GP	Grid de largada	Final
GP do Brasil	3º	A
GP de San Marino	1º	2
GP da Bélgica	3º	Ac
GP de Mônaco	2º	1
GP de Detroit	2º	1
GP da França	3º	4
GP da Inglaterra	3º	3
GP da Alemanha	2º	3
GP da Hungria	6º	2
GP da Áustria	7º	5
GP da Itália	4º	2
GP de Portugal	5º	7
GP da Espanha	5º	5
GP do México	7º	A
GP do Japão	7º	2
GP da Austrália	4º	D

Classificação – 3º lugar (57 pontos)

1988

Nome do GP	Grid de largada	Final
GP do Brasil	1º	D
GP de San Marino	1º	1
GP de Mônaco	1º	Ac
GP do México	1º	2
GP do Canadá	1º	1
GP de Detroit	1º	1
GP da França	2º	2
GP da Inglaterra	3º	1
GP da Alemanha	1º	1
GP da Hungria	1º	1
GP da Bélgica	1º	1
GP da Itália	1º	10
GP de Portugal	2º	6
GP da Espanha	1º	4
GP do Japão	1º	1
GP da Austrália	1º	2

CLASSIFICAÇÃO – CAMPEÃO (94 PONTOS)

1989

Nome do GP	Grid de largada	Final
GP do Brasil	1º	11
GP de San Marino	1º	1
GP de Mônaco	1º	1
GP do México	1º	1
GP dos Estados Unidos	1º	A
GP do Canadá	2º	7
GP da França	2º	A
GP da Inglaterra	1º	Ac
GP da Alemanha	1º	1
GP da Hungria	2º	2
GP da Bélgica	1º	1
GP da Itália	1º	A
GP de Portugal	1º	Ac
GP da Espanha	1º	1
GP do Japão	1º	D
GP da Austrália	1º	Ac

CLASSIFICAÇÃO – VICE-CAMPEÃO (60 PONTOS)

1990

Nome do GP	Grid de largada	Final
GP dos Estados Unidos	5º	1
GP do Brasil	1º	3
GP de San Marino	1º	A
GP de Mônaco	1º	1
GP do Canadá	1º	1
GP do México	3º	20
GP da França	3º	3
GP da Inglaterra	2º	3
GP da Alemanha	1º	1
GP da Hungria	4º	2
GP da Bélgica	1º	1
GP da Itália	1º	1
GP de Portugal	3º	2
GP da Espanha	1º	A
GP do Japão	1º	Ac
GP da Austrália	1º	A

CLASSIFICAÇAO – CAMPEÃO (78 PONTOS)

1991

Nome do GP	Grid de largada	Final
GP dos Estados Unidos	1º	1
GP do Brasil	1º	1
GP de San Marino	1º	1
GP de Mônaco	1º	1
GP do Canadá	3º	A
GP do México	3º	3
GP da França	3º	3
GP da Inglaterra	2º	4
GP da Alemanha	2º	7
GP da Hungria	1º	1
GP da Bélgica	1º	1
GP da Itália	1º	2
GP de Portugal	3º	2
GP da Espanha	3º	5
GP do Japão	2º	2
GP da Austrália	1º	1

CLASSIFICAÇAO – CAMPEÃO (96 PONTOS)

1992

Nome do GP	Grid de largada	Final
GP da África do Sul	2º	3
GP do México	6º	A
GP do Brasil	3º	A
GP da Espanha	3º	9
GP de San Marino	3º	3
GP de Mônaco	3º	1
GP do Canadá	1º	A
GP da França	3º	Ac
GP da Inglaterra	3º	A
GP da Alemanha	3º	2
GP da Hungria	3º	1
GP da Bélgica	2º	5
GP da Itália	2º	1
GP de Portugal	3º	3
GP do Japão	3º	A
GP da Austrália	2º	Ac

CLASSIFICAÇÃO – 4º LUGAR (50 PONTOS)

1993

Nome do GP	Grid de largada	Final
GP da África do Sul	2º	2
GP do Brasil	3º	1
GP da Europa	4º	1
GP de San Marino	4º	A
GP da Espanha	3º	2
GP de Mônaco	3º	1
GP do Canadá	8º	18
GP da França	5º	4
GP da Inglaterra	4º	5
GP da Alemanha	4º	4
GP da Hungria	4º	A
GP da Bélgica	5º	4
GP da Itália	4º	Ac
GP de Portugal	4º	A
GP do Japão	2º	1
GP da Austrália	1º	1

CLASSIFICAÇÃO – VICE-CAMPEÃO (73 PONTOS)

1994

Nome do GP	Grid de largada	Final
GP do Brasil	1º	Ac
GP do Pacifico	1º	Ac
GP de San Marino	1º	Ac*

* MORTO EM ACIDENTE.

OS NÚMEROS DE SENNA

- Corridas: 161
- Vitórias: 41
- *Poles*: 65
- Número de pontos: 614
- Voltas mais rápidas: 19
- Corridas que liderou: 86
- Número de voltas: 8.219
- Número de voltas na liderança: 2.986

Notas: A = abandonou; D = desclassificado; NP = não participou; NC = não se classificou; Ac = acidente.

Índice Remissivo

PAPEL CHAMOIS-FINE alcalino

Este livro foi impresso em papel Chamois Fine Dunas 80g/m²,
da Ripasa S/A, fabricado em harmonia com o meio ambiente.

Impressão e Acabamento

GEOGRÁFICA editora